Plantes vivaces

Guide pratique
Répertoire illustré

La Maison des Fleurs Vivaces

Dépot légal: 2e trimestre 1999
Bibliothèque Nationale du Québec
Bibliothèque Nationale du Canada
ISBN 2-9806292-00
Imprimé au Canada

La Maison des Fleurs Vivaces
807 boulevard Sauvé, C.P. 268
St-Eustache (Québec) Canada
J7R 4K6

Production:
Placements Publicitaires René Patry inc.

Dessin de la page couverture:
Hosta

AVANT-PROPOS

Voici la première édition d'un guide et répertoire exclusivement consacré aux plantes vivaces et aux nouveaux cultivars sélectionnés pour les années 2000. Conçu par La Maison des Fleurs Vivaces, qui fête son 15e anniversaire, et en collaboration avec Fleurs Rustiques Inc., il regroupe non seulement les variétés d'aujourd'hui et de demain, mais aussi celles d'hier qui ont immortalisé les jardins de nos grands-parents. Cet outil indispensable s'adresse à tous les amateurs qui recherchent la diversité et la pérennité des vivaces et qui voudront approfondir leurs connaissances. Les professionnels, également, y trouveront sûrement des données pertinentes. Notre but ultime: faire naître ou maintenir l'intérêt de chacun en élargissant le choix et l'utilisation des vivaces offertes en culture en Amérique du Nord.

Simple et facile à consulter, cet ouvrage condensé recense plus de 2800 vivaces présentées en ordre alphabétique, 500 dessins précis et descriptifs de variétés méconnues ainsi que des sections spécialisées consacrées aux plantes indigènes, aux graminées, aux fougères, aux hostas et aux fines herbes. Vous découvrirez aussi des espèces à fleurs odorantes, des plantes médicinales, celles entrant dans la composition de bouquets et nos coups de cœur, qui sont d'un intérêt particulier. Une carte climatique vous indique les zones de rusticité dont il sera question pour la plupart des vivaces. Aussi, un glossaire présenté à la fin de l'ouvrage facilite la compréhension de certains termes. Notez que nous avons peu abordé le sujet des insectes et des maladies étant donné l'ampleur de ces thèmes. Référez-vous plutôt aux regroupements spécialisés dont les adresses figurent sous la mention fédérations et organismes.

En plus de se baser sur leurs propres expériences, les auteurs ont amassé une mine de renseignements dans diverses publications et auprès de producteurs et d'horticulteurs canadiens qui ont bien voulu partager leurs observations. Ce guide s'appuie donc sur des études récentes qui vous aideront à comprendre le cycle de croissance de ces plantes et à les apprécier non seulement pour leurs fleurs ou feuillages décoratifs mais aussi pour leurs propriétés médicinales ou culinaires, selon le cas. De plus, retenez que la plupart des variétés présentées sont commercialisées ou en voie de l'être.

C'est donc avec fierté que nous vous proposons le Guide pratique et répertoire des plantes vivaces, votre guide horticole pour les années 2000! Nous espérons qu'il devienne votre outil de référence par excellence et qu'il comblera votre envie d'observer, de connaître et d'apprécier un peu plus chaque jour les plantes vivaces.

Vos horticulteurs passionnés,
Michel Corbeil et Louisette Laramée

Table des matières

INTRODUCTION

Qu'est-ce qu'une vivace?

Comme son nom l'indique, une vivace recommence son cycle de croissance chaque année; cela grâce à sa résistance au froid, d'où la désignation "rustique" pour certaines. Contrairement aux annuelles, qui meurent dès les premiers gels, elles retournent aux racines leurs réserves nécessaires pour l'hiver et pointent au printemps. Cette période de dormance est essentielle pour assurer une floraison. Leur cycle de vie (de la semence à la fructification) peut être de quelques mois ou échelonné sur plusieurs années. On retrouve les vivaces à durée éphémère, très florifères et productives mais s'épuisant rapidement, ainsi que les bisannuelles. Par définition, ces dernières accomplissent leur cycle vital sur deux ans mais lorsque cultivées en serre, elles peuvent fleurir dès la première année. Parmi les vivaces, considérons également les plantes à bulbe rustique (ex. le lis) qui seront spécifiées dans ce guide.

Les vivaces se divisent en trois grandes catégories: les herbacées (qui ont la consistance molle de l'herbe, ex. iris); les semi-ligneuses (dont la tige durcit un peu comme du bois, ex. lavande); et les ligneuses (arbres et arbustes). Dans chacun de ces groupes, elles sont soient à feuilles caduques, soit à feuilles persistantes.

La petite histoire des vivaces

Les vivaces sont originaires des régions nordiques, montagneuses ou tempérées. Différents continents ont été de grands producteurs d'espèces ornementales. L'Europe a fournit, entre autres, les œillets; l'Asie, les pivoines; l'Amérique du Nord (particulièrement le Canada), les lupins et les asters.

Le développement de la culture des vivaces a connu son essor non seulement grâce aux botanistes, mais aussi par le biais de médecins qui se sont intéressés à certaines de ces plantes pour leurs propriétés curatives, appliquées à l'humain.

Les premiers jardins de vivaces ont pris forme en Suisse vers 1800 et quelques années plus tard en Angleterre. À cette époque, les explorateurs rapportaient des plantes de toutes provenances qui, à force de croisements spontanés, ont donné naissance aux premiers hybrides naturels. Se sont amenés ensuite les collectionneurs de semences, qui ont élaboré des jardins et vendu leurs "trésors prospères" à des individus et à des firmes.

De 1880 à 1939, les généticiens améliorent les différents caractères des espèces en créant des hybrides. Cette époque marque une grande révolution dans le domaine des plantes vivaces. Tout est tenté, tout est possible. Les delphiniums et les pivoines, notamment, ont été grandement améliorées. Mais la noirceur de la Seconde Guerre mondiale entraîne une période creuse à ce chapitre. Le développement des plantes annuelles prend alors le dessus: leur croissance rapide et moins coûteuse facilite la recherche, et les résultats immédiats sont des plus révélateurs. On voit aussi apparaître des nouvelles gammes de couleurs, ce qui semble tomber à point en cette époque difficile.

Après la guerre, seulement quelques pays, dont le Canada et les États-Unis, poursuivent leurs recherches sur les plantes vivaces. L'évolution des espèces et des variétés devient alors flagrante grâce à la collaboration de sociétés horticoles et de certains amateurs. L'Amérique du Nord compte sur son territoire de plus en plus de sociétés qui produisent des vivaces ou qui s'y intéressent. C'est le cas de la ferme expérimentale de Morden au Manitoba, du jardin botanique de Hamilton et, au Québec, de la firme Norseco (anciennement WH Perron). Cette dernière a introduit un grand nombre de végétaux parmi lesquels on retrouve des vivaces dont plusieurs portent la mention enregistrée C.O.P.F. figurant à quelques reprises dans ce guide.

Le développement des vivaces et de leurs hybrides est un secteur relativement jeune au Québec. C'est pourquoi l'intérêt des québécois pour ces plantes s'est fait sentir il y a seulement dix ou quinze ans, soit au moment où leur culture devenait plus répandue (meilleur choix) et où les soins à leur apporter étaient plus précis. Dans la même foulée, les jardins publics ont intégré davantage de vivaces à leurs aménagements, les faisant ainsi mieux connaître auprès des amateurs (voir les adresses des jardins à visiter p. 494).

Remarque: Étant donné que nous nous sommes grandement inspirés de publications européennes et américaines pour la rédaction de ce guide, certaines indications peuvent sembler biaisées par rapport à la culture des vivaces au Québec. Néanmoins, nous avons essayé de conformer le tout selon notre expérience et de vous présenter la réalité.

La rusticité

La rusticité se définit comme étant la capacité qu'ont certains végétaux à résister aux températures moyennes minimales d'un milieu. Elle varie selon les régions (voir la carte de rusticité, p. 9). Les plantes les plus anciennement cultivées ont une cote de rusticité précise; celle des espèces et des hybrides récents, par contre, l'est moins. Mais cette donnée, bien qu'indispensable dans la planification d'un aménagement, n'a rien d'absolu. On se surprendra même de résultats heureux, malgré une cote préalablement établie. En effet, il y a quelques années nous disions de certaines vivaces qu'elles étaient trop jolies pour vivre sous notre climat québécois. Heureusement, notre curiosité nous a poussés à faire des tentatives, et ces plantes sont maintenant offertes sur le marché.

ZONE DE RUSTICITÉ

ÉTABLISSEMENT DE LA ZONE DE RUSTICITÉ PAR RAPPORT AUX TEMPÉRATURES HIVERNALES MINIMALES

ZONE ET TEMPÉRATURE MINIMALE EN CELSIUS

1	Au dessous		-45	**5a**	-29	à	-26	**8b**	-9	à	-7
2a	-46	à	-43	**5b**	-26	à	-23	**9a**	-7	à	-3
2b	-43	à	-40	**6a**	-23	à	-21	**9b**	-3	à	-1
3a	-40	à	-37	**6b**	-21	à	-18	**10a**	-1	à	+2
3b	-37	à	-34	**7a**	-18	à	-15	**10b**	+2	à	+4
4a	-34	à	-32	**7b**	-15	à	-12				
4b	-32	à	-29	**8a**	-12	à	-9				

ZONE DE RUSTICITÉ POUR DIFFÉRENTES RÉGIONS

Alma	**3a**	Gaspé	**4a**	Montréal	**5b**	St-Jovite	**3a**
Amqui	**4a**	Granby	**4b**	Mont St-Hilaire	**5a**	Saint-Jérôme	**4b**
Beaconsfield	**5b**	Hemmingford	**5b**	Nicolet	**4b**	Shawinigan	**4a**
Beloeil	**5b**	Hull	**5a**	Oka	**5a**	Sherbrooke	**4b**
Berthierville	**5a**	Joliette	**5a**	Ottawa	**5a**	Sorel	**5a**
Boucherville	**5b**	Jonquière	**3a**	Pierrefond	**5b**	Terrebonne	**5a**
Bromont	**4b**	Lachute	**4b**	Québec	**4b**	Trois-Rivière	**4b**
Brossard	**5b**	Lac-Mégantic	**4a**	Rawdon	**4b**	Val-d'Or	**2a**
Candiac	**5b**	La Tuque	**3b**	Répentigny	**5a**	Valleyfield	**5a**
Chambly	**5a**	Laval	**5a**	Rimouski	**4a**	Varennes	**5a**
Chateauguay	**5b**	Lennoxville	**4b**	Rivière-du-loup	**4a**	Verdun	**5b**
Chicoutimi	**3a**	Longueuil	**5b**	Roberval	**3a**	Victoriaville	**4b**
Cowansville	**4b**	Magog	**4b**	Rougemont	**5a**	Waterloo	**4b**
Dorval	**5b**	Mascouche	**5a**	Rouyn	**2a**		
Drummondville	**5a**	Matane	**4a**	St-Hyacinthe	**4b**		

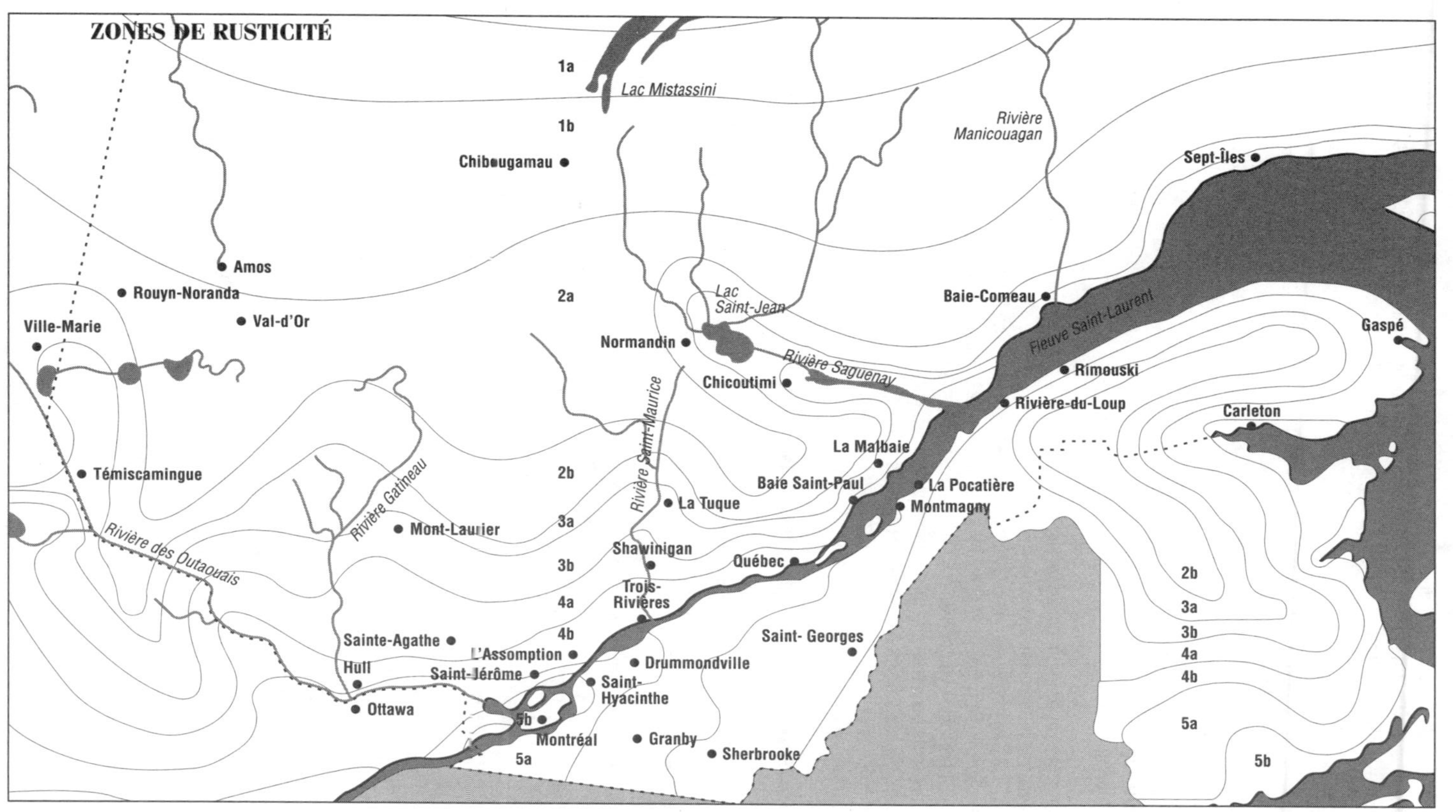
ZONES DE RUSTICITÉ
1a
Lac Mistassini
1b
Rivière Manicouagan
Chibougamau
Sept-Îles
Amos
Rouyn-Noranda
Val-d'Or
2a
Ville-Marie
Lac Saint-Jean
Baie-Comeau
Fleuve Saint-Laurent
Gaspé
Normandin
Rivière Saguenay
Chicoutimi
Rimouski
Rivière-du-Loup
Carleton
Rivière Saint-Maurice
La Malbaie
Témiscamingue
2b
Rivière Gatineau
Baie Saint-Paul
La Pocatière
La Tuque
Montmagny
Mont-Laurier
3a
Rivière des Outaouais
Shawinigan
Québec
3b
2b
Trois-Rivières
4a
3a
3b
Sainte-Agathe
4b
Saint- Georges
L'Assomption
4a
Drummondville
Hull
Saint-Jérôme
4b
Saint-Hyacinthe
Ottawa
5b
5a
Montréal
Granby
Sherbrooke
5a
5b

Cette liste se veut un outil de référence général. Elle est établie à partir des températures minimales. D'autres facteurs doivent être pris en considération, quant à la vivacité des plantes, par exemple le couvert de neige, la proximité d'un cours d'eau.

Voici trois cas où la rusticité peut être influencée:

Vivaces à feuillage caduc: Leurs tiges ne sont pas en dormance, comme dans le cas des arbres, mais bel et bien mortes. C'est plutôt grâce à leurs bourgeons enfouis dans la terre, donc bien protégés sous la couche de neige durant l'hiver, qu'elles seraient plus résistantes. Toutefois, si le sol est mal drainé, les plantes peuvent être sérieusement affectées.

Vivaces à feuillage persistant: Leur résistance est comparable à celle des conifères. Elles ont plus de difficulté à s'adapter à la sécheresse qu'au froid. Par contre, si elles ne sont pas protégées durant l'hiver, leur feuillage risque de brûler ou de se détériorer, ce qui pourrait nuire à leur floraison.

Plantes alpines: Ces plantes d'altitude sont adaptées aux rigueurs climatiques. Ce n'est donc pas le froid qui cause leur dépérissement, mais bien d'autres facteurs (ex. le sol) qui n'ont aucun lien avec leur rusticité.

Dans ce guide, nous avons inscrit les zones de rusticité reconnues. Mais comme nos vivaces n'ont pas toutes fait l'objet d'essais en ce domaine, vous pouvez tenter d'en faire pousser hors zone. Vous serez peut-être agréablement surpris! La curiosité mène parfois à d'étonnantes découvertes qui, plus tard, s'avèrent profitables à tous. À titre d'exemple, on a remarqué que certaines plantes comme les primulas, zone 5, croissent mieux dans la région de Québec que de Montréal parce que les températures printanières et estivales y sont moins élevées et la couverture de neige, plus importante.

Facteurs à considérer pour repousser les limites de la rusticité

- La latitude et l'altitude d'origine de la vivace.
- La proximité d'une grande étendue d'eau; ce qui peut faire varier les températures.

D'autres facteurs peuvent influencer la rusticité: le type de sol, une accumulation d'eau sur les racines, une fertilisation tardive et, très important, la couverture de neige. En effet, cette dernière constitue le meilleur isolant pour les vivaces. Il est donc préférable de choisir un site de plantation qui bénéficie d'une quantité de neige suffisante. S'il y en a peu, utilisez des protections naturelles comme un paillis de feuilles mortes, du compost, de la mousse de tourbe ou des branches de conifères qui maintiendront la température du sol relativement stable.

Sinon une toile géotextile isolante est recommandée. Ainsi, vos plants seront à l'abri des vents dominants et des écarts de température qui créent une alternance de gel et de dégel risquant de les affecter.

À retenir

Toutes les vivaces ne sont pas rustiques. Certaines poussant normalement dans d'autres climats ne tolèrent pas nos hivers rigoureux, tandis que d'autres s'épuisent après deux ou trois ans. Par ailleurs, quelques espèces peuvent survivre mais sans fleurir; elles ne seront donc pas ornementales. Mais rassurez-vous, bon nombre de vivaces ont d'incroyables capacités à s'adapter à des températures extrêmes.

Remarque: Les cotes de rusticité figurant dans ce guide ont été établies suite à un sondage effectué auprès de vos horticulteurs, de jardins botaniques, de centres de recherche et de sociétés horticoles de partout au Québec

ÉTUDE DES ZONES DE RUSTICITÉ EN COLLABORATION AVEC MARIE-CLAUDE LIMOGE, DE L' I.Q.D.H.O.

	Zone			
Fermont	1	Qc	Ville de Fermont	Francine Marcoux
Gardens North		Ont.	Kristl Walek	
Mont-Joly	4	Qc	Jardins de Métis	Patricia Gallant
Montréal	5b	Qc	Jardin Botanique de Montréal	Michel-André Otis
Morden		Man.	Campbell Davidson	
Québec	4b	Qc	Commission des Champs de bataille	Maryse Pineault
Saint-Gédéon	3a	Qc	Pépinière Belle Rivière	Nicol Côté
Saint-Jacques	4	N.-B.	Société du Jardin Botanique du Nouveau-Brunswick	
Saint-Jean Port Joli	4a	Qc	Claudette Bourgeault	
Saint-Jérôme	4b	Qc	Société d'horticulture de Saint-Jérôme	Michèle Marquis
Saint-Lucien	4b	Qc	Ferme Coop St-Lucien	Normand Francoeur
Sainte-Foy	4b	Qc	Association des Petits Jardins	Roch Giguère
Sainte-Foy	4b	Qc	Jardin Roger-Van Den Hende de l'Université Laval	Jacques Allard
Sept-Iles	3a	Qc	Société d'horticulture de Sept-Iles	André Carl Landry
Val-Bélair	4b	Qc	Pépinière Les Introuvables	

Le choix des vivaces et leurs utilisations

Entre les hostas, iris, chrysanthèmes, campanules et les autres, vous ne savez que sélectionner? Et si l'on vous proposait d'intégrer à votre décor quelques fougères, graminées ou fines herbes... quelles seraient vos préférences? Difficile d'arrêter son choix n'est-ce pas? Car les variétés de vivaces sont si nombreuses et leurs possibilités d'intégration si élargies qu'il devient facile de créer un environnement harmonieux et à son image. En horticulture, nous avons l'habitude de dire que pour chaque situation ou site, il y a une vivace à intégrer! Finie l'époque où on les considérait strictement comme des plantes de rocaille, que l'on faisait pousser parmi quelques pierres... En fait, le danger est d'en mettre plus que nécessaire; une composition de vivaces doit être ordonnée et variée pour être intéressante.

Dans la conception d'un aménagement paysager, il est primordial de savoir marier les textures, les formes ainsi que les couleurs des feuillages et des fleurs. C'est pourquoi l'achat de vivaces n'est pas seulement une affaire de goût, cela requiert d'abord un questionnement par rapport à des critères bien précis.

Les plantes médicinales

La connaissance des plantes médicinales a beaucoup évolué récemment. C'est pourquoi nous avons comme objectif de vous faire découvrir leurs usages thérapeutique et, bien sûr, ornemental. Nul besoin d'aller les puiser dans les bois et les fôrets. Vous touverez dans nos pages un large éventail d'espèces communes dont la plupart sont offertes chez les marchands et les horticulteurs (nous avons identifié les plantes médicinales par le pictogramme ☺ qui permet de vous y référer rapidement). En compresse, en infusion ou ajoutées à l'eau du bain, elles apaisent le corps et l'esprit. Notez toutefois que certaines d'entre elles risquent de ne pas vous convenir; il vaut mieux vérifier auprès des herboristes leur dosage et leurs effets secondaires.

Les plantes alpines

Communément appelées "plantes de hautes montages", elles se sont adaptées à des conditions climatiques particulièrement rudes telles que des températures très basses, des vents violents, une forte insolation, une humidité importante et un enneigement considérable.

Généralement de plus petite taille que les autres vivaces, les plantes alpines sont reconnaissables à leur port compact, en coussinets, à leur enracinement très développé qui les ancre solidement, et à leur feuillage cireux ou pubescent. Comme elles bénéficient d'une brève saison estivale, elles ont un cycle de végétation très court et rapide. Elles fleurissent en peu de temps, créant une véritable explosion de couleurs vives qui attirent les insectes contribuant à leur pollinisation.

Les plantes alpines à travers le monde sont réparties en 33 familles botaniques dont la moitié peuvent s'adapter en Amérique du Nord. Asteracées, Brassicacées, Campanulacées, Caryophyllacées, Crassulacées, Dipsacacées, Gentiarlacées, Onagracées, Papaveracées, Portulacacées, Primulacées, Renonculacées, Rosacées, Scrophulariacées, Violacées.

L'exposition

On compte de plus en plus d'espèces et de cultivars de plantes vivaces. Il en existe pour tous les emplacements, qu'ils soient ombragés, semi-ombragés ou ensoleillés. Avant toute chose, il est important de bien connaître l'exposition du coin à aménager afin de sélectionner les végétaux pouvant le mieux s'y développer. Dans ce guide, nous avons établi la charte suivante:

plus de 8 heures d'ensoleillement par jour

minimum de 4 heures d'ensoleillement par jour

moins de 2 heures d'ensoleillement par jour

Le sol

Le type de sol influencera la capacité d'adaptation d'une plante à son nouveau milieu. Vérifiez si vos plants conviennent à un sol argileux ou lourd, sablonneux ou léger. Considérez aussi leurs exigences quant au drainage et au pH (acide, neutre ou alcalin).

L'espacement

Il est inutile de planter les vivaces trop rapprochées. Comme nous, elles ont besoin d'espace pour s'épanouir. La superficie du lieu d'introduction doit donc tenir compte de l'espacement minimum entre chacune et de leurs dimensions à maturité. Notez que dans ce guide la hauteur inclut la fleur et n'est donc valable que pendant la période de floraison. Le port de la plante occupera lui aussi plus ou moins d'espace, selon qu'il s'agisse d'une espèce érigée, évasée, rampante, couvre-sol, de type buisson, etc. Portez une attention particulière aux vivaces dont les racines ou les semences sont envahissantes et avec lesquelles il vaudrait mieux former des îlots uniques.

Le type de plante

Dans la planification de votre jardin, il est bon de connaître les types de feuillage.

Vivaces à feuillage persistant: Elles conservent un beau feuillage en toute saison. Ce sont généralement des plantes couvre-sol à floraison hâtive qui garnissent bien un aménagement. **N.B.** Dans ce guide, nous ne mentionnons que feuillage persistant ou semi-persistant; sinon, il s'agit par défaut d'un feuillage caduc.

Vivaces à feuillage caduc: Comme les érables, elles perdent leurs feuilles et vivent une période de dormance, créant un effet terne à l'automne. La présence de ces plantes est souhaitable car leurs feuilles mortes servent de protection naturelle pour l'hiver. La plupart sont de hauteur moyenne ou élevée et ont une floraison mi-hâtive à tardive. Leurs ports variés sont intéressants.

Vivaces à feuillage décoratif: Elles fleurissent peu. Malgré tout, leur intérêt réside dans leur feuillage, persistant ou caduc. Utilisez ces plantes avec parcimonie car elles présentent la même gamme de coloris (gris, bleu, vert/blanc...), ce qui risque d'altérer l'aspect naturel de vos parterres. Sélectionnez quelques spécimens qui créeront un lien esthétique avec les éléments environnants tels que les arbres, les fleurs et la teinte de votre maison. Leur principal atout est de posséder un beau feuillage qui enlève la monotonie entre deux périodes de floraison.

L'époque de floraison

La nature étant en mutation depuis quelques années, il est difficile d'établir pour chaque vivace une période de floraison précise. Dans nos pages, nous avons mentionné les mois où elle se produit normalement, mais cela dépend grandement des conditions climatiques. À titre d'exemple, l'indication d'une floraison **"juin-juillet"** signifie qu'elle peut débuter en juin ou en juillet ou bien chevaucher les deux mois. En revanche, la mention **"juin à août"** désigne une floraison prolongée. À noter également les floraisons remontantes qui s'effectuent naturellement ou suite à une première taille.

La forme et la couleur de la fleur

Si vous achetez une vivace sans en connaître les caractéristiques particulières, vous risquez d'obtenir un effet non désiré. Voilà pourquoi il est bon de savoir à quelle famille elle appartient afin d'obtenir des spécificités sur sa forme florale, ses fruits, sa culture, etc. Par exemple, les espèces qui appartiennent à la famille des Rosacées ont toutes le même nombre d'éléments botaniques (étamines, pétales, sépales) et surtout, des fruits comparables. Les vivaces de la famille des Astéracées ont des fleurs qui ressemblent à des marguerites; celles des campanulacées se distinguent par leurs petites cloches pendantes ou dressées. Il existe plusieurs types d'inflorescence (cyme, corymbe, panicule, etc.) tous plus attrayants les uns que les autres.

En plus de considérer la forme des fleurs, attardez-vous à leurs coloris, un aspect incitatif dans le choix des vivaces. L'avantage d'en sélectionner une bonne variété réside dans le fait qu'elles fleuriront à différentes périodes de l'été, contrairement aux annuelles. Ainsi, vous verrez votre jardin changer de couleurs de mai à octobre. Et avec la floraison de vos arbres et arbustes, l'ensemble sera encore plus joli.

N.B. Nous ne déconseillons pas l'utilisation de plantes annuelles dont la force est de présenter de belles fleurs tout l'été durant. Nous proposons plutôt de les intégrer aux vivaces en l'absence de feuillages décoratifs ou pour assurer une uniformité des teintes.

La texture et la couleur du feuillage

Souvent ignoré pour son manque d'intérêt ornemental, le feuillage est pourtant un élément important dans un aménagement paysager. De plus, il persiste en éclat et en beauté plus longtemps que les fleurs. C'est pourquoi vous devriez en tenir compte dans vos choix. Vous remarquerez des feuillages grossiers, délicats, glabres, pubescents qu'il est possible de combiner à d'autres textures selon l'effet recherché. Mais comme dans tout autre domaine misant sur l'esthétique, il y a place à l'imagination, et les essais peuvent s'avérer intéressants. Par exemple, un Bergenia, dont les feuilles sont entières, grossières, vigoureuses et d'un beau vert foncé, créera une magnifique toile de fond à une autre plante au feuillage délicat, comme le Coréopsis 'Moonbeam'. L'intégration de ces deux contrastes donne ainsi une impression de santé et de vitalité. Dans tous les cas, évitez de concentrer au même endroit un seul type de feuillage; essayez plutôt de reproduire la diversité et l'équilibre de la nature.

À retenir

Sans être considérée comme ornementale, une vivace peut attirer le regard par ses tonalités de vert ou ses couleurs automnales.

L'utilisation massive de plantes à feuillage décoratif risque de créer un effet disgracieux et de masquer les accents de couleur.

Le port de la plante

Autrefois, on recherchait davantage les vivaces courtes, notamment de type buisson. Avec les années, les goûts ont évolué, et la crainte des plantes hautes, que l'on croyait faibles, s'est dissipée. Ainsi, les tiges érigées rivalisent d'élégance avec les ports évasés, les tapis denses des couvre-sols se déroulent au pied des feuillages retombants ou dressés, le tout créant un équilibre dans les formes et les couleurs.

Il existe pour les arbres et arbustes un vocabulaire décrivant bien leur port (par ex. pyramidal). À notre avis, il y avait une lacune du côté des vivaces où on reprenait la même terminologie que pour les arbres, mais celle-ci était non applicable dans certains cas et surtout pas assez étendue. C'est pourquoi nous vous proposons dans ce guide un vocabulaire spécifique aux plantes vivaces. Vous pourrez en prendre connaissance en consultant notre tableau d'aménagement qui reproduit tous les ports lesquels sont repris dans la description des plantes (voir p. 15).

L'entretien

Les vivaces requièrent généralement peu d'entretien. Voici quelques soins que vous pouvez leur apporter.

La transplantation: Vous pouvez transplanter les vivaces à tout moment, préférablement au printemps ou à l'automne, avant les premières gelées. Comme elles sont vendues dans des contenants, elles ne souffrent plus de la transplantation.

La taille: Après la floraison. Vous devez enlever les fleurs fanées et une partie du feuillage. Cela permet de donner plus de vigueur et une meilleure apparence à la plante.

La division: Préférablement au début du printemps ou de l'automne afin de ne pas perturber le cycle de croissance de la plante et son époque de floraison. Si vous ne tenez pas compte de la floraison, procédez à cette opération n'importe quand, sauf en période de sécheresse.

La protection hivernale: Par accumulation de neige ou de feuilles mortes à la base des plants. D'autres moyens existent (voir notre section sur la rusticité).

N.B. Au printemps, les plantes couvre-sol, dont les racines sont en surface, devraient être délicatement enfoncées avec le pied pour éviter qu'elles ne se déchaussent sous l'effet du gel et du dégel.

PORT DES PLANTES

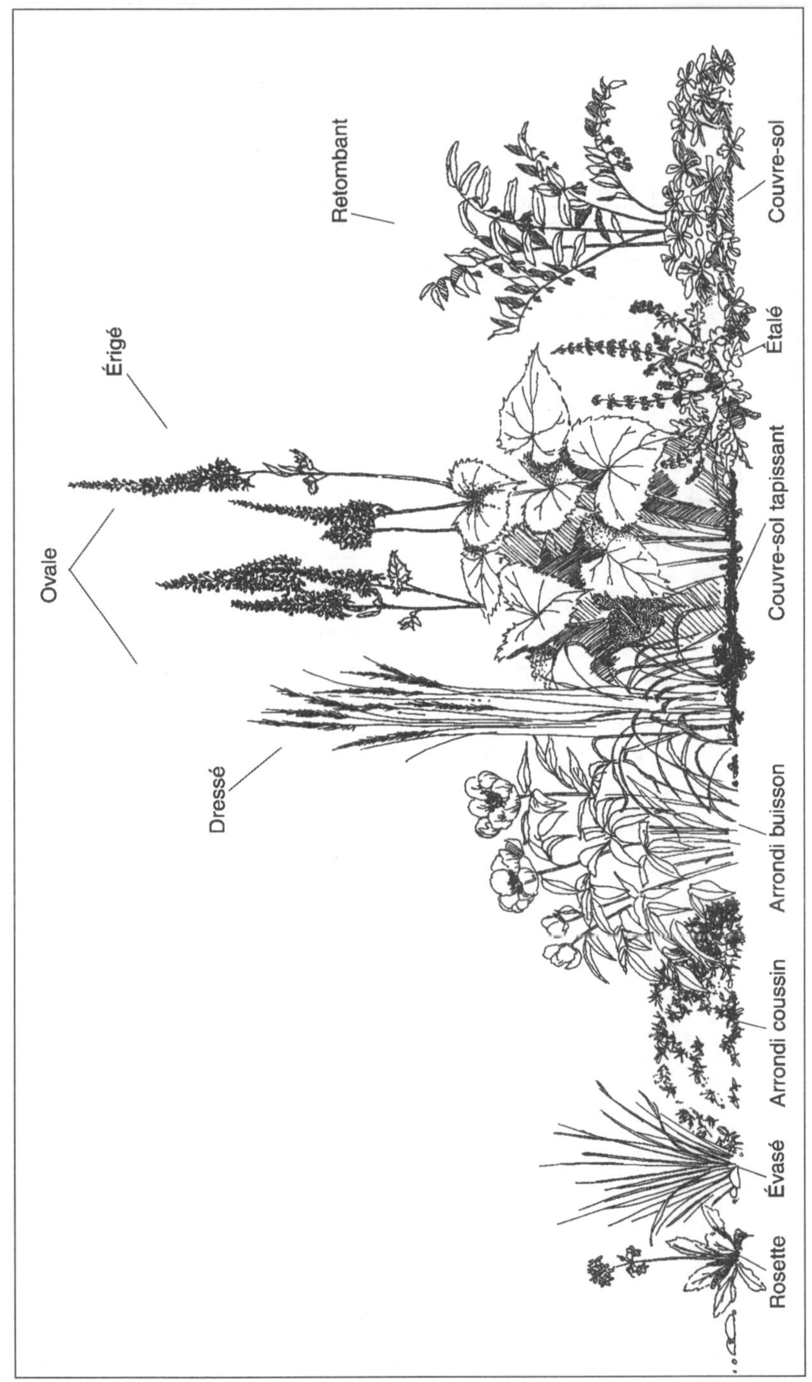

COMMENT SE SERVIR DU GUIDE

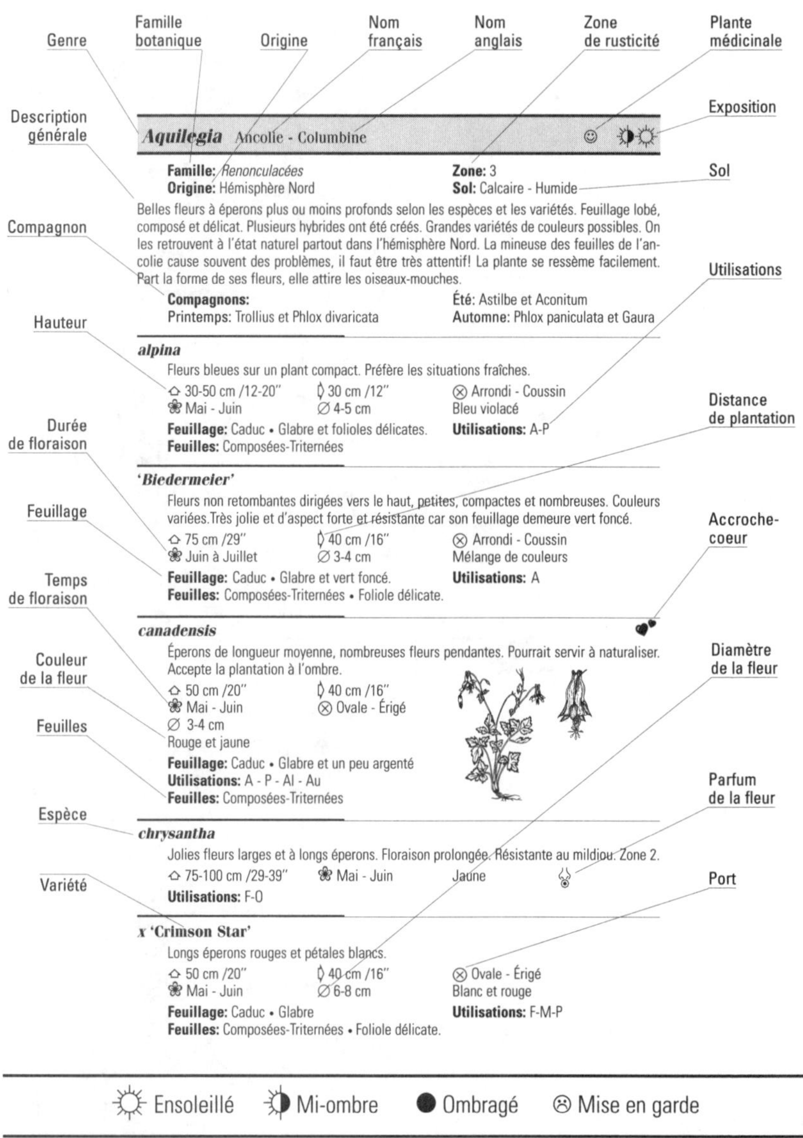

Ensoleillé — Mi-ombre — Ombragé — Mise en garde

Définitions

Accroche-cœur: plante représentant une valeur sûre car facile de culture et jolie.

Couleur de la fleur: parfois difficile à décrire car aucun numéro de couleur (charte) établi à ce jour.

Compagnons: suggestion de plantes qui compléteraient bien un aménagement avec celle qui est décrite.

Description générale:	brève, fait ressortir les caractéristiques principales.
Diamètre de la fleur: ∅	mesure moyenne pouvant varier selon plusieurs facteurs (sol, température, zone, etc.).
Distance de plantation: ⇨	espace minimum requis à l'épanouissement de la plante.
Durée de floraison: ❀	période en fleur.
Espèce:	botanique, en latin, décrit un caractère de la plante.
Exposition: ●◑☼	ensoleillé, mi-ombragé, ombragé.
Famille botanique:	voir le tableau d'exemples à la p. 18.
Feuillage:	les principales caractéristiques. N.B. Le feuillage est caduc sauf s'il est persistant ou semi-persistant.
Feuilles:	descriptions utiles pour différencier les espèces et les arômes.
Genre:	botanique, en latin, et ses synonymes s'il y a lieu.
Hauteur: ⇧	à maturité, incluant la fleur.
Nom anglais:	nom populaire anglais.
Nom français:	nom populaire français.
Origine:	fournit de bonnes indications sur les exigences de base de la plante.
Parfum de la fleur:	qualité naturelle à découvrir, fleurs odorantes.
Plante médicinale:	parfois indiqué au genre, parfois à l'espèce.
Port: ⊗	voir l'illustration des différents types de port à la p. 15.
Sol:	préférences de la plante en ce qui a trait au type de sol (ex: bien drainé).
Temps de floraison: ❀	mois.
Utilisation:	en rocaille (R), en auge (Au). Voir la légende.
Variété:	botanique, en latin; placée entre ' ' indique qu'il y a eu amélioration de l'espèce d'origine.
X:	hybride.
Zone de rusticité:	parfois indiqué au genre, parfois à l'espèce si elle est différente. Voir la carte à la p. 9.

LÉGENDE D'UTILISATION

Utilisation	Description	Utilisation	Description
A	Bac	J	Rives et berges
Al	Alpine	K	Spécimen isolé
Au	Auge	L	Feuillage décoratif
B	Bordure	M	Massif
C	Couvre-Sol	N	Naturalisation
Cu	Culture en contenant	O	Oiseaux mouches
D	Dallage / Tapis	P	Plate-bande
De	Décorative	Pa	Attire les papillons
E	Envahissante	Ps	Panier suspendu
F	Fleurs coupées	R	Rocaille
Fs	Fleurs séchées	S	Sous-bois
G	Murêt	T	Tallus
H	Haie	Tu	Tuteur

NOTIONS DE BASE

FAMILLES

Les principales familles botaniques comportant des plantes v ivaces

APIACÉES (Ombellifères)

Angelica

Foeniculum

ARACÉES

Acorus

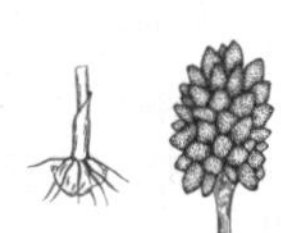

Arisaema

ASTÉRACÉES (Composées)

Chamaemelum (Camomille) Liatris

CAMPANULACÉES

Campanula

Platycodon

CARYOPHYLLACÉES

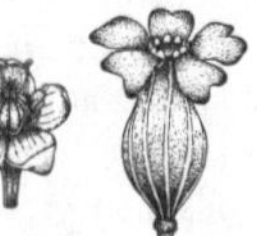

Lychnis

Petrorhagia

Saponaria

FABACÉES (Légumineuses)

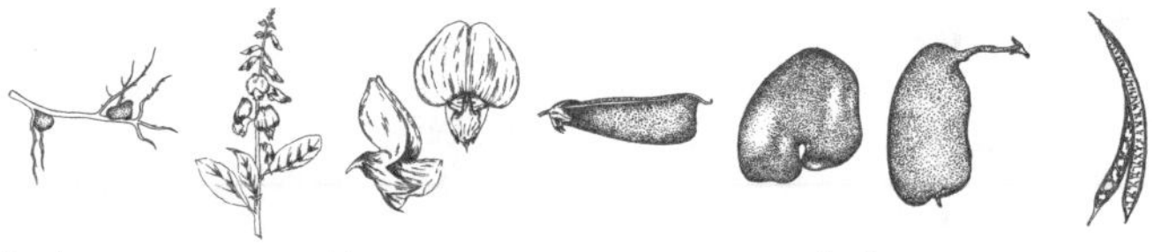

Racine Fleur Fruit

FUMARIACÉES

Dicentra

LAMIACÉES

Phlomis

LILIACÉES

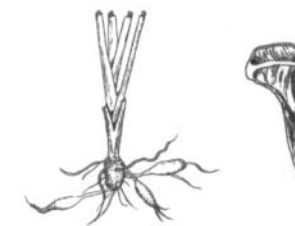

Hemerocallis

Lilium

Clintonia

Erythronium

RENONCULACÉES

Aquilegia

Caltha

Anemone

ROSACÉES

  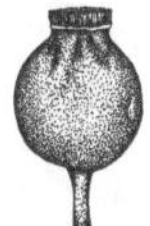 

Filipendula

Gillenia

Sanguinaria

SAXIFRAGACÉES

Astilbe

Tiarella

SCROPHULARIACÉES

 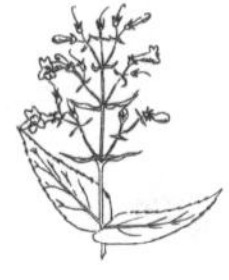  

Penstemon

Verbascum

SOLANACÉES

VIOLACÉES

Viola

LA FEUILLE

DIVISION DU LIMBE DE LA FEUILLE

Simple pennée

Simple palmée

Composée-pennée

Composée-palmée

DISPOSITION DES FEUILLES ET DES TIGES

Alterne

Opposée

Verticillée

BORD DU LIMBE

Entier

Denté

Lobé

Sinué-denté

Disséqué

CONTOUR OU FORME DE LA FEUILLE

Ronde

Elliptique

Cordiforme

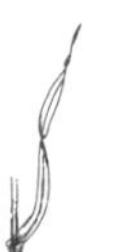
Linéaire

Lancéolée

Aciculaire (aiguille)

Reniforme

Ovale

LA FLEUR

LÉGENDE

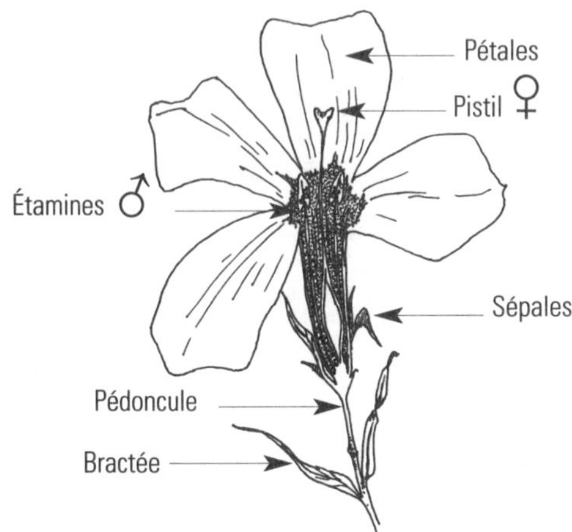

FORME DE FLEUR

Régulière

Campanulée

Trompette

INFLORESCENCE

Cyme

Ombelle

Épis

Solitaire

Corymbe

Racème ou grappe

Spathe

Panicule

Capitule

Capitule (une fleur de l'ensemble)

Capitule (fleur tubulée)

Plantes Vivaces de A à Z

Acaena New Zealand Bur 

Famille: Rosacées **Zone:** 4
Origine: Hémisphère Nord

Plante tapissante et vigoureuse à feuillage penné, découpé, de teinte glauque ou cuivré. Floraison en capitules globulaires, de couleur peu intéressante. Fruits épineux décoratifs et intriguants.

Sol: Bien drainé - Sec
Compagnons: Été: Anthemis et Salvia
Printemps: Bulbes et Geum Borisii
Automne: Sedum et Hemerocallis 'Stella De Oro'

---

magellanica

Synonyme: A. glaucophylla **Utilisations:** A - C - D - L
10 cm/ 4 po 35 cm/ 14 po ⊗ Couvre-sol - Tapissant

Plus vigoureuse et rustique que les espèces et cultivars à feuillage pourpre. Bouton floral pourpre, fleur blanche et fruit brun. Feuillage à tige rampante rouge et pouvant atteindre 1 mètre, possédant de 5 à 8 paires de folioles.

Feuilles: Composées. Pennées - Dentées
Feuillage: Semi-persistant.
❀ Juillet - Août ∅ 1 à 3 cm **Couleur:** Jaune à coeur orangé

---

microphylla

Utilisations: A - C - D - L
10 cm/ 4 po 30 cm/ 12 po ⊗ Couvre-sol

Plante à inflorescence globulaire, devenant piquante à maturité. Elle est semblable à A. microphylla 'Kuperteppich', mais moins colorée.

Feuilles: Composées, de 3 cm de long. Pennées
Feuillage: Vert et glabre. Semi-persistant.
❀ Juillet ∅ 2,5 à 2,5 cm **Couleur:** Blanc

---

microphylla 'Kupferteppich'

Utilisations: A - C - D - L
10 cm/ 4 po 35 cm/ 14 po ⊗ Couvre-sol - Tapissant

Espèce vigoureuse qui s'étend rapidement par ses tiges souterraines. Fruits brun cuivré.

Feuillage: Semi-persistant.
❀ Juillet - Août ∅ 1 à 1,5 cm **Couleur:** Blanc

Acanthus 

Famille: Acantacées **Zone:** 5
Origine: Yougoslavie et Méditerranée

Très décorative par son feuillage et ses fleurs. Protection nécessaire. Élément de décoration, notamment sur des colonnes. Utilisée dans l'architecture de la Grèce antique.

Sol: Bien drainé - Léger

---

hungaricus

Synonyme: A. balcanicus 80 cm/ 32 po

Fleur souvent sur 4 rangs. Feuilles non épineuses possédant une seule nervure médiane.

Feuilles: Simples, rétrécies à la base, étroites avec lobe prononcé.
Feuillage: Persistant.
❀ Juillet - Août **Couleur:** Blanc rosé marginé de pourpre

---

mollis

Variété fleurissant de juillet à août pouvant atteindre 90 cm de haut et son épi floral, jusqu'à 45 cm de haut. Son feuillage est moins lobé que les autres. Feuilles non épineuses, brillantes et vert foncé des deux côtés. Port étalé.

Feuillage: Persistant.

---

spinosus

Variété possédant des feuilles découpées jusqu'à la nervure centrale (blanc verdâtre) et pouvant atteindre 150 cm de haut, avec des épines de couleur vert mât. Bractée pourpre, corolle blanche. Résiste très bien au sec.

Feuillage: Persistant.

Achillea Herbe à dinde • Yarrow

Famille: Asteracées **Zone:** 2
Origine: Europe et Asie

Plusieurs espèces variant grandement de l'une à l'autre. Caractérisées par leur feuillage composé, plusieurs fois penné et aromatique. Inflorescence aplatie parfois confondue avec des ombelles.

Sol: Pauvre - Bien drainé
Compagnons: **Été:** Campanula persicifolia et Lychnis
Printemps: Iris versicolor et Ajuga
Automne: Asclepias tuberosa et Lysimachia punctata

---

ageratifolia aizoon

Utilisations: A - D - R - G ⌂ 15 cm/ 6 po ⊗ Couvre-sol - Colonie

Grandes fleurs blanches.

Feuilles: Entières. Dentées - Spatulées
Feuillage: Laineux, bien divisé.
❀ Juin - Juillet ∅ 4 à 5 cm

---

alpina

Utilisations: B - F - M - P
⌂ 60 cm/ 24 po ◊ 35 cm/ 14 po ⊗ Étalé

Feuillage différent des autres achilles.

Feuilles: Entières. Dentées
Feuillage: Vert et glabre.
❀ Juillet **Couleur:** Blanc crème

---

filipendulina

Utilisations: F - Fs - M - P - E
⌂ 100 cm/ 40 po ◊ 60 cm/ 24 po ⊗ Étalé - Dressé

Origine Asie Mineure. Système radiculaire fasciculée lui permettant de retenir le sol dans les pentes.

Feuilles: Très lobées. Alternes - Bipennées
Feuillage: Gris-vert. Aromatique
❀ Juin - Août ∅ 7 à 9 cm **Couleur:** Jaune moutarde

***filipendulina* 'Coronation Gold'**

Utilisations: F - Fs - K - P - M - E

⌂ 90 cm/ 36 po ◊ 40 cm/ 16 po ⊗ Ovale - Dressé

Issu d'un croisement de A. filipendulina x A. clypeolata

Feuillage: Aromatique.

❀ Juin - Septembre ∅ 8 à 10 cm **Couleur:** Jaune moutarde

millefolium ☺

Plante indigène et médicinale pouvant atteindre de 30 à 50 cm de hauteur. Feuillage vert sombre aux extrémités un peu velues. Fleur blanche ou rosée apparaissant de juin à août.

***millefolium* 'Cerise Queen'** ♥

Utilisations: M - F - E - Tu - Fs - P

⌂ 70 cm/ 28 po ◊ 40 cm/ 16 po ⊗ Étalé

Espèce à fleur rouge pâlissant avec l'âge. Croissance rapide, très populaire. Feuillage à texture fine.

Feuillage: Aromatique.

❀ Juin - Septembre ∅ 7 à 9 cm **Couleur:** Rouge carmin

***millefolium* 'Fanal'** Common Yarrow

Synonyme: A. 'The Beacon'

Très belle vivace de 70 à 80 cm de haut. Fleurs de couleur rouge cerise avec centre doré, devenant rose saumoné lorsqu'elles se fanent. Zone 3.

***millefolium* 'Paprika'**

Utilisations: M - F - E - P - Fs

⌂ 50 cm/ 20 po ◊ 40 cm/ 16 po ⊗ Étalé

Fleurs rouge écarlate à coeur jaune pâlissant avec l'âge. Tige solide et compacte.

Feuillage: Pubescent. Aromatique.

❀ Juin - Septembre ∅ 7 à 9 cm **Couleur:** Rouge écarlate à beige

***millefolium* 'Red Beauty'**

Utilisations: M - F - E - P - Fs

⌂ 60 cm/ 24 po ◊ 40 cm/ 16 po ⊗ Étalé

Une des meilleures sélections. Feuillage à texture fine.

Feuilles: Très découpées et pubescentes. **Feuillage:** Aromatique.

❀ Juin - Septembre ∅ 7 à 9 cm **Couleur:** Rouge foncé

***millefolium* 'Rose Beauty'**

Utilisations: F - Fs - M - Tu - E - P

⌂ 60 cm/ 24 po ◊ 40 cm/ 16 po ⊗ Étalé

Feuillage: Aromatique.

❀ Juin - Septembre ∅ 7 à 9 cm **Couleur:** Rose

***millefolium* 'Summer Pastel's'** ♥

Utilisations: F - Fs - M - Tu - E - P

⌂ 60 cm/ 24 po ◊ 40 cm/ 16 po ⊗ Arrondi

"All american Award Winner"

Feuillage: Aromatique.

❀ Juin - Septembre ∅ 7 à 9 cm **Couleur:** Mélange de couleurs

---

millefolium **'White Beauty'**

Utilisations: F - Fs - M - Tu - E - P

60 cm/ 24 po 40 cm/ 16 po ⊗ Étalé

A plus grandes fleurs que l'espèce.

Feuillage: Aromatique.

❀ Juin - Septembre ∅ 7 à 9 cm **Couleur:** Blanc

---

ptarmica Sneezewort

Espèce pouvant atteindre de 50 à 60 cm de haut, formant un buisson. Herbe à éternuer à placer à la mi-ombre ou au soleil. Feuilles vertes et dentées. Fleurs blanches qui apparaissent de juillet à septembre. Naturalisée.

---

ptarmica **'Ballerina'**

Utilisations: F - Fs - M - Tu - E - P

40 cm/ 16 po 40 cm/ 16 po ⊗ Étalé

Fleur blanche, double. Plante compacte dont la floraison est semblable à celle des matricaires.

❀ Juillet - Septembre ∅ 10 à 12 cm **Couleur:** Blanc

---

ptarmica **'Perry's White'**

Utilisations: F - Fs - M - Tu - E - P

50 cm/ 20 po 40 cm/ 16 po ⊗ Étalé

Fleurs blanches, doubles et au coeur jaune assez prononcé. Floraison avant A. 'Nana Ballerina'. Port lâche.

❀ Juin - Septembre ∅ 10 à 12 cm **Couleur:** Blanc

---

ptarmica **'The Pearl'**

Synonyme: A. 'Boule de neige' **Utilisations:** F - Fs - M - Tu - E - P

60 cm/ 24 po 40 cm/ 16 po ⊗ Étalé

Espèce aux fleurs plus grandes et moins nombreuses, semi-doubles à doubles. Croissance rapide. Son feuillage est luisant. Variété la plus populaire. Zone 3.

Feuilles: Entières. Lancéolées - Dentées

❀ Juin - Août ∅ 10 à 12 cm **Couleur:** Blanc

---

tomentosa **'Aurea'** Woolly Yarrow

Utilisations: A - D - R - G

20 cm/ 8 po 30 cm/ 12 po ⊗ Étalé

Tolère mal l'humidité; il est conseillé de couper les fleurs fanées afin d'éviter l'épuisement de la plante. Feuilles pubescentes divisées en 3 à 7 folioles.

Feuillage: Persistant ❀ Mai - Juin **Couleur:** Jaune citron

---

x **'Anthea'**

Utilisations: F - P

60 cm/ 24 po 45 cm/ 18 po ⊗ Étalé

Introduit par A. Bloom. Cultivar aux larges fleurs. Zone 3.

Feuillage: Argenté et plumeux. Aromatique.

❀ Juillet ∅ 7 à 10 cm **Couleur:** Jaune pâle à crémeuse

---

x 'Apple Blossom'

Synonyme: A. 'Apfelbute' ⊗ Étalé

Intéressante. À fleurs larges, rose vif, coupées et à tige forte. Mesure 60 cm de haut. Zone 3.

---

x 'Credo'

⊗ Étalé

Introduite par E. Pagels. Croisement entre A. filipendula X A. millefolium. Son port est semblable à celui de A. 'Coronation Gold'. Fleurs jaunes, parfumées, à tige très forte. Feuilles vertes. Peut atteindre 90 cm de haut.

---

x 'Fireland'

Synonyme: A. 'Feuerland' ⊗ Étalé

Cultivar issu d'un croisement entre A. taygeta X A. millefolium pouvant atteindre jusqu'à 75 cm de haut. Longue floraison. Fleurs rouge orangé au coeur doré. Couleur changeante avec le vieillissement. Zone 3.

---

x 'Gold Plate'

⊗ Étalé

Cultivar pouvant atteindre 120 cm de haut. Amélioration de l'espèce, plus florifère et vigoureuse. Inflorescence de 4 à 10 cm, jaune doré. Feuilles vertes. Floraison de juin à août.

---

x 'Great Expectation'

Synonyme: A. 'Hoffnung' **Utilisations:** F - Fs - M - Tu - E - P

70 cm/ 28 po 40 cm/ 16 po ⊗ Étalé

Feuillage: Aromatique.

❀ Juin - Septembre ∅ 7 à 10 cm **Couleur:** Jaune crème

---

x 'Heidi'

Utilisations: F - Fs - M - P - E

60 cm/ 24 po 35 cm/ 14 po ⊗ Étalé

Hybride compact, tige solide. Croisement entre A. millefolium X A. taygetea.

Feuilles: Finement découpées et pubescentes. **Feuillage:** Aromatique.

❀ Juin - Septembre ∅ 7 à 9 cm **Couleur:** Rose clair

---

x 'Moonshine'

Utilisations: D - Fs - M - P - De

60 cm/ 24 po 40 cm/ 16 po ⊗ Étalé

Cultivar développé par A. Bloom. Se propage par division. Intéressant mais sous-utilisé.

Feuillage: Argenté. Aromatique. ❀ Juillet - Septembre - Remontante

∅ 7 à 8 cm **Couleur:** Jaune vif

---

x 'Salmon Beauty'

Synonyme: A. 'Lachsshônheit' **Utilisations:** F - Fs - M - Tu - E - P

70 cm/ 28 po 40 cm/ 16 po ⊗ Étalé

Fleur rose saumoné pâlissant en couleur crème. Croisement entre A.millefolium X A. taygetea.

Feuillage: Aromatique.

❀ Juin - Septembre ∅7 à 9 cm **Couleur:** Rose

---

x 'Schwellenburg'

Utilisations: B - F - M - P - R - L

30 cm/ 12 po 30 cm/ 12 po ⊗ Étalé

Dans la même série d'hybrides que Achillea 'Moonshine'. Plante compacte, très voyante. Excellent couvre-sol.

Feuillage: Aromatique. ❀ Juin - Septembre **Couleur:** Jaune moutarde

---

x 'Taygetea'

Utilisations: F - Fs - M - P

40 cm/ 16 po 40 cm/ 16 po ⊗ Étalé

Fleurs jaune citron. Semblable à A.'Moonshine' mais ayant un feuillage plus vert.

Feuilles: Bipennées **Feuillage:** Légèrement pubescent.

❀ Juin - Septembre ∅5 à 8 cm **Couleur:** Jaune citron à crème

---

x 'Terracotta'

⊗ Étalé

Elle a les mêmes parents que A. 'Fireland', mais fleurit dans les tons de jaune pêche. En effet, au début de la saison, la fleur est de couleur pêche et en vieillissant, elle prend différentes tonalités, tout au long de la saison. Feuillage argenté, croissance lente pouvant atteindre 75 cm.

***x lewisii* 'King Edward'**

Utilisations: A - D - R - G Zone 4

20 cm/ 8 po 30 cm/ 12 po ⊗ Couvre-sol - Colonie

Exige un sol très bien drainé.

Feuilles: Pennées. Persistant. **Feuillage:** Laineux, bien divisé.

❀ Juin - Août ∅4 à 5 cm **Couleur:** Jaune crème

Aconitum Sabot de la Vierge • Monkshood

Famille: Renonculacées **Zone:** 2

Origine: Europe et Asie ⊗ Érigé

Grande plante érigée que l'on retrouve souvent dans les vieux jardins du Québec. Elle est semblable aux delphiniums. Son développement est lent. Toutes les parties de la plante sont toxiques. Racines tubéreuses qui se divisent bien. Surnommée «casque de Jupiter». Exige au moins 3 heures de soleil par jour.

Sol: Humide - Riche

Compagnons:

Été: Hosta et Astilbe

Printemps: Polygonatum et Helictotrichon

Automne: Pennisetum et Heuchera 'Palace Purple'

***carmichaelii* var. wilsonii**

Espèce vigoureuse à fleurs bleu pâle. Peut atteindre 150 cm de haut.

---

carmichaelii

Synonyme: A. fischeri **Utilisations:** M - F - O

115 cm/ 46 po 40 cm/ 16 po

Floraison plus tardive que les variétés communes. Zone 3.

(Aconitum)

Feuilles: Entières. Palmées - Trilobées
❀ Septembre
Feuillage: Grand et luisant.
Couleur: Bleu moyen

***carmichaelii* 'Arendsii'**

Utilisations: M - F - O   ⌂ 120 cm/ 48 po   ◊ 40 cm/ 16 po

Grandes fleurs voyantes, solides et droites.

Feuilles: Entières. Palmées
Feuillage: Grand, luisant, ferme et à lobes très larges.
❀ Septembre - Octobre   **Couleur:** Violet

***carmichaelii* 'Barker's Variety'**

Fleurs larges à long pédoncule. Floraison en septembre, d'un violet pur. Peut atteindre de 180 à 200 cm de haut. Espèce très robuste.

***grandiflorum* 'Album'**

Espèce possédant des fleurs bien espacées de ton blanc pur et plus hautes que celles de A. bicolor.

---

lamarckii

Synonyme: A. pyreanicum   **Utilisations:** M - F - O
⌂ 100 cm/ 40 po   ◊ 40 cm/ 16 po

Se retrouve souvent près des ruisseaux. Racines ramifiées à protéger. Variété ressemblant à A. vulparia. Possède 7 ou 8 lobes profondément découpés à la moitié de la feuille. Zone 5.

❀ Juillet - Août   ∅ 2 à 2,5 cm   **Couleur:** Jaune

---

lycoctonum ssp. neapolitanum Yellow Monkshood

Synonyme: A. lamarckii   **Utilisations:** F - M - P - S
⌂ 130 cm/ 52 po   ◊ 55 cm/ 22 po   ⊗ Ovale - Érigé

Plante de soleil ou de mi-ombre avec des tiges érigées plus ou moins nombreuses. Les fleurs sont jaunes, en forme de casque, de 2 à 2,5 cm de long; elles sont rassemblées en grand nombre sur une hampe florale ramifiée. Son feuillage est vert olive, de 7 à 8 lobes profondément découpés sur plus de la moitié, nervures profondes. Zone 4.

Feuilles: Alternes   ❀ Juillet   **Couleur:** Jaune crème

---

napellus English Monkshood

Utilisations: F - S - M - P - J
⌂ 115 cm/ 46 po   ◊ 50 cm/ 20 po   ⊗ Ovale - Érigé

Inflorescence de 30 à 40 cm de haut. Hampes florales nombreuses et souvent ramifiées. Zone 5.

Feuilles: Entières. Palmées   **Feuillage:** Vert foncé et lustré.
❀ Juillet - Août   **Couleur:** Bleu violacé

***napellus* 'Album'**

Synonyme: A. compactum 'Album'   **Utilisations:** F - S - M - Tu - J - P
⌂ 90 cm/ 36 po   ◊ 50 cm/ 20 po

Variété un peu moins vigoureuse.

Feuilles: Entières. Palmées
❀ Juillet - Août   ∅ 10 à 15 cm   **Couleur:** Blanc

***napellus* 'Bressingham Spire'**

Espèce de couleur violette pouvant atteindre 90 cm de haut.

***napellus* 'Carneum'**

Synonyme: A. compactum 'Carneum'

Espèce à fleurs rose pâle qui est variable selon la culture et pouvant atteindre de 120 à 150 cm de haut.

vulparia

Synonyme: A. lycoctonum ssp. vulparia ⊗ Ovale - Érigé

Fleurs jaune blanchâtre apparaissant en juillet. La plante peut atteindre de 80 à 100 cm de haut. Zone 4a.

***x* 'Ivorine'**

Utilisations: M - F

75 cm/ 30 po 30 cm/ 12 po ⊗ Ovale - Érigé

Plante compacte à floraison hâtive. Panicule florale dense et étroite.

Feuilles: De 4 à 6 lobes, découpés aux deux tiers de la surface.

❀ Juin - Août ∅ 2 à 2,5 cm **Couleur:** Blanc ivoire

***x* 'Newry Blue'**

Tige florale ramifiée à nombreuses fleurs bleu marine. Floraison de juillet à septembre. Peut atteindre 150 cm de haut.

***x* 'Rubellum'**

Synonyme: A. 'Roseum'

Fleurs d'un rose léger et de 100 cm de haut. Cette variété est vendu sous ce nom mais celui-ci est incertain.

***x* 'Spark's Variety'**

Utilisations: F - S - M - P - J

135 cm/ 54 po 50 cm/ 20 po ⊗ Ovale - Dressé

Inflorescences de 30 à 40 cm de long qui ont tendance à se recourber au sommet. La plante devrait être tutourée.

Feuilles: Simples, pétiole court peu rigide. Palmées - Trilobées

Feuillage: Lustré.

❀ Juillet - Août ∅ 10 à 12 cm **Couleur:** Bleu violacé

***x cammarum* 'Eleanor'**

Synonyme: A. 'Eleonara' **Utilisations:** M - F

100 cm/ 40 po 30 cm/ 12 po ❀ Juin - Août

Plante compacte, pétales blancs.

***x cammarum* var. bicolor**

Synonyme: A. bicolor **Utilisations:** F - S - M - Tu - J - P

105 cm/ 42 po 50 cm/ 20 po ⊗ Ovale - Dressé

Fleurs blanches à bordure bleue. Inflorescence de 30 à 40 cm de long et stérile. Feuillage lustré, très bien fourni dans le haut. Éviter de cultiver cette variété dans un sol lourd.

Feuilles: Entières. Palmées

❀ Juillet - Août ∅ 10 à 12 cm **Couleur:** Blanc bordé de bleu

Actaea Actée • Baneberry 

Famille: Renonculacées **Zone:** 3
Origine: Amérique, Europe du Nord et Asie

Indigène dans les sous-bois de l'est de l'Amérique du Nord, cette plante est très intéressante pour ses fruits décoratifs et durables. Son nom commun est poison de couleuvre. Ses feuilles, de la même forme que celles du sureau, sont attrayantes.

Sol: Riche - Frais

pachypoda White Baneberry

Synonyme: A. alba
70 cm/ 28 po ⊗ Érigé

Sa floraison arrive une semaine après celle de A. rubra. Elle possède des fruits blancs de la grosseur d'un pois et contenant peu de graines. Ils sont portés par un gros pédicelle rouge. Très vigoureuse.

Feuilles: À 5 folioles dentées et très découpées.
Feuillage: Vert mât. ❀ Avril

rubra

Synonyme: A. spicata ssp. Rubra **Utilisations:** M - S - N
70 cm/ 28 po 40 cm/ 16 po ⊗ Ovale - Érigé

Fleurs blanc crème, très délicates. Fruits rouges et luisants de la grosseur d'un pois. Inflorescence cylindrique, mais trapue. Accepte les lieux secs. Fruits contenant 11 à 17 graines sur une tige verdâtre, fine et creuse.

Feuilles: Composées. Triternées
Feuillage: Vert clair.
❀ Juin **Couleur:** Blanc crème

Adenophora Ladybells

Famille: Campanulacées **Zone:** 3
Origine: Est de l'Europe et Sibérie ⊗ Arrondi - Coussin

Fleurs semblables à celles des campanules. Cette plante se multiplie par stolons et semis. Naturalisée. Se ressème spontanément.

Sol: Humide - Riche

bulleyana

60 cm/ 24 po 30 cm/ 12 po ⊗ Étalé

Fleurs campanulées tout le long de la tige.

Feuillage: Rugueux. ❀ Juillet - Août **Couleur:** Bleu mauve

liliifolia

Synonyme: A. suaveolens ou communis **Utilisations:** F - M - E - P - N
80 cm/ 32 po 30 cm/ 12 po ⊗ Ovale - Dressé

Fleurs pendantes à tige solide comparables à celles de Campanula alliarifolia et C. rapunculoïdes. Belle plante pour naturaliser, mais envahissante. Elle se propage par sa semence.

Feuilles: Simples, elliptiques et arrondies. Alternes
Feuillage: Aromatique
❀ Juillet - Août ∅ 1,5 à 2 cm **Couleur:** Bleu violacé pâle

x confusa

Synonyme: A. farreri
80 cm/ 32 po 30 cm/ 12 po
Grandes fleurs campanulées à pédoncule court. Floraison de 3 à 4 semaines.
Feuilles: Simples, crénelées de 8 cm de longueur. Alternes
Feuillage: Légèrement pubescent.
Juin - Juillet ∅ 2 cm **Couleur:** Mauve

Adonis Pheasantis Eye

Famille: Renonculacées **Zone:** 4
Origine: Europe et Asie ⊗ Rosette
Caractérisée par son feuillage finement découpé et ses grandes fleurs en coupe souvent jaunes, solitaires ou en petits groupes à l'extrémité des tiges. Croissance lente. Nécessite une longue période de repos.
Sol: Calcaire - Sec
Compagnons: **Été:** Viola labradorica et Arenaria montana
Printemps: Paeonia et Aquilegia alpina
Automne: Hosta et Corydalis lutea

amurensis

Utilisations: M 30 cm/ 12 po 15 cm/ 6 po
Fleurs s'ouvrant avant le feuillage qui est un peu plus grossier que celui de A. vernalis. Fleurs doubles et pétales plus ronds, en quantité supérieure de 20 à 50. Préfère un sol humifère.
Mai ∅ 5 cm **Couleur:** Jaune

vernalis

35 cm/ 14 po 15 cm/ 6 po
Tolère mal la division ou la transplantation. Se ressème parfois. Fleur possédant de 10 à 20 pétales.
Feuilles: Composées, finement découpées et sessiles. Alternes
Juin ∅ 4 à 8 cm **Couleur:** Jaune doré

Aegopodium Herbe aux goutteux • Bishop's Goutweed

Famille: Apiacées **Zone:** 3
Origine: Eurasie ⊗ Couvre-sol - Colonie
Intéressante pour son feuillage décoratif. Souvent retrouvée dans les jardins anciens puisqu'il est impossible de s'en débarrasser après l'avoir plantée. Très envahissante par sa souche rhizomateuse traçante. Cette plante servait à nourrir les lapins en période de crise.
Sol: Tous les sols
Compagnons: **Été:** Iris sibirica et Hemerocallis
Printemps: Achillea 'Coronation Gold'
Automne: Hosta lancifolia et Lathyrus

podagraria 'Variegatum'

Utilisations: C - F - S - L - E
40 cm/ 16 po 30 cm/ 12 po ⊗ Couvre-sol - Colonie
Fleurs délicates, feuillage panaché vert-gris clair avec beaucoup de crème.
Feuilles: Composées. Triternées
Juin - Juillet **Couleur:** Blanc

Agastache Anise • Hyssop 

Famille: Lamiacées **Zone:** 4
Origine: Amérique du Nord

Genre regroupant entre 20 et 30 espèces de plantes aromatiques (arôme d'anis). Port vertical et tiges couchées sur le sol qui ne s'enracinent pas. Feuilles lancéolées à ovales, opposées, de couleur vert grisâtre. Inflorescence en épis; fleurs tubulaires denses et verticillées avec des bractées souvent bien visibles. Floraison du milieu de l'été à l'automne. L'agastache convient bien aux jardins de fines herbes et aux plates-bandes, en sol riche. Certaines espèces peuvent être utilisées comme aromates ou en infusion. Plusieurs vivaces attirent les oiseaux-mouches et les papillons.

Sol: Humide - Bien drainé

---

rupestris Hummingbird Mint

⊗ Ovale - Érigé

Belle plante au feuillage vert-gris, aromatique. Fleurs orange et lavande, de juillet à septembre. Préfère un sol bien drainé. Zone 5.

***x* 'Blue Fortune'** Hyssop

Plante compacte, produisant de très nombreuses fleurs bleu foncé, de juillet à septembre, qui attirent les papillons. D'une hauteur de 60 cm. Zone 5.

Ajania ☼

Famille: Asteracées **Zone:** 5
Origine: Japon **Synonyme:** Chrysanthemum

Plante surtout utilisée pour son feuillage épais, lobé, denté, vert foncé et marginé de gris argenté. Les fleurs en capitules, sans pétales ligulés, genre pompon, sont regoupées en corymbes aplatis, mais ne s'épanouissent que très rarement sous notre climat. Protection hivernale nécessaire. Son feuillage ressemble un peu à celui du pachysandra.

Sol: Tous les sols

---

pacifica ☼

Utilisations: B - M - L - P **Zone:** 5
30 cm/ 12 po 30 cm/ 12 po ⊗ Arrondi

Floraison très rare sous notre climat. Tolère bien les endroits secs et drainés. Envahissante, mais sa vigueur est fortement réduite à cause de nos hivers rigoureux.

Feuilles: Entières. Lobées
Feuillage: Ferme au bordure gris argenté. Persistant.
❀ Octobre ∅ 1 cm **Couleur:** Jaune doré

Ajuga Bugle • Bugleweed  

Famille: Lamiacées **Zone:** 3
Origine: Europe

Bon couvre-sol à feuillage décoratif. Floraison en épis, tôt au printemps. Les variétés à feuillage panaché préfèrent plus d'ensoleillement et un sol humide. Multiplication par boutures et division. Très facile à identifier par sa tige carrée et ses feuilles opposées. Croissance rapide empêchant les mauvaises herbes de s'établir.

Sol: Humide - Bien drainé

Compagnons: **Été:** Linum et Aconitum
Printemps: Aubrieta et Pulmonaria
Automne: Chrysanthemum et Pennisetum

'Brockbankii'

Utilisations: A - C - F - L - G
15 cm/ 6 po   20 cm/ 8 po   ⊗ Couvre-sol - Tapissant
Croisement entre A. genevensis x A. pyramidalis. Contrairement à A. genevensis, elle porte des stolons.
Feuillage: Persistant.   ❀ Mai - Juin   **Couleur:** Bleu

---

genevensis

Utilisations: B - C - D - G
25 cm/ 10 po   20 cm/ 8 po   ⊗ Couvre-sol - Tapissant
Spéciale car parfois caduque au moment de la floraison. De plus, elle ne porte pas de stolons.
Feuilles: À marge crénelée, aux longs pétioles.   **Feuillage:** Vert.
❀ Mai - Juin   **Couleur:** Bleu

***genevensis* 'Pink Beauty'**

Utilisations: B - C - D - G - R   Zone 4
15 cm/ 6 po   20 cm/ 8 po   ⊗ Couvre-sol - Tapissant
Feuillage: Vert et non lustré. Semi-persistant.
❀ Mai - Juin   **Couleur:** Rose

***pyramidalis* 'Metallica Crispa'**

Synonyme: A. metallica   **Utilisations:** B - C - D - G - R - S
15 cm/ 6 po   20 cm/ 8 po   ⊗ Couvre-sol - Tapissant
Grandes feuilles très lustrées passant du bronze au pourpre à l'automne, légèrement pubescentes et aux pétioles courts. Variété à rhizome, fleurs à 4 cotés en forme de pyramide.
Feuillage: Persistant.   ❀ Mai - Juin   **Couleur:** Bleu pâle

---

reptans Common Bugle

15 cm/ 6 po   20 cm/ 8 po   ⊗ Couvre-sol - Tapissant
Caractérisée par ses stolons qui lui permettent de couvrir une grande surface en peu de temps.
Feuillage: Persistant.   ❀ Mai - Juin   **Couleur:** Bleu

***reptans* 'Alba'**

Utilisations: B - C - D - G - R
15 cm/ 6 po   20 cm/ 8 po
Floraison plus hâtive que l'espèce et de longue durée. Feuillage vert.
Feuillage: Persistant.   ❀ Mai - Juin   **Couleur:** Blanc pur

---

***reptans* 'Braunherz'**

Synonyme: A. 'Brownheart'
Variété au feuillage lustré de couleur bronze-pourpre très foncé. Fleurs bleu foncé. Parmi les différentes variétés d'Ajuga, celle-ci a le feuillage le plus foncé. Zone 3.
Feuillage: Persistant.

reptans 'Bronze Beauty'
Feuillage bronze, brillant. Fleurs bleu foncé. Zone 3.
Feuillage: Persistant.

reptans 'Burgundy Glow' ❤
Utilisations: B - C - D - L - R
15 cm/ 6 po 20 cm/ 8 po
Feuillage panaché gris-vert, rose, pourpre et crème. Nécessite un lieu ensoleillé et bien drainé. Très populaire.
Feuillage: Persistant. ❀ Mai - Juin **Couleur:** Bleu

reptans 'Catlin's Giant'
Utilisations: C - O 30 cm/ 12 po 30 cm/ 12 po
Croissance rapide. Variété impressionnante par ses dimensions de feuilles et de fleurs. Grandes feuilles pourpres laissant paraître un peu de vert.
Feuillage: Persistant. ❀ Mai - Juin **Couleur:** Violet

reptans 'Gaiety'
Utilisations: B - C - D - L - S - G
15 cm/ 6 po 20 cm/ 8 po
Variété méconnue ayant du potentiel.
Feuillage: Persistant. ❀ Mai - Juin **Couleur:** Bleu

reptans 'Multicolor' ❤
Synonyme: A. Rainbow ou Tricolor
15 cm/ 6 po 20 cm/ 8 po
Feuillage glacé à 3 couleurs (bronze, crème et jaune), variant selon la culture. S'étend moins que les A. 'Rubra'.
Feuillage: Persistant. ❀ Mai - Juin **Couleur:** Bleu

reptans 'Palisander'
15 cm/ 6 po ❀ Mai **Couleur:** Bleu
Facile de culture et ne demande aucun soin particulier.
Feuillage: Brun-pourpre veiné de reflets bronze et verts. Persistant

reptans 'Pat's Selection'
Variété à feuillage tricolore et de croissance lente. Peut atteindre 10 cm et fleurit de mai à juin. Zone 3.
Feuillage: Persistant.

reptans 'Pink Surprise'
Nouvelle et prometteuse. Zone 4.
Feuillage: Persistant.

reptans 'Purple Torch'
Feuillage vert un peu crénelé passant au bronze à l'automne. Fleur de couleur lavande. Atteint 30 cm de haut.
Feuillage: Persistant.

***reptans* 'Royalty'** 

Mutation de A. 'Gaiety'. Feuillage presque noir, très lustré, à bordure crispée vers l'intérieur. Fleur bleue. Développement rapide, très bonne variété à apprivoiser. Floraison un peu plus tardive que les autres variétés communes.

Feuillage: Persistant.

***reptans* 'Rubra'**

Synonyme: A. purpurea — **Utilisations:** B - C - D - S - R - G

15 cm/ 6 po — 20 cm/ 8 po — ⊗ Tapissant

Feuilles plus longues et étroites que les autres variétés. Croissance rapide. Feuillage rouge légèrement lustré.

Feuillage: Persistant. — ❀ Mai - Juin — **Couleur:** Bleu

***reptans* 'Silver Beauty'**

10 cm/ 4 po — 20 cm/ 8 po

Cultivar semblable au A. 'Variegata', mais plus résistant. Nécessite un peu plus de lumière. Feuilles métalliques à marge irrégulière parfois blanche.

Feuillage: Persistant. — ❀ Mai - Juin — **Couleur:** Bleu

***reptans* 'Variegata'**

Synonyme: A. argentea — **Utilisations:** B - C - D - G - R - S

15 cm/ 6 po — 20 cm/ 8 po

Feuillage vert métallique avec bordure crème assez régulière.

Feuillage: Persistant. — ❀ Mai - Juin — **Couleur:** Bleu

***x* 'Mini Crispa Red'**

Utilisations: A - R

10 cm/ 4 po — 25 cm/ 10 po — ⊗ Rosette

Semblable à A. nana compacta, mais à feuillage pourpre, luisant et crispé. Inflorescences disposées en verticilles de 4 à 7 fleurs, supportées par des bractées, plus ou moins colorées.

Feuilles: Entières. Spatulées

Feuillage: Persistant.

❀ Mai - Juin — ∅ 2 à 3 cm — **Couleur:** Bleu mauve

***x* 'Nanus Compacta'**

Utilisations: A - D - R - G

15 cm/ 6 po — 20 cm/ 8 po — ⊗ Couvre-sol - Rosette

Compacte et non envahissante. Croissance lente. Une curiosité à intégrer dans un aménagement.

Feuillage: Vert foncé, presque noir, crispé, lustré et en rosette. Persistant.

❀ Mai - Juin — **Couleur:** Bleu violacé

Alcea Rose trémière • Hollyhock

Famille: Malvacées — **Zone:** 2

Origine: Eurasie — **Synonyme:** Althaea

Souvent retrouvée dans les vieux jardins populaires. Cette plante de courte vie est une vivace, mais elle se ressème facilement. Existe en fleurs simples ou doubles.

Sol: Bien drainé - Tous les sols

(Alcea)

Compagnons: **Été:** Veronica 'Red Fox' et Astilbe taquetii
Printemps: Aquilegia alpina et Dicentra spectabilis
Automne: Chrysanthemum 'Clara Curtis' et Ligularia 'Othello'

---

ficifolia

⊗ Ovale - Érigé

Espèce plus vigoureuse que A. rosea. Préfère un sol riche et humide et est résistante aux maladies. Feuilles divisées et palmées à 3 lobes. Fleurs simples de 10 cm de diamètre et de couleurs mélangées. Peut atteindre 180 cm de haut. Zone 3.

❀ Août

---

officinalis ☺

Utilisations: F - M - H - Tu - S - P

⌂ 165 cm/ 66 po ◊ 45 cm/ 18 po ⊗ Ovale - Érigé

Espèce à fleurs roses simples servant à naturaliser. Les racines sont utilisées dans la préparation des guimauves. Feuille de 2 à 8 cm de long, triangulaire et ayant 3 à 5 lobes.

Feuilles: Entières. Alternes - Palmées

❀ Juin à août ∅ 8 à 10 cm

Couleur: Rose

---

rosea

Utilisations: F - M - H - Tu - S - P

⌂ 165 cm/ 66 po ◊ 45 cm/ 18 po ⊗ Ovale - Érigé

Espèce aux fleurs simples de couleurs variées. Ancienne variété résistante à la rouille. Inflorescence de 12 à 15 cm de diamètre. La marge de la feuille est légèrement lobée ou sinuée.

Feuilles: Simples, possédant de 5 à 7 lobes. Alternes - Palmées

Feuillage: Rugueux.

❀ Juin à août **Couleur:** Multicolore

***rosea* 'Chater's Double'**

Utilisations: F - M - H - Tu - K - P

⌂ 165 cm/ 66 po ◊ 45 cm/ 18 po ⊗ Ovale - Érigé

On les retrouve dans différentes couleurs dont le blanc, le jaune, le rose, le rouge et l'abricot.

Feuilles: Simples, légèrement sinuées ou lobées. Alternes

❀ Juillet à août ∅ 8 à 10 cm **Couleur:** Mélange de couleurs

---

***rosea* 'Nigra'** ☺

Utilisations: F - M - H - Tu - S - P

⌂ 165 cm/ 66 po ◊ 45 cm/ 18 po ⊗ Ovale - Érigé

Fleur simple et foncée paraissant noire. Utilisée parfois dans la préparation du thé et des tisanes.

Feuilles: Simples, marge légèrement lobée ou sinuée. Alternes - Palmées

❀ Juillet à août ∅ 8 à 12 cm **Couleur:** Violet

***rosea* 'Peaches'n Dreams'**

⊗ Ovale - Érigé

Introduite par Thompson et Morgan. Fleurs doubles de couleur saumon. Variété pouvant atteindre de 150 à 180 cm de haut. Zone 2

Alchemilla Manteau de Notre-Dame • Lady's Mantle 

Famille: Rosacées **Zone:** 3
Origine: Moyen Orient, Caucase et Asie Mineure

Beau feuillage décoratif, argenté, palmé, lobé et caduc. Inflorescence en panicules légères de couleur particulière. Plante souvent utilisée dans les vieux jardins anglais. Agréable à observer lorsque des gouttes d'eau perlent sur son feuillage.

Sol: Bien drainé - Humide
Compagnons: Été: Delphinium 'Fountain' et Dianthus barbatus
Printemps: Polemonium 'Album' et Doronicum
Automne: Aster 'Violet Carpet' et Tradescantia 'Alba'

---

conjuncta

Synonyme: A. alpina 20 cm/ 8 po

Croissance en touffe de 30 cm de diamètre. Pousse bien au soleil. Feuilles ayant de 5 à 7 lobes avec des dents de 1 cm.

Feuilles: Entières. Palmées
Feuillage: Glauque au-dessus et argenté au revers.
❀ Juin à août **Couleur:** Jaune verdâtre

---

ellenbeckii

10 cm/ 4 po ⊗ Couvre-sol

Tige rouge. Préfère l'ombre ou la mi-ombre. Feuillage vert, plus brillant que celui de A. mollis. Émet des stolons.

Feuilles: De 1,5 cm de diamètre. ❀ Mai à juin

---

erythropoda

Utilisations: A - P
30 cm/ 12 po 25 cm/ 10 po ⊗ Arrondi - Coussin

Fleurs délicates. Ses feuilles sont palmées, repliées en accordéon lorsqu'elles sont jeunes et de 4 cm de diamètre. Demande un sol bien drainé, croissance lente. Se reconnaît bien par ses poils recourbés vers le bas le long du pétiole à maturité ainsi que par sa coloration automnale dans les tons d'orangé.

Feuillage: Pubescent sur les 2 faces.
❀ Juin à août ∅ 0,2 à 0,3 cm **Couleur:** Chartreuse 

---

mollis

Utilisations: B - F - M - P - R - S - L
40 cm/ 16 po 30 cm/ 12 po ⊗ Arrondi - Coussin

Elle est décorative, car après la pluie, les gouttelettes d'eau s'accumulent au centre de la feuille. Intéressante en fleurs séchées. Résiste à la sécheresse et se ressème facilement.

Feuilles: Simples, de 15 cm de diamètre. Palmées - Sinuées
Feuillage: Vert tendre, pubescent.
❀ Juin à août ∅ 0,3 cm **Couleur:** Jaune chartreuse 

---

mollis 'Robusta'

⊗ Arrondi - Coussin

Cultivar très vigoureux. Fleurs jaunes apparaissant de juin à août. Peut atteindre 75 cm de haut. Zone 3.

pubescens

Utilisations: A - B - D - P - M - R - S - L

20 cm/ 8 po | 25 cm/ 10 po | ⊗ Arrondi - Coussin

Fleurs chartreuses moins généreuses que celles de A. mollis. Feuilles plus petites, lobées et dentées avec une marge argentée.

Feuilles: Entières. Palmées

Feuillage: En rosette.

❀ Juin à août | ∅ 5 à 7 cm | **Couleur:** Chartreuse 

Allium Ail ornementale • Ornemental Onion

Famille: Liliacées **Zone:** 3

Origine: Moyen-Orient et Caucase

Plante bulbeuse vendue surtout à l'automne et fleurissant au printemps. La floraison en ombelles, souvent globulaire, est très décorative. Plusieurs couleurs et grosseurs existent dans ce genre.

Sol: Bien drainé - Sec

aflatunense

Synonyme: A. hollandicum **Utilisations:** M - Fs - F

110 cm/ 44 po | 20 cm/ 8 po | ⊗ Dressé

Plante bulbeuse fort intéressante et de culture facile portant une longue hampe florale de fleurs rose violacé. Aussi surnommée «ail de l'Iran». Préfère un sol sec.

❀ Mai à juin | ∅ 15 cm | **Couleur:** Mauve

cernuum Wild Nodding Onion

Utilisations: M - P - F - R

30 cm/ 12 po | 15 cm/ 6 po | ⊗ Érigé

Plante bulbeuse de culture facile aux petites fleurs en clochettes retombantes.

❀ Juin à juillet | **Couleur:** Rose

cristophii Star of Persia

Synonyme: A. albopilosum **Utilisations:** M - F - Fs - P - R

30 cm/ 12 po | 25 cm/ 10 po | ⊗ Érigé

Un des ails décoratifs les plus spectaculaires avec son inflorescence globulaire de fleurs étoilées d'un rose métallique.

Feuillage: Gris-bleu. | ❀ Juin à juillet | **Couleur:** Rose

giganteum

Utilisations: M - F - P - R

150 cm/ 60 po | 35 cm/ 14 po | ⊗ Dressé

Plante bulbeuse ayant une longue hampe florale. Inflorescence énorme.

Feuillage: En rosette, large, se desséchant rapidement.

❀ Juin | **Couleur:** Rose

karataviense Blue Tongue Leek

Utilisations: M - R - P | 20 cm/ 8 po | 35 cm/ 14 po

Un ail aussi décoratif par son large feuillage bleuté que par son inflorescence. Sa hampe florale est de 15 à 18 cm de long. Zone 4.

❀ Mai ∅ 2,5 à 3 cm **Couleur:** Rose

'Lucy Ball'

⊗ Dressé

Espèce pouvant atteindre de 60 à 100 cm de haut. Ses fleurs sont de couleur pourpre.

---

moly

⊗ Évasé

Variété la plus connue et la plus vigoureuse. Croissance rapide et même envahissante. Floraison de juin à juillet, de couleur jaune et très parfumée. Tige florale de 30 cm de haut. Feuilles bleu-gris de 25 à 30 cm x 5 cm.

---

pulchellum

Synonyme: A. carinatum ssp. pulchellum

Espèce très florifère à fleurs jaune doré à violet en forme de cloche, d'un espacement et d'une hauteur de 50 cm. Existe également en blanc. Se ressème. Zone 4b.

---

schoenoprasum Ciboulette

Utilisations: A - B - F - P - Fs - S - M - R

40 cm/ 16 po 30 cm/ 12 po ⊗ Évasé

Très florifère, avec un feuillage qui ressemble à une graminée. Se ressème facilement.

Feuilles: Tubulaire. **Feuillage:** Aromatique.

❀ Mai à juin ∅ 3 cm **Couleur:** Rose lavande

***schoenoprasum* 'Forescate'**

Utilisations: Pa - B - F - Cu - Fs - M - R - S - P

40 cm/ 16 po 30 cm/ 12 po ⊗ Évasé

Sélection à fleurs rose foncé et à grande inflorescence.

Feuillage: Aromatique.

❀ Mai à juin ∅ 3 à 4 cm **Couleur:** Rose

---

senescens var. glaucum Mountain Garlic

Utilisations: M - P - R

35 cm/ 14 po 20 cm/ 8 po ⊗ Étalé

Plante bulbeuse aux feuilles linéaires, dotée d'une grande rusticité. Zone 1.

Feuillage: Gris-bleu spiralé.

❀ Juillet à septembre **Couleur:** Rose

Alyssum (Syn. Aurinia) Corbeille d'or • Madwort

Famille: Brassicacées **Zone:** 3

Origine: Europe **Synonyme:** Alyssum

Souvent utilisée autour des murets et dans les jardins à l'anglaise. Plante couverte de fleurs jaunes au printemps. Afin d'éviter son épuisement, il est recommandé de la tailler après la floraison. Surtout, ne pas trop la fertiliser car cela risque de l'affaisser. Certaines personnes confondent l'Alyssum vivace (jaune) et l'Alyssum annuelle (blanc-bleu ou rose). Plante médicinale contre les problèmes nerveux.

Sol: Sec - Calcaire ⊗ Arrondi - Coussin

(*Alyssum*)

Compagnons: Été: Campanula glomerata et Dianthus 'Snaps in Wine'
Printemps: Lamium et Ajuga reptans
Automne: Gaillardia 'Golden Goblin' et Miscanthus gracillimus

---

***montanum* 'Berggold'**

Utilisations: A - B - D - P - R - G

15 cm/ 6 po — 30 cm/ 12 po — ⊗ Retombant

Feuillage plus étroit et compact. Cette variété est davantage rustique et d'un jaune plus lumineux que l'espèce. Inflorescence de 3 cm de diamètre.

Feuilles: Simples et sessiles. Spatulées — **Feuillage:** Pubescent. Persistant.

Mai - Juin — **Couleur:** Jaune

---

murale

40 cm/ 16 po — Mai - Juin — **Couleur:** Jaune

Originaire du sud de l'Europe. Possède de nombreuses fleurs.

Feuilles: De 2 cm de long. — **Feuillage:** Vert argenté. Persistant.

---

saxatile

Utilisations: B - D - M - P - R - G

40 cm/ 16 po — 40 cm/ 16 po — ⊗ Retombant

Espèce la plus populaire. Inflorescence de 5 cm de diamètre.

Feuilles: Entières. Lancéolées — **Feuillage:** Persistant.

Mai - Juin — **Couleur:** Jaune doré

***saxatile* 'Citrinum'**

Synonyme: A. 'Citrina'

Espèce pouvant atteindre 30 cm de haut. Fleurs jaune soufre.

Feuillage: Persistant.

***saxatile* 'Compactum'**

Synonyme: A. 'Compacta' — **Utilisations:** A - B - D - P - R - G

30 cm/ 12 po — 30 cm/ 12 po — ⊗ Retombant

Espèce plus compacte. Inflorescence de 3 à 5 cm de diamètre.

Feuilles: Entières. Lancéolées — **Feuillage:** Semi-persistant.

Mai - Juin — ∅ 3 à 5 cm — **Couleur:** Jaune doré

***saxatile* 'Dudley Nevill**

30 cm/ 12 po — Mai - Juin — **Couleur:** Jaune

Cette variété préfère un sol bien drainé. Primevère à fleurs jaunes, elle a aussi tendance à redevenir verte.

Feuillage: Grisâtre à bordure crème. Persistant.

***saxatile* 'Flore Pleno'**

À fleurs doubles jaune vif, mesurant 30 cm de haut et nécessitant un espacement de 30 cm. Un peu moins vigoureuse que les autres.

Feuillage: Persistant.

Amorpha False Indigo

Famille: Fabacées **Zone:** 2
Origine: Amérique du Nord

Genre pouvant regrouper une quinzaine de vivaces herbacées, dont certaines sont ligneuses à la base, cultivées pour leur feuillage aromatique. Feuilles composées, imparipennées, disposées de façon alterne. Inflorescence en épis serrés, denses, de 30 cm de long. Fleurs petites avec un seul pétale. Les espèces se développent bien dans un climat très chaud et en sol léger, sablonneux; tolèrent même les sols pauvres et secs.

Sol: Bien drainé

nana Fragrant False Indigo

Utilisations: M - P
60 cm/ 24 po 50 cm/ 20 po ⊗ Arrondi - Buisson

Cette variété compacte est intéressante par la fine texture de son feuillage et sa floraison violette. Ses feuilles sont composées, de 10 cm de long et à pétiole rouge-brun de 1 cm. Folioles de 2 cm de long, étroites et largement oblongues. Plante demandant très peu d'entretien.

Feuilles: Composées. Oblongues ❀ Juin

Amsonia Blue Star

Famille: Apocynacées **Zone:** 3
Origine: Amérique du Nord

Plante produisant des tiges solides et dressées dont les feuilles vert foncé sont semblables à celles des saules. Inflorescence en panicules portant des fleurs étoilées bleues et aux pétales fins. Résiste à l'hiver. À croissance rapide. Méconnue.

Sol: Humide - Lourd
Compagnons:
Été: Geranium et Veronica spicata
Printemps: Primula denticulata et Tiarella 'Rosalie'
Automne: Anemone et Phlox paniculata

hubrectii Narrow Leaved Amsonia

⊗ Arrondi - Buisson

Feuillage vert, étroit et changeant au jaune à l'automne. Fleurs bleues étoilées. Floraison de mai à juin. Peut atteindre 90 cm de haut. Zone 5.

tabernaemontana

Utilisations: M - F
60 cm/ 24 po 35 cm/ 14 po ⊗ Arrondi - Buisson

Plante à développement lent; exige peu d'entretien. Fleurs étoilées. Difficile à transplanter malgré sa vigeur. Zone 4.

Feuilles: Simples, ovales à lancéolées, de 5 à 10 cm de long. Pointues. Alternes
Feuillage: Vert clair.
❀ Mai - Juillet ∅ 1,2 à 1,8 cm **Couleur:** Bleu

Anacyclus Mount Atlas Daisy 

Famille: Asteracées
Zone: 4
Origine: Méditerranée
Utilisations: Al - Au

Petite plante à fleurs en forme de marguerite. Ses capitules s'ouvrent par temps ensoleillé, mais ils se referment le soir. Préfère les sols maigres, caillouteux ou de gravier. Attention, elle craint l'humidité hivernale.

Sol: Bien drainé

Compagnons:
Été: Coreopsis rosea et Primula vialii
Printemps: Adonis et Iris pumila
Automne: Sidalcea et Sedum 'Vera Jameson'

pyrethrum var. depressus

Utilisations: A - D - M - L
15 cm/ 6 po | 30 cm/ 12 po | ⊗ Rosette

Capitules à pétales blancs au revers rouge vin; ont un feuillage finement découpé. Plante sensible à l'humidité hivernale d'où le besoin d'un sol très bien drainé près de la couronne. Durée de vie plutôt courte. Ressemble à la camomille. Tige florale de 20 cm de haut.

Feuilles: Composées, finement découpées. Pennées
Feuillage: Grisâtre. Persistant.
❀ Mai - Juillet | ∅ 2 à 2,5 cm | **Couleur:** Blanc et rouge

Anagallis monellii 

Famille: Primulacées
Synonyme: A. linifolia
30 cm/ 12 po | 30 cm/ 12 po

Spécimen méconnu et très intéressant à utiliser près des ruisseaux et étangs. Très belles fleurs. Propagation par semis.

Sol: Frais - Bien drainé
❀ Juin à septembre | ∅ 1,5 à 2 cm | **Couleur:** Bleu à centre rouge.

Anaphalis Immortelle • Pearly Everlasting 

Famille: Asteracées
Zone: 2
Origine: Amérique, Europe du Nord et Asie
⊗ Arrondi - Buisson

Fleurs intéressantes par leur texture sèche au toucher. Préfère un sol pauvre, caillouteux ou sablonneux.

Sol: Bien drainé - Sec

Compagnons:
Été: Achillea 'Summer Pastel' et Delphinium grandiflorum
Printemps: Myosotis sylvestris et Dianthus 'Tiny Rubies'
Automne: Helenium et Gaura

margaritacea

Utilisations: A - F - Fs - P - M - L - N
60 cm/ 24 po | 40 cm/ 16 po

Capitules blanc crémeux à centre jaune et à feuillage vert clair et velu. Inflorescence de 5 à 7 cm de diamètre. Plante indigène à rhizome étalé; pousse en colonies.
Feuilles de 7 à 12 cm de long.

Feuilles: Entières. Elliptiques
❀ Juillet - Septembre | **Couleur:** Blanc

triplinervis

Utilisations: F - Fs - M - P - L - N
25 cm/ 10 po — 40 cm/ 16 po

Plante plus compacte et moins rustique. Inflorescence très ramifiée, de 5 à 7 cm de diamètre. Tige et revers de la feuille tomenteux. Zone 4.

Feuilles: Entières, de 7 à 20 cm de long sur 2 à 5 cm de large. Elliptiques
❀ Août - Octobre — **Couleur:** Blanc, coeur jaune

***triplinervis* 'Schwefellick'**

Espèce pouvant atteindre 30 cm de haut et ayant un feuillage tomenteux. Fleurs jaunes apparaissant de juillet à septembre.

***triplinervis* 'Silberregen'**

Utilisations: F - Fs - M - P - L - N
30 cm/ 12 po — 30 cm/ 12 po

Tardive, comparativement à l'espèce. Inflorescence de 5 à 7 cm de diamètre. Variété cultivée et intéressante.

Feuilles: Entières. Elliptiques
❀ Septembre - Octobre — ∅ 0,8 à 1,2 cm — **Couleur:** Blanc

Anchusa Buglosse • Bugloss

☺ 

Famille: Boraginacées — **Zone:** 3
Origine: Méditerranée

Très spectaculaire par ses fleurs de couleur bleu royal. Feuilles et tiges pubescentes assez rugeuses et souvent irritantes. Apprécie la chaleur. Vivace de courte vie, mais se ressème facilement. Rabattre après la floraison si on ne désire pas qu'elle se ressème.

Sol: Bien drainé - Humide

Compagnons:
Été: Lupinus et Chrysanthemum maximum
Printemps: Phlox subulata 'Alba' et Dianthus 'Tiny Rubies'
Automne: Filipendula plena et Baptisia australis

***azurea* 'Dropmore'**

Synonyme: A. italica — **Utilisations:** F - P
100 cm/ 40 po — 50 cm/ 20 po — ⊗ Ovale - Érigé

Fleurs bleu royal sur une longue tige solide. Inflorescence de 12 à 15 cm de diamètre.

Feuilles: Simples, jusqu'à 40 cm de long. Elliptiques
Feuillage: Vert foncé. Pubescent et irritant.
❀ Juin à août — ∅ 1 à 1,5 cm — **Couleur:** Bleu gentiane

***azurea* 'Feltham Pride'**

Utilisations: M - F
110 cm/ 44 po — 40 cm/ 16 po — ⊗ Ovale - Érigé

Fleurs à oeil blanc.

❀ Juin à juillet — **Couleur:** Bleu azur

***azurea* 'Little John'**

⊗ Ovale - Érigé

Fleurs bleues qui apparaissent de juin à août. Elle peut atteindre 40 cm de haut.

***azurea* 'Loddon Royalist'**

⊗ Ovale - Érigé

Cultivar à fleurs plus grandes et de couleur bleu royal. Peut atteindre 90 cm de haut. Zone 4.

***capensis* 'Blue Angel'**

Utilisations: B - M - P

40 cm/ 16 po 30 cm/ 12 po ⊗ Arrondi - Buisson

Espèce plus compacte. Souvent en fleurs dès la première année. Se comporte comme une bisannuelle.

Feuilles: Entières. Elliptiques

Feuillage: Pubescent.

Juin à juillet ∅ 0,8 à 1 cm **Couleur:** Bleu azur

Andromeda Andromède • Bog Rosemary

Famille: Éricacées **Zone:** 2

Origine: Hémisphère Nord

Plante indigène poussant à l'état naturel dans les tourbières arctiques et subarctiques. Fleurs réunies en petits groupes à l'extrémité des tiges; semblables à des clochettes.

Sol: Acide - Humide

Compagnons: **Été:** Aspurela et Campanula glomerata

Printemps: Arctostaphylos et Tiarella **Automne:** Calluna et Hosta

glaucophylla

30 cm/ 12 po 25 cm/ 10 po ⊗ Arrondi - Coussin

Fleurs roses apparaissant en mai. Feuillage persistant et glauque. Port ouvert et étalé.

Feuillage: Persistant.

polifolia

Utilisations: B - P

40 cm/ 16 po 40 cm/ 16 po ⊗ Arrondi - Coussin

La marge de la feuille est roulée vers l'intérieur. Espèce parfois remontante en automne. Il existe deux variétés commercialisées, soit A. polifolia 'Blue Ice' et 'Nana'.

Feuilles: Entières, de 25 à 50 mm. Aiguillées

Feuillage: Vert foncé et blanc en dessous. Persistant.

Mai - Juin ∅ 0,7 à 0,8 cm **Couleur:** Blanc ou rose

Androsace Androsace • Rock Jasmine 

Famille: Primulacées **Zone:** 3

Origine: Région alpine et arctique ⊗ Rosette

Plante à feuilles sessiles souvent réunies en rosette. Fleurs solitaires ou en ombelles.

Sol: Pauvre - Bien drainé

Compagnons: **Été:** Gypsophila et Lamium

Printemps: Amsonia et Allium **Automne:** Caluna et Chelone

rotundifolia

Utilisations: A - G

15 cm/ 6 po 15 cm/ 6 po ⊗ Rosette

Jolies fleurs roses. Zone 4.

Feuilles: Entières. Palmées - Basales
Feuillage: Semi-persistant.
∅ 2,5 à 3 cm

sarmentosa

Utilisations: A - G - Al - Au
10 cm/ 4 po   30 cm/ 12 po   ⊗ Couvre-sol - Rosette

Fleurs roses et feuillage semblables aux Sempervivums. Se propage par stolons.

Feuilles: Entières. Lancéolées - Basales
Feuillage: En rosette, soyeux et argenté. Persistant.
❀ Mai - Juin   ∅ 2,5 à 3 cm   **Couleur:** Rose clair à oeil jaune

sempervivoides

5 cm/ 2 po

Tige florale de 1 à 7 cm de haut et portant de 4 à 10 fleurs. Se propage par semis et boutures. Zone 3.

Feuillage: En rosette, vert luisant.
❀ Avril - Mai   **Couleur:** Rose au centre rouge

Anemone Windflower

Famille: Renonculacées   **Zone:** 3-4
Origine: Chine

Une des plus belles vivaces sous utilisée. Il existe plusieurs espèces différentes à grandes fleurs voyantes. Les A. hupehensis ont donné naissance aux hybrides japonais. Leur feuillage est généralement palmé. Se propagent rapidement. Au printemps, les jeunes pousses sont tardives et se développent autour du plant de l'année précédente. Floraison au printemps, à l'été ou à l'automne selon l'espèce. Une protection hivernale pourrait être nécessaire.

Sol: Selon les espèces - Riche
Compagnons: **Été:** Salvia 'Blue Queen' et Heuchera splendens
Printemps: Convallaria et Bellis
Automne: Gaura et Polygonum affine

altaica

Utilisations: B - C - F - P
20 cm/ 8 po   25 cm/ 10 po   ⊗ Couvre-sol - Colonie

Vivace à rhizome rampant; fleurs de 2 à 4 cm de diamètre, formées de 8 ou 9 pétales. Les feuilles de la base sont découpées, pétiolées et celles de la tige sont trifoliées, dentées, disposées en verticilles de 3. Plante préférant un sol riche en humus, humide mais bien drainé; tolère des conditions plus sèches en été. Zone 3.

Feuilles: Basales - Verticillées   ❀ Juin

canadensis

Utilisations: C - P   40 cm/ 16 po
30 cm/ 12 po   ⊗ Couvre-sol - Colonie

Très envahissante. Tolère l'ombre et tous les sols. Indigène. Zone 3.

Feuilles: Entières. Palmées - Sinuées
❀ Juin à juillet   ∅ 2,5 cm
Couleur: Blanc

hupehensis

Utilisations: F - T

90 cm/ 36 po ◇ 45 cm/ 18 po ⊗ Étalé - Couvre-sol

Le feuillage est pubescent; les folioles palmées.

Feuilles: Composées. Trifoliées

❀ Septembre à octobre ∅ 4 à 6 cm **Couleur:** Rose

***hupehensis* 'Andrea Atkinson'**

Variété récente à fleur blanche et centre orangé, de 60 cm de haut. Floraison en août-septembre. Zone 5.

***hupehensis* 'Praecox'**

Belle variété à fleurs rose foncé avec l'extérieur des pétales encore plus foncé. Atteint 80 cm de haut. Floraison plus hâtive.

***hupehensis* 'Prince Henry'**

Synonyme: A. hupehensis 'Prinz Heinrich' **Utilisations:** F - T

90 cm/ 36 po ◇ 45 cm/ 18 po

Fleurs semi-doubles.

Feuilles: Composées. Trifoliées

❀ Août à septembre ∅ 4 à 5 cm **Couleur:** Rose carmin

***hupehensis* 'September Charm'**

Utilisations: F - T 70 cm/ 28 po ◇ 45 cm/ 18 po

Grandes fleurs rose satiné.

Feuilles: Composées, folioles palmées.

❀ Septembre à octobre ∅ 4 à 5 cm

***hupehensis* 'Splendens'**

Utilisations: F - M 80 cm/ 32 po ◇ 45 cm/ 18 po

Les folioles sont palmées. Les fleurs sont rose brillant.

Feuilles: Composées. Trifoliées

❀ Août à septembre ∅ 4 à 5 cm

multifida

Utilisations: B - C - F - P

30 cm/ 12 po ◇ 15 cm/ 6 po ⊗ Couvre-sol - Colonie

Belle vivace au feuillage soyeux, très découpé. Les feuilles de la base sont pubescentes, pétiolées, composées de 3 à 5 folioles et découpées pour leur part en 2 ou 3 lobes. 'Major' est un cultivar robuste aux fleurs jaune crème et 'Rubra' a pour sa part des fleurs rouges. Zone 2.

Feuilles: Trifoliées ❀ Juin à juillet

pulsatilla ☺

Voir Pulsatilla vulgaris.

sylvestris

Utilisations: B - N

50 cm/ 20 po ◇ 30 cm/ 12 po ⊗ Buisson - Rosette

Fleurs individuelles et hâtives. Feuillage palmé et découpé. Refleurit parfois en septembre. Croît au soleil ou à la mi-ombre. Zone 3.

Feuilles: Palmées et découpées.
❀ Mai à juillet ∅ 2 à 3 cm **Couleur:** Blanc

***sylvestris* 'Macrantha'** Windflower

Utilisations: B - F - N - P
⌂ 40 cm/ 16 po ◊ 40 cm/ 16 po ⊗ Couvre-sol - Colonie

Cultivar vigoureux, à larges fleurs blanches, parfumées, légèrement retombantes. Les feuilles de la base sont pétiolées, celles prenant insertion sur la tige sont plus petites et dentées. Souche traçante. Préfère un sol riche en humus, humide mais bien drainé. Zone 4.

❀ Juin à juillet

---

virginiana Thimbleweed

Utilisations: M - N
⌂ 60 cm/ 24 po ◊ 35 cm/ 14 po
⊗ Couvre-sol - Colonie

Fleur verdâtre, rarement blanche, et peu décorative. Feuillage intéressant. Plante à développement rapide.

Feuilles: Palmées - Dentées
Feuillage: Vert foncé, lustré.
❀ Juin à juillet ∅ 2 à 3 cm

***vitifolia* 'Robustissima'**

Synonyme: A. tomentosa **Utilisations:** F - P
⌂ 80 cm/ 32 po ◊ 40 cm/ 16 po ⊗ Étalé

Fleurs rose pâle semblables à celles des anémones japonaises. Croissance rapide et même envahissante. Croît au soleil ou à la mi-ombre. Zone 4.

Feuilles: Composées, folioles palmées.
❀ Août à septembre ∅ 4 à 5 cm

***x* 'Honorine Jobert'**

Utilisations: F - T ⌂ 90 cm/ 36 po ◊ 45 cm/ 18 po

Grandes fleurs blanc pur. Plante très populaire.

Feuilles: Composées, folioles palmées.
Feuillage: Pubescent.
❀ Septembre à octobre ∅ 4 à 5 cm

***x* 'Max Vogel'**

◊ 40 cm/ 16 po ❀ Septembre à octobre

On reconnaît cet hybride par ses fleurs d'un rose léger devenant plus pâles avec la maturité. Les 3-4 pétales les plus extérieurs sont légèrement plus foncés que ceux de l'intérieur.

***x* 'Pamina'**

⌂ 75 cm/ 30 po ◊ 45 cm/ 18 po

Cet hybride a de jolies fleurs rose-rouge, doubles. Zone 5.

❀ Septembre à octobre

x 'Queen Charlotte'

Synonyme: A. 'Königin Charlotte'

110 cm/ 44 po — 45 cm/ 18 po — Septembre à octobre

Cette belle variété a de grandes fleurs roses et semi-doubles, avec le revers des pétales extérieurs teinté de pourpre foncé.

x 'Whirlwind'

Utilisations: F - T — 90 cm/ 36 po — 45 cm/ 18 po

Fleurs blanches semi-doubles à pétales spatulés.

Feuilles: Composées. Trifoliées

Août à septembre — ∅ 4 à 7 cm

x lesseri Lesser's Anemone

Utilisations: M — 40 cm/ 16 po — 30 cm/ 12 po

Petites fleurs à étamines jaune doré et à capitules de semences. Plante décorative.

Feuilles: Palmées — Mai à juin — **Couleur:** Jaune doré

Anemonella thalictroides 'Rosea'

⊗ Arrondi - Buisson — 15 cm/ 6 po — 30 cm/ 12 po

Floraison printanière, rose. Son feuillage disparaît après la fructification. Racines tubéreuses. Demande un sol humifère et acide. Zone 4.

Angelica Archangel

Famille: Apiacées — **Zone:** 4b

200 cm/ 80 po — 150 cm/ 60 po

⊗ Étalé

Grande plante médicinale et condimentaire. Bisannuelle ou de courte durée de vie. Son apparence est particulière. Très ornementale. Inflorescences en ombelles, énormes et verdâtres. Ses feuilles sont divisées et ses folioles, dentées.

Sol: Riche - Frais

gigas

140 cm/ 56 po — 100 cm/ 40 po — Juillet à août

Introduite en 1993, d'Asie. Plante superbe aux fleurs spériques rouge marron, d'apparence cireuse et très exotique. Son feuillage est vert foncé, divisé. Enregistrée C.O.P.F.

Feuillage: Aromatique.

Antennaria Pied de chat • Pussytoes

Famille: Asteracées — **Zone:** 3

Origine: Amérique du Nord et du Sud, Nord de l'Europe et Asie

Le nom «Antennaria» provient de la ressemblance qu'ont les filaments fixés aux graines avec les antennes de certains insectes. Feuillage gris argenté et persistant. Feuilles en rosette. Fleurs très petites en corymbes et aux bractées cotonneuses. Fleurs femelles et mâles sur des plants différents.

Sol: Bien drainé - Acide

Compagnons: **Été:** Aster alpinum et Iris kaempferi
Printemps: Lamium et Saxifraga
Automne: Rudbeckia et Penstemon 'Husker Red'

---

dioica 'Rubra'

Utilisations: A - N
⌂ 15 cm/ 6 po ◊ 25 cm/ 10 po ⊗ Couvre-sol - Rosette
Il existe également la variété 'Rubra Plena', intéressante pour ses fleurs doubles.
Feuilles: Entières. Spatulées - Prostrées **Feuillage:** Persistant.
❀ Juin - Juillet ∅ 4 cm **Couleur:** Pourpre

---

dioica 'Tomentosa'

Synonyme: A. dioica var. hyperborea **Utilisations:** A - N
⌂ 10 cm/ 4 po ◊ 30 cm/ 12 po ⊗ Couvre-sol - Rosette
Feuilles argentées des 2 côtés. L'espèce la plus compacte.
Feuilles: Entières. Spatulées - Prostrées **Feuillage:** Persistant.
❀ Mai - Juillet ∅ 4 cm **Couleur:** Blanc

---

dioica var. rosea

Synonyme: A. rosea **Utilisations:** A - N
⌂ 10 cm/ 4 po ◊ 30 cm/ 12 po ⊗ Couvre-sol - Rosette
Feuilles: Entières. Spatulées - Prostrées **Feuillage:** Persistant.
❀ Mai - Juillet ∅ 4 cm **Couleur:** Rose

Anthemis Camomille • Golden Camomille ☼

Famille: Astracées **Zone:** 3
Origine: Méditerranée et Moyen-Orient **Utilisations:** Al - Au

La majorité des espèces ornementales produisent des inflorescences à fleurs jaunes, semblables à des marguerites, durant plusieurs mois. Feuillage généralement découpé et aromatique. Les plantes appartenant à ce genre ont des propriétés médicinales. Durée de vie plutôt courte si on ne les divise pas régulièrement.

Sol: Bien drainé - Tous les sols
Compagnons: **Été:** Malva fastigiata et Iris germanica
Printemps: Dianthus 'Frosty Fire' et Thymus serpyllum
Automne: Sedum 'Indian Chief' et Achillea 'Cerise Queen'

---

cretica var. carpatica

Espèce pouvant atteindre de 15 à 20 cm de haut. Fleurs blanches apparaissant en juillet et août. Zone 3.

---

marschalliana ♥

Synonyme: A. rudolphiana **Utilisations:** A - B - D - F - R - L - P
⌂ 40 cm/ 16 po ◊ 40 cm/ 16 po ⊗ Rosette - Coussin
Plante à longue floraison, peu exigeante et de multiplication rapide. Il est donc avantageux de l'intégrer à son aménagement.
Feuilles: Composées, finement découpées.
Feuillage: Semi-persistant.
❀ Juin à août ∅ 3 à 6 cm **Couleur:** Jaune doré

sancti-johannis St-John's Chamomille

Utilisations: B - P

⌂ 50 cm/ 20 po ◊ 40 cm/ 16 po ⊗ Arrondi - Buisson

Bisannuelle.

Feuilles: Composées.
Feuillage: Aromatique.

❀ Juin à septembre ∅ 6 cm **Couleur:** Jaune orangé

***tinctoria* 'E.C. Buxton'**

Utilisations: F - P

⌂ 60 cm/ 24 po ◊ 35 cm/ 14 po ⊗ Arrondi - Buisson

Espèce très florifère.

Feuilles: Composées. Pennées
Feuillage: Aromatique.

❀ Juin à septembre ∅ 3 cm **Couleur:** Crème, coeur jaune

***tinctoria* 'Grallagh Gold'**

⌂ 60 cm/ 24 po ❀ Juillet à août

Excellente variété pour les lieux chauds et ensoleillés. Plante plus compacte; ses fleurs jaune doré sont plus grosses que celles de l'Anthemis 'Kelway's'.

***tinctoria* 'Kelway's Variety'**

Synonyme: A. 'Kelway' **Utilisations:** F - P

⌂ 70 cm/ 28 po ◊ 60 cm/ 24 po

Aussi appelée Camomille des teinturiers. Espèce très florifère, mais sa durée de vie est plutôt courte.

Feuilles: Composées. Pennées
Feuillage: Vert, au dessous argenté. Aromatique.

❀ Juin à septembre ∅ 3 à 4,5 cm **Couleur:** Jaune citron

***tinctoria* 'Wargrave'**

◊ 60 cm/ 24 po ❀ Juillet à septembre

Similaire à A. '.E. C. Buxton'. Fleurs jaunes et feuillage foncé, d'une hauteur de 90 cm. Zone 5b.

triumfetti

⊗ Arrondi - Buisson

Espèce pouvant atteindre 60 cm de haut. Fleurs blanches apparaissant de juin à juillet. Zone 4.

***x* 'Sauce Hollandaise'**

Synonyme: A. tinctoria 'Sauce Hollandaise'

⌂ 60 cm/ 24 po ⊗ Arrondi - Buisson

Floraison abondante. Nécessite un sol bien drainé.

Feuillage: Finement découpé.

❀ Juillet à août **Couleur:** Jaune crème

Aquilegia Ancolie • Columbine

Famille: Renonculacées **Zone:** 3
Origine: Hémisphère Nord

Belles fleurs à éperons plus ou moins profonds selon les espèces et les variétés. Feuillage lobé, composé et délicat. Grande variété de couleurs possibles. Plusieurs hybrides ont été créés. On retrouve certaines espèces à l'état naturel partout dans l'hémisphère Nord. La mineuse des feuilles de l'ancolie cause souvent des problèmes, il faut être très attentif! La plante se ressème facilement. Elle attire les oiseaux-mouches par la forme de ses fleurs.

Sol: Calcaire - Humide

Compagnons:
Printemps: Trollius et Phlox divaricata
Été: Astilbe et Aconitum
Automne: Phlox paniculata et Gaura

---

alpina Alpine Columbine

Utilisations: A - P
40 cm/ 16 po — 30 cm/ 12 po — ⊗ Arrondi - Coussin

Fleurs bleues sur un plant compact. Préfère les situations fraîches.

Feuilles: Triternées
Feuillage: Glabre et folioles délicates.
❀ Mai - Juin — ∅ 4 à 5 cm — **Couleur:** Bleu violacé

---

canadensis Wild Columbine

Utilisations: A - P - Al - Au
50 cm/ 20 po — 40 cm/ 16 po — ⊗ Ovale - Érigé

Éperons de longueur moyenne, fleurs rouge et jaune pendantes et nombreuses. Pourrait servir à naturaliser. Accepte la plantation à l'ombre.

Feuilles: Triternées
Feuillage: Glabre, un peu argenté.
❀ Mai - Juin — ∅ 3 à 4 cm
Couleur: Rouge et jaune

---

chrysantha Golden Columbine

Utilisations: F - O — 90 cm/ 36 po — ⊗ Ovale - Érigé

Jolies fleurs larges et à long éperons. Floraison prolongée. Résistante au mildiou. Zone 2.

❀ Mai - Juin - Remontante — **Couleur:** Jaune

---

flabellata 'Alba' Japanese Fan Columbine

Synonyme: A. 'Alba' — **Utilisations:** A - P
30 cm/ 12 po — 25 cm/ 10 po — ⊗ Arrondi - Coussin

Fleurs à éperons courts, feuillage glauque et épais. Plante compacte, résistante, très florifère et à croissance uniforme.

Feuilles: Triternées
❀ Mai - Juillet — ∅ 3 à 4 cm — **Couleur:** Blanc

---

flabellata 'Cameo Serie's'

10 cm/ 4 po — ⊗ Arrondi - Coussin

Utilisée surtout pour les potées fleuries et les rocailles. Fleurit deux semaines avant la 'Ministar'.

❀ Mai — ∅ 7 cm — **Couleur:** Blanc, bleu et rose mélangé

***flabellata* 'Ministar'**

Synonyme: A. ministar **Utilisations:** A - K - Al - Au
20 cm/ 8 po 25 cm/ 10 po ⊗ Rosette

Fleurs à éperons bleus et à pétales blancs. Espèce minuscule; s'intègre à un bac de plantes alpines.

Feuilles: Triternées **Feuillage:** Glabre.
Mai - Juillet ∅ 2 à 3 cm **Couleur:** Bleu et blanc

fragrans

Utilisations: M - O
90 cm/ 36 po 30 cm/ 12 po ⊗ Ovale - Érigé

Grandes fleurs dont certains pétales sont teintés de mauve.

Juin **Couleur:** Crème

viridiflora

Utilisations: M
40 cm/ 16 po 30 cm/ 12 po ⊗ Ovale - Érigé

Fleurs à étamines jaunes, à pétales bruns ainsi qu'à longs éperons. Zone 4.

Juin **Couleur:** Brun chocolat

***vulgaris* 'Double Pleat'**

Utilisations: M - O
70 cm/ 28 po 30 cm/ 12 po ⊗ Ovale - Érigé

Fleurs doubles dont les pétales ont une bordure blanche.

Juin - Juillet **Couleur:** Bleu et blanc ou rose et blanc

***vulgaris* 'Granny's Gold'**

50 cm/ 20 po Juin - Juillet **Couleur:** Bleu

Le feuillage est vert marbré de doré.

***vulgaris* 'Michael Stromminger'**

Utilisations: M - F 90 cm/ 36 po 30 cm/ 12 po

Intéressante par ses fleurs rose saumoné et ses tiges pourpres.

Juin **Couleur:** Rose saumoné

***vulgaris* 'Nora Barlow'**

Utilisations: F - P 75 cm/ 30 po 40 cm/ 16 po

Introduite par Bressingham Gardens. Fleurs doubles sans éperons. Plante très intéressante par son aspect différent des autres ancolies. Existe également d'autres variétés de couleurs différentes.

Feuilles: Triternées
Feuillage: Glabre et légèrement glauque.
Juin - Juillet ∅ 2,5 à 3 cm **Couleur:** Pourpre et crème

***vulgaris* 'Variegata'**

Synonyme: A. vulgaris vervaeneana Group 50 cm/ 20 po

Ses fleurs sont roses avec un centre pourpre parfois blanc ou bleu.

Feuillage: Très beau doré et marbré. Juin - Juillet

***vulgaris* 'Woodside Strain'**

Synonyme: A. vulgaris 'Golden Woodside' **Utilisations:** M - O
⌂ 60 cm/ 24 po ◊ 30 cm/ 12 po ⊗ Arrondi - Buisson

Les fleurs sont typiques des vieilles ancolies. On retrouve deux types de panachures chez les semis: 75% des plantes développent une des deux colorations; certaines présentent un feuillage jaune citron alors que d'autres arborent des panachures et spirales vert crème. Ses fleurs sont de teintes variées et elles sont abondantes! Zone 4.

❀ Juin **Couleur:** Mélange de couleurs

vulgaris* var. *flore-pleno

Synonyme: A.'Double Purple' ⊗ Ovale - Érigé

Nouveauté! Très belle variété d'ancolies à fleurs doubles, dans des teintes de rose, bourgogne et blanc. Zone 4.

***x* 'Biedermeier'** ♥

Utilisations: B - P
⌂ 75 cm/ 30 po ◊ 40 cm/ 16 po ⊗ Arrondi - Coussin

Fleurs non retombantes dirigées vers le haut, petites, compactes et nombreuses. Couleurs variées. Plante très jolie. D'aspect fort et résistant, son feuillage demeure vert foncé.

Feuilles: Triternées **Feuillage:** Vert foncé et glabre.
❀ Juin - Juillet ∅ 3 à 4 cm **Couleur:** Mélange de couleurs

***x* 'Crimson Star'**

Utilisations: F - P
⌂ 50 cm/ 20 po ◊ 40 cm/ 16 po ⊗ Ovale - Érigé

Longs éperons rouges et pétales blancs.

Feuilles: Triternées
❀ Mai - Juin ∅ 6 à 8 cm **Couleur:** Blanc et rouge

***x* 'Dragonfly'**

Utilisations: F - P
⌂ 50 cm/ 20 po ◊ 40 cm/ 16 po ⊗ Ovale - Érigé

Grandes fleurs à longs éperons. Mélange de semences, donc plusieurs couleurs.

Feuilles: Triternées
❀ Mai - Juin ∅ 5 à 6 cm **Couleur:** Multicolore

***x* 'Koralle'**

Utilisations: F - P
⌂ 60 cm/ 24 po ◊ 40 cm/ 16 po ⊗ Ovale - Érigé

Grandes fleurs rose corail à longs éperons.

Feuilles: Triternées
❀ Juin - Juillet ∅ 5 à 7 cm **Couleur:** Rose corail

***x* 'Kristall'**

Utilisations: F - P
⌂ 75 cm/ 30 po ◊ 40 cm/ 16 po ⊗ Ovale - Érigé

Grandes fleurs blanches à longs éperons.

(Aquilegia)

Feuilles: Triternées

❀ Mai - Juin ∅ 5 à 7 cm **Couleur:** Blanc

---

x 'Magpie' ♥

Synonyme: A. vulgaris 'William Guinness' **Utilisations:** M - O

⌂ 60 cm/ 24 po ◊ 40 cm/ 16 po

Fleurs violettes, bordées de blanc. Variété très florifère.

---

x 'Maxistar'

Utilisations: F - P

⌂ 75 cm/ 30 po ◊ 40 cm/ 16 po ⊗ Ovale - Érigé

Grandes fleurs jaunes à longs éperons.

Feuilles: Triternées ❀ Juin - Juillet ∅ 5 à 7 cm

---

x 'McKana Hybrids'

Utilisations: F - P

⌂ 90 cm/ 36 po ◊ 40 cm/ 16 po ⊗ Ovale - Érigé

Grandes fleurs populaires à longs éperons; existent en mélange de tons pastel.

Feuilles: Triternées ❀ Mai - Juin ∅ 5 à 7 cm

---

x 'Music Mélange'

Utilisations: F - P

⌂ 40 cm/ 16 po ◊ 40 cm/ 16 po ⊗ Ovale - Érigé

Grandes fleurs sur un plant compact. Se retrouvent aussi en une seule couleur ou à 2 tons sous les noms suivants: Aquilegia 1) X 'Music Blue and White'; 2) X 'Music Pink and White'; 3) X 'Music Red and Gold'; 4) X 'Music Red and White'.

Feuilles: Triternées

❀ Juin - Juillet ∅ 5 à 7 cm **Couleur:** Mélange de couleurs

---

x 'Nicole'

Utilisations: F - P

⌂ 45 cm/ 18 po ◊ 30 cm/ 12 po ⊗ Ovale - Érigé

Sélection d'ancolies à petites fleurs délicates semblables à celles de A. canadensis.

Feuilles: Triternées **Feuillage:** Glabre.

❀ Juin - Juillet ∅ 3 à 4 cm **Couleur:** Jasmin, saumon

---

x 'Sunlight White'

Utilisations: M - F

⌂ 90 cm/ 36 po ◊ 30 cm/ 12 po ⊗ Ovale - Érigé

Fleurs doubles sans éperons et à grande tige bien au-dessus du feuillage. Plante uniforme.

❀ Juin **Couleur:** Blanc

---

x 'Tequila Sunrise'

⊗ Ovale - Érigé

Cette nouvelle variété, qui provient des Pays-Bas, a des fleurs rouge cuivré avec un centre jaune doré. Fleurit l'année du semis. Longue période de floraison. Réussit bien dans tous les sols.

Arabis Arabette • Rock Cress 

Famille: Brassicacées **Zone:** 3
Origine: Amérique du Nord, Europe et Asie ⊗ Coussin - Couvre-sol

Connue pour son abondante floraison printanière, elle est surtout utilisée sur des murets pour son effet retombant et sa résistance au sec. Elle fait partie de la même famille que la moutarde. Populairement appelée «Alyssum» car la fleur est de la même couleur que celle de l'Alyssum annuelle. Éviter de la rabattre à l'automne afin d'assurer une floraison.

Sol: Tous les sols
Compagnons: **Été:** Penstemon et Malva
Printemps: Bergenia et Ajuga rubra
Automne: Chrysanthemum superbum 'Glory' et Sedum

---

alpina 'Flore Pleno'

Synonyme: A. caucasica 'Flore Pleno' **Utilisations:** A - F
25 cm/ 10 po 35 cm/ 14 po ⊗ Arrondi - Retombant

Espèce pouvant atteindre de 15 à 20 cm de haut. Feuillage grisâtre. Fleurs blanches et doubles. Floraison plus tardive.

Feuilles: Entières. Lobées
Feuillage: Laineux bleuté. Persistant. Aromatique.
❀ Mai - Juillet ∅ 1 à 1,5 cm **Couleur:** Blanc

---

androsacea

10 cm/ 4 po ⊗ Tapissant

Originaire de l'Asie Mineure. Espèce sans exigence particulière. Utilisée dans les jardins alpins.

Feuillage: Pubescent. Persistant. Aromatique.
❀ Juillet - Août **Couleur:** Blanc

---

blepharophylla 'Spring Charm'

Utilisations: A - G
15 cm/ 6 po 35 cm/ 14 po ⊗ Arrondi - Coussin

Feuilles turgescentes, en rosette, préférant un sol humide et bien drainé. Zone 4.

Feuilles: Entières, de 2 à 8 cm de long, obtuses et à marges cilliées. Spatulées
Feuillage: Persistant. Aromatique.
❀ Avril - Juin ∅ 1 à 1,5 cm **Couleur:** Rose carmin

---

caucasica 'Rosea'

Utilisations: A - G
20 cm/ 8 po 35 cm/ 14 po ⊗ Arrondi - Retombant

Populaire.

Feuilles: Entières. Lobées **Feuillage:** Persistant. Aromatique.
❀ Avril - Mai ∅ 1 à 1,2 cm **Couleur:** Rose lilacé ou carminé

---

caucasica 'Snow Cap'

Utilisations: A - G
20 cm/ 8 po 35 cm/ 14 po ⊗ Coussin - Retombant

À larges fleurs. Populaire et très ornementale.

(Arabis)

Feuilles: Entières. Lobées | **Feuillage:** Persistant. Aromatique.
❀ Avril - Mai | ∅ 1 à 1,2 cm | **Couleur:** Blanc

***caucasica* 'Variegata'** ♥

Utilisations: A - G
⌂ 20 cm/ 8 po | ◊ 35 cm/ 14 po | ⊗ Arrondi - Retombant

Moins vigoureuse que l'espèce. Doit être taillée régulièrement.

Feuilles: Entières. Lobées
Feuillage: Panaché de jaune crème et pubescent. Semi-persistant. Aromatique.
❀ Avril - Mai | ∅ 1 à 1,2 cm | **Couleur:** Blanc

***ferdinandi coburgii* 'Variegata'**

Utilisations: A - L
⌂ 10 cm/ 4 po | ◊ 15 cm/ 6 po | ⊗ Coussin - Dressé

Fleurs délicates. Belle coloration automnale du feuillage panaché crème, bordé de rose. Croissance au soleil ou à l'ombre.

Feuilles: Simples; sessiles; en rosette. De 5 à 10 cm. Spatulées
Feuillage: Lustré. Persistant. Aromatique.
❀ Mai | ∅ 0,7 cm | **Couleur:** Blanc

---

procurrens

Utilisations: A - R
⌂ 15 cm/ 6 po | ◊ 15 cm/ 6 po | ⊗ Arrondi - Coussin

Grandes fleurs. Végétation tapissante par stolons. Vigoureuse en sol pauvre. Croissance à l'ombre et au soleil.

Feuilles: Entières, étroites et au dessous velu le long des nervures.
Feuillage: Vert foncé, luisant, glabre et compact. Persistant. Aromatique.
❀ Avril - Mai | ∅ 1 cm | **Couleur:** Blanc

***procurrens* 'Glacier'**

Utilisations: A - R
⌂ 10 cm/ 4 po | ◊ 15 cm/ 6 po | ⊗ Coussin - Couvre-sol

Sélection de Arabis procurrens. Grandes fleurs de couleur pure.

Feuilles: Entières. | **Feuillage:** Persistant. Aromatique.
❀ Avril - Mai | ∅ 1 cm | **Couleur:** Blanc

***x arendsii* 'Compinkie'** ♥

Utilisations: A - G
⌂ 20 cm/ 8 po | ◊ 35 cm/ 14 po | ⊗ Arrondi - Retombant

Compacte et uniforme. Feuillage légèrement pubescent.

Feuilles: Entières. Lobées | **Feuillage:** Persistant. Aromatique.
❀ Avril - Mai | ∅ 1 à 1,5 cm | **Couleur:** Rose carmin

Aralia Aralie à grappes • Indian Root 

Famille: Araliacées **Zone:** 3

Ses feuilles sont alternes, composées, avec un pétiole engainant à la base. On utilise ses fruits pour fabriquer un vin de ménage. Croît généralement dans les érablières.

Sol: Humide

nudicaulis

60 cm/ 24 po 50 cm/ 20 po

Plante à rhizomes aériens ou peu profonds d'où émerge une unique grande feuille composée de 3 à 5 folioles avec une inflorescence au-dessus. Fleurs blanc verdâtre, en ombelles, groupées de 2 à 7 et apparaissant en juillet. Fruits pourpres noirâtres. Plante indigène.

racemosa

150 cm/ 60 po 100 cm/ 40 po

Plante indigène et médicinale dont les rhizomes sont employés pour aromatiser la petite bière (Rootbeer). Feuilles à nombreuses folioles ovées à bord dentelé et à fruits pourpres violacés. Branches très décoratives. Zone 4b.

Feuilles: Composées. ❀ Juillet **Couleur:** Blanc verdâtre

Arctostaphylos Raisins d'ours • Bearberry 

Famille: Éricacées **Zone:** 2

Origine: Amérique, Europe du Nord et Asie

Petit arbuste rampant à feuillage persistant se colorant de rouge à l'automne. Attention, ne tolère pas l'humidité.

Sol: Acide - Bien drainé

uva-ursi ☺

Utilisations: A - L

15 cm/ 6 po 40 cm/ 16 po

⊗ Couvre-sol - Retombant

Plante indigène à croissance lente. Ses fleurs sont recourbées vers le bas comme celles des campanules. Ses fruits sont rouges et farineux.

Feuilles: Entières. Alternes - Spatulées

Feuillage: Vert foncé lustré. Persistant.

❀ Avril - Mai ∅ 0,8 cm

Couleur: Blanc rosé

uva-ursi 'Vancouvert Jade'

Utilisations: A - L

15 cm/ 6 po 40 cm/ 16 po ⊗ Couvre-sol - Retombant

Introduction de UBC. Résistante aux maladies foliaires. Fruits rouges. Zone 5.

Feuilles: Entières. Alternes - Spatulées

Feuillage: Vert foncé lustré. Persistant.

❀ Avril - Mai ∅ 0,8 cm **Couleur:** Rose

Arenaria Sagine • Sandwort 

Famille: Caryophyllacées **Zone:** 3
Origine: Région alpine et arctique

Aussi connue sous le nom de «mousse irlandaise» à cause de son feuillage très fin et compact. La plante appartient à la famille des Dianthus et exige les mêmes soins.

Sol: Bien drainé

Compagnons:
Printemps: Nepeta et Bergenia
Été: Dianthus et Geranium
Automne: Lamium et Thymus articus

montana

Utilisations: A - G - Al - Au
15 cm/ 6 po 30 cm/ 12 po Couvre-sol - Retombant

Semblable au cérastium, mais à feuillage lustré.

Feuilles: Entières. Opposées
Feuillage: Vert foncé. Persistant.
Mai - Juin ∅ 1,5 à 2 cm **Couleur:** Blanc

procera

20 cm/ 8 po 30 cm/ 12 po

Souvent confondue avec Minuartia. Fleurs blanches. Feuilles charnues, linéaires et d'une longueur de 10 cm. Floraison de mai à juin. Préfère un sol sec et rocailleux. Utilisée en rocaille, sur un muret et en auge. Zone 3.

rubella

Utilisations: A - R
7 cm/ 2 po 15 cm/ 6 po Arrondi - Coussin

Petites fleurs blanches parfois rosées. Développement beaucoup moins rapide que celui de A. verna.

Feuilles: Entières. Opposées - Aciculées
Feuillage: Fin, semblable à une mousse. Persistant.
Juin - Juillet ∅ 0,3 à 0,5 cm **Couleur:** Blanc

verna

Synonyme: Sagina **Utilisations:** A - G - Al - Au
5 cm/ 2 po 30 cm/ 12 po Couvre-sol - Tapissant

Semblable à de la mousse et souvent utilisée entre les dalles d'un pavé. Fleurs minuscules. Enfoncer les mottes au printemps pour éviter que la plante gèle ou sèche.

Feuilles: Entières. Opposées - Aciculées
Feuillage: Minuscule et vert foncé. Persistant.
Juin - Juillet ∅ 0,3 à 0,5 cm **Couleur:** Blanc

verna 'Aurea'

Synonyme: Sagina **Utilisations:** A - G - Al - Au
5 cm/ 2 po 30 cm/ 12 po Couvre-sol - Tapissant

Identique à A. Verna, mais tolère moins bien la mi-ombre.

Feuilles: Entières. Opposées - Aciculées
Feuillage: Persistant.
Juin - Juillet ∅ 0,3 à 0,5 cm **Couleur:** Blanc

Arisaema Petit prêcheur • Jack-in-the-Pulpit ☺ ◐

Famille: Aracées **Zone:** 3

Origine: Amérique du Nord, Europe et Asie

Plante à tubercule. Inflorescence (spathe) étrange à baies écarlates qui font le bonheur des oiseaux et des écureuils. La majorité des Aracées proviennent des régions tropicales.

Sol: Humide - Riche

Compagnons: **Été:** Iris sibirica et Lobelia
Printemps: Polygonatum et Trillium
Automne: Chelone et Tricyrtis

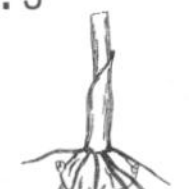
Racine

Fruit

Fleur

Feuille

triphyllum

Synonyme: A. atrorubens **Utilisations:** K - P

60 cm/ 24 po   30 cm/ 12 po

Plante indigène. Fleurs pourpres striées de vert, à face intérieure presque noire. Se ressème, mais se développe très lentement. Inflorescence en spathe plus petite et étroite que celle des autres variétés. La plus hâtive et répandue des variétés. Racine tubéreuse, fruits à baies rouges.

Feuilles: Composées. Trilobées

Feuillage: Face inférieure glauque.

❀ Juin - Juillet   ∅ 5 à 8 cm

Armeria Gazon d'Espagne • Sea Thrift

Famille: Plumbaginacées **Zone:** 3

Origine: Région côtière

Les inflorescences globulaires ressemblent aux formes florales de l'ail ou de la ciboulette. Plante très florifère et populaire. Durée de vie brève dans un sol trop humide qui faiblit la plante et la dégarnit du centre.

Sol: Pauvre - Bien drainé

Compagnons: Été: Malva rosea et Delphinium 'Fountains'
Printemps: Cerastium tomentosum et Primula auricula
Automne: Chelone obliqua et Stachys byzantina

alliacea

Synonyme: A. plantaginea **Utilisations:** A - P

40 cm/ 16 po   30 cm/ 12 po   ⊗ Rosette

Longue hampe florale qui se recourbe vers le bas.

Feuilles: Entières, de 2 à 4 cm et semblables à celles d'un plantain. Elliptiques

Feuillage: Persistant.

❀ Juin à juillet   ∅ 2 cm   **Couleur:** Rose

***alliacea* 'Bee's Ruby'**

Synonyme: A. plantaginea

⌂ 45 cm/ 18 po ⟡ 30 cm/ 12 po ❀ Mai à juillet

Issue de A. alliacea et A. maritima. Variété à floraison remontante et à fleurs d'un rouge brillant.

Feuillage: Persistant.

juniperifolia Pyrenees Thrift

Utilisations: Cu

⌂ 10 cm/ 4 po ⟡ 15 cm/ 6 po ⊗ Coussin

Plante naine. Petite inflorescence courte n'excédant presque pas le feuillage.

Feuillage: Aiguille délicate. Persistant.

❀ Mai à juin **Couleur:** Rose clair

***maritima* 'Alba'** Common Thrift

Utilisations: A - P

⌂ 15 cm/ 6 po ⟡ 30 cm/ 12 po ⊗ Arrondi - Coussin

Identique à l'espèce. Peut former des coussins de 30 à 40 cm de large. Hampe florale bien dégagée du feuillage.

Feuilles: Entières. Aciculées

Feuillage: En rosette. Persistant.

❀ Mai à juillet ∅ 2 à 3 cm **Couleur:** Blanc crème

***maritima* 'Gloire de Dusseldorf'**

Synonyme: A. maritima 'Düsseldorfer Stolz' **Utilisations:** A - P

⌂ 20 cm/ 8 po ⟡ 30 cm/ 12 po ⊗ Arrondi - Coussin

Compacte. Teintes intenses; la plus colorée de l'espèce.

Feuilles: Entières. Aciculées

Feuillage: Persistant.

❀ Mai à juillet ∅ 2 à 3 cm **Couleur:** Rose carmin

***maritima* 'Laucheana'**

Utilisations: A - P

⌂ 15 cm/ 6 po ⟡ 30 cm/ 12 po ⊗ Arrondi - Coussin

Populaire, à grande inflorescence.

Feuilles: Pouvant posséder de 20 à 40 aiguilles.

Feuillage: Persistant.

❀ Mai à juillet ∅ 2 à 3 cm **Couleur:** Rose foncé

***maritima* 'Splendens'** ♥

Utilisations: A - P

⌂ 25 cm/ 10 po ⟡ 30 cm/ 12 po ⊗ Arrondi - Coussin

Espèce naine. La plus ornementale.

Feuilles: Entières. Aciculées

Feuillage: Persistant.

❀ Mai à juillet ∅ 2 à 3 cm **Couleur:** Rouge

pseudarmeria Pinkball Thrift

Synonyme: A. cephalotes **Utilisations:** A - P

40 cm/ 16 po 30 cm/ 12 po ⊗ Rosette

Feuillage plus large que celui des autres espèces; hampe florale haute et souple de 25 à 50 cm. Coussin plus lâche et rosettes moins serrées. Zone 4.

Feuilles: Entières, de 10 à 20 cm de long x 1.5 à 2 cm de large Elliptiques

Feuillage: Vert sombre. Persistant.

❀ Juin à août ∅ 3 à 4 cm **Couleur:** Rose lilas à blanc

Armoracia Raifort • Horse Radish

Famille: Brassicacées **Origine:** France

Plante généralement vivace et palustre, quelques fois aquatique. Son nom provient du celtique Armorique (Bretagne) qui signifie «près de la mer». La racine renferme une forte quantité de moutarde; râpée, elle est très employée comme condiment. Produit différentes formes de feuilles, selon les saisons.

***rusticana* 'Variegata'**

Synonyme: A. 'Cochlearia armoracia'

Fleurs blanches. Grosse vivace à racine pivotante et charnue. Décorative par son feuillage. Plante surtout utilisée en cuisine. Zone 3.

Feuillage: Aromatique. ❀ Juillet - Août

Arnica Cordilleran Arnica

Famille: Asteracées **Zone:** 5

Origine: Montagne de l'Europe

Vivace à rhizome pubescent des prés montagnards. Attention, elle est sensible à trop de fertilisant. Plante médicinale à propriété cicatrisante. Rarissime au Québec.

Sol: Acide - Bien drainé

montana

Utilisations: R 40 cm/ 16 po 40 cm/ 16 po

Le centre de la fleur est plus orangé. On retrouve de 1 à 3 fleurs par tige. Croissance en rosette.

Feuilles: À nervures prononcées. Opposées - Oblongues

Feuillage: Pubescent. Aromatique.

❀ Mai à juillet ∅ 8 cm **Couleur:** Jaune doré

Aronia Chokeberry

Famille: Rosacées **Zone:** 4

Origine: Amérique du Nord

Les feuilles des plantes appartenant à ce genre sont simples, crenelées, de 10 cm de long et alternes. Petit corymbe de fleurs blanches, parfois teintées de rose, apparaissant à la fin du printemps. Fleur constituée de 5 pétales concaves et de plusieurs étamines (anthères violettes). Petits fruits sphériques rouges, violets ou noirs. Beau feuillage coloré à l'automne. Apprécie un sol profond, non alcalin.

Sol: Humide - Bien drainé

***melanocarpa* 'Autumn Magic'** 

Arbuste aux feuilles caduques, feuillage vert lustré passant au rouge pourpre à l'automne. Ses fleurs sont blanches, parfumées et fleurissent en mai. Zone 3b.

Artemisia Armoise • Wormwood ☺ 

Famille: Asteracées **Zone:** 2

Origine: Amérique du Nord et du Sud et Afrique

Plante surtout utilisée pour son feuillage décoratif et aromatique; plusieurs personnes sont allergiques à son odeur forte. Fleurs plus ou moins intéressantes, à l'exception de quelques espèces. De port différent, ces vivaces supportent bien d'être taillées (pour limiter leur croissance ou donner une forme précise). Tolère les sols alcalins.

Sol: Bien drainé - Sec

Compagnons: **Été:** Papaver 'Allegro' et Macleaya cordata
Printemps: Alyssum saxatile et Phlox subulata
Automne: Perovskia et Eupatorium purpureum

arborescens

120 cm/ 48 po ⊗ Dressé

Espèce ligneuse pour climat doux et nécessitant une protection. Fleurs grisâtres, peu intéressantes et rares. Requiert un sol bien drainé.

Feuilles: Étroites et découpées.
Feuillage: Argenté légèrement bleuté. Persistant.
❀ Juillet - Août

abrotanum Southerwood

Utilisations: K - P
75 cm/ 30 po 45 cm/ 18 po ⊗ Arrondi - Buisson

Plante arbustive, tolère bien la mi-ombre. Feuilles vertes, alternes et finement découpées. Zone 3.

Feuilles: Composées. Pennées - Dissequées
Feuillage: Aromatique.
❀ Juin - Août **Couleur:** Verdâtre

***absinthium* 'Lambrook Silver'** ☺

50 cm/ 20 po ⊗ Arrondi - Buisson

Très argenté. Zone 4.

Feuillage: Semi-persistant. ❀ Juillet - Août

discolor

Synonyme: A. ludoviciana var. incompta **Utilisations:** B - L
40 cm/ 16 po 30 cm/ 12 po ⊗ Évasé - Colonie

Plante prostrée et stolonifère. Intéressante pour retenir le sol.

Feuilles: Composées et alternes. Pennées - Dissequées
Feuillage: Glabre. Aromatique.
❀ Août - Septembre **Couleur:** Jaune

glacialis ☼

Utilisations: Al - Au

⌂ 5 cm/ 2 po ◊ 15 cm/ 6 po ⊗ Évasé - Colonie

Plante alpine aux fleurs jaunes et au feuillage soyeux, tomenteux. Très décorative.

Feuillage: Aromatique. ❀ Juin - Août

***lactiflora* 'Quizhou'** White Mugwort

Utilisations: M - Fs

⌂ 135 cm/ 54 po ◊ 40 cm/ 16 po ⊗ Ovale - Érigé

Armoise cultivée pour ses fleurs en plumeaux lâches et ses tiges pourpres. Demande un sol riche et humide. Introduite par le Bressingham Garden. Zone 4.

Feuilles: Dissequées

Feuillage: Vert très foncé tirant sur le noir.

❀ Août - Septembre **Couleur:** Blanc crème

***ludoviciana* 'Silver King'** White sage

Synonyme: A. albula

Utilisations: A - P ⌂ 85 cm/ 34 po

◊ 45 cm/ 18 po ⊗ Étalé - Colonie

De croissance rapide. Feuillage à texture délicate; les tiges et les feuilles sont argentées. Zone 3.

Feuilles: Composées et alternes. Palmées - Dissequées

Feuillage: Aromatique.

❀ Juin - Août **Couleur:** Jaune

***ludoviciana* 'Silver Queen'**

Utilisations: A - P

⌂ 75 cm/ 30 po ◊ 45 cm/ 18 po ⊗ Couvre-sol

Feuilles entières plus finement découpées que celles de A. 'Silver King'. Pointe tôt le printemps et elle est très résistante.

Feuilles: Entières. Alternes - Lancéolées

Feuillage: Aromatique.

❀ Juin - Août **Couleur:** Jaune

***ludoviciana* 'Valerie Finnis'**

Utilisations: M - F ⌂ 55 cm/ 22 po ◊ 40 cm/ 16 po

Inflorescence peu intéressante. Compacte et moins envahissante que les autres variétés. Zone 3.

Feuilles: Larges. Dentées **Feuillage:** Argenté.

❀ Août - Septembre **Couleur:** Jaune doré

***schmidtiana* 'Silver Mound'** Silver Mound Artemisia

Utilisations: A - P

⌂ 25 cm/ 10 po ◊ 30 cm/ 12 po ⊗ Arrondi - Coussin

Populaire.

Feuilles: Composées, alternes d'aspect plumeux. Palmées - Dissequées

Feuillage: Aromatique. ❀ Juin - Juillet **Couleur:** Jaune

stelleriana

Utilisations: A - L

△ 50 cm/ 20 po ◊ 30 cm/ 12 po ⊗ Étalé - Couvre-sol

Semblable à la Cinéraire (annuelle). Plante très résistante au sel. Naturalisée le long de la côte Atlantique.

Feuilles: Entières. Alternes - Lobées

Feuillage: Semi-persistant. Aromatique.

❀ Juin - Août **Couleur:** Jaune

stelleriana 'Silver Brocade'

Utilisations: A - L **Zone:** 3

△ 15 cm/ 6 po ◊ 30 cm/ 12 po ⊗ Couvre-sol - Étalé

Sélection de l'espèce, feuillage plus argenté et port plus compact. Très résistante à la sécheresse. Introduction de UBC. Sa fleur est petite et peu décorative. Son feuillage est persistant en zones de 5 à 9.

Feuilles: Entières. Alternes - Lobées

Feuillage: Semi-persistant. Aromatique.

❀ Juin - Août **Couleur:** Jaune

x 'Powis Castle'

Utilisations: K - P

△ 75 cm/ 30 po ◊ 60 cm/ 24 po ⊗ Arrondi - Buisson

Belle plante arbustive et non florifère. Nécessite un sol bien drainé. Zone 5.

Feuilles: Composées et alternes. Pennées - Dissequées

Feuillage: Plumeux. Persistant. Aromatique.

❀ Juin - Août **Couleur:** Jaune

Arum Italian Arum

Famille: Aracées **Zone:** 5

Les fruits et le feuillage sont très décoratifs, donnant à la plante une allure exotique. Il est recommandé d'appliquer du compost à l'automne. Se propage par semis et division de tubercules.

Sol: Riche - Humide

Compagnons:
Été: Houttuynia et Astilbe taquetti 'Superba'
Printemps: Aruncus aethusifolius et Polygonatum
Automne: Cimicifuga et Luzula

italicum

△ 30 cm/ 12 po ◊ 50 cm/ 20 po

Fleurs blanches bordées de rouge, peu apparentes, en forme de spathe, avec des fruits rouges et brillants qui apparaissent en septembre. Très décorative. Son port est bulbeux.

Feuilles: Sagittées avec des nervures prononcées jaunes.

Feuillage: Persistant. ❀ Mai

Aruncus Barbe de bouc • Goat's Beard 

Famille: Rosacées **Zone:** 3
Origine: Hémisphère Nord

Vivace très rustique, ne demande aucun soin particulier, peut rester en place longtemps. Très populaire pour remplacer un arbuste. Demande un sol riche.

Sol: Humide - Acide

Compagnons: **Été:** Iris germanica et Papaver nudicaulis
Printemps: Draba et Veronica prostata
Automne: Thymus 'Aurea' et Lobelia

---

aethusifolius

Utilisations: A - P
⌂ 25 cm/ 10 po ◊ 30 cm/ 12 po

Petite plante compacte à croissance lente dont les tiges florales n'excèdent pas le feuillage.

Feuilles: Composées, très découpées. Triternées
Feuillage: Crispé.
❀ Mai - Juin **Couleur:** Blanc crème

---

dioicus

Synonyme: A. sylvester **Utilisations:** K - P
⌂ 165 cm/ 66 po ◊ 90 cm/ 36 po ⊗ Buisson - Retombant

Semblable à une astilbe géante, il remplace avantageusement un arbuste. Plantes dioïques, soit des plants mâles et des plants femelles. Ils ne sont pas commercialisés séparément, mais nous pouvons distinguer les plants mâles puisqu'ils ont des fleurs plus délicates. Zone 4.

Feuilles: Composées, folioles dentées de forme ovale. Alternes - Triternées
❀ Juin - Juillet **Couleur:** Blanc crème

---

dioicus 'Kneiffii'

Utilisations: K - P
⌂ 75 cm/ 30 po ◊ 40 cm/ 16 po ⊗ Arrondi - Buisson

Préfère un endroit plus ensoleillé. Croissance lente et moins vigoureuse. Feuillage très découpé, à l'exemple des érables japonais. Se propage seulement par division. Zone 5.

Feuilles: Composées et alternes. Triternées - Dissequées
❀ Juin **Couleur:** Blanc crème

Asarum Gingembre sauvage • Wild Ginger 

Famille: Aristolochiacées **Zone:** 3-4
Origine: Amérique du Nord, Europe et Asie ⊗ Arrondi - Buisson

Grand feuillage cordé ou réniforme, très utile dans les jardins d'ombre. Les fleurs solitaires peuvent être observées tôt au printemps sous le feuillage; leurs couleurs et leur forme sont peu décoratives, mais elles demeurent intriguantes.

Sol: Calcaire - Humide

Compagnons: **Été:** Lobelia cardinalis et Iris 'Carrie Lee'
Printemps: Trillium grandiflorum et Lamiastrum
Automne: Iris pseudacorus et Miscanthus 'Purpurascens'

canadense

☺ ❤

Utilisations: C - L

15 cm/ 6 po   25 cm/ 10 po   ⊗ Couvre-sol - Colonie

Espèce plus vigoureuse. Plante indigène dans nos érablières ayant un rhizome aromatique (goût de gingembre). Inflorescence solitaire, axillaire et tripétalée.

Feuilles: Entières, de 15 cm de diamètre et pétiole de 30 cm. Cordées

Feuillage: Pubescent et non lustré.

❀ Mai - Juin   ∅ 3 cm   **Couleur:** Pourpre

caudatum

Utilisations: C

15 cm/ 6 po   30 cm/ 12 po   ⊗ Couvre-sol - Colonie

Fleurs bizarres à trois pétales et à long appendice; elles sont cachées sous le feuillage. Rhizome très traçant. Possède un pétiole velu de 17 cm.

Feuilles: De 2 à 10 cm de diamètre, non nervurées sur le dessus. Cordées

Feuillage: Plus grand que A. europaeum, cuirassé et luisant.

❀ Mai - Juin   ∅ 2,5 à 8,5 cm   **Couleur:** Pourpre

europaeum European Wild Ginger

Utilisations: A - L

15 cm/ 6 po   25 cm/ 10 po   ⊗ Arrondi - Buisson

Feuillage plus petit et luisant. Croissance lente. Inflorescence solitaire, axillaire et tripetalée, dissimulée sous le feuillage. Sa fleur est brune à l'intérieur et rouge à l'extérieur.

Feuilles: Entières, de 6 à 7 cm de diamètre et 12 à 15 cm de pétiole. Réniformes

Feuillage: Vert foncé et très coriace. Semi-persistant.

❀ Mai - Juin   ∅ 2,5 cm   **Couleur:** Pourpre

Asclepias Asclepiade • Milkweed

☺ ◑ ☼

Famille: Asclepiadacées   **Zone:** 3

Origine: Amérique du Nord et Afrique

L'espèce indigène la plus connue est appelée «petit cochon» ou «herbe à lait» à cause du latex retrouvé à l'intérieur de la plante A. syriaca. La fleur individuelle a une forme particulière; elle attire les papillons et son fruit est décoratif en plus de laisser paraître un genre de ouate. Pointe tard au printemps. N'exige aucun soin particulier lorsqu'elle est bien établie.

Sol: Bien drainé - Sec et pauvre

Compagnons:

Été: Thalictrum aquilegifolium et Anaphalis

Printemps: Osmunda et Euphorbia epithymoides

Automne: Sedum 'Autumn Joy' et Solidago

curassavica 'Red Butterfly'

◑

20 cm/ 8 po   30 cm/ 12 po   ⊗ Ovale - Érigé

Variété courte pour la potée fleurie, de couleur rouge.

incarnata Swamp Milkweed

△ 100 cm/ 40 po ◊ 60 cm/ 24 po ⊗ Ovale - Érigé

L'espèce se trouve à l'état indigène dans les endroits humides. Ses longues tiges solides sont décoratives par leur couleur rouge à l'automne et portent des fruits eux-mêmes décoratifs. La nervure centrale de la feuille forme un angle aigu avec la tige.

Feuilles: Opposées de 8 à 15 cm.
Feuillage: Vert foncé et glabre. Aromatique. ❀ Juillet - Août

***incarnata* 'Cinderella'**

Utilisations: F - Fs
△ 110 cm/ 44 po ◊ 60 cm/ 24 po ⊗ Ovale - Érigé

Fleurs rose carmin, zone 2.

Feuilles: Entières. Oblongues - Elliptiques
❀ Juin - Août ∅ 0,8 à 1 cm

***incarnata* 'Ice Ballet'**

Sélection aux fleurs blanches, odorantes et excellentes en fleurs coupées.

tuberosa ☺

Utilisations: F
△ 75 cm/ 30 po ◊ 40 cm/ 16 po ⊗ Arrondi - Buisson

Fleurs aux belles couleurs chaudes. Émergence très tardive au printemps. Le diamètre de l'inflorescence est de 5 à 7 cm. Accepte mal la transplantation car sa racine est tubéreuse.

Feuilles: Simples, opposées, sessiles ou presque. Mesure 14 cm x 3 cm de large. Oblongues - Elliptiques
Feuillage: Vert foncé et glabre. Tige à poils grossiers.
❀ Juillet - Août **Couleur:** Orangé

***tuberosa* 'Rosea'**

Utilisations: F - P
△ 60 cm/ 24 po ◊ 35 cm/ 14 po ⊗ Arrondi - Buisson

Sélection de l'espèce différente et prometteuse.

Feuilles: Entières et alternes. Oblongues - Elliptiques
Feuillage: Glabre.
❀ Juillet - Août **Couleur:** Rose

Asphodeline Bâton de Jacob • Jacob's Rod ☺

Famille: Liliacées **Zone:** 5b
Origine: Méditerranée ⊗ Étalé

Exige une certaine protection. Il existe l'espèce lutea; d'une hauteur de 90 cm, son espacement est de 40 cm, ses fleurs sont jaunes et parfumées fleurissant de juin à août, ses feuilles disposées à la base en rosette, son feuillage est épais et glauque. Il y a aussi une variété à fleurs doubles, blanches de 20 cm et au feuillage vert et blanc.

Sol: Bien drainé - Caillouteux

Aster

Famille: Asteracées **Zone:** 3-4

Plusieurs espèces à caractéristiques différentes de par leur hauteur, leur période de floraison ou leur feuillage, dont:

D'été hauteur moyenne, feuilles pubescentes et sessiles et floraison parfois jusqu'à l'automne. Se retrouve souvent sous l'espèce A. amellus et A. sedifolius.

De printemps hauteur de 20 à 30 cm, feuilles spatulées, se propage par semis et floraison printanière. Se retrouve sous l'espèce A. alpinus.

Hybride nain hauteur de 30 à 60 cm, feuilles simples, sessiles, alternes et elliptiques, pubescentes. La majorité sont compacts; floraison automnale d'août à octobre. Diviser tous les deux ans. Se retrouve sous l'espèce A. dumosus.

Novea-angliae imposante et à croissance rapide. Le pied de la plante est souvent dénudé par des maladies fongiques. S'assurer de mettre une plante compagne pour camoufler sa base. Les fleurs se referment par temps sombre et le soir.

Novi-belgii feuilles simples, alternes et lancéolées. Diviser tous les trois ou quatre ans.

Divaricatus hauteur de 50 à 75 cm, fleurs blanches, feuilles ovales et lancéolées à longs pétioles. Floraison automnale. Indigène.

Macrophyllus hauteur de 120 cm, fleurs bleu lavande à mauves avec tiges rougeâtres, floraison automnale. Originaire de l'Amérique du Nord.

Sedifolius hauteur de 70 cm, tiges très ramifiées, hampe florale forte portant jusqu'à 40 fleurs de couleur lilas. Floraison de août à octobre.

Vimineus hauteur de 60 à 130 cm, nombreuses petites fleurs mauves ou blanches fleurissant de août à octobre.

X frikartii hauteur de 70 à 100 cm, fleurs bleues fleurissant de août à octobre. Provient de A. amellus et A. thomsonii.

Sol: Bien drainé

Novi-belgii

Novea-angliae

A.cordifolius

Espèce 'Variété'	Description	△ cm/po	◊ cm/po	∅ cm	❀
alpinus					
'Dark Beauty'	Fleur: violet et jaune.	30/12	35/14	4	5-6
'Goliath'	Fleur: bleu clair.	35/14	35/14	6	5-6
'Happy End' ♥	Fleurs roses semi-doubles au cœur jaune, de dimension moyenne et à port compact.	30/12	35/14		5-6
alpinus var. albus	Fleurs ligulées à pétales blancs et au cœur jaune.	30/12	40/16		5-6
amellus					
'Lac de Genève'	Cette variété est très florifère. Ses fleurs bleu violacé sont grandes. Sa croissance est forte et ramifiée. Zone 4.	60/24	45/18	5	7-9
'Rudolph Goethe'	Introduit en 1914 et encore populaire. Fleur: bleu violacé.	60/24	45/18	5	7-10
cordifolius					
'Ideal'	Floraison spectaculaire et imposante de plusieurs petites fleurs bleu au cœur jaune. Espèce assez stable.	100/40	75/36		9-10
dumosus					
'Alert'	Le feuillage est vert foncé. Fleur: rouge.	30/12	40/16	2,5	8-9
'Alice Haslam'	Le feuillage est vert foncé. Fleur: rose carmin.	30/12	40/16	2,5	8-9
'Audrey' ♥	Florifère, à fleurs bleu lavande, semi-doubles.	30/12	40/16	2,5	8-9
'Blue Baby'	Variété compacte. Fleur: bleu lavande.	30/12	40/16	2,5	8-9
'Dandy'	Variété compacte. Fleur: rouge-pourpre.	40/16	40/16	2,5	8-9
'Fidelio'	Fleur: bleu violacé.	40/16	40/16	2,5	7
'Herbstgruss von Bressherhof'	Fleur: rose.	40/16	30/12	2,5	8-9
'Jenny' ♥	Une des variétés les plus intéressantes par l'abondance de ses fleurs fuchsias, semi-doubles.	30/12	40/16	2,5	8-9
'Lady in Blue'	Fleurs bleu violacé, semi-doubles, végétation dense.	40/16	40/16	2,5	7
'Peter Pan'	Fleur: rose-mauve.	30/12	30/12	2,5	8-9
'Pink Bouquet'	Populaire. Fleur: rose.	30/12	40/16	2,5	8-9
'Professor Anton Kippenberg'	Populaire et vigoureuse, ses fleurs bleu violacé, sont semi-doubles.	30/12	40/16	2,5	8-9
'Red star' ♥	Fleur: fuchsia.	30/12	40/16	2,5	8-9
'Rose Serenade'	Fleur: rose.	30/12	40/16	2,5	8-9
'Royal Opal'	Fleur: bleu lilas.	30/12	40/16	2,5	8-9

Espèce **'Variété'**	Description	cm/po	cm/po	Ø cm	
'Schneekissen'	Populaire et vigoureuse. Floraison impressionnante. Fleur: blanche.	30/12	40/16	2,5	8-9
'Violet Carpet'	Tiges fortes, prostrées et longeant le sol. Variété très utilisée dans les aménagements. Fleur: bleu violet.	25/10	40/16	2,5	8-9
'White Opal'	Fleur: blanche.	25/10	40/16	2,5	8-9
joyrenaeus					
'Lutetia'	Ressemble beaucoup à A. amellus;sa souche est ligneuse et plus résistante. Ancienne variété (1912) souvent classée par erreur avec les amellus. Fleur: bleu lilas.	80/32	45/18		8-10
lateriflorus					
'Prince'	Introduction britannique. Les feuilles et les tiges sont pourprées et elles contrastent bien avec la multitude de fleurs miniatures blanc rosé. Zone 4.	60/24	45/18		9-10
novae-angliae					
'Alma Pötschke'	Introduite en 1969. Croissance rapide et abondante. Fleurs rose vif, semi-doubles et à pétales légèrement ondulés.	90/36	60/24	2,5	8-10
'Bianca'	Espèce à fleurs blanches semi-doubles. Nécessite un sol riche, bien drainé et exposé au soleil. Elle se propage par boutures et division. Cultivar enregistré COPF.	110/44	75/36	4	8-10
'Elaina'	Espèce à fleurs rose foncé semi-doubles. Cultivar enregistré C.O.P.F.	90/36	60/24	4	8-10
'Harrington's Pink'	Plante très feuillue à tige ligneuse dans le bas. Croissance uniforme. Peu sensible au mildiou. Fleur: rose saumoné.	110/44	60/24	2,5	9-10
'Hella Lacy'	Ses fleurs sont de couleur bleu-violet. Se propage par semis.	120/48	90/36		
'Lisa'	Espèce à fleurs lilas semi-doubles. Cultivar enregistré C.O.P.F.	95/38	60/24		8-10
'Purpello'	Grandes fleurs pourpres. Variété très florifère.	125/50	60/24	2,5	8-10
'Purple Dome'	Sélection de plante compacte, résistante au mildiou. Fleur: mauve.	50/20	40/16	2,5	8-9
'Rosita'	Espèce à fleurs rose clair semi-doubles. Cultivar enregistré C.O.P.F.	100/40	75/30		8-10
'September Ruby'	Variété populaire et remontante, introduite par Benary. Elle se propage par semis sous le nom A. Septemberrubin. Fleur: rouge rubis.	115/46	60/24	2,5	8-10
'Sylvia'	Espèce à fleurs violettes, semi-doubles. Elle se propage par boutures et division. Cultivar enregistré C.O.P.F.	100/40	75/30		8-10

Espèce 'Variété'	Description	⌂ cm/po	◊ cm/po	Ø cm	❀
novi-belgii					
'Crimson Brocade'	Feuillage vert foncé et glabre. Fleurs doubles, rouge.	90/36	50/20	2,5	8-10
'Eventide'	Grandes fleurs violettes, semi-doubles.	110/44	50/20	5	8-10
'Marie Ballard' ❤	Ancien cultivar demeurant l'un des plus beaux à fleurs doubles, bleu lilas.	90/36	50/20	3	8-10
'Patricia Ballard'	Fleurs semi-doubles, rose foncé.	90/36	50/20	2,5	8-10
'Persian Rose'	Pourrait peut-être faire parti des asters dumosus. Fleur: rose.	40/16	30/12	2,5	8-10
'Royal Ruby'	Fleurs semi-doubles, rouge-pourpre.	80/32	50/20		8-10
'Schöne Von Dietlikon'	Feuillage vert foncé et lustré. Fleur: bleu violacé.	100/40	50/20	2,5	9-10
'Winston Churchill' ❤	Variété à fleurs rouges, simples et à floraison hâtive.	70/28	50/20	3	8-10
pringlei					
'Monte Cassino'	Une espèce particulièrement florifère qui porte une multitude de petits capitules à ligules blanches et à cœur jaune. Son feuillage est caduc et ses feuilles entières sont oblongues. Port ovale et érigé. Zone 4.	90/36	40/16		9-10
ptarmicoides					
'Summer Snow'	Ses fleurs sont blanc pur. Cultivar enregistré C.O.P.F.	50/20	25/10		8-10
sedifolius					
'Nanus'	Petites fleurs bleu au cœur jaune, d'aspect léger ou nuageux et résistantes au mildiou. Hampe florale très ramifiée. À noter, 'Nanus' indique la dimension de la fleur et la hauteur de la plante, qui est inférieure à l'espèce. Zone 2.	55/22	30/12	2,5	8-10
tongolensis					
'Berggarten'	Feuillage vert foncé et velu. Variété très florifère. Ses fleurs sont bleu-violet, elles sont très intéressantes en bouquets. Zone 4.	45/18	25/10	5	5-6
'Wartburgstern'	Grandes fleurs bleu lavande.	30/12	35/14	3	5-6
x frikartii					
'Mönch'	Très florifère et à longue floraison. Réputé pour être le meilleur cultivar. Créé en Suisse par Frikart vers 1920; "Mönch" fait référence à une montagne suisse. Fleur: bleu lavande au centre jaune.	70/28	45/18	6	7-10

Astilbe False Spirea 

Famille: Saxifragacées **Zone:** 3
Origine: Asie

Vivace très populaire appréciée pour sa floraison abondante et prolongée. Un choix judicieux de variété permettra une floraison s'étendant de juin à septembre. Plusieurs espèces à caractéristiques différentes dont:

Arendsii Ses hybrides sont plus hauts que ceux de A. japonica et ont généralement de plus grosses panicules, bien ramifiées, dressées et fleurissant après.

Chinensis Produit surtout des panicules allongées, dressées et denses. Floraison tardive.

Japonica Les hybrides japonais se différencient par leurs panicules denses et trapues. Plus compacts et à floraison hâtive. Les nervures de la feuille sont généralement rouges.

Simplicifolia Plante de plus petite taille. Les inflorescences sont beaucoup moins denses et souvent retombantes.

Thunbergii Espèce à hampe florale très retombante. Croissance rapide et vigoureuse.

Sol: Humide

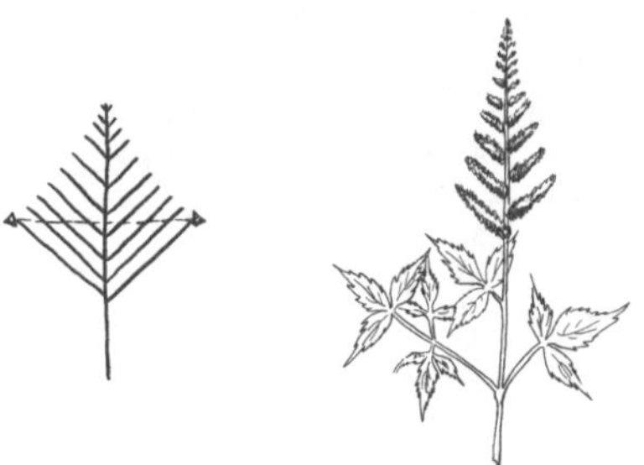

A. chinensis

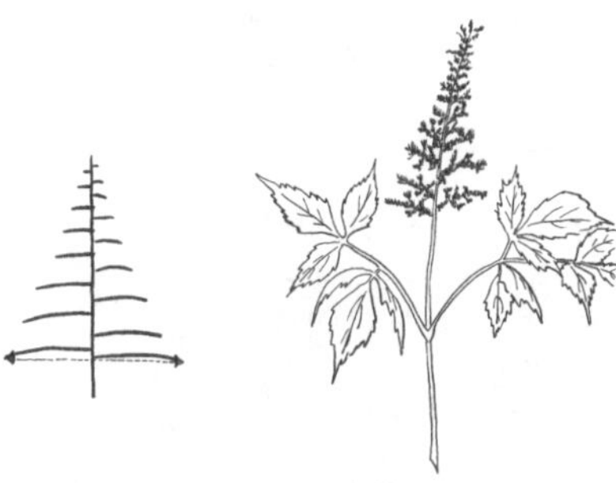

A. arendsii

Espèce 'Variété'	Description	⌂ cm/po	◊ cm/po	∅ cm	❀
arendsii					
'Amethyst' ♥	Introduite en 1920. Longue tige solide. Plumeau bien ramifié. Élégante panicule de fleurs minuscules et bien dégagées du feuillage. Fleur parfumée. Fleur: Rose violet.	80/32	50/20	20	7-8
'Anita Pfeifer'	Fleurs rose carminé, pâlissant avec le temps.	80/32	50/20		7-8
'Bergkristal'	Introduite en 1920. Fleur: Blanche.	100/40	60/24		7-8
'Bressingham'	Introduite par Alan Bloom. Fleur: Rose clair.	120/48	60/24		7-8
'Bridal Veil'	Introduite en 1920. Large plumeau blanc, à ramification retombante. Fleur: Blanche.	60/24	50/20	13	7-8
'Cattleya'	Introduite en 1953. Large plumeau. Populaire. Fleur: Rose.	100/40	50/20	20	7-8
'Ceres'	Introduite en 1909. Fleurs rose carmin.	60/24	40/16		7-8
'Cotton Candy'	Introduite par Walter Garden's. Inflorescence forte et compacte.Variété courte. Fleur: Rose.	40/16	30/12		7-8
'Diamant' ♥	Introduite en 1920. Plumeau blanc pur et légèrement arqué. Port dense et compact.	80/32	50/20	10	7-8
'Elizabeth Bloom' ♥	Une nouvelle variété courte introduite par Bressingham Garden's. Ses inflorescences sont larges et son feuillage est vert foncé en plus d'être vigoureux. Fleur: Rose.	60/24	40/16		7-8
'Erica' ♥	Tige florale rougeâtre, longue et solide. Variété uniforme. Son feuillage décoratif est rouge au printemps et passe au vert à l'été. Fleur: Rose brillant.	80/32	50/20	20	7-8
'Fanal'	Introduite en 1933. Plumeau étroit, peu ramifié.Variété très populaire, d'un beau rouge.	45/18	50/20		7-8
'Fire'	Introduite en 1940. Plumeau étroit, mais moins que celui de A. 'Fanal'. Fleur: Rouge carmin.	70/28	50/20	11	7-8
'Gertrud Brix'	Introduite en 1930. Plumeau dense et étroit. Très florifère. Fleur: Rouge brique.	70/28	50/20	13	7-8
'Glut' ♥	Introduite en 1952. Plumeau large et bien ramifié. Fleur: Rouge écarlate.	70/28	50/20	13	7-8
'Granat'	Introduite en 1920. Feuillage foncé. Fleur: Rouge écarlate.	60/24	80/32		7-8
'Grete Püngel' ♥	Introduite en 1924. Plumeau étroit et dense. D'aspect différent et très décoratif. Fleur: Rose clair.	90/36	50/20	12	7-8
'Hyacinth'	Fleur: Lavande.	90/36	50/20		7-8
'Irrlicht'	Introduite en 1939. Fleur: Blanc rosé.	40/16	50/20	12	7-8
'Sister Thérèse'	Fleur: Rose saumoné.	70/28	50/20		7-8
'Spinell'	Introduite en 1955. Fleur: Rouge lumineux.	80/32	50/20		7-8

Espèce **'Variété'**	Description	cm/po	cm/po	∅ cm	❀
'Venus' ♥	Introduite en 1910. Fleur: Rose.	90/36	60/24		7-8
'White Gloria'	Introduite en 1924. Fleur: Blanc crème. Variété très résistante.	60/24	50/20	12	7-8
chinensis					
'Finale'	Introduite en 1952. Compacte et en forme de diamant. Panicule plus large et ramifiée que celle de A. chinensis pumila. Feuillage imposant. Hampe florale au-dessus du feuillage (60 cm de haut). Fleur: Rose.	40/16	20/8	11	8
'Intermezzo'	Introduite en 1957. Abondante floraison à panicules lâches. Fleur: Rose cattleya.	45/18	20/8	11	8
'King Albert'	Le feuillage est foncé. Fleur: Blanche.	50/20	20/8		8
'Pumila'	Introduite en 1932. Plumeau étroit et érigé d'apparence rigide. Tolère facilement les sols plus secs.Très résistante. Excellent couvre-sol à l'ombre. Floraison jusqu'à 4 semaines. Fleur: Rose lavande à étamines bleues.	25/10	20/8	11	8-9
'Serenade' ♥	Introduite en 1954. Très voyante, plumeau plus lâche que celui de A. chinensis 'Pumila'. Fleur: Rose carmin.	40/16	20/8	11	8-9
'Veronica Klose' ♥	Introduite en 1983. Variété à nervures rouge foncé. Fleur: Rose violet.	25/10	25/10		8-9
'Visions'	Variété intéressante à forcer. Parfumée. Feuillage foncé. Fleur: Rouge.	35/14	25/10		8
chinensis taquetii					
'Purpurlanze'	Cette variété possède des plumeaux étroits. Fleur: Magenta.	120/48	75/30		8-9
'Superba' ♥	Introduite en 1923. Plumeau érigé et rigide. Longue tige solide. Une des plus grandes variétés. Fleur: Rose lilas.	110/44	50/20	2	8-9
glaberrima					
'Saxatilis'	Inflorescence en plumeau large et retombant. Proche parent de A. 'Sprite' et 'Inshriach Pink'.	20/8	20/8		7-8
hybrida					
'Bumalda'	Plante compacte. Plumeau rose pâle, presque blanc. Fleur: Rose.	50/20	30/12		7
'Darwin's Dream'	Variété brevetée (PPAF). Feuillage foncé et glacé. Fleurs à épi trapu. Fleur: Rose foncé.	45/18	25/10		7-8
'Etna' ♥	Introduite en 1940. Fleur: Rouge Sang.	60/24	50/20	11	8
'Gloria Purpurea'	Introduite en 1921. Variété à très grosse panicule compacte. Fleur: Rose pourpre.	80/32	50/20	15	7
'Red Light'	Fleurs rouges et feuillage foncé.	75/30	50/20		7-8

Espèce **'Variété'**	Description	⇧ cm/po	⇨ cm/po	Ø cm	❀
'Snowdrift'	Introduite par Alan Bloom. Feuillage vert et compact. Fleur: Blanc pur.	65/26	40/16		8
japonica					
'Bonn'	Plumeau dense, variété compacte. Fleur: Rose carmin.	60/24	50/20	10	6-7
'Bremen'	Étamine et pistil rose pâle produisant un bel effet. Fleur: Rose.	60/24	50/20	11	6-7
'Deutschland'	Introduite en 1920. Plumeau retombant. Croissance rapide. Populaire. Fleur: Blanche.	50/20	50/20	15	6-7
'Elisabeth'	Nouvelle introduction. Variété à nervures rouges. Fleur: Rouge lilacé.	60/24	40/16		6-7
'Europa'	Introduite en 1930. Plumeau dense et compact. Ressemble beaucoup à A.rosea 'Peach Blossom', mais non parfumée. Fleur: Rose pâle.	50/20	50/20	12	6-7
'Federsee'	Introduite en 1939. Plumeau dense. Belle variété. Fleur: Rose carmin.	70/28	50/20	11	6-7
'Koblenz'	Introduite en 1938. Fleur: Rouge.	60/24	40/16	11	6-7
'Köln' ♥♥	Introduite en 1930. Plante compacte. Fleur: Rouge carmin.	40/16	40/16		6-7
'Mainz' ♥♥	Introduite en 1952. Plumeau étroit. Plante compacte. Fleur: Rose.	60/24	40/16	9	6-7
'Montgomery'	Introduite en 1949. Plumeau dense. Fleur: Rouge foncé.	60/24	40/16	11	6-7
'Queen of Holland'	Le feuillage est foncé. Fleur: Blanc rosé.	70/28	50/20	12	6-7
'Red Sentinel'	Introduite en 1947. Très beau feuillage à panicule gracieuse et très plumeuse. Fleur: Rouge écarlate.	50/20	50/20	12	6-7
'Rheinland'	Introduite en 1920. Plante populaire et très florifère. Croissance uniforme. Plumeau compact et luxuriant. Fleur: Rose.	50/20	50/20	12	6-7
'W.E. Gladstone'	Plumeau dense. Fleur: Blanche.	60/24	50/20	13	6-7
rosea					
'Peach Blossom' ♥♥	Introduite en 1902. Plumeau dense. Populaire, très florifère et parfumée. Croisement entre A.chinensis X A. japonica. Fleur: Rose.	60/24	50/20	12	7
simplicifolia					
'Aphrodite'	Introduite en 1958. Fleurs rouge clair et feuillage bronze.	45/18	20/8		7
'Atrorosea'	Introduite en 1934. Plumeau retombant. Fleur: Rose.	40/16	20/8	11	7
'Bronce Elegans'	Plumeau lâche et divergent. Fleur: Rose.	30/12	20/8	11	7
'Darwin's Snow Sprite'	Variété brevetée (PPAF). Feuillage très glacé et foncé. Inflorescence lâche. Fleur: Blanche.	30/12	20/8		7

Espèce 'Variété'	Description	⌂ cm/po	◊ cm/po	∅ cm	❀
'Dunkellachs' ❤	Plumeau lâche. Tige florale brun foncé. Fleur: Rose saumoné.	40/16	20/8	11	7
'Hennie Graafland' ❤	Semblable à A.simplicifolia 'Sprite' mais à fleur plus érigée et vigoureuse. Son feuillage est aussi plus lustré. Fleur: Rose.	30/12	20/8	11	7
'Inshriach Pink'	Feuillage foncé. Fleur: Rose.	40/16	20/8		7
'Jacqueline'	Inflorescence large, feuillage vert foncé. Fleur: Rose.	70/28	40/16		7
'Praecox'	Introduite en 1934. Fleur: Rose.	30/12	20/8		7
'Praecox Alba'	Introduite en 1952. Fleur: Blanche.	30/12	20/8		7
'Sprite' ❤	Gagnante de Perennial Plant of the Year 1994. Sélection jardin Bressingham. Plumeau lâche et retombant. Fleur: Rose clair.	30/12	20/8	11	7
'Willie Buchanan'	Fleur: Blanc crème.	30/12	20/8		7
simplicifolia x crispa					
'Liliput'	Introduite en 1927. Naine. Son plumeau est ramifié dans sa partie inférieure. Fleur: Rose saumoné.	20/8	20/8		7
'Perkeo' ❤	Introduite en 1930. Fleur: Rose foncé.	15/6	20/8		7
thunbergii					
'Moerheimii'	Fleur: Blanche.	120/48	90/36		8
'Ostrich Plume' ❤	Syn: 'Straussenfeder'. Plumeau retombant. Espèce différente et populaire. Fleur: Rose saumoné.	90/36	50/20	13	8
'Prof. Van Der Wielen'	Folioles arrondies et rugueuses. Fleur: Blanche.	120/48	50/20	11	8
'Rote	Identique à Astilbe 'Ostrich Plume', mais de couleur plus voyante. Belle variété. Fleur: Rose carmin.	90/36	50/20	13	8

Astilboïdes Shield Leaf Rodgersia 

Famille: Saxifragacées **Zone:** 3-4
Origine: Chine et Corée ⊗ Arrondi - Buisson

Unique espèce du genre. Énorme feuillage dont la bordure est recourbée vers le sol. Inflorescence semblable à celle de l'astilbe, mais d'aspect tropical. Exige un lieu assez humide.

Sol: Acide - Riche

Compagnons:
Printemps: Pulmonaria et Primula denticulata
Été: Aruncus dioicus et ligularia
Automne: Aster et Baptisia

---

tabularis

Synonyme: A. rodgersia **Utilisations:** F - P
120 cm/ 48 po 100 cm/ 40 po ⊗ Arrondi - Buisson

Grandes feuilles rondes d'allure tropicale, presqu'en parapluie, avec un long pétiole. Inflorescence en épis ramifiés retombant.

Feuilles: Entières, circulaires, pouvant atteindre 60 cm de diamètre. Dentées
Juin - Juillet ∅ 20 cm **Couleur:** Blanc crème

Astragalus Astragale • Canadian Milk Vetch 

Famille: Poacées **Zone:** 3
Origine: Amérique du Nord

Attire les papillons. Fleurs en épis ou en grappes. Fruits en gousses, différents d'une espèce à l'autre.

Sol: Caillouteux - Sec

---

canadensis ☺

Utilisations: Pa
50 cm/ 20 po

Intéressante pour couvrir les pentes et les lieux arides, mais attention car elle peut être envahissante. Ses gousses coriaces sont aussi décoratives à l'automne. Se trouve le long des cours d'eau à l'état indigène.

Feuilles: Composées, possédant de 15 à 31 folioles
Tige glabre ou légèrement pubescente.
Juillet - Août **Couleur:** Blanc verdâtre

Astrantia Astrance • Masterwort 

Famille: Apiacées **Zone:** 3
Origine: Europe

Fleurs minuscules rassemblées en ombelles et entourées de bractées, souvent confondues avec des pétales. Beau feuillage palmé et luisant. Préfère la mi-ombre où sa durée de floraison est prolongée (jusqu'à plusieurs semaines).

Sol: Humide - Riche

---

carniolica

⊗ Ovale - Érigé

Diffère de A. major par ses inflorescences aux bractées plus courtes et plutôt verdâtres.

***carniolica* 'Rubra'**

Utilisations: F - Fs - M - N - P
⌂ 70 cm/ 28 po ◊ 40 cm/ 16 po ⊗ Rosette

Très jolie variété, excellente en fleurs coupées. Zone 4.

Feuilles: Divisées en 5 lobes, chaque segment étant ové, denté.
❀ Juillet à août **Couleur:** Rouge

major Great Masterwort

Utilisations: F - P
⌂ 70 cm/ 28 po ◊ 40 cm/ 16 po ⊗ Ovale - Érigé

Tige florale se démarquant du feuillage. Populaire en fleurs coupées chez les fleuristes. Son inflorescence est composée d'ombelles supportées de bractées plus ou moins colorées.

Feuilles: Entières. Palmées - Basales
Feuillage: Vert foncé et luisant.
❀ Juillet à août ∅ 2 cm **Couleur:** Verdâtre

***major* 'Lars'**

Utilisations: M - F ⌂ 70 cm/ 28 po ◊ 45 cm/ 18 po

Grande inflorescence.

Feuilles: Palmées
❀ Juillet à octobre - Remontante **Couleur:** Rouge vin

***major* 'Margery Fish'**

Synonyme: A. involucrata 'Shaggy'

Espèce pouvant atteindre 60 cm de haut. Floraison blanche, de juin à septembre. Grandes fleurs étalées.

***major* 'Primadonna'**

Belle variété de 70 cm de haut. Floraison dans des teintes de pourpre, variant du pâle au plus foncé. Forme de très jolis massifs. Excellentes fleurs coupées. Zone 4.

***major* 'Rosensymphonie'**

⌂ 65 cm/ 26 po ◊ 45 cm/ 18 po ❀ Juin à août

L'une des favorites! Fleurs étoilées avec bractées colorées; une symphonie de couleurs, tout en nuances, variant du rose argenté au rouge. Magnifiques fleurs coupées. Zone 4.

***major* 'Rubra'**

Utilisations: F - P ⌂ 70 cm/ 28 po ◊ 40 cm/ 16 po

Semblable à l'espèce mais les bractées et les fleurs sont beaucoup plus colorées.

Feuilles: Entières. Palmées - Basales
❀ Juillet à août ∅ 2 cm **Couleur:** Rose

***major* 'Ruby Wedding'**

Espèce pouvant atteindre 70 cm de haut. Fleurs rouge foncé; floraison de juillet à septembre.

***major* 'Sunningdale Variegated'**

Espèce pouvant atteindre 50 cm de haut. Feuillage marginé de blanc. Fleurs roses; floraison de juillet à septembre.

maxima

Utilisations: M - F ⌂ 60 cm/ 24 po ◊ 40 cm/ 16 po

Grandes fleurs en ombelles remontantes, entourées de bractées roses; ressemblent aux fleurs d'une scabiosa. Espèce très jolie, à croissance rapide.

❀ Juin à août **Couleur:** Rose ou blanc

maxima 'Hadspen Blood'

Utilisations: F - Fs - M - N - P

⌂ 65 cm/ 26 po ◊ 40 cm/ 16 po ⊗ Rosette

Hybride avec A.major. Dans toute la gamme des Astrantias, ce cultivar offre le rouge le plus foncé. Le feuillage présente aussi des teintes pourpres. Vigoureux. Préfère le plein soleil et un sol humide. Zone 5.

Feuilles: Divisées en 3-5 parties, segment elliptique-ové au pourtour finement serré à crenelé.

❀ Juillet à août **Couleur:** Rouge foncé

Aubrieta Aubriète • False Rock Cress

Famille: Brassicacées **Zone:** 3-4

⊗ Coussin - Couvre-sol

L'arabis et l'aubrieta sont des plantes qui se ressemblent. Les deux fleurissent abondamment au printemps, mais dans des tonalités différentes. Ces espèces possèdent l'odeur caractéristique des Brassicacées. L'aubrieta a des fleurs légèrement plus grandes ainsi que des feuilles dentées; son port est plus compact. Éviter de la rabattre à l'automne afin d'assurer une floraison printanière.

Sol: Bien drainé - Calcaire

Compagnons:
Été: Sidalcea et Scabiosa caucasica
Printemps: Viola labradorica et Cerastium
Automne: Artemisia 'Silver Mound' et Tradescantia

x cultorum 'Argenteo Variegata'

Synonyme: A. 'Silver Queen'

Espèce pouvant atteindre 10 cm de haut. Son feuillage est crème et vert et ses fleurs, bleu pourpré, qui apparaissent de avril à mai. Tolère la mi-ombre et le soleil. Zone 4.

Feuillage: Persistant.

x cultorum 'Bressingham Pink'

⌂ 10 cm/ 4 po ◊ 15 cm/ 6 po ❀ Mai - Juin - Tardive

Feuillage vert.Grandes fleurs semi-doubles de couleur rose avec des nuances rose vif.

Feuillage: Persistant.

x cultorum 'Cascade Hybride' ♥

Utilisations: A - P ⌂ 10 cm/ 4 po ◊ 30 cm/ 12 po

Semences offertes en différentes couleurs, individuelles.

Feuilles: Entières. Spatulées - Lobées

Feuillage: En rosette, pubescent. Persistant.

❀ Avril - Mai ∅ 3 à 4 cm **Couleur:** Bleu, poupre ou rouge

x *cultorum* 'Hendersonii'

Utilisations: A - P — 15 cm/ 6 po — 30 cm/ 12 po

Variété à grande fleur.

Feuilles: Entières. Spatulées - Lobées — **Feuillage:** Persistant.
❀ Avril - Mai - Mi-hâtive — **Couleur:** Bleu violacé

---

x *cultorum* 'Leichtlinii'

Utilisations: A - P — 15 cm/ 6 po — 30 cm/ 12 po

Populaire et très jolie.

Feuilles: Entières. Spatulées - Lobées — **Feuillage:** Persistant.
❀ Avril - Mai — ∅ 3 à 4 cm — **Couleur:** Rose carmin

---

x *cultorum* 'Manon'

Utilisations: A - P — 15 cm/ 6 po — 30 cm/ 12 po
Feuilles: Entières. Spatulées - Lobées — **Feuillage:** Persistant.
❀ Avril - Mai — ∅ 3 à 4 cm — **Couleur:** Mélange de couleurs

---

x *cultorum* 'Nana Variegata' ♥

Plante alpine à rosette, feuillage pubescent marginé de blanc. Fleurs blanches à roses, apparaissant de mai à juin. Peut atteindre de 10 à 15 cm de haut. Doit être placée au soleil. Zone 4.

Feuillage: Persistant.

---

x *cultorum* 'Novalis Blue'

Utilisations: A - P — 15 cm/ 6 po — 30 cm/ 12 po

Grandes fleurs de couleurs vives. Croissance uniforme et compacte.

Feuilles: Entières. Spatulées - Lobées — **Feuillage:** Persistant.
❀ Avril - Mai — ∅ 3 à 4 cm — **Couleur:** Bleu mauve

---

x *cultorum* 'Whitewell Gem'

Fleurs de teinte bourgogne, jolies et uniformes; parfois semi-doubles.

Feuillage: Persistant. — 15 cm/ 6 po

Baptisia Lupin indigo • False Indigo

Famille: Fabacées — **Zone:** 3

Origine: Amérique du Nord

Vivace de la même famille que le lupin; ses inflorescences sont moins denses, mais semblables. Développement lent. Il n'est pas rare d'attendre deux ans avant la première floraison. Très peu d'apparence en pot au moment de l'achat, mais une valeur sûre à introduire.

Sol: Tous les sols

Compagnons: Été: Rudbeckia 'Herbstonne' et Artemisia stelleriana
Printemps: Myosotis et Alchemilla mollis
Automne: Chrysanthemum 'Marie Stoker' et Hosta 'Alba Marginata'

australis Blue False Indigo ☺ ♥

Utilisations: K - P △ 100 cm/ 40 po ◊ 60 cm/ 24 po

⊗ Arrondi - Buisson

Plante à vie longue, mais craint la transplantation. Se propage par semis. Son feuillage tourne au gris foncé à l'automne.

Feuilles: Composées, épaisses, à trois folioles de 6 cm de long. Alternes

Feuillage: Glabre et pruineux.

❀ Juillet ∅ 6 à 8 cm

Couleur: Bleu violacé

bracteata

Synonyme: B. leucophaea △ 90 cm/ 36 po

Fleurs jaunes à anthère orangée et à feuillage vert, effilé. Zone 5.

❀ Juin

lactea White Salse Indigo

Synonyme: B. leucantha **Utilisations:** M - P

Une espèce à feuillage glauque et caduc ainsi qu'à tiges pourpres portant des racèmes de fleurs blanc crème. Ses feuilles sont composées, trifoliées et elliptiques.

❀ Juin

Belamcanda Blackberry Lily ☺ 

Famille: Iridacées **Zone:** 4

Origine: Chine

Plante appartenant à la famille de l'iris et affichant le même feuillage. Elle en est différente par la forme de ses fleurs, semblables à celles du lis, qui sont réunies en corymbes de 3 pétales et de 3 sépales. Les fruits et les graines, noir glacé, sont aussi décoratifs après la floraison. Cette plante ressemble énormément au Pardacanda dont la gamme de couleurs est plus étendue, soit blanc, rouge ou orangé.

Sol: Sec - Pauvre

Compagnons:

Printemps: Dicentra et Bergenia

Été: Tiarella 'Rosalie' et Geranium

Automne: Lythrum et Aster

chinensis

Utilisations: F - M - L - P

△ 75 cm/ 30 po ◊ 40 cm/ 16 po

⊗ Évasé

Feuillage semblable à celui de l'iris. Fleurs moustachées de marron. Les tiges florales excèdent le feuillage. Les rhizomes sont sensibles à l'humidité hivernale. Se propage bien par semis et division.

Feuilles: Entières, en éventail de 4 cm de large et 25 cm de long. Linéaires

Feuillage: Glabre.

❀ Juillet - Août ∅ 4 à 5 cm

Couleur: Orangé

Bellis Paquerette • English Daisy ☺ ◑☼

Famille: Asteracées **Zone:** 3
Origine: Europe

Petite plante dont les fleurs sont semblables à celles des marguerites ou des erigerons. Considérée comme une bisannuelle ayant de la facilité à se ressemer.

Sol: Tous les sols - Frais

Compagnons: **Été:** Thymus citriodorus et Lychnis coronaria
Printemps: Myosotis et Luzula nivea
Automne: Sedum 'Iceberg' et Verbascum

perennis 'Galaxy'

⊗ Rosette

Introduite par Norseco. Jolies fleurs semi-doubles, roses, rouges ou blanches, à coeur jaune, et mesurant 3 cm de diamètre. Se propage par semis. Floraison en mai.

perennis 'Pomponette'

Utilisations: B - R
10 cm/ 4 po 20 cm/ 8 po ⊗ Rosette

Fleurs doubles ou semi-doubles d'environ 2 cm. Existent dans les coloris suivants: blanc, rose, rouge ou en mélange.

Feuilles: Entières. Spatulées
❀ Mai - Octobre ∅ 2 cm **Couleur:** Mélange de couleurs

Bergenia Heartleaf Bergenia ◑☼

Famille: Saxifragacées **Zone:** 3
Origine: Asie ⊗ Rosette

Belle plante à feuillage persistant, décoratif et à floraison en grappes, tôt au printemps. Son large feuillage lustré et arrondi prend une coloration automnale. Protéger ce dernier ainsi que les bourgeons florales en fin de saison afin d'éviter l'écrasement par le poids de la neige.

Sol: Tous les sols - Humide

Compagnons: **Été:** Scabiosa et Acaena microphylla
Printemps: Geum borisii et Silene schafta
Automne: Hosta 'Halcyon' et Linum 'Album'

cordifolia ♥

Utilisations: B - P 50 cm/ 20 po 30 cm/ 12 po

Grande variation d'une plante à l'autre car se propage par semis. Son feuillage a une belle coloration à l'automne.

Feuilles: Simples, plus ou moins cordée, à marge ondulée. Basales
Feuillage: Vert foncé, lustré. Persistant.
❀ Mai - Juin ∅ 10 à 15 cm **Couleur:** Rose

x 'Abendglut'

Synonyme: B. 'Evening Glow' 25 cm/ 10 po

Fleurs rose-écarlate.

Feuillage: Persistant. ❀ Mai - Juin

x 'Baby Doll'

Introduction récente. Espèce pouvant atteindre 30 cm de haut et possédant des fleurs rose pâle à rose foncé qui apparaissent de avril à mai. Croissance lente, mais fleurit à profusion. Feuillage vert.

Feuillage: Persistant

x 'Bressingham Ruby' 

Sélection de Alan Bloom. Possède un feuillage vert au printemps et rubis à l'automne. Ses fleurs sont rose foncé. Peut atteindre 35 cm de haut. Plante enregistrée.

Feuillage: Persistant

x 'Bressingham Salmon'

Sélection de Alan Bloom. Floraison tardive, dans les teintes de rose saumoné. Elle peut atteindre 30 cm de haut.

Feuillage: Persistant

x 'Bressingham White'

Utilisations: B - P   ⌂ 40 cm/ 16 po   ◊ 30 cm/ 12 po

Sélection de Alan Bloom. Fleurs plus délicates et feuillage plus étroit, mais à croissance robuste.

Feuilles: Entières. Basales - Spatulées
Feuillage: Lustré, vert foncé devenant bronze à l'automne. Persistant.
❀ Avril - Mai - Hâtive   ∅ 10 à 12 cm
Couleur: Blanc pur tournant au rose pâle

x 'Morning Red'

Synonyme: B. 'Morgenröte'   **Utilisations:** B - P
⌂ 30 cm/ 12 po   ◊ 30 cm/ 12 po

Introduite en 1950. Grande inflorescence à floraison prolongée et à petites feuilles.

Feuilles: Entières. Basales - Spatulées
Feuillage: Vert foncé, lustré devenant rouge à l'automne. Persistant.
❀ Mai - Juin - Remontante ∅ 10 à 15 cm   **Couleur:** Rose carmin 

x 'Perfecta'

⌂ 50 cm/ 20 po   ❀ Avril - Mai   **Couleur:** Rouge

Introduction hollandaise. Une des plus grandes de l'espèce.

Feuillage: Pourpre à l'automne. Persistant.

x 'Redstart'

Utilisations: B - P   ⌂ 40 cm/ 16 po   ◊ 30 cm/ 12 po

Variété propagée par semences, avec des variations d'une plante à l'autre. Belle coloration automnale.

Feuilles: Entières. Basales   **Feuillage:** Persistant.
❀ Mai - Juin   ∅ 12 à 15 cm   **Couleur:** Rose

x 'Rotblum'

Espèce se propageant par semis. Feuillage tournant au rouge à l'automne. Fleurs rouges apparaissant en mai. Peut atteindre 30 cm de haut.

Feuillage: Persistant

x 'Silver Light'

Synonyme: B. 'Silberlicht' **Utilisations:** B - P
⌂ 50 cm/ 20 po ◊ 30 cm/ 12 po

Introduite en 1950. Croissance des feuilles à plat au niveau du sol. Tolère une exposition plein soleil.

Feuilles: Simples, légèrement dentées. Basales
Feuillage: Vert foncé, lustré devenant brunâtre à l'automne. Persistant.
❀ Mai - Juin ∅ 12 à 15 cm **Couleur:** Blanc changeant au rose pâle

x 'Sunningdale'

Fleurs rose carmin apparaissant en mai. Feuillage rouge à l'automne. Espèce pouvant atteindre 45 cm de haut.

Feuillage: Persistant

Bletilla Orchidée terrestre • Hardy Orchid

Famille: Orchidacées **Zone:** 5
Origine: Chine et Japon

Pseudo bulbes aux racines tubéreuses qui émettent des feuilles linéaires, profondément veinées, lustrées, à texture particulière et ornementale, allant jusqu'à 30 cm de longueur. Fleurs en racème de 3 à 10 à l'automne. Fruits (capsules) décoratifs. Croissance lente; se place bien avec les fougères. Planter à une profondeur maximale de 12 à 15 cm.

Sol: Humide

striata

⌂ 30 cm/ 12 po ◊ 40 cm/ 16 po

Un petit bijou à fleurs rose magenta, arquées sur la tige. Facile de culture. Préfère un sol froid de sous-bois, demande une protection naturelle. Il existe une variété à fleurs blanches et une autre à feuillage variegata.

❀ Mai - Juin ∅ 5 à 6 cm

Boltonia Aster à milles fleurs • False Starwort 

Famille: Asteracées **Zone:** 3
Origine: Centre des États-Unis ⊗ Ovale - Érigé

Semblable à l'aster. Petites fleurs souvent irrégulières et feuillage glabre. Sa croissance est rapide et son feuillage, résistant au mildiou.

Sol: Tous les sols
Compagnons: **Été:** Coreopsis rosea et Liatris
Printemps: Fougère et Veronica filiformis
Automne: Chelone et Sedum 'Stardust'

asteroides 'Snowbank'

Utilisations: F - P ⌂ 110 cm/ 44 po ◊ 50 cm/ 20 po

Petites fleurs donnant l'aspect d'un nuage. Excellente plante nécessitant peu de soins, à introduire dans un aménagement. Elle existe également en bleu.

Feuilles: Entières. Linéaires - Lancéolées
Feuillage: Glabre et résistant au mildiou.
❀ Août - Septembre ∅ 2 cm **Couleur:** Blanc

***asteroides* var. *latisquama* 'Nana'**

Espèce pouvant atteindre 70 cm de haut. Fleurs lilas de 2,5 cm de diamètre, apparaissant de août à septembre.

***asteroides* var. *latisquama* 'Pink Beauty'** 

L'espèce latisquama se différencie de B. asteroides par ses feuilles linéaires et sa facilité à bien se ramifier. Se propage par boutures ou par division. Semblable à l'espèce, elle peut atteindre 100 cm de haut. Fleurs roses apparaissant de août à septembre.

Boykinia

Famille: Saxifragacées **Zone:** 4
Origine: Japon

Couvre-sol rustique, original, intéressant et peu connu.

Sol: Humide - Riche

tellimoides

Synonyme: Peltoboykinia tellimoides
100 cm/ 40 po ⊗ Couvre-sol - Dressé

Variété facile à diviser puisque sa croissance se fait par rhizomes. Bon couvre-sol près des bassins. Elle possède un long pétiole central.

Feuilles: Rondes ayant de 7 à 9 lobes peu profonds.
Feuillage: Lustré et épais. **Couleur:** Jaune verdâtre

Brunnera Myosotis du Caucase • Siberian Bugloss

Famille: Boraginacées **Zone:** 3
Origine: Caucase ⊗ Arrondi - Buisson

Petites fleurs bleu ciel semblables à celles du myosotis. Larges feuilles rugeuses et imposantes. Vivace particulière par sa grande beauté. Croît en sol profond et frais; ses racines sont noires et supportent bien la division.

Sol: Frais - Humide

Compagnons:
Été: Iris kaempferi et Ligularia 'Othello'
Printemps: Myosotis et Sanguinaria
Automne: Aruncus dioicus et Tradescantia 'Zwanenburg'

macrophylla 

Utilisations: B - F - M - P - S - L
40 cm/ 16 po 40 cm/ 16 po

Tolère bien toutes les expositions. Ses fleurs pointent même avant l'apparition des feuilles et persistent longtemps.

Feuilles: Entières, alternes, mesurant 15 à 20 cm sur un long pétiole.
Feuillage: Vert et rugueux.
❀ Mai - Juin ∅ 10 à 15 cm **Couleur:** Bleu ciel, oeil jaune

***macrophylla* 'Langtrees'**

Espèce pouvant mesurer 45 cm de haut. Ses feuilles vertes sont tachetées de gris métallique lui donnant l'apparence de certaines pulmonaires. Fleurs bleu ciel apparaissant en mai. Croissance à l'ombre ou à la mi-ombre. Zone 2.

macrophylla 'Variegata'

Synonyme: B. 'Dawson's White' **Utilisations:** M
40 cm/ 16 po 30 cm/ 12 po
Croissance au soleil.
Feuillage: Vert à large marge blanc crème.
Mai - Juin **Couleur:** Bleu

Buddleia Arbuste aux papillons • Butterfly Bush

Famille: Buddléacées **Zone:** 5
Origine: Chine ⊗ Évasé

Arbuste populaire par ses couleurs variées et son agréable parfum; il attire, entre autres, les papillons. A tendance à geler jusqu'au sol après chaque hiver, mais le pied reprend rapidement s'il est recouvert d'une légère protection hivernale (région de Montréal). Ce n'est donc pas une vivace, mais étant donné sa croissance rapide et sa reproduction facile par boutures, il peut être utilisé comme telle.

Sol: Bien drainé - Tous les sols
Compagnons: **Été:** Liatris et Penstemon
Printemps: Polygonatum et Phlox divaricata
Automne: Polygonum 'Reynoutria' et Rudbeckia 'Goldsturm'

davidii 'Black Knight'

Utilisations: F - P 100 cm/ 40 po 200 cm/ 80 po
C'est la variété la plus foncée; le revers de ses feuilles est argenté. Gagnante de nombreux prix.
Feuilles: Entières. Opposées - Elliptiques **Feuillage:** Pubescent et duveteux.
Juillet - Août ∅ 3 à 4 cm **Couleur:** Violet

davidii 'Dartmoor'

Plante à croissance très ramifiée ayant une belle coloration lilas. Elle peut atteindre 150 cm de haut. Très florifère.

davidii 'Fascinating'

Utilisations: F - P 200 cm/ 80 po 100 cm/ 40 po
Plant unique par sa hauteur en plus d'être très vigoureux.
Feuilles: Entières. Opposées - Elliptiques
Juillet - Août ∅ 3 à 4 cm **Couleur:** Rose lilas

davidii 'Nanho Alba' 

Plant trapu bien ramifié. Inflorescences blanches, plus petites que celles des autres variétés, mais en plus grand nombre. Il existe également des variétés bleues et pourpres.

davidii 'White Profusion'

Utilisations: F - P 165 cm/ 66 po 100 cm/ 40 po
Les fleurs ont un coeur orangé. Floraison abondante pendant plus d'un mois.
Feuilles: Entières. Opposées - Elliptiques
Juillet - Août ∅ 4 à 5 cm **Couleur:** Blanc 

x 'Ile de France'

Fleurs lavande violet à coeur jaune. De 50 à 60 cm de haut.

x 'Pink Delight'

Plante compacte à croissance lente. Inflorescence de 30 à 35 cm de long, de couleur rose foncé. Peut atteindre 180 cm de haut.

Buphthalmum Oeil de bœuf • Oxeye

Famille: Asteracées **Zone:** 3

Origine: Europe

Belle marguerite jaune doré au feuillage lancéolé, vert foncé et dense. Plante peu exigeante et florifère.

Sol: Tous les sols - Caillouteux

Compagnons:
Été: Armeria et Salvia
Printemps: Aubrieta et Dicentra
Automne: Rudbeckia et Chrysanthemum

salicifolium Willowleaf Oxeye

Utilisations: F - M - P

⌂ 60 cm/ 24 po ◊ 40 cm/ 16 po ⊗ Étalé

Plante très ramifiée. Souvent apparentée au genre Inula sous le nom de 'Golden Beauty'.

Feuilles: Entières. Alternes - Linéaires **Feuillage:** Lustré.

❀ Juillet - Septembre ∅ 4 à 5 cm **Couleur:** Jaune doré

Calamintha Calamint

Famille: Lamiacées **Zone:** 5

Origine: Europe et méditerranée

Semblable à la Nepeta par son feuillage aromatique et ses petites fleurs lilas en panicules lâches.

Sol: Bien drainé - Léger

Compagnons: **Été:** Stachys et Carex
Printemps: Aquilegia vulgaris et Aspurela **Automne:** Anemone et Sedum

grandiflora

Synonyme: C. satureja ⌂ 45 cm/ 18 po ⊗ Arrondi - Buisson

Variété aimant les sols secs et tolérant l'ombre des arbres. Grandes fleurs de 4 cm de long.

Feuilles: Grossièrement dentées. Ovées **Feuillage:** Pubescent, vert clair.

❀ Juillet - Septembre **Couleur:** Rose carmin

grandiflora 'Variegata'

⊗ Arrondi - Buisson

Identique à l'espèce et pouvant atteindre de 40 à 45 cm de haut. Feuilles panachées irrégulièrement de jaune crème. Fleurs roses.

nepeta

Utilisations: M - H

⌂ 40 cm/ 16 po ◊ 35 cm/ 14 po ⊗ Arrondi - Buisson

Éviter de tailler la plante au sol à l'automne. Très florifère. Nécessite une bonne couverture de neige l'hiver. Il existe la var. 'Lilas Cloud' rose pâle. Floraison juin à août. Zone 3.

Feuilles: Ovales et larges, de 1 à 2 cm de longueur.

Feuillage: Pubescent, vert foncé.

❀ Juillet - Septembre **Couleur:** Blanc lilacé

Calceolaria Calceolaire • Slipperwort Pouch Flower

Famille: Scrophulariacées **Zone:** 5
Origine: Pérou et Andes

La plante produit des fleurs de forme inusitée. Feuillage en rosette. Peu d'espèces sont rustiques sous notre climat.

Sol: Frais - Riche

Compagnons:
Printemps: Phlox stolonifera et Saxifraga
Été: Dicentra luxuriant et Penstemon
Automne: Anemone et Aster

biflora 'Goldcap'

Utilisations: A - R - Al

10 cm/ 4 po 15 cm/ 6 po ⊗ Rosette

Fleurs apparaissant par paires et formant une sorte de poche ou sac. Plante rare et difficile à transplanter. Préfère les températures fraîches; racines charnues. Idéale dans les jardins alpins, particulièrement dans les crevasses.

Feuilles: Entières. Spatulées
Feuillage: Lustré et pubescent dans la marge.
Juin - Juillet **Couleur:** Jaune foncé à points rouges

Callirhoe Poppy Mallow

Famille: Malvacées **Zone:** 5
Origine: Amérique du Nord

Se cultive souvent comme une annuelle car elle fleurit la première année du semis. Plante à racine pivotante exigeant une légère protection.

Sol: Sec - Caillouteux

Compagnons:
Printemps: Opuntia et Euphorbia
Été: Campanula glomerata et Lupinus
Automne: Sedum et Aster

involucrata

Utilisations: D - T 20 cm/ 8 po

Croissance lente. Fleurs en forme de coupe.

Feuilles: De 5 à 7 lobes. Palmées
Feuillage: Fortement découpé et vert foncé.
Juin ∅ 4,5 à 6.5 cm **Couleur:** Rose carminé à coeur blanc

Calluna Heather ☺

⌂ 30 cm/ 12 po ◊ 30 cm/ 12 po ⊗ Arrondi - Buisson

Les calllunas ajoutent une jolie touche à tous les jardins. D'entretien facile et à feuillage persistant, elles existent en différentes teintes et ont des ports variés. Leurs fleurs éclosent à l'été ou à l'automne; elles sont blanches, roses, rouges ou violettes en plus d'être nombreuses. Il y a également une plante désignée sous le nom de Bruyère qui était autrefois rangée sous la même appellation, soit Érica. À cause de leur différence morphologique, elles sont maintenant divisées en 2 genres: Érica et Calluna. Voici en quelques lignes des petits trucs pour en faire la différence:

Érica feuilles en forme d'aiguille; fleurs comportant un calice plus long que la corolle. Il en existe 600 espèces. Nous cultivons l'espèce cinerea à floraison estivale.

Calluna feuilles ovoïdes et allongées; fleurs présentant un calice plus court que la corolle. Une seule espèce, soit la C. vulgaris. Afin de mieux conserver votre plant, voici des règles d'entretien importantes à suivre: Il faut éviter de déranger le sol (binage) autour du plant, car les racines sont faciles à endommager. Utiliser un paillis d'écorce de conifère, d'écailles de sarrasin, d'aiguilles de pin, de feuilles de chêne ou de copeaux de bois d'une épaisseur de 8 cm autour de la plante. Ce paillis aura par ailleurs une action acidifiante bénéfique pour la culture des callunas; il conservera l'humidité du sol en plus d'empêcher les mauvaises herbes de pousser. Pour ce qui est de la taille, le meilleur moment est au printemps. Comme elles fleurissent sur le bois de l'année, il convient de les couper juste sous la hampe florale de l'année précédente. La taille permet une floraison abondante et augmente la densité de la plante.

Espèce* *'Variété'	Description	⌂ cm/po	◊ cm/po	
hybrides				
'Alba Erecta'	Espèce à port érigé et à feuillage vert tendre.Sa fleur blanche apparaît de juillet à août. Floraison précoce.	45/18	45/18	
'Allegro'	Espèce à feuillage vert et à croissance vigoureuse. Sa fleur rubis apparaît de août à septembre.	60/24	50/20	
'Alportii Praecox'	Espèce à port buissonneux et à feuillage vert. Sa fleur cramoisie apparaît de août à septembre. Végétation vigoureuse.	50/20	50/20	
'Annemarie'	Espèce à feuillage vert et à fleur double de couleur rose apparaissant de septembre à octobre.	60/24	50/20	
'Beoley Crimson'	Espèce à port érigé et à feuillage vert. Sa fleur cramoisie apparaît de septembre à octobre.	40/16	40/16	
'Blazeaway'	Espèce à port étalé et à feuillage jaune orangé en été et rouge en hiver. Sa fleur lavande apparaît de août à septembre. Sa végétation est vigoureuse.	50/20	40/16	
'Boskoop' ♥	Espèce à port étalé et à feuillage vert au printemps, jaune en été, rougeâtre en hiver. Sa fleur lavande apparaît de août à septembre.	50/20	30/12	
'C.W. Nix'	Espèce à port érigé et à feuillage vert foncé et délicat. Sa fleur cramoisie apparaît de août à octobre. Végétation vigoureuse.	60/24	40/16	•

Espèce **'Variété'**	Description	cm/po	cm/po	
'Californian Midge'	Espèce à port compact et à feuillage vert. Sa fleur lavande apparaît de août à octobre.	40/16	30/12	•
'Carmen'	Espèce à feuillage vert et à fleur cramoisie qui apparaît de septembre à octobre. Plant vigoureux.	55/22	30/12	•
'Clare Carpet'	Espèce à port prostré et à feuillage vert. Sa fleur rose apparaît de août à septembre.	45/18	35/14	•
'Corbet's Red' ♥	Espèce à port compact et à feuillage vert. Sa fleur cramoisie apparaît de août à septembre.	50/20	30/12	
'County Wicklow'	Espèce à port compact et à feuillage vert tendre. Sa fleur double de couleur rose coquillage apparaît de août à septembre.	35/14	25/10	•
'Cuprea'	Espèce à port érigé et à feuillage cuivré en été devenant bronze en hiver. Sa fleur lavande apparaît de août à octobre.	25/10	25/10	•
'Darkness' ♥	Espèce à port érigé et compact, à feuillage vert foncé. Sa fleur cramoisie apparaît de août à octobre.	35/14	25/10	
'David Eason'	Espèce à port étalé et à feuillage vert léger. Sa fleur mauve foncé apparaît de août à octobre.	45/18	20/8	•
'Devon'	Espèce à port érigé et à feuillage vert. Sa fleur double de couleur rose foncé apparaît de août à octobre. Très florifère mais de croissance lente.	35/14	20/8	•
'Else Frye'	Espèce à feuillage vert foncé et à fleur double, blanche.	40/16	30/12	•
'Elsie Purnell'	Espèce à feuillage vert et à fleur double de couleur rose apparaissant de septembre à octobre. Plante magnifique.	75/30	40/16	•
'Flamingo'	Espèce à feuillage vert et à fleur lavande apparaissant de août à septembre. Nouvelles pousses rouges au printemps.	50/20	30/12	•
'Foxii Nana'	Espèce à port rampant et à feuillage vert luisant. Sa fleur mauve apparaît de août à septembre. Plant miniature.	30/12	15/6	•
'H.E. Beale'	Espèce à port ouvert et ramifié et à feuillage gris-vert foncé devenant mauve en hiver. Sa fleur double de couleur rose foncé apparaît de août à septembre. Doit être rabattue pour préserver son aspect.	50/20	30/12	
'Hibernica'	Espèce à port buissonneux et à feuillage vert foncé. Sa fleur bleu lilas apparaît de août à septembre.	45/18	25/10	
'J.H. Hamilton'	Espèce à port rampant et à feuillage vert foncé. Sa fleur double de couleur rose foncé apparaît de juillet à septembre.	35/14	15/6	
'Jan Dekker'	Espèce à port rampant et à feuillage vert argenté. Sa fleur de couleur mauve apparaît de août à septembre. Couvre-sol.	35/14	20/8	

Espèce **'Variété'**	Description	cm/po	cm/po	
'Kinlochruel'	Espèce à port dense et à feuillage vert devenant pourpre en hiver. Sa fleur double et blanche apparaît de août à septembre.	40/16	20/8	
'Kynance'	Espèce à port dense et à feuillage vert foncé. Sa fleur de couleur rose lilas apparaît de août à octobre. Couvre-sol.	50/20	20/8	
'Long White'	Espèce à feuillage vert luisant. Sa fleur blanche apparaît de août à octobre.	45/18	35/14	
'Lyndon Proudley'	Espèce à port compact et à feuillage vert. Sa fleur lavande apparaît de août à octobre. Couvre-sol.	30/12	15/6	
'Marleen'	Espèce à port bas, étalé, et à feuillage vert. Sa fleur est de couleur mauve lilas. Elle se démarque par sa floraison tardive de septembre à novembre.	50/20	30/12	
'Minima'	Espèce à port compact et à feuillage vert lumineux. Sa fleur rose apparaît de août à septembre. Peu florifère. Naine.	30/12	25/10	
'Mr Jay'	Espèce à feuillage vert. Sa fleur double et de couleur rose lilas apparaît de août à septembre.	35/14	25/10	
'Mrs Ronald Gray'	Espèce à port rampant et à feuillage vert foncé. Sa fleur mauve apparaît de août à septembre.	35/14	15/6	
'Multicolor'	Espèce à port rampant et à feuillage vert jaunâtre en été devenant plus jaune à l'automne. Sa fleur pourpre apparaît de août à septembre. Les nouvelles pousses sont rouge cuivré au printemps.	45/18	15/6	
'Peter Sparkes'	Espèce à port ramifié, plutôt érigé, et à feuillage vert ayant des reflets gris. Sa fleur double de couleur rose saumoné apparaît de août à septembre. Belle plante.	55/22	35/14	
'Radnor' ♥	Espèce à port étalé et à feuillage vert teinté de bronze en hiver. Sa fleur de couleur rose coquillage apparaît de août à octobre. Plant compact.	50/20	30/12	
'Red Haze'	Espèce à feuillage jaune doré devenant rouge à l'automne. Sa fleur lavande apparaît de août à septembre. Floraison abondante.	60/24	50/20	
'Robert Chapman'	Espèce à port arrondi et à feuillage vert devenant bronze et rouge à l'automne. Sa fleur lavande apparaît de août à septembre.	45/18	40/16	
'Ross Hutton'	Espèce à feuillage vert et à fleur cramoisie apparaissant de août à septembre.	50/20	25/10	
'Ruby Slinger'	Espèce à port érigé et à feuillage vert; les pousses printanières sont jaune crème. Sa fleur blanche apparaît de août à octobre.	35/14	25/10	
'Schurig's Sensation'	Espèce à feuillage vert et à fleur double de couleur rose foncé qui apparaît de août à octobre.	55/22	30/12	
'Silver Knight'	Espèce à port érigé et à feuillage gris. Sa fleur lavande apparaît de août à septembre.	50/20	40/16	

Espèce 'Variété'	Description	⇧ cm/po	⇨ cm/po	
'Sir John Charrington'	Espèce à feuillage bronze doré en été et rouge en hiver. Sa fleur double de couleur cramoisi foncé apparaît de août à octobre.	40/16	20/8	
'Soay'	Espèce à feuillage rouge bronze en automne et à pousses printanières roses. Sa fleur mauve apparaît de juillet à août.	25/10	15/6	
'Spitfire'	Espèce à feuillage doré devenant bronze rouge à l'automne. Sa fleur mauve apparaît de août à octobre.	45/18	30/12	
'Spring Cream'	Espèce à port érigé et à feuillage vert luisant; les pousses printanières sont jaune crème. Sa fleur blanche apparaît de août à octobre.	45/18	35/14	
'Spring Torch'	Espèce à feuillage vert et à nouvelles pousses rougeâtres. Sa fleur mauve apparaît de août à octobre.	60/24	40/16	
'Tib' ♥	Espèce à port compact et à feuillage vert foncé. Sa fleur double de couleur lilas rose apparaît de août à octobre. Croissance lente.	40/16	30/12	
'Underwoodii'	Espèce à feuillage vert foncé et à fleur lilas argenté apparaissant de août à octobre.	55/22	35/14	
'White Lawn'	Espèce à port rampant et à feuillage vert. Sa fleur blanche apparaît de août à septembre.	40/16	35/14	
'Winter Chocolate'	Espèce à port compact et à feuillage vert et orange en été, devenant chocolat en hiver. Sa fleur lavande apparaît de août à octobre. Ses nouvelles pousses sont roses.	45/18	30/12	
'Yvette's Gold'	Espèce à feuillage jaune brillant et à fleur blanche apparaissant de août à octobre.	50/20	30/12	
'Yvette's Silver'	Espèce à feuillage gris et à fleur lavande apparaissant de août à septembre.	55/22	35/14	

Caltha Marsh Marigold 

Famille: Renonculacées **Zone:** 3
Origine: Amérique du Nord et Europe ⊗ Arrondi - Buisson

Compte une dizaine d'espèces botaniques. Les feuilles sont simples, rondes, souvent cordées à la base et ont un long pétiole. Fleurs en corymbes, calice d'au moins 5 sépales pétaloïdes jaunes, blancs ou roses; nombreuses étamines. Floraison tôt au printemps avant que le feuillage soit complètement développé. Excellente pour les plans d'eau. Peut être planté à 30 cm de profondeur.

Sol: Riche - Humide

palustris

30 cm/ 12 po 25 cm/ 10 po
⊗ Arrondi - Buisson ❀ Avril - Mai

Fleurs jaunes de 3 à 5 cm de diamètre. Plante indigène de milieu humide. Existe aussi en blanc.
Zone 3.

palustris 'Multiplex'

Synonyme: C. palustris 'Plena'
35 cm/ 14 po 30 cm/ 12 po ⊗ Arrondi - Buisson

Fleurs doubles, jaunes. Zone 4.
❀ Mai à juin

Campanula Campanule • Bellflower 

Famille: Campanulacées **Zone:** 2
Origine: Hémisphère Nord

Genre comprenant beaucoup d'espèces éparpillées partout dans l'hémisphère Nord. Énormément de diversité. Sa caractéristique principale est la forme de ses fleurs en clochette qui sont soit pendantes, prostrées ou dressées vers le ciel et à pétales soudés ou non. Floraison spectaculaire très variée selon l'espèce. De culture facile. Une des vivaces les plus populaires.

Sol: Tous les sols
Compagnons:
Été: Dianthus 'Spring Beauty' et Delphinium
Printemps: Pulsatilla et Phlox 'Candy Stripes'
Automne: Echinacea purpurea et Sedum 'Carmen'

c. carpatica

c. rotundifolia

c. latifolia

alliariifolia

Synonyme: C. alliariiflolia 'Ivory Bells' **Utilisations:** F
55 cm/ 22 po 45 cm/ 18 po ⊗ Ovale - Érigé

Fleurs en forme de cloche pendante sur tiges florales arquées de 4 cm. Plante envahissante par sa semence et ses stolons. Idéale pour les bordures et lisières de boisés. Exposition soleil, mi-ombre. Sol frais à sec. Zone 3.

(Campanula)

Feuilles: Cordées
❀ Juin - Août

Feuillage: Vert sombre et pubescent.
Couleur: Blanc crème

---

alpestris

Synonyme: C. allionii
Utilisations: A - D - R
⌂ 10 cm/ 4 po ◊ 30 cm/ 12 po ⊗ Couvre-sol - Tapissant

Fleurs en forme de clochette profondes. Moins rustique que les autres variétés; elle tolère mal les sols calcaires.

Feuilles: Entières. Linéaires
❀ Juillet - Août

Feuillage: Pubescent et glauque.
Couleur: Bleu violacé

---

americana

⌂ 200 cm/ 80 po ∅ 2,5 cm

Variété intéressante pour naturaliser dans les lieux humides. Se comporte comme une bisannuelle. Ses fleurs bleues avec un oeil blanc sont réunies d'une à trois à l'aisselle des feuilles avec un long style formant la courbe d'un S. Ses feuilles sont alternes, dentées, glabres et de 15 cm de longues. Zone 4.

---

barbata

Utilisations: R - B - G - Al
⌂ 35 cm/ 14 po ◊ 30 cm/ 12 po

Vivace de courte durée de vie mais très florifère. Les fleurs sont disposées seulement sur un côté de la tige florale. Zone 4.

Feuilles: Lancéolées
Feuillage: Pubescent.
Couleur: Bleu lilas ou blanc

---

bellidifolia

Utilisations: Al ⊗ Couvre-sol - Tapissant

Fleurs violettes mesurant de 10 à 15 cm de diamètre. Floraison de mai à juin. Zone 4.

---

betulifolia

Synonyme: C. finitima
Utilisations: A - R
⌂ 15 cm/ 6 po ◊ 15 cm/ 6 po ⊗ Arrondi - Rosette

Plante alpine prostrée. Feuilles semblables à celles du bouleau.

Feuilles: Simples, légèrement pubescentes, d'environ 6 cm. Cordées
Feuillage: Vert foncé luisant, teinté de pourpre.
❀ Juillet - Août ∅ 1,5 à 2 cm **Couleur:** Blanc

---

carpatica Carpathian Bellflower

Utilisations: A - B - D - M - R - P
⌂ 30 cm/ 12 po ◊ 30 cm/ 12 po ⊗ Arrondi - Coussin

Espèce très populaire, facile de culture. Pour une floraison remontante, éliminer les fleurs fanées. Éviter les sols mal drainés.

Feuilles: Entières. Cordées
❀ Juillet à septembre ∅ 3 cm **Couleur:** Bleu mauve

***carpatica* 'Alba'**

Utilisations: A - B - D - M - R - P
⌂ 40 cm/ 16 po ◊ 30 cm/ 12 po ⊗ Arrondi - Coussin

Grandes clochettes ouvertes sur un long pédoncule. Florifère et à développement rapide.

Feuilles: Simples, marge ondulée et cilliée. Cordées

❀ Juillet à septembre ∅ 3 cm **Couleur:** Blanc

---

carpatica **'Bellissimo Blue'**

Utilisations: M - Ps - R

15 cm/ 6 po 30 cm/ 12 po ⊗ Arrondi - Coussin

Très florifère et hâtive en plus d'être compacte. Fleurs en clochette, plus ou moins ouvertes et découpées. Il existe également la 'Bellissimo White'.

❀ Juin à septembre ∅ 5 à 6 cm **Couleur:** Bleu ou blanc

---

carpatica **'Blaue Clips'** ♥

Synonyme: C. 'Blue Clips ' **Utilisations:** A - B - D - M - R - P

20 cm/ 8 po 30 cm/ 12 po ⊗ Arrondi - Coussin

Variété uniforme, compacte et très florifère, à clochettes plus profondes que l'espèce.

Feuilles: Entières. Cordées

❀ Juin à septembre ∅ 3 cm **Couleur:** Bleu

---

carpatica **'Blue Ball'**

Nouveauté, campanule compacte, double à fleurs bleu violacé fleurissant de juillet à septembre, d'un espacement et d'une hauteur de 20 cm. Zone 3.

---

carpatica **'Ultra'**

Utilisations: R - B - G

25 cm/ 10 po 40 cm/ 16 po ⊗ Arrondi

Variété enregistrée, non fidèle par semis. Pousse bien en sol humide et fertile.

❀ Juin à septembre **Couleur:** Violet foncé

---

carpatica var. turbinata

Voir C. rainei.

---

carpatica **'Weisse Clips'** ♥

Synonyme: C. 'White Clips' **Utilisations:** A B D M - R - P

20 cm/ 8 po 30 cm/ 12 po ⊗ Arrondi - Coussin

Semblable à la C. carpatica 'Blue Clips'.

Feuilles: Entières. Cordées

❀ Juin à septembre ∅ 3 cm **Couleur:** Blanc

---

cochleariifolia Spiral Bellflower ♥

Synonyme: C. pusilla **Utilisations:** A - D - M - R - Al - Au

10 cm/ 4 po 30 cm/ 12 po ⊗ Étalé - Colonie

Petites fleurs délicates bleues ou blanches ayant la forme de clochettes parfaites; elles sont en groupes de 1 à 6. Variété très florifère. Zone 3.

Feuilles: Entières, dentées, aux longs pétioles. Ovées - Cordées

Feuillage: Luisant.

❀ Juin à août ∅ 2 cm **Couleur:** Bleu mauve

***cochleariifolia* 'Elizabeth Oliver'**

Utilisations: M - F

⌂ 10 cm/ 4 po ◊ 20 cm/ 8 po ⊗ Étalé - Colonie

Fleurs doubles et retombantes réunies par groupes de 1 à 6. Croissance forte et rapide.

❀ Juin à août **Couleur:** Bleu clair

collina

Utilisations: R

⌂ 25 cm/ 10 po ◊ 40 cm/ 16 po ⊗ Rosette

Fleurs retombantes groupées au bout d'une tige dressée. Croissance dense et rapide due à ses rhizomes. Préfère les sols humides et la mi-ombre. Zone 4.

Feuilles: Simples, ovales aux longs pétioles. Basales
Feuillage: Rugueux, vert foncé, à tige pubescente.
❀ Juin - Août ∅ 1,5 à 2 cm **Couleur:** Violet

fenestrellata

Synonyme: C. elatines var. fenestrellata **Utilisations:** Al

⌂ 15 cm/ 6 po

Plus compact que C. garganica. Zone 4.

Feuilles: Larges, glacées.
❀ Mai - Juin **Couleur:** Bleu

formanekiana

Utilisations: A - D - R

⌂ 25 cm/ 10 po ◊ 15 cm/ 6 po ⊗ Rosette

Bisannuelle à fleurs larges, pendantes, presque blanches. Plante de rocaille semblable à C. orphanidea mais à rosette plus large. Se ressème facilement.

Feuilles: Simples, ovales dans le bas et sessiles, lancéolées dans le haut. Dentées
Feuillage: Pubescent.
❀ Juin - Juillet ∅ 4 cm **Couleur:** Bleu

garganica

Synonyme: C. elatines var. garganica **Utilisations:** D - A - R - Al - Au

⌂ 15 cm/ 6 po ◊ 20 cm/ 8 po ⊗ Couvre-sol

Petites fleurs étoilées bleues à centre blanc, non retombantes. Croissance en rosette avec stolons. Zone 3.

Feuilles: Entières, basales à marge dentée. Ovées - Cordées
Feuillage: Légèrement pubescent. Persistant.
❀ Juin - Septembre ∅ 1,3 à 1,5 cm **Couleur:** Bleu mauve

***garganica* 'Dickson's Gold'** ♥

Utilisations: A - B - R - D

⌂ 15 cm/ 6 po ◊ 15 cm/ 6 po ⊗ Arrondi - Coussin

Petites fleurs étoilées à coeur blanc. Feuillage semblable à celui de C. poscharskyana. Éviter le soleil direct car le feuillage est sensible.

Feuilles: Entières, basales à marge dentée. Ovées - Cordées
Feuillage: Jaune lumineux, légèrement pubescent. Semi-persistant.
❀ Juin - Août ∅ 1,3 à 1,5 cm **Couleur:** Bleu mauve

***glomerata* 'Alba'** Clustered Bellflower

Utilisations: D - F - M - P

⌂ 40 cm/ 16 po ◊ 40 cm/ 16 po ⊗ Évasé

Fleurs profondes, dressées et réunies en un groupe dense au bout des tiges qui sont parfois retombantes. Très intéressante par sa couleur et sa vigueur.

Feuilles: Entières et alternes. Ovées - Cordées

❀ Juin à août ∅ 6 à 7 cm **Couleur:** Blanc pur

***glomerata* 'Caroline'**

⌂ 45 cm/ 18 po ◊ 60 cm/ 24 po ⊗ Évasé

Une nouvelle variété, qui préfère le soleil à la mi-ombre. À essayer car elle est florifère et rustique en zone 3.

❀ Juin à juillet **Couleur:** Lavande bordé de blanc

***glomerata* 'Joan Elliot'**

Utilisations: F

⌂ 45 cm/ 18 po ◊ 60 cm/ 24 po ⊗ Évasé

Floraison hâtive.

❀ Juin à juillet **Couleur:** Violet

***glomerata* 'Superba'**

⌂ 40 cm/ 16 po ⊗ Évasé

Variété la plus résistante à la chaleur et au sec. Fleurs larges.

❀ Juin à juillet **Couleur:** Bleu violacé

glomerata var. acaulis

Utilisations: D - F - M - P

⌂ 20 cm/ 8 po ◊ 30 cm/ 12 po ⊗ Évasé - Tapissant

Fleurs profondes, tubulaires, dressées, réunies en groupe dense au bout de chaque tige. Croissance uniforme. Facile de culture et jolie.

Feuilles: Entières, alternes sans pétiole. Ovées - Cordées

Feuillage: Vert foncé et rugueux.

❀ Juin à août ∅ 6 à 7 cm **Couleur:** Violet

glomerata var. dahurica ***a***

Utilisations: D - F - M - P

⌂ 60 cm/ 24 po ◊ 40 cm/ 16 po ⊗ Rosette

Tuteurage souvent nécessaire car sa tige florale est bien fournie. Plante vigoureuse qui accepte les sols calcaires. La campanule glomerata porte le nom «Les douze apôtres» car les fleurs sont regroupées par 12.

Feuilles: Entières et alternes. Ovées - Lancéolées **Feuillage:** Vert foncé et dense.

❀ Juin à août ∅ 6 à 7 cm **Couleur:** Violet

hawkinsiana

Utilisations: M - R - Ps ⌂ 40 cm/ 16 po ◊ 30 cm/ 12 po

Plante retombante très résistante en contenant.

Feuilles: Semblables aux fougères.

Feuillage: Éclatant. **Couleur:** Violet

---

incurva

Utilisations: M - Al - Au

30 cm/ 12 po 20 cm/ 8 po ⊗ Rosette

Fleurs en forme de clochette gonflée, semblables à C. medium. Se comporte comme une bisannuelle et préfère les sols bien drainés.

Feuilles: De 8 cm de long. Ovées **Feuillage:** Pubescent gris vert.

❀ Juin - Juillet **Couleur:** Blanc bleuté

---

kemulariae

Utilisations: M

30 cm/ 12 po 30 cm/ 12 po ⊗ Érigé

Variété à racines rampantes. Très florifère et vigoureuse.

Feuilles: Simples, très dentées et aux longs pétioles. Cordées

Feuillage: Lustré vert foncé.

❀ Juin - Août ∅ 2,5 cm **Couleur:** Bleu violacé

---

lactiflora Milky Bellflower

Utilisations: F - M - P - Tu

110 cm/ 44 po 50 cm/ 20 po ⊗ Dressé - Érigé

Fleurs étoilées, regroupées en gros panicules dressées. Une des plus grandes espèces. Nécessite un tuteurage car elle est fortement ramifiée. Croissance en sol frais au soleil ou à la mi-ombre.

Feuilles: Simples et sessiles, de 6 à 7 cm. Alternes - Lancéolées

Feuillage: Vert clair, rugueux et pubescent.

❀ Juin - Septembre ∅ 8 à 10 cm **Couleur:** Bleu à centre blanc

---

***lactiflora* 'Loddon Anna'** ♥

Utilisations: M - F - O

100 cm/ 40 po 40 cm/ 16 po ⊗ Dressé - Érigé

Nombreuses fleurs attrayantes.

❀ Juillet - Août **Couleur:** Rose lilacé

***lactiflora* 'Prichard's Variety'**

70 cm/ 28 po 40 cm/ 16 po ⊗ Ovale - Coussin

Nombreuses fleurs, tiges longues et dressées. Cultivar très joli et intéressant par sa couleur et sa hauteur.

❀ Juillet - Août **Couleur:** Violet

---

latifolia var. macrantha Giant Bellflower ♥

Utilisations: F - M - P - Tu

100 cm/ 40 po 50 cm/ 20 po ⊗ Ovale - Érigé

Très grandes clochettes ouvertes, réunies par 1 à 3 fleurs à l'aisselle des feuilles. Tiges solides et fortes. Zone 3.

Feuilles: Entières, alternes, très dentées et aux longs pétioles. Oblongues - Ovées

Feuillage: Rugueux, vert clair.

❀ Juin à août ∅ 4 à 5 cm **Couleur:** Violet

latifolia var. macrantha alba Giant Bellflower

⊗ Ovale - Érigé

Identique à l'espèce mais blanche.

Feuilles: Entières. Oblongues - Ovées ∅ 3 cm

***latiloba* 'Alba'** **Giant Bellflower**

Synonyme: C. persicifolia ssp. sessiliflora ou grandis

Utilisations: M - F ⌂ 90 cm/ 36 po ◊ 30 cm/ 12 po

Tige dressée, fleurs ouvertes, campanulées et étoilées. Robuste et rustique.

Feuilles: Étroites, dentées, sessiles, de 8 à 10 cm.

Feuillage: Brillant, légèrement ondulé.

❀ Juin - Août **Couleur:** Blanc

medium Canterbury Bells

Synonyme: C. calycanthema **Utilisations:** F - M - P - Tu

⌂ 75 cm/ 30 po ◊ 30 cm/ 12 po ⊗ Ovale - Dressé

Bisannuelle. Très grandes fleurs gonflées. Tige oblongue, lancéolée et alterne. Existe dans différentes couleurs: blanc, rose, bleu et violet. Certaines variétés possèdent une sorte de soucoupe sous la fleur dont la 'Cup and Saucer'.

Feuilles: Simples et sessiles. Ovées - Basales **Feuillage:** Pubescent.

❀ Juin - Juillet ∅ 3 à 4 cm

ochroleuca

⌂ 60 cm/ 24 po ◊ 45 cm/ 18 po

Ressemble à C. alliariifolia. Fleurs pendantes disposées sur un côté de la tige.

❀ Juin - Juillet **Couleur:** Blanc crème

***persicifolia* 'Chettle Charm'** Peach Leaved Bellflower

Utilisations: F ⌂ 110 cm/ 44 po ◊ 40 cm/ 16 po

Nouvelle variété enregistrée. Exposition soleil, mi-ombre.

Feuillage: Persistant. ❀ Juin

***persicifolia* 'Grandiflora'** ♥

Utilisations: F - M - P - Tu ⌂ 70 cm/ 28 po ◊ 40 cm/ 16 po

Grandes clochettes ouvertes, disposées en racème. Culture facile. Variété populaire et connue sous le nom de campanule à feuilles de pêcher.

Feuilles: Simples et sessiles, de 10 à 20 cm de long. Basales - Lancéolées

Feuillage: Vert foncé et lustré. Persistant.

❀ Juin à août ∅ 5 cm **Couleur:** Bleu

***persicifolia* 'Grandiflora Alba'**

Identique à l'espèce mais blanche.

***persicifolia* 'Moerheimii'**

⌂ 90 cm/ 36 po ◊ 45 cm/ 18 po ⊗ Rosette

Fleurs blanches, doubles au feuillage vert foncé. Variété plus courte que l'espèce.

❀ Juin à août

***persicifolia* 'Pride of Exmouth'**

60 cm/ 24 po | 75 cm/ 30 po | Juillet à août

Fleurs doubles de couleur bleu-pourpre.

***persicifolia* 'Telham Beauty'**

Utilisations: M - F - P - Tu

100 cm/ 40 po | 40 cm/ 16 po

Variété plus haute ainsi qu'à fleurs plus grandes. À l'origine, un cultivar tétraploïde; difficile à trouver sur le marché aujourd'hui.

Feuilles: Entières. Lancéolées
Feuillage: Vert foncé et lustré. Persistant.
Juin à août | ∅ 3 à 4 cm | **Couleur:** Bleu violacé

portenschlagiana Dalmatian Bellflower

Synonyme: C. muralis | **Utilisations:** A - B - C - D - R - Al

10 cm/ 4 po | 30 cm/ 12 po | ⊗ Arrondi - Coussin

Petites clochettes profondes et nombreuses disposées sur le feuillage. Populaire. Éviter les sols riches pour plus de rusticité. Croissance au soleil ou à la mi-ombre. Se propage par boutures et division. Zone 4.

Feuilles: Entières, dentées irrégulièrement. Ovées - Cordées
Feuillage: Vert foncé et lustré. Persistant.
Mai - Septembre - Remontante | ∅ 1 à 1,5 cm | **Couleur:** Violet

poscharskyana

20 cm/ 8 po | 30 cm/ 12 po | ⊗ Étalé - Couvre-sol

Fleurs étoilées à pétales longs et étroits. Croissance rapide et vigoureuse. Semblable à C. posch. 'Blue Gown', mais à fleurs entièrement bleu lavande. Tiges étalées sur le sol jusqu'à 60 cm de long.

Feuilles: Ovées | **Feuillage:** Pubescent.
Juin - Septembre - Remontante | ∅ 2 à 2,5 cm

***poscharskyana* 'Blauranke'**

Synonyme: C. 'Blue Gown' | **Utilisations:** A - C - D - R

20 cm/ 8 po | 15 cm/ 6 po | ⊗ Couvre-sol - Tapissant

Plante rampante à longues tiges vigoureuses. Fleurs étoilées à coeur blanc.

Feuilles: Simples et ondulées. Cordées - Dentées | **Feuillage:** Pubescent.
Juin - Septembre | ∅ 2 cm | **Couleur:** Bleu lavande

***poscharskyana* 'E.H. Frost'**

Utilisations: B

15 cm/ 6 po | 25 cm/ 10 po | ⊗ Couvre-sol - Tapissant

Espèce vigoureuse possédant une fleur étoilée de couleur blanche avec un oeil bleu pâle. S'étale peu, mais elle est très décorative.

Feuillage: Vert clair à vert jaunâtre. | Juin - Septembre

primulifolia

Utilisations: M - F | 75 cm/ 30 po | 30 cm/ 12 po

Nouvelle introduction très intéressante. Fleurs bleues à oeil violet groupées de 3 à 5.

Feuilles: Piquantes avec pétioles de15 cm de long. Ovées
Feuillage: Succulent. **Couleur:** Bleu lavande

pulla

Utilisations: M - R - Au ⌂ 15 cm/ 6 po ◊ 15 cm/ 6 po

Tige trapue portant de profondes clochettes pendantes de couleur lumineuse. Se développe bien en milieu frais, à la mi-ombre et dans un sol calcaire. Zone 5.

Feuilles: Petites et ovales. **Feuillage:** Lustré.
❀ Juin - Septembre **Couleur:** Bleu violacé

***punctata* 'Cherry Bells'**

Utilisations: F
⌂ 70 cm/ 28 po ◊ 50 cm/ 20 po ⊗ Érigé

Nouveauté très intéressante. Fleurs en forme de longue cloche rouge. Exposition ensoleillée. Zone 4.

***punctata* 'Elizabeth'**

Fleurs rose mauve, de 5 cm de diamètre, pendantes et gracieuses, de 60 cm de haut et d'un espacement de 45 cm. Floraison de mai à juillet. Exposition ensoleillée et mi-ombragée.

***punctata* 'Nana Alba'**

Utilisations: F - M - T - E - P
⌂ 25 cm/ 10 po ◊ 35 cm/ 14 po ⊗ Étalé

Fleurs campanulées profondes et pendantes, tachetées de rose et plus petites que l'espèce. Envahissante par ses stolons agressifs.

Feuilles: Entières, à longs pétioles. Cordées - Dentées
Feuillage: Pubescent et rugueux.
❀ Juin - Juillet ∅ 2 à 2,5 cm **Couleur:** Blanc

***punctata* 'Rubriflora'** ♥

Utilisations: F - M - T - E - P
⌂ 40 cm/ 16 po ◊ 30 cm/ 12 po ⊗ Étalé

Longues et grandes clochettes retombantes tachetées de pourpre. Souvent solitaires dans l'axe de la feuille et de la tige.

Feuilles: Entières. Cordées - Dentées **Feuillage:** Pubescent et rugueux.
❀ Juin - Août ∅ 2 à 3 cm **Couleur:** Rose

***punctata* 'Weddings Bells'**

Utilisations: F
⌂ 50 cm/ 20 po ◊ 60 cm/ 24 po ⊗ Étalé

Fleurs doubles blanches et roses. Variété vigoureuse et résistante à croissance rapide. Exposition ensoleillée, mi-ombre.

❀ Juillet - Août

pyramidalis Chimney Bellflower

Utilisations: F - M - P
⌂ 145 cm/ 58 po ◊ 40 cm/ 16 po ⊗ Ovale - Dressé

Fleurs étoilées et ouvertes, réunies en un racème semblable à un épi. Tige solide. Vivace de courte durée; cycle de vie semblable à celui d'une bisannuelle. Floraison longue et imposante. Zone 4.

(Campanula)

Feuilles: Entières, en rosettes aux longs pétioles. Lancéolées
Feuillage: Lustré grossièrement denté.
❀ Juin à août ∅ 2,5 cm **Couleur:** Bleu mauve

***pyramidalis* 'Alba'**

Utilisations: H - P
⌂ 135 cm/ 54 po ◊ 40 cm/ 16 po ⊗ Ovale - Dressé

Semblable à l'espèce.

Feuilles: Verticillées ❀ Juin à août ∅ 2,5 cm

---

rainei

Synonyme: C. carpatica var. turbinata ⌂ 5 cm/ 2 po

Fleurs bleu lilas en rosette, solitaires et mesurant 3 cm de long x 4 cm de large. Les feuilles sont elliptiques, obtuses et crénelées. Zone 5.

❀ Juillet - Août

***rotundifolia* 'Marchsetti'** Harebell

Utilisations: M - R
⌂ 40 cm/ 16 po ◊ 30 cm/ 12 po ⊗ Arrondi - Buisson

Semblable à l'espèce, mais à grandes fleurs bleu violacé à gorge blanche. Exposition ensoleillée. Zone 3.

❀ Juin

***rotundifolia* 'Mingan'**

Utilisations: A - D - R - G - Al
⌂ 15 cm/ 6 po ◊ 15 cm/ 6 po ⊗ Rosette

Semblable à l'espèce, mais beaucoup plus trapue et compacte. Cultivar originaire des Îles Mingan.

Feuilles: Entières. Linéaires - Basales
❀ Juin - Août ∅ 0,8 à 0,8 cm **Couleur:** Bleu mauve

***rotundifolia* 'Olympica'**

Utilisations: A - B - C - D - M - R - T - G - N
⌂ 30 cm/ 12 po ◊ 30 cm/ 12 po ⊗ Arrondi - Buisson

Fleurs en clochette semblable à celle de la C. cochlearifolia, mais plus grande. Longue tige intéressante pour sa fleur coupée. Zone 2.

Feuilles: Entières. Cordées - Dentées **Feuillage:** En rosette, vert foncé.
❀ Juillet - Septembre ∅ 1 à 1,3 cm **Couleur:** Bleu lavande

---

sarmatica

Utilisations: M - F - R
⌂ 45 cm/ 18 po ◊ 30 cm/ 12 po ⊗ Arrondi - Buisson

Fleurs pendantes, lobées sur tiges dressées et souples. Semblable à C. alliarifolia. Variété superbe et peu utilisée. Meilleur rendement au soleil et dans un sol bien drainé. Zone 4.

Feuilles: Aux longs pétioles. **Feuillage:** Gris argenté, épais.
❀ Juin - Juillet ∅ 2 cm **Couleur:** Bleu lilas

***sibirica* 'Silvergens'**

Utilisations: M - R ⌂ 40 cm/ 16 po ◊ 30 cm/ 12 po

Fleurs étroites en forme de clochette profonde. Plante prostrée et florifère. Croissance au soleil et rustique. Zone 3.

Feuilles: Entières. ❀ Mai - Juin - Remontante **Couleur:** Bleu mauve

---

takesimana

50 cm/ 20 po 40 cm/ 16 po ⊗ Étalé

Semblable à C. punctata. Croissance dans un sol sablonneux ou humifère mais bien drainé et à la mi-ombre. S'étend grâce à ses rhizomes. Grosses fleurs blanc rosé tachetées de rouge et portées sur de fines hampes.

Feuilles: Larges. Basales **Feuillage:** En rosette, lustré et denté.
❀ Juillet - Septembre

---

trachelium Nettle leaved Bellflower

Utilisations: M - S - N
90 cm/ 36 po 30 cm/ 12 po ⊗ Ovale - Érigé

Feuilles pubescentes pouvant provoquer des irritations cutanées. Très florifère; fleurs finement pubescentes à lobes recourbés vers l'arrière. Tolère l'ombre et le sec. Zone 3-4.

Feuilles: Entières, à dents aiguës et à longs pétioles. Lancéolées
❀ Juillet - Septembre ∅ 2,5 à 3,5 cm **Couleur:** Lilas ou bleu clair

---

***trachelium* 'Bernice'**

65 cm/ 26 po 50 cm/ 20 po ⊗ Ovale - Érigé

Fleurs bleues, doubles. Exposition soleil, mi-ombre. Zone 4.

❀ Juin - Août

---

tridentata

Utilisations: Al 15 cm/ 6 po

Fleur érigée en cloche ouverte sur un long pédoncule. Zone 3.

Feuilles: Spatulées - Dentées **Feuillage:** Pubescent.
❀ Mai **Couleur:** Bleu violacé

---

waldsteiniana

Utilisations: Al

Fleurs érigées lilas à bleu foncé. Floraison de juillet à septembre. Mesure de 10 à 15 cm. Zone 4.

***x* 'Birch Hybrid'**

Utilisations: A - C - D - M - R - P
15 cm/ 6 po 30 cm/ 12 po ⊗ Étalé - Couvre-sol

Semblable à la C. muralis, mais avec de plus grandes fleurs légèrement prostrées et à lobes aigus. Croisement C. portenschlagiana, C. poscharskyana. Zone 4.

Feuilles: Simples, marge dentée. Ovées - Cordées
❀ Juin - Septembre ∅ 1,5 à 1,8 cm **Couleur:** Bleu mauve

***x* 'Kent Belle'**

70 cm/ 28 po 30 cm/ 12 po

Plante vigoureuse. Masse de très grosses fleurs. Sol bien drainé. Se propage par semis, divisions ou culture de tissus. Zone 4.

❀ Juillet - Août **Couleur:** Bleu

Carlina Weather Thistle

Famille: Asteracées
Zone: 4
Origine: Europe
Utilisations: Al

Cette plante produit en été de multiples fleurs «de chardon» blanc ivoire, groupées en têtes rondes, sans tige, sur un feuillage bas et énormément épineux. Utilisation en fleurs séchées (comparables aux immortelles). Se propage par division ou par bouturage des racines. Sa durée de vie est d'environ 3 à 5 ans.

Sol: Calcaire - Sec

acaulis

Utilisations: R ⌂ 10 cm/ 4 po ◊ 50 cm/ 20 po

Tige florale d'une hauteur variable, généralement acaules. Grandes fleurs argentées d'environ 10 cm de diamètre. Existe également une variété au feuillage bronze.

Feuilles: Étroites, découpées et groupées en rosettes.
Feuillage: Vert et très épineux.
❀ Août **Couleur:** Blanc

Caryopteris Bluebeard

Famille: Verbenacées
Zone: 5
Origine: Asie
⊗ Arrondi - Buisson

Cultivé pour son feuillage attrayant et aromatique, le caryopteris compte 6 espèces d'arbustes à feuilles caduques et des vivaces herbacées. Les feuilles sont simples, entières et parfois légèrement dentées. L'inflorescence se présente en panicule ou en cyme, terminale ou axillaire. Les fleurs sont bleues, blanches ou lavande et apparaisent à la fin de l'été, toujours sur le bois de l'année.

Sol: Tous les sols - Bien drainé

x clandonensis 'Longwood Blue'

⌂ 50 cm/ 20 po ◊ 50 cm/ 20 po ⊗ Arrondi - Buisson

Petit arbuste semi ligneux au feuillage argenté, excellent comme haie, facile de culture et attire les papillons grâce à ses fleurs bleu mauve, odorantes. Zone 5.

Catananche Cupidone • Cupid's Dart

Famille: Asteracées
Zone: 4
Origine: Méditerranée
⊗ Rosette

Fleurs semblables à celles d'une centaurée à longue tige. Vivace de courte durée, mais à floraison abondante généralement bleue, parfois blanche ou rose. Utilisée par les Grecs comme élixir d'amour.

Sol: Bien drainé - Sec
Compagnons: **Été**: Gypsophila repens et Lythrum 'Robert'
Printemps: Euphorbia epithymoides et Aquilegia alpina
Automne: Echinacea 'Magnus' et Helianthemum mutabile

caerulea

Utilisations: F
⌂ 50 cm/ 20 po ◊ 30 cm/ 12 po ⊗ Rosette

Sa fleur solitaire s'ouvre seulement au soleil.

Feuilles: Entières, à 4 dents. Linéaires - Lancéolées

Feuillage: Pubescent, vert grisâtre. Persistant.
❀ Juin - Septembre ∅ 2,5 à 5 cm **Couleur:** Bleu mauve à coeur noir

***caerulea* 'Bicolor'**
Utilisations: M - F ⌂ 60 cm/ 24 po ◊ 30 cm/ 12 po
Fleur blanche à oeil mauve violacé. Feuillage en rosette.
Feuilles: Dentées ❀ Juin - Juillet **Couleur:** Blanc

Centaurea Centaurée • Knapweed

Famille: Asteracées **Zone:** 3
Origine: Méditerranée, Proche-Orient et Amérique
Fleurs individuelles réunies en capitule. Feuilles et fleurs de couleurs variées. Se retrouve partout dans le monde; par exemple, nous avons en Amérique du Nord des espèces indigènes. Afin de prévenir l'invasion, tailler les fleurs fanées. À remarquer, son port est plus ferme au soleil.
Sol: Calcaire - Pauvre
Compagnons: **Été:** Delphinium et Coreopsis rosea
Printemps: Iris 'Cherry Garden' et Anemone sylvestris
Automne: Sedum 'Rosy Glow' et Anemone robustissima

dealbata Persian Cornflower
Utilisations: F - P
⌂ 70 cm/ 28 po ◊ 45 cm/ 18 po ⊗ Arrondi - Buisson
Très jolie par son feuillage et ses fleurs. À noter, la tige florale porte des feuilles.
Feuilles: Entières, disséquées profondément et aux longs pétioles. Lancéolées - Lobées
Feuillage: Pubescent et grisâtre à l'endos.
❀ Juin à août - Remontante ∅ 6 à 7 cm **Couleur:** Rose lilas au centre clair

***dealbata* 'Steenbergii'**
⌂ 60 cm/ 24 po ◊ 50 cm/ 20 po ⊗ Arrondi - Buisson
Très belle plante à fleurs différentes. Plus courte que l'espèce. Zone 4.
❀ Juillet à août **Couleur:** Rose pourpré au centre blanc

***hypoleuca* 'John Coutts'**
Utilisations: F - P
⌂ 60 cm/ 24 po ◊ 45 cm/ 18 po ⊗ Ovale - Érigé
Fleurs semblables à celles de la C. dealbata, mais plus grandes et de plus longue floraison. Sa tige est grêle et ramifiée.
Feuilles: Entières, disséquées. Lancéolées - Lobées
Feuillage: Vert foncé et grisâtre à l'endos.
❀ Juillet à septembre ∅ 6 cm **Couleur:** Rose vif au centre pâle

macrocephala Globe Cornflower
Utilisations: F - K
⌂ 110 cm/ 44 po ◊ 45 cm/ 18 po ⊗ Ovale - Érigé
Plante imposante à grandes tiges dressées. Hampe florale peu ramifiée. Ses boutons florales sont tachetés de marron et ses fleurs sont énormes; elles se conservent bien en fleurs coupées. Zone 4.
Feuilles: Entières et grandes, basales aux longs pétioles. Oblongues
❀ Juillet à août ∅ 10 cm **Couleur:** Jaune doré

montana Mountain Bluet

⌂ 50 cm/ 20 po ◊ 40 cm/ 16 po

⊗ Ovale - Buisson

Fleurs entières et abondantes. Croissance rapide; drageonne beaucoup et se ressème facilement. Zone 4.

Feuilles: Entières, sessiles et velues à l'endos. Lancéolées
Feuillage: Grisâtre sur les 2 faces avant la maturité.
❀ Mai à juillet ∅ 4 à 5 cm
Couleur: Bleu violacé au centre rouge

---

pulcherrima

Utilisations: A - R
⌂ 40 cm/ 16 po ◊ 15 cm/ 6 po ⊗ Rosette

Petite rosette de feuilles découpées avec une hampe florale rigide.

Feuilles: Entières, fortement sinuées et tomentueuses à l'endos. Lancéolées - Dentées
❀ Juin à juillet ∅ 3 cm **Couleur:** Rose-pourpre

---

simplicicaulis

Utilisations: R ⌂ 30 cm/ 12 po ⊗ Buisson

Originaire de Caucase. Tige florale rigide.

Feuilles: Bipennées
Feuillage: Découpé, grisâtre à argenté.
❀ Juin à juillet **Couleur:** Rose violet

Centranthus Valeriane • Red Valerian

Famille: Valerianacées **Zone:** 4
Origine: Méditerranée

Nombreuses petites fleurs tubulaires réunies en panicules. Tiges et feuilles glabres et charnues. Elle a tendance à se ressemer abondamment. Se propage bien par boutures et division. Éviter les accumulations d'eau l'hiver. Croissance ralentie dans un sol acide.

Sol: Bien drainé - Calcaire
Compagnons: **Été:** Delphinium grandiflorum et Salvia
Printemps: Bergenia et Ajuga 'Royalty'
Automne: Echinacea et Sedum

---

ruber ☺

Utilisations: D - F - M - G - R - P
⌂ 70 cm/ 28 po ◊ 40 cm/ 16 po ⊗ Étalé

Tiges charnues, arquées et lâches. Souche ligneuse à rabattre à l'automne, à l'occasion. Les feuilles semblent tachetées de rouge parfois.

Feuilles: Simples, opposées, charnues et sessiles de 10 cm. Ovées - Lancéolées
Feuillage: Glabre. Dormant.
❀ Juin - Septembre - Remontante ∅ 9 à 10 cm
Couleur: Rose carmin 

ruber 'Albus'

⌂ 60 cm/ 24 po ◊ 40 cm/ 16 po ⊗ Étalé

Légèrement moins vigoureux que l'espèce.

Feuilles: Entières. Ovées

❀ Juin - Septembre ∅ 5 à 10 cm **Couleur:** Blanc

Cephalaria Scabieuse du Caucase • Giant Scabious

Famille: Dipsacacées **Zone:** 5

Origine: Caucase

Plante d'aspect champêtre qui produit des capitules de fleurs semblables à celles des scabieuses. Accepte la taille au printemps, ce qui lui permet de conserver sa vigueur et de lui donner un port plus trapu.

Sol: Tous les sols

Compagnons:
Été: Echinops et Centaurea dealbata
Printemps: Dicentra et Bergenia
Automne: Eryngium et Phlox paniculata

alpina

Synonyme: Scabiosa alpina

⌂ 90 cm/ 36 po ⊗ Étalé

Originaire des Alpes. Tige velue et délicate dans les tons de vert cendré. Zone 4.

Feuilles: Avec pétioles. Pennées - Basales

❀ Juillet - Septembre ∅ 3 à 4 cm **Couleur:** Jaune pâle

gigantea

Synonyme: Scabiosa tatarica **Utilisations:** F - P

⌂ 180 cm/ 72 po ◊ 75 cm/ 30 po ⊗ Ovale - Dressé

Capitule jaune crème et étamine pourpre, presque noire. Longue hampe florale courbée et feuillue.

Feuilles: Composées, dentées de 8 à 10 folioles ovales et lancéolées jusqu'à 40 cm de long.

Feuillage: Vert foncé et pubescent à la base.

❀ Juin ∅ 4 à 6 cm **Couleur:** Jaune pâle

Cerastium Corbeille d'argent • Snow-in-Summer

Famille: Caryophyllacées **Zone:** 2

Origine: Italie et Alpes

Vivace populaire dans les vieux jardins. La majorité des espèces forment un tapis dense de feuillage, souvent argenté. Les inflorescences en cymes ou individuelles sont généralement blanches. La plante est retrouvée partout dans le monde. Pour les espèces à croissance forte, il est conseillé d'effectuer la taille après la floraison. Se propage facilement. Peut être envahissante par les semis.

Sol: Sec - Pauvre

Compagnons:
Été: Campanula dahurica et Geranuim 'Biokovo'
Printemps: Pachysandra et Viola labradorica
Automne: Heuchera splendens et Scabiosa caucasia

alpinum var. lanatum

Utilisations: Al - Au

⌂ 10 cm/ 4 po ◊ 20 cm/ 8 po ⊗ Couvre-sol - Tapissant

Croissance lente. Peu envahissante. Grandes fleurs groupées par 3 ou 5 au sommet de la tige. Éviter l'humidité.

Feuilles: Entières. Opposées - Ovées
Feuillage: Très pubescent et laineux. Persistant.
❀ Mai - Juin **Couleur:** Blanc

arvense 'Compactum'

Utilisations: B - G

⌂ 10 cm/ 4 po ◊ 30 cm/ 12 po ⊗ Couvre-sol - Tapissant

Croissance lente, mais après établissement, forme un tapis. Les pétales de la fleur sont 2 à 3 fois plus longs et denses que les sépales.

Feuilles: Entières. Opposées - Lancéolées
Feuillage: Vert clair et grisâtre. Semi-persistant.
❀ Mai - Juin ∅ 1 cm **Couleur:** Blanc

biebersteinii ♥

Utilisations: A - P

⌂ 20 cm/ 8 po ◊ 45 cm/ 18 po ⊗ Couvre-sol - Colonie

Croissance rapide et vigoureuse. Ses fleurs sont en forme de coupe avec des tiges florales longues.

Feuilles: Entières, elliptiques et non spatulées de 2,5 à 4 cm. Opposées - Lancéolées
Feuillage: Pubescent. Persistant.
❀ Mai - Juin ∅ 1,5 à 2 cm **Couleur:** Blanc

tomentosum

Utilisations: A - B - C - D - M - T - G - L

⌂ 15 cm/ 6 po ◊ 45 cm/ 18 po ⊗ Couvre-sol - Colonie

Espèce populaire à floraison abondante et à croissance rapide. Fleurs en forme d'étoile.

Feuilles: Entières, étroites et légèrement enroulées sur le bord. Opposées - Lancéolées
Feuillage: Persistant.
❀ Mai - Juin ∅ 1,5 à 2 cm **Couleur:** Blanc

tomentosum 'Silberteppich'

Synonyme: C. 'Silver Carpet' **Utilisations:** A-B-C-D-M-R-T-G-L

⌂ 15 cm/ 6 po ◊ 30 cm/ 12 po ⊗ Couvre-sol - Colonie

Cultivar à feuillage plus argenté, compact.

Feuilles: Entières. Opposées - Lancéolées **Feuillage:** Persistant.
❀ Mai - Juin ∅ 1,5 à 2 cm **Couleur:** Blanc

tomentosum 'Yo Yo'

Utilisations: A - G

⌂ 10 cm/ 4 po ◊ 45 cm/ 18 po ⊗ Couvre-sol - Colonie

Plante compacte à feuille plus petite.

Feuilles: Entières. Opposées - Lancéolées **Feuillage:** Gris très argenté. Persistant.
❀ Mai - Juin ∅ 1,5 à 2 cm **Couleur:** Blanc

Chamaemelum Chamomile

Famille: Asteracées **Zone:** 4
Origine: Europe

Genre comptant 4 espèces botaniques annuelles et des vivaces aromatiques. Les feuilles, d'aspect plumeux, sont alternes, tripinnatiséquées. La fleur, de type marguerite, est blanche avec un centre jaune. Préfère un sol léger, sablonneux. La variété C. nobile 'Flore Pleno' ses fleurs sont doubles.

Sol: Bien drainé

Cheiranthus Wall Flower

Famille: Brassicacées
Zone: 5
Origine: Europe
⊗ Arrondi - Buisson

Famille de la moutarde. Quelques espèces forment des tiges ligneuses. Beau feuillage cireux. Inflorescence en racèmes semblables à ceux de la giroflée.

Sol: Tous les sols - Sec

capitatum Giroflée des murailles

Synonyme: Erysimum capitatum **Utilisations:** F - P
40 cm/ 16 po 30 cm/ 12 po ⊗ Dressé - Étalé

Bisannuelle. Fleurs orangées, lustrées et voyantes. Il est bien de tailler les fleurs fanées afin d'inciter une deuxième floraison.

Feuilles: Simples, le bout de la feuille est dentée. Alternes - Lancéolées
Feuillage: En rosette. Semi-persistant.
❀ Mai - Juin ∅ 1 à 1,2 cm

Chelone Galane • Shellflower

Famille: Scrophulariacées **Zone:** 3
Origine: Amérique du Nord

Inflorescence en racème, fleurs tubulaires semblables à des têtes de tortues, d'où vient le nom anglais pour désigner cette plante. Rustique et robuste, capable de s'adapter à des conditions diverses. Préfère les endroits semi-ombragés. Se cultive facilement, sans être envahissante malgré ses stolons souterrains. Se propage par semis, boutures et division.

Sol: Humide - Riche

Compagnons:
Été: Veronica et Iris sibirica
Printemps: Campanula collina et Arabis ferdinandi - Coburgii
Automne: Heuchera 'Palace Purple' et Sedum 'Brillant'

glabra White Turtlehead

Utilisations: F - P
90 cm/ 36 po 60 cm/ 24 po ⊗ Ovale - Érigé

Plante indigène. Feuilles lancéolées et sessiles. Préfère les milieux humides.

Feuilles: Entières, de 5 à 10 cm de long x 1 à 4 cm de large. Opposées - Ovées
Feuillage: Vert foncé, lustré, glabre et parfois pubescent.
❀ Juillet - Septembre ∅ 2,5 à 3 cm **Couleur:** Blanc

lyonii

⌂ 75 cm/ 30 po ◊ 60 cm/ 24 po ⊗ Ovale - Érigé

Fleurs pourpres à roses. Feuilles à long pétiole, ovales à cordées, acuminées et dentées. Tige carrée. Zone 4.

❀ Juillet à septembre

obliqua ♥

Utilisations: F - M - S - E - J - P

⌂ 60 cm/ 24 po ◊ 45 cm/ 18 po ⊗ Ovale - Érigé

Plant d'Hort 1995. Envahissant en milieu humide, car sa végétation est dense. Échappé de culture, il préfère le soleil. Diffère de C. glabra par ses feuilles ovales et son pétiole.

Feuilles: Entières, dentées à marge fortement serrée de 5 à 20 cm de long.
Opposées - Ovées

Feuillage: Vert foncé, lustré à nervures prononcées.

❀ Août - Octobre ∅ 2,5 à 3 cm **Couleur:** Rose

obliqua var.alba

⊗ Ovale - Érigé

Identique à l'espèce, mais à fleur blanche.

Chiastophyllum Goutte d'or

Famille: Crassulacées **Zone:** 5

Origine: Caucase

Plante décorative à feuilles succulentes, spatulées et disposées en rosette. Petites fleurs en épis retombants. Port très spécial.

Sol: Humide - Riche

Compagnons:
Été: Arenaria montana et Coreopsis
Printemps: Iris pumila et Polygonatum
Automne: Hemerocallis 'Stella De Oro' et Sedum 'Vera Jameson'

oppositifolium

Synonyme: Cotyledon oppositifolium **Utilisations:** A - G

⌂ 15 cm/ 6 po ◊ 30 cm/ 12 po ⊗ Rosette

Fleurs retombantes. La var. 'Goldtrop' mesure 20 cm. Mai à juillet.

Feuilles: Entières, charnues et rondes à sinus. Opposées - Spatulées

Feuillage: Turgescent vert sombre. Persistant.

❀ Juin - Juillet **Couleur:** Jaune doré

Chrysanthemum Marguerite

Famille: Asteracées **Zone:** 3

Synonyme: Leucanthemum

Groupe de plantes à inflorescence en capitules. Fleurs ligulées et tubulaires formant le coeur souvent jaune. Les chrysanthèmes ont été reclassé sous plusieurs genres différents ces dernières années. Pour fin utilitaire dans ce guide nous conservons l'ancienne nomenclature et feront le lien avec la nouvelle.Voici la description des différentes espèces:

Arcticum: (Dendranthema yezoense) Espèce très drageonnante à feuillage découpé et lustré à l'origine de couleur blanche se retrouve à présent des cultivars à fleurs roses ou jaunes. Il existe la variété 'Roseum', rose pâle et 'Schwefelglanz', jaune soufre, décorative et florifère. Les deux d'une hauteur de 30 cm.

Coccineum: (Tanacetum coccineum, pyrethe) Belles fleurs de marguerites simples ou doubles dans les tons de rose et rouge. Les insectes et particulièrement les papillons les adorent. Plante utilisée en médecine moderne et en horticulture comme élément de base dans les insecticides naturels.

Maximum: (Marguerite blanche, superbum) Que de souvenirs de jeunesse, dans l'appréhension de l'avenir, nous effleurions la marguerite. Très commune dans les champs (surtout de fraises), de celle-ci à celle d'aujourd'hui, il y a tout un monde que d'amélioration. Soit la dimension de la fleur, sa longivité, sa vigueur et sa quantité de pétales qui passe à des fleurs semi-doubles ou doubles.

N.B: Ce que nous appellons des pétales blancs, se sont en réalité des fleurs complètes dont les pétales sont soudés ensemble et que les étamines jaunes regroupées au centre forme son coeur.

Morifolium: (Dendranthema grandiflora ou indicum) Sélection de variétés continuellement en évolution. Anciennement se présentait comme une espèce pour la potée fleurie. A présent plusieurs cultivars sont disponibles sur le marché et sont classés comme vivaces. Sa floraison abondante, automnale enchante. Il faut prendre le soin de choisir des variétés hâtives pour la région du Québec si vous désirez obtenir une floraison avant le gel. Prenez note que trop d'engrais à l'automne incite votre plante à pousser et non à entrer en dormance pour l'hiver, résultat; elle meurt. Un léger paillis protège bien et permet une bonne émergence au printemps. Ne pas oublier qu'un sol mal drainé est aussi nuisible. Offerte dans une grande gamme de teintes, en fleurs simples ou doubles, de formes de fleurs soit: d'anémones, de pompons, d'étoiles, etc. Pour les gens des régions de zone 3, la Station de Recherche Morden au Manitoba a développé une serie de Chysanthèmes d'automnes très résistantes, que nous retrouvons sous les noms de: 'Morden Delight', bronze rouge, 'Eldorado', jaune double, 'Everest', blanc double, 'Garnet', rouge foncé, 'Gaiety', orange rouge. Elles sont toutes enregistrées.

Pacifica: Voir Ajania.

Parthenium: (Tanacetum, matricaire) Surtout utilisée pour son feuillage élégant et parfumé. Sa floraison abondante en période estivale rappelle celle de la camomille, mais en plus jolie. Afin de maintenir un port ferme il est conseillé de pincer la plante régulièrement. Exige un sol bien drainé. Se propage par semis ou boutures.

Rubellum: Hybride aux fleurs simples ou doubles, solitaires de différentes couleurs généralement plus hâtives que C. morifolium. De port plus lâche aussi, mais formant des tiges ligneuses à la base. Fleurs généralement de 8 cm de diamètre. Préfère un sol bien drainé, calcaire et une exposition ensoleillée.

Weyrichii: (Dendranthema) Fleurs de marguerite rose pâle changeant de couleur selon la maturité, aux pétales courts. Son feuillage est vert foncé, lustré, palmé et charnu et ses feuilles en rosette ont un diamètre de 5 cm. Espèce très vigoureuse, compacte et très florifère. Emet de nombreux rhizomes. Intéressante pour les rocailles. Tolère la mi-ombre. Les nouveaux cultivars 'Pink Bomb' et 'White Bomb' sont très rustiques et fleurissent à l'automne et sont d'une hauteur de 25 à 30 cm.

Sol: Bien drainé - Riche

Compagnons:
Été: Heucherella 'Bright Bloom' et Campanula carpatica
Printemps: Phlox subulata et Iberis sempervirens
Automne: Helictotrichon et Tricyrtis hirta

arcticum 'Red Chimo' ❤

⌂ 40 cm/ 16 po ◊ 90 cm/ 36 po ⊗ Arrondi - Coussin

Introduite par M. Tony Hubert. Une pure merveille à utiliser pour sa floraison automnale, abondante; la dimension des fleurs est étonnante et leur couleur rose foncé est lumineuse. Son port de type buisson est très large, sa croissance forte et rapide surprend car elle est rustique en zone 2. Plante enregistrée C.O.P.F. Zone 2.

Feuillage: Lustré et très coriace.

---

coccineum 'James Kelway'

Utilisations: F - P

⌂ 60 cm/ 24 po ◊ 40 cm/ 16 po ⊗ Étalé

Existent également dans l'espèce coccineum: la 'Robinson Dark Crimson' de couleur rouge carmin à coeur jaune, la 'Robinson Rose' évidemment de couleur rose, et la 'Robison Giant' d'un mélange de couleurs variées. Elles ont toutes les mêmes caractéristiques.

Feuilles: Entières et alternes. Pennées - Dissequées

Feuillage: Vert sombre et très découpé. Aromatique.

❀ Juin - Juillet ∅ 7 à 8 cm

Couleur: Rouge carmin au coeur jaune

---

coccineum 'Sélection Double'

Utilisations: F - K

⌂ 60 cm/ 24 po ◊ 40 cm/ 16 po ⊗ Étalé

Fleurs de formes variées, simples et semi-doubles. Se retrouve par semis en couleurs diverses ou par division en teinte séparée. Parfois moins résistante.

Feuilles: Entières et alternes. Pennées - Dissequées

Feuillage: Aromatique.

❀ Juin - Juillet ∅ 7 à 8 cm **Couleur:** Mélange de couleurs

---

maximum 'Aglaia' Shasta Daisy ❤

⌂ 70 cm/ 28 po ◊ 50 cm/ 20 po ⊗ Étalé

Très grandes fleurs doubles à pétales frangés dont le centre est bombé. Se propage par boutures et division.

❀ Juin - Septembre

---

maximum 'Alaska'

Utilisations: F - P

⌂ 60 cm/ 24 po ◊ 30 cm/ 12 po ⊗ Étalé

Espèce populaire à végétation vigoureuse. Grandes fleurs simples. Zone 3.

Feuilles: Entières, dentées. Lancéolées - Spatulées

Feuillage: Vert lustré.

❀ Juin - Août ∅ 7 à 9 cm **Couleur:** Blanc

---

maximum 'Cobham Gold'

⌂ 50 cm/ 20 po ◊ 30 cm/ 12 po

Variété qui se trouve difficilement de nos jours. À fleurs doubles, jaune crème. Zone 4.

❀ Juin à septembre

maximum 'Esther Read'

⌂ 50 cm/ 20 po ◊ 30 cm/ 12 po

Ancien cultivar à floraison hâtive; le premier d'une série à fleurs doubles. Très utilisé en fleurs coupées. Zone 5.

maximum 'Little Miss'

Utilisations: B - P

⌂ 30 cm/ 12 po ◊ 30 cm/ 12 po ⊗ Arrondi - Coussin

Compacte, à fleurs semi-doubles.

Feuilles: Entières. Lancéolées - Spatulées

❀ Juin - Août ∅ 7 à 8 cm **Couleur:** Blanc au coeur jaune crème

maximum 'Marconi'

Utilisations: F - P

⌂ 90 cm/ 36 po ◊ 35 cm/ 14 po ⊗ Étalé

Fleurs doubles et semi-doubles. Certains pétales sont frangés. Beaucoup de variations d'une plante à l'autre car se propage par semis. Zone 3.

Feuilles: Entières. Lancéolées - Spatulées

❀ Juin - Août ∅ 7 à 9 cm **Couleur:** Blanc au coeur jaune crème

maximum 'Polaris'

Utilisations: F - P

⌂ 90 cm/ 36 po ◊ 40 cm/ 16 po ⊗ Étalé

Longue tige. Capitule brun plus grand que celui de C.'Alaska'.

Feuilles: Entières, dentées. Lancéolées - Spatulées

❀ Juin - Août ∅ 10 à 12 cm **Couleur:** Blanc au coeur jaune crème

maximum 'Sedgewick'

Utilisations: A - P

⌂ 30 cm/ 12 po ◊ 50 cm/ 20 po ⊗ Étalé - Rosette

Variété très résistante. Plusieurs petites fleurs doubles mais peu tubulaires. Zone 3.

Feuilles: Entières. Dentées - Spatulées **Feuillage:** Semi-persistant.

❀ Juin - Août ∅ 3 à 4 cm **Couleur:** Blanc

maximum 'Silver Princess' ♥

Synonyme: C. 'Silberprinzess Chen'

⌂ 40 cm/ 16 po ◊ 40 cm/ 16 po ⊗ Étalé

Nous supposons qu'elle est parfois vendue sous le nom de C. 'Little Princess'. Variété vigoureuse de forme naine et à floraison abondante. Zone 3.

❀ Juin - Août **Couleur:** Blanc

maximum 'Snow lady'

Synonyme: Leucanthemum **Utilisations:** B - P

⌂ 25 cm/ 10 po ◊ 30 cm/ 12 po ⊗ Arrondi - Coussin

Grandes fleurs simples. Plante naine très florifère. Gagnante du All American 1988. Se cultive souvent comme annuelle.

Feuilles: Entières. Lancéolées - Spatulées

❀ Mai - Septembre ∅ 7 cm **Couleur:** Blanc au coeur jaune crème

maximum **'Snowcap'**

Utilisations: B - P

30 cm/ 12 po | 30 cm/ 12 po | ⊗ Arrondi - Coussin

Variété courte, florifère et intéressante mais à protéger.

Feuilles: Entières. Lancéolées - Spatulées

❀ Juin - Septembre | ∅ 6 à 7 cm | **Couleur:** Blanc au coeur jaune crème

maximum **'Starburst'**

Utilisations: F - P

90 cm/ 36 po | 40 cm/ 16 po | ⊗ Étalé

Très grandes fleurs à tige forte. Supérieur à C. 'Alaska'.

Feuilles: Entières. Lancéolées - Spatulées

❀ Juin - Septembre | ∅ 10 à 12 cm | **Couleur:** Blanc au coeur jaune crème

maximum **'Thomas Killen'**

Utilisations: F - K

70 cm/ 28 po | 40 cm/ 16 po | ⊗ Étalé

Très grandes fleurs simples, frangées près du cœur, offrant l'aspect d'une fleur semi-double. Variété très vigoureuse et impressionnante. Zone 4.

Feuilles: Entières. Lancéolées - Spatulées

❀ Juin - Octobre | ∅ 8 à 10 cm | **Couleur:** Blanc au coeur jaune crème

maximum **'Wirral Pride'**

80 cm/ 32 po | 60 cm/ 24 po | ❀ Juin - Septembre

Variété à fleurs doubles dont le coeur est garni de ligules courtes lui donnant un effet bombé.

maximum **'Wirral'**

80 cm/ 32 po | 60 cm/ 24 po

Introduite en 1948. Variété à fleurs doubles d'un blanc pur, plus grande que C. 'Wirral Pride', et dont le coeur est peu visible car elle est trop fournie de petites ligules. Sa floraison est hâtive.

parthenium **'Aureum'**

30 cm/ 12 po | 30 cm/ 12 po

Très intéressante en aménagement par son feuillage jaune doré, très découpé. Ses petites fleurs blanches, décoratives, sont peu nombreuses.

parthenium **'Santana'**

Utilisations: B | 20 cm/ 8 po | 20 cm/ 8 po

Nouveauté à fleurs très étoilées; plante compacte et florifère. Exige une protection. Voici quelques variétés populaires et anciennes; 'Golden Ball', à fleurs doubles jaunes, 'Double White', doubles blanches, 'White Stars', doubles blanches de forme étoilée et à centre jaune, les trois d'une hauteur de 30 cm et 'Ultra', doubles blanches, d'une hauteur de 50 cm. Elles exigent un sol bien drainé, ont une floraison de juillet à août. Zone 3.

❀ Juillet - Août | **Couleur:** Blanc crème

vulgare **'Maikonigin'** Marguerite des prés

Synonyme: C. 'May Queen' | **Utilisations:** F - P

70 cm/ 28 po | 30 cm/ 12 po | ⊗ Étalé

Forme améliorée de la variété sauvage et à floraison hâtive.

Feuilles: Entières. Lancéolées - Spatulées — **Feuillage:** Vert lustré et abondant.
❀ Mai - Juin — ∅ 7 à 8 cm — **Couleur:** Blanc au coeur jaune crème

---

x 'Barbara Bush'

Utilisations: F - M - K - P
⌂ 70 cm/ 28 po — ⊗ Ovale - Dressé

Cultivar au feuillage panaché de crème et caduc. Enregistré. Semblable C. Thomas Killen.

Feuilles: Entières. Lancéolées - Dentées
❀ Juillet — ∅ 7 à 10 cm — **Couleur:** Blanc

---

x 'Glory'

Utilisations: M - F
⌂ 45 cm/ 18 po — ◊ 30 cm/ 12 po

Introduite par M. Tony Hubert. Grandes fleurs à pétales blancs, frangés, et à coeur jaune. Plante compacte, uniforme et unique en son genre.

❀ Juin - Septembre — **Couleur:** Blanc au coeur jaune crème

---

x *rubellum* 'Clara Curtis' ♥

Utilisations: F - Tu
⌂ 70 cm/ 28 po — ◊ 40 cm/ 16 po — ⊗ Étalé

Variété vigoureuse et populaire. Fleurs de marguerite rose pâle et simples. Intéressante, car elle ajoute de la gaieté à nos aménagements à l'automne.

Feuilles: Entières. Lobées
Feuillage: Mât. Aromatique.
❀ Août - Octobre - Hâtive — ∅ 7 à 8 cm — **Couleur:** Rose à coeur jaune

---

x *rubellum* 'Duchess of Edinburg'

Utilisations: F - P
⌂ 70 cm/ 28 po — ◊ 40 cm/ 16 po — ⊗ Étalé

Fleurs de marguerite à pétales très étroits et nombreux, offrant l'aspect d'une fleur semi-double.

Feuilles: Entières. Lobées
Feuillage: Vert foncé. Aromatique.
❀ Août - Octobre — ∅ 7 à 8 cm — **Couleur:** Rouge à coeur jaune

---

x *rubellum* 'Mary Stoker'

Utilisations: F - P
⌂ 70 cm/ 28 po — ◊ 40 cm/ 16 po — ⊗ Étalé

Fleurs jaune cuivré à longues ligules, d'aspect inusité par leur couleur automnale.

Feuilles: Entières. Lobées — **Feuillage:** Aromatique.
❀ Août - Octobre — ∅ 8 à 10 cm — **Couleur:** Jaune

---

x *rubellum* 'Moira'

Utilisations: F - P
⌂ 70 cm/ 28 po — ◊ 40 cm/ 16 po — ⊗ Étalé

Fleurs de couleur rose tendre.

Feuilles: Entières. Lobées — **Feuillage:** Aromatique.
❀ Août - Octobre — ∅ 8 à 9 cm — **Couleur:** Rose à coeur jaune

***x rubellum* 'Nancy Perry'**

Utilisations: F - P

70 cm/ 28 po — 40 cm/ 16 po — ⊗ Étalé

Fleurs de marguerite dont la couleur des ligules change selon la maturité.

Feuilles: Entières. Lobées — **Feuillage:** Aromatique.

Août - Octobre — ∅ 8 à 9 cm — **Couleur:** Rose à coeur jaune

***x rubellum* 'Princess'**

Utilisations: F - P

70 cm/ 28 po — 40 cm/ 16 po — ⊗ Étalé

Différente des autres variétés par la couleur plus soutenue de ses fleurs rose vif.

Feuilles: Entières. Lobées — **Feuillage:** Aromatique.

Août - Octobre — ∅ 8 à 9 cm — **Couleur:** Rose à coeur jaune

Chrysogonum Étoile d'or • Goldenstar

Famille: Asteracées — **Zone:** 4-5

Origine: Nord de l'Amérique

Plante à développement rapide. Feuilles cordées et dentées. Fleurs étoilées à 5 pétales. Une couverture de neige est nécessaire à sa survie.

Sol: Riche - Frais

Compagnons:

Printemps: Phlox subulata et Anemone — Été: Nepeta et Malva

Automne: Eupatorium et Gaura

virginianum

Utilisations: B - C - M - T - P

25 cm/ 10 po — 30 cm/ 12 po — ⊗ Couvre-sol - Colonie

Plante tapissante et florifère. Se propage facilement par semis, boutures et division.

Feuilles: Entières, à long pétiole de 2,5 à 7,5 cm. Opposées - Ovées

Feuillage: Pubescent, vert foncé et rugueux.

Juillet - Septembre — ∅ 4 cm — **Couleur:** Jaune à coeur brunâtre

***virginianum* 'Allen Bush'**

30 cm/ 12 po — ⊗ Couvre-sol - Colonie — Mai - Juin

Fleurs jaunes, zone 5.

Chrysopsis Golden Aster

Famille: Asteracées — **Zone:** 4

Origine: Amérique du Nord — **Synonyme:** C. heterotheca villosa

Petite plante à racines pivotantes. Feuillage plus ou moins pubescent. Fleurs en capitules jaunes. Tolère bien la sécheresse.

Sol: Sec

villosa

Synonyme: C. heterotheca — Juillet à août

L'espèce villosa mesure 20 à 80 cm de haut et ses feuilles, 2 à 5 cm de long. La variété rutteri, la plus populaire, est à fleurs jaunes et mesure 20 cm de haut. Son feuillage est semi-persistant. Ses feuilles sont gris argenté, lancéolées, dentées et fortement pubescentes. Zone 5.

Cimicifuga Cierge d'argent • Snakeroot ☺ ●◐☼

Famille: Renonculacées **Zone:** 3
Origine: Amérique du Nord et Sibérie

Fleurs minuscules réunies en racèmes, presque des épis, au parfum particulier chassant les insectes. Feuillage composé, semblable à celui d'une fougère. Différentes hauteurs et temps de floraison selon les espèces. Vivace de longue durée se propageant par semis et division. À remarquer, elle fleurit plus hâtivement au soleil et dans les sols humides.

Sol: Tous les sols - Frais
Compagnons: **Été:** Astilbe et Verbascum
Printemps: Lamium 'Chequers' et Myosotis semperflorens
Automne: Ligularia et Physostegia 'Variegata'

---

acerina

Synonyme: C. japonica var. acerina **Utilisations:** M - F
120 cm/ 48 po 40 cm/ 16 po ⊗ Ovale - Érigé

Plante compacte à boutons florales pourpres. Zone 5.

Feuilles: Asymétriques dont la foliole terminale ressemble à une feuille d'érable. Composées. Trifoliées
Feuillage: Vert foncé. ❀ Septembre - Octobre **Couleur:** Blanc

---

americana

Plante indigène à petites fleurs blanches sur de longs pédoncules. Floraison de août à septembre. Fleur inodore et ressemblant à celle de C. racemosa. Espèce pouvant atteindre de 100 à 140 cm de haut.

---

dahurica

Utilisations: M
160 cm/ 64 po 40 cm/ 16 po ⊗ Érigé

Inflorescence courte et peu ramifiée chez la femelle (plantes dioiques). Feuillage similaire à celui de C. racemosa, mais ses folioles sont plus lobées et sa floraison est plus tardive. Zone 4.

Feuilles: Composées, folioles larges. Lobées - Dentées
❀ Septembre - Octobre **Couleur:** Blanc crème

---

racemosa Black Snakeroot

Utilisations: F - S - K - N - P
120 cm/ 48 po 60 cm/ 24 po ⊗ Ovale - Érigé

Longue hampe florale, peu ramifiée, droite ou légèrement arquée. Très décorative par ses fleurs et ses fruits. Variété à rhizome très ramifié. Ressemble à C. americana.

Feuilles: Composées, folioles longues, ovées et dentées, de 3 à 10 cm. Basales
Feuillage: Vert clair.
❀ Juillet - Août - Hâtive **Couleur:** Blanc pur

---

racemosa var. cordifolia

Utilisations: M
160 cm/ 64 po 40 cm/ 16 po ⊗ Ovale - Érigé

Inflorescence ramifiée, folioles cordées à la base, plus petites que l'espèce avec 5 à 7 lobes.

Feuilles: Composées, folioles dentées. Trilobées **Feuillage:** Vert clair.
❀ Août - Septembre **Couleur:** Blanc crème

***ramosa* 'Atropurpurea'**

Utilisations: F - P

⌂ 190 cm/ 76 po ◊ 60 cm/ 24 po ⊗ Ovale - Érigé

Meilleure coloration au soleil. Plante utilisée autant pour son feuillage que pour ses inflorescences tardives.

Feuilles: Composées. Basales **Feuillage:** Pourpre ou cuivré.

❀ Août - Octobre - Tardive ∅ 0,5 à 1 cm **Couleur:** Blanc rosé

***ramosa* 'Brunette'**

⊗ Ovale - Érigé

Introduit par A. Bloom. Espèce pouvant atteindre de 90 à 120 cm de haut. Ses feuilles sont plus foncées que celles de C. ramosa 'Atropurpurea' Ses fleurs sont parfumées et de couleur blanc rosé. Préfère un sol humide et tolère l'ombre. Zone 3.

***simplex* 'White Pearl'**

Synonyme: C. simplex 'Armleuchter' **Utilisations:** F - P

⌂ 110 cm/ 44 po ◊ 50 cm/ 20 po ⊗ Ovale - Érigé

Floraison tardive souvent sacrifiée par les gelées hâtives. Plant trapu à inflorescence plus ou moins arquée et à épi court, mais bien fourni.

Feuilles: Composées. Basales **Feuillage:** Vert pâle.

❀ Octobre ∅ 0,5 à 1 cm **Couleur:** Blanc

***x* 'Hillside Black Beauty'**

⊗ Ovale - Érigé

Espèce pouvant atteindre de 120 à 180 cm de haut. Possède des feuilles pourpres, dentées. Tolère l'ombre. Zone 4.

Codonopsis Campanule tigrée • Bonnet Bellflower

Famille: Campanulacées **Zone:** 4

Origine: Asie

Semblable aux campanules par ses fleurs en clochette. Transplantation difficile à cause de ses racines tubéreuses et charnues.

Sol: Bien drainé - Acide

Compagnons:
Été: Erysimum et Delphinium
Printemps: Vinca et Aubrieta
Automne: Chrysanthemum 'Red Chimo' et Phlox paniculata

clematidea Asian Bellflower

⌂ 50 cm/ 20 po ◊ 30 cm/ 12 po ⊗ Dressé

Rameaux grimpants, grêles et à fleurs campanulées. Le feuillage et les fleurs dégagent une odeur nauséabonde. Zone 4b.

Feuilles: Ovées

Feuillage: Vert grisâtre, pubescent. Aromatique.

❀ Juillet - Août **Couleur:** Bleu porcelaine pâle

Colchicum Crocus d'automne • Autumn Crocus 

Famille: Colchicacées **Zone:** 3
Origine: Europe et Nord de l'Afrique et certaines régions de l'Asie

Fleurs roses sortant à l'automne après le dessèchement du feuillage. Floraison spectaculaire et surprenante. Le bulbe se force très bien à l'intérieur; nul besoin de terre. La colchique est à la base de l'hybridation car elle permet d'obtenir des plantes tétraploïdes.

Sol: Riche - Humide
Compagnons: **Été:** Dicentra luxuriant et Filipendula
Printemps: Iris pumila et Fougère
Automne: Boltonia et Sedum 'Atropurpurea'

---

autumnale ☺

Utilisations: B
20 cm/ 8 po — 20 cm/ 8 po — ⊗ Rosette

Fleur semblable à un gros crocus sans feuilles. La saison de floraison est différente et très impressionnante.

Feuilles: Simples et larges. Oblongues - Basales
❀ Septembre - Octobre — ∅ 7 à 8 cm — **Couleur:** Rose

Convallaria Muguet • Lily of the Valley 

Famille: Convallariacées **Zone:** 2-3
Origine: Hémisphère Nord

Reconnue pour annoncer le printemps avec son parfum et ses clochettes blanches. Feuillage large, intéressant. Transplantation parfois difficile, mais son développement est rapide lorsqu'elle est bien adaptée; peut même devenir envahissante.

Sol: Humide - Riche
Compagnons: **Été:** Hosta 'Albo Picta' et Lupinus
Printemps: Myosotis semperflorens et Pulmonaria
Automne: Sedum 'Vera Jameson' et Tricyrtis hirta

---

majalis ☺

Utilisations: B - C - F - M - S - T - E
20 cm/ 8 po — 25 cm/ 10 po — ⊗ Couvre-sol - Colonie

Ancienne vivace encore populaire.

Feuilles: Simples, basales et groupées par 2-3 ayant 17 à 20 cm de long. Ovées - Lancéolées
❀ Mai — ∅ 0,8 à 1 cm — **Couleur:** Blanc

---

majalis 'Doreen'

40 cm/ 16 po — 30 cm/ 12 po — ⊗ Couvre-sol - Colonie

Muguet géant mais au même parfum. Un nouveau cultivar à feuilles et fleurs plus grandes.

---

majalis var. rosea

Utilisations: B - E
15 cm/ 6 po — 25 cm/ 10 po — ⊗ Couvre-sol - Colonie

Identique à l'espèce, mais à feuillage plus étroit et à fleur légèrement teintée de rose.

Feuilles: Entières. Lancéolées - Basales
❀ Mai — ∅ 0,8 cm — **Couleur:** Rose 

Coreopsis Tickseed

Famille: Asteracées **Zone:** 3

Origine: Amérique du Nord et du Sud et Afrique

Vivace à espérance de vie variable selon les espèces. Fleurs jaunes en capitules ou roses chez quelques espèces; il est préférable de les tailler après la floraison afin que la plante ne s'épuise pas et qu'elle conserve un port compact. Elles sont généralement dentées au centre et possèdent 8 rayons. Feuilles variant aussi selon les espèces, mais toutes sont opposées et sessiles. Voici des renseignements qui faciliteront la distinction de chaque espèce:

Auriculata Feuilles entières de 12 cm de long.

Grandiflora Feuilles entières de 5 à 17 cm de long, lancéolées et spatulées dans le bas en plus d'être lobées occasionnellement (3 à 5 parties) dans le haut du plant. Inflorescence de 4 à 9 cm de diamètre et long pédoncule.

Lanceolata Similaire au grandiflora, mais les feuilles du bas sont velues et mesurent 15 cm de long; elles sont rarement lobées.

Sol: Tous les sols

Compagnons:
Printemps: Aruncus aethusifolius et Ajuga
Été: Lupinus et Campanula glomerata
Automne: Salvia tricolor et Echinops

***auriculata* 'Nana'** Mouse Ear Coreopsis

Utilisations: M - F

⌂ 20 cm/ 8 po ◊ 30 cm/ 12 po ⊗ Coussin

Semblable au C. grandiflora par la forme de la fleur mais différente par son port très compact. Longue durée de vie, mais ne tolère pas la sécheresse. Variété stolonifère non envahissante.

Feuilles: Entières.

❀ Juin à juillet Ø 5 cm **Couleur:** Jaune orangé

***auriculata* 'Superba'** Mouse Ear Coreopsis

Plante pouvant atteindre 30 à 45 cm de haut, possédant de grandes fleurs orangées au centre brun. Très belle en fleurs coupées.

***grandiflora* 'Early Sunrise'**

Utilisations: F - P

⌂ 40 cm/ 16 po ◊ 30 cm/ 12 po

⊗ Ovale - Dressé

Fleurs semi-doubles. Floraison très hâtive et espèce très florifère. Vivace de courte durée. Gagnante du prix All America Award 1989.

Feuilles: Entières. Lancéolées - Trilobées

❀ Juin à octobre Ø 3 à 4 cm

Couleur: Jaune doré

***grandiflora* 'Flying Saucers'**

⊗ Ovale - Dressé

Espèce à fleurs jaunes de 5 cm de diamètre et à feuillage étroit. Plante enregistrée pouvant atteindre 25 cm de haut.

***grandiflora* 'Sunburst'**

Utilisations: F - P

⌂ 85 cm/ 34 po ◊ 30 cm/ 12 po ⊗ Ovale - Dressé

Vivace de courte durée, très florifère. Fleurs doubles ou semi-doubles.

Feuilles: Entières. Trilobées
❀ Juin à septembre ∅ 3 à 4 cm **Couleur:** Jaune doré

---

grandiflora **'Sunray'**
Utilisations: F - P
⌂ 60 cm/ 24 po ◊ 30 cm/ 12 po ⊗ Ovale - Dressé
Fleurs doubles ou semi-doubles. Très florifère et de longue durée.
Feuilles: Entières. Trilobées
❀ Juin à septembre ∅ 5 cm **Couleur:** Jaune doré

---

lanceolata **'Baby Gold'**
Utilisations: F - P ⌂ 30 cm/ 12 po
◊ 30 cm/ 12 po ⊗ Arrondi - Buisson
Vivace de courte durée, mais florifère. Fleurs simples.
Feuilles: Entières. Trilobées
❀ Juin à septembre ∅ 3 à 4 cm
Couleur: Jaune doré

---

lanceolata **'Baby Sun'**
Synonyme: C. 'Sonnenkind' **Utilisations:** F - P
⌂ 30 cm/ 12 po ◊ 30 cm/ 12 po ⊗ Arrondi - Buisson
Vivace de courte durée, mais très florifère. Fleurs simples.
Feuilles: Entières. Trilobées
❀ Juin à septembre ∅ 3 à 4 cm **Couleur:** Jaune doré

---

lanceolata **'Goldfink'**
Utilisations: B - P
⌂ 25 cm/ 10 po ◊ 30 cm/ 12 po ⊗ Arrondi - Coussin
Florifère et à fleur solitaire. Variété compacte se propageant par boutures et division.
Feuilles: Entières.
❀ Juin à septembre ∅ 3 à 4 cm **Couleur:** Jaune

---

rosea
Utilisations: B - P ⌂ 30 cm/ 12 po
◊ 40 cm/ 16 po ⊗ Couvre-sol - Colonie
Petites fleurs à centre jaune. Développement rapide, car sa souche est traçante.
Feuilles: Simples et filiformes.
❀ Juillet à septembre ∅ 2 cm
Couleur: Rose à coeur jaune

---

rosea **'American Dream'**
⊗ Couvre-sol - Colonie
Issue de l'espèce rosea, mais à fleurs plus grandes et plus foncées apparaissant de juillet en septembre. Atteint 40 cm de haut.

---

verticillata **'Grandiflora'**
Utilisations: B - M - P - F
⌂ 60 cm/ 24 po ◊ 40 cm/ 16 po ⊗ Arrondi - Buisson

(Coreopsis)
Plante parfois vendue sous le nom de C. verticillata ou C. 'Golden Shower'.

Feuilles: Divisées en trois, mesure de 5 à 8 cm. Palmées
Feuillage: Très fin et nuageux.
❀ Juin à septembre ∅ 5 à 6 cm **Couleur:** Jaune doré

***verticillata* 'Moonbeam'**

Utilisations: B - F - M - P
40 cm/ 16 po 40 cm/ 16 po ⊗ Arrondi - Buisson
Très florifère et populaire. Attrayante par sa délicatesse à tous les points de vue.

Feuilles: Entières. Opposées - Trilobées
Feuillage: Vert sombre.
❀ Juin à octobre ∅ 2,5 à 3 cm **Couleur:** Jaune clair

***verticillata* 'Zagreb'**

Utilisations: B - F - M - P
40 cm/ 16 po 40 cm/ 16 po ⊗ Arrondi - Buisson
Semblable au C. 'Grandiflora', mais compact et à port ferme et très rond. Variété très résistante au sec.

Feuilles: Palmées - Trilobées
Feuillage: Vert foncé.
❀ Juillet à octobre ∅ 4 cm **Couleur:** Jaune doré

***x* 'Tequila Sunrise'**

Les nouvelles pousses sont teintées de rose pour devenir pourpres à l'automne. Plante enregistrée.

Feuillage: Vert olive à marge irrégulière crème et jaune.
❀ Juin à septembre **Couleur:** Orangé

Cornus Quatre temps • Bunchberry

Famille: Cornacées **Zone:** 2
Origine: Hémisphère Nord

La majorité des espèces sont des arbustes ou des petits arbres. Elles sont intéressantes par leurs fleurs sans pétales. Ce sont leurs bractées blanches et leurs fruits rouges qui leur donnent une valeur ornementale. Croissent bien au froid et en colonies. Indigènes.

Sol: Acide - Bien drainé
Compagnons: **Été:** Salvia et Geranium
Printemps: Vinca et Lamium **Automne:** Hosta et Sedum

---

canadensis

Utilisations: B - P
20 cm/ 8 po 30 cm/ 12 po ⊗ Couvre-sol - Colonie
Plante herbacée à rhizomes ligneux, traçants et souterrains. Composée de 4 bractées blanches, décoratives avec tige florale de 7 à 20 cm. Plante indigène produisant des baies rouges comestibes à la fin de l'été.

Feuilles: Simples, verticillées par 6 au sommet de la tige, ovales à bout effilé. Lancéolées
Feuillage: Belle coloration automnale rouge. Persistant.
❀ Mai - Juillet ∅ 2 à 3 cm **Couleur:** Blanc verdâtre

Coronilla Coronille • Crown-velch

Famille: Fabacées **Zone:** 3
Origine: Europe

Plante de la famille des pois. Inflorescence semblable à celle des trèfles. Développement rapide formant de larges colonies. Souvent utilisée pour réduire l'érosion du sol. Indigène.

Sol: Calcaire - Bien drainé

varia ☺

Utilisations: C - T
40 cm/ 16 po — 60 cm/ 24 po — ⊗ Couvre-sol - Colonie

Produit des stolons en profondeur. A utiliser seulement comme couvre-sol, envahissant sinon.

Feuilles: Composées, axillaires de 11 à 25 folioles. Pennées
Feuillage: Glabre.
❀ Juin - Octobre — ∅ 2 à 3 cm — **Couleur:** Rose et blanc

Corydalis

Famille: Fumariacées **Zone:** 3-4
Origine: Orégon, Nord de la Californie et Europe

Plante à floraison semblable à celle des Dicentras. Plusieurs espèces produisent des tubercules. Feuillage léger, souvent glauque et glabre. Se propage par semis pour les variétés courantes. Sa croissance est moins forte en sol acide.

Sol: Tous les sols - Humide
Compagnons:
Été: Hosta et Erigeron
Printemps: Polemonium et Iris pumila
Automne: Echinacea et Sedum 'Atropurpurea'

flexuosa 'Blue Panda'

Utilisations: F - R
30 cm/ 12 po — 35 cm/ 14 po — ⊗ Arrondi - Buisson

Fleur de couleur spectaculaire, très florifère et qui est originaire de la Chine. Les fleurs sont dégagées du feuillage. Période de dormance à l'été.

Feuilles: Composées, folioles lobées. Basales
Feuillage: Glauque teinté de pourpre.
❀ Avril à juillet - Remontante — ∅ 3 cm **Couleur:** Bleu 

flexuosa 'China Blue'

Utilisations: F - R
30 cm/ 12 po — 30 cm/ 12 po — ⊗ Arrondi - Buisson

Fleurs plus grandes que C. 'Blue Panda' et ses feuilles ne portent pas de taches pourpres. C'est une variété très vigoureuse.

Feuilles: Composées. Basales
❀ Avril à juillet — **Couleur:** Bleu

lutea

Utilisations: B - A - D - M - R - S - G - L - P
30 cm/ 12 po — 30 cm/ 12 po — ⊗ Arrondi - Buisson

Se ressème facilement. Très florifère, ses fleurs n'excèdent pas le feuillage et sont généralement regroupées par 16.

(Corydalis)

Feuilles: Composées, folioles aux lobes arrondis. Basales
Feuillage: Léger et glauque. Semi-persistant.
❀ Mai à octobre - Remontante **Couleur:** Jaune

---

sempervirens

Synonyme: C. glauca **Utilisations:** B - M - J - S - L - P - R
⌂ 70 cm/ 28 po ◊ 45 cm/ 18 po ⊗ Arrondi - Buisson

Feuillage de Dicentra. Bisannuelle qui se ressème facilement. Plante indigène.

Feuilles: Composées, folioles aux lobes arrondis. Basales
Feuillage: Gris-bleu.
❀ Juillet à août **Couleur:** Rose à bout jaune

Crambe

Famille: Brassicacées **Zone:** 4
Origine: Caucase

Plante imposante et d'apparence inusitée, autant par son port que par sa multitude de fleurs. Se propage par semis.

Sol: Profond - Humide

Compagnons:
Été: Lythrum et Echinops
Printemps: Dicentra spectabilis et Bergenia
Automne: Boltonia et Chrysanthemum 'Red Chimo'

---

cordifolia

Utilisations: M - F
⌂ 180 cm/ 72 po ◊ 100 cm/ 40 po ⊗ Arrondi - Buisson

Inflorescence lâche et légère disposée comme un parasol au-dessus du feuillage rappelant un peu la gypsophile à 4 pétales.

Feuilles: Simples et rugueuses mesurant 35 cm de long. Dentées - Cordées
Feuillage: Vert foncé.
❀ Juin - Juillet ∅ 1,2 à 1,4 cm **Couleur:** Blanc crème 

Crocosmia Coppertips

Famille: Iridacées **Zone:** 5
Origine: Afrique du Sud

Plante bulbeuse à fleurs tubulaires qui attirent les oiseaux-mouches. Feuillage semblable à celui de l'iris ou du glaïeul. Plantation à une profondeur de 10 à 15 cm. Protection hivernale nécessaire avec des feuilles et de la neige. Peut être déterrée et replantée à chaque année.

❀ Août
Sol: Bien drainé - Tous les sols

Compagnons:
Été: Lupinus et Monarda
Printemps: Dicentra spectabilis et Bergenia
Automne: Hemerocallis 'Stella De Oro' et Iris barbata

---

x 'Emily McKenzie'

⊗ Évasé

Introduite en 1950. Espèce pouvant atteindre 60 à 70 cm de haut. Variété vigoureuse et très florifère. Inflorescence orangée à gorge rouge qui apparaît en août.

x 'Lucifer'

Utilisations: F - P

⌂ 100 cm/ 40 po ◊ 20 cm/ 8 po ⊗ Évasé

Sélection de Alan Bloom. Hampe florale arquée.

Feuilles: Simples, rubanées en éventail. Linéaires

Feuillage: Lustré.

❀ Juillet - Septembre ∅ 3 à 4 cm **Couleur:** Rouge écarlate

x 'Norwich Canary'

⊗ Évasé

Variété pouvant atteindre de 60 à 90 cm de haut. Inflorescence jaune apparaissant de août à septembre.

Cryptotaenia

Famille: Apiacées

Genre formé de plantes glabres. Les feuilles sont ternées et le pétiole, engainé. L'inflorescence est une ombelle composée; les fleurs sont petites et blanches.

canadensis 'Atropurpurea'

Synonyme: C. japonica atropurpurea ⊗ Étalé

japonica f. atropurpurea

Plante à feuillage pour situations ombragées ou ensoleillées. Ses fleurs rosées en ombelle sont insignifiantes. Ses feuilles trifoliées sont pourpre bronzé même à l'ombre et s'associent bien aux hostas à feuillage clair ou de couleur chartreuse ainsi qu'aux graminées ornementaux. Préfère un sol riche et humide.

Cyclamen Persian Violet

Famille: Primulacées **Zone:** 5

Origine: Alpes ⊗ Buisson - Rosette

Le genre Cyclamen compte de 15 à 18 espèces de plantes herbacées, tubéreuses (la souche est une corme). Les feuilles, qui partent de la base, sont rondes à cordées, parfois dentées ou lobées, avec un long pétiole mince. Le dessus de la feuille est souvent marbré de blanc ou de vert et le dessous, de rouge violacé. Les fleurs, solitaires et parfumées (selon l'espèce), varient du blanc au rose ou rouge carmin. Pour les cyclamens rustiques sous notre climat, la floraison apparaît tôt à l'automne et est suivie de l'apparition des feuilles qui sont persistantes durant l'hiver, mais qui disparaissent durant les chaleurs de l'été. Excellente plante à utiliser sous les arbres et arbustes dans un site bien drainé, humide, mais jamais détrempé, plutôt alcalin et très riche en humus.

Sol: Riche - Bien drainé

hederifolium

Synonyme: C. neapolitanum

⌂ 20 cm/ 8 po ◊ 20 cm/ 8 po

Fleurs larges, roses ou blanches au centre foncé et parfumées. Ses feuilles veinées grises irrégulièrement sont semblables à celles du Lierre, apparaissent après la floraison. Zone 5b.

❀ Août à septembre

purpurascens

Synonyme: C. europaeum ou C. fatrense

20 cm/ 8 po — 25 cm/ 10 po

Ce tubercule nécessite une protection hivernale. Ses fleurs sont rose lilacé à blanc et parfumées avec un feuillage persistant, vert foncé, maculé de gris et ses feuilles sont cordées à réniformes, lustrées et dentées. Exige un sol profond, bien drainé et riche en matière organique. Zone 5.

Juin à septembre

Cymbalaria Linaire

Famille: Scrophulariacées — **Zone:** 4

Origine: Europe

Petite plante à fleurs gueules-de-loup lilas ou mauves et tachetées de jaune. Couvre-sol peu exigeant et d'apparence délicate.

Compagnons:

Printemps: Fougère et Dicentra eximia

Été: Aster et Hemerocallis

Automne: Echinacea et Linum.

muralis

Synonyme: Linaria cymbalaria — **Utilisations:** R - C

10 cm/ 4 po — 30 cm/ 12 po — ⊗ Couvre-sol - Tapissant

Plante naturalisée à l'Ouest du Québec. Croissance rapide et sarmentueuse. Fleur lilas tachetée de rosé et de jaune, solitaire à l'aisselle des feuilles qui sont réniformes de 3 à 5 lobes avec des tiges traçantes s'enracinant aux noeuds. Décore souvent les vieux murs et monuments.

Feuilles: Palmées - Lobées

Feuillage: Vert, charnu et grisâtre à reflet rosé en dessous. Persistant.

Juillet - Septembre

Darmera Umbrella Plant

Famille: Saxifragacées — **Zone:** 4

Origine: Orégon, Nord de la Californie et Europe

Genre comprenant une seule espèce. Floraison précédant le développement de la feuille sur une longue tige pubescente terminée par une panicule. Feuilles peltées, rondes et décoratives à bordure dressée, contrairement aux Astilboïdes dont les feuilles sont recourbées vers le sol. Donne l'effet d'un Gunnera nain. À surveiller, cette plante attire les écureuils au moment de la floraison printanière. Il existe une variété naine appelée 'Nana'.

Sol: Riche - Frais

peltata

Synonyme: Peltiphyllum peltatum — **Utilisations:** F - M - J - L - P

110 cm/ 44 po — 60 cm/ 24 po — ⊗ Étalé - Colonie

Développement lent. Plante très rustique, mais les jeunes feuilles sont sensibles aux fortes gelées tardives. Planter près des bassins d'eau, dans un sol riche en matière organique. Racine charnue recouverte d'écaille. Fleur à 5 pétales sur une tige florale rougeâtre de 60 cm de haut. Zone 3-4.

Feuilles: Simples, peltées de 10 à 15 lobes prodonds. Basales - Dentées

Feuillage: Lustré, belle coloration automnale cuivré.

Mai à juin - Hâtive — **Couleur:** Rose

Delosperma Pourpier vivace • Yellow Ice Plant 

Famille: Aizoacées
Origine: Afrique du Sud
Zone: 5
⊗ Couvre-sol - Tapissant

Plante succulente produisant des inflorescences en capitules semblables à des marguerites. Ne tolère aucune accumulation d'eau l'hiver. Ses fleurs se referment le soir.

Sol: Bien drainé - Pauvre
❀ Août

Compagnons:
Printemps: Doronicum et Alyssum
Été: Gypsophila repens et Geranium
Automne: Solidago et Boltonia

cooperi

Synonyme: Mesembryanthemum
Utilisations: A - R
10 cm/ 4 po
30 cm/ 12 po
⊗ Couvre-sol - Tapissant

Les fleurs ne s'épanouissent que lorsqu'elles sont exposées à un soleil direct. Elles sont sans pédoncules et très décoratives. Idéale pour la rocaille et comme couvre-sol. Zone 4.

Feuilles: Simples, obtues, cylindriques, épaisses, de 5cm et plus de long.
Feuillage: Turgescent, gris vert. Persistant.
❀ Juin - Septembre
∅ 3 à 3,5 cm
Couleur: Rose carmin brillant à coeur blanc

floribundum 'Starburst'

Fleur rose lilacé au centre blanc, de 15 cm de haut et d'un espacement de 25 cm. Zone 4.

Feuillage: Persistant.

lineare

Synonyme: D. nubigenum
Utilisations: R - B
10 cm/ 4 po
45 cm/ 18 po

Plante succulente. Fleur à pétales fins. Espèce la plus rustique.

Feuilles: Charnues.
Feuillage: Vert clair et luisantes, tourne au bronze en période de froid. Persistant.
❀ Mai - Juin
Couleur: Jaune

Delphinium Pied d'alouette • Larkspur 

Famille: Renonculacées **Zone:** 2

Origine: Hémisphère Nord et Europe

Les delphiniums sont très populaires dans les jardins de vivaces à cause de leurs inflorescences en racèmes, semblables à des épis. Fleurs en éperons souvent dans les teintes de bleu-violet. Feuillage palmé plus ou moins découpé, pubescent seulement sous la feuille et sur le pétiole. Tous les Delphiniums attirent les oiseaux-mouches.

Classification moderne des delphiniums géants en 3 groupes:

1) Les hybrides du ***Delphinium elatum***: Possèdent de hautes hampes florales élancées, denses et droites.
2) Les hybrides ***Pacific:*** Hybrides traditionnels et populaires à grandes hampes florales vigoureuses. Possèdent deux séries de spécimens de 150 ou 100 cm de haut. Leurs étamines se colorent en noir ou blanc pour créer ce qu'on appelle une mouche ou un oeil. Leurs semblables, D. Magic Fontains, font 80 cm de haut. Elles se rapprochent de D. 'Pacific Giant'. et ont été sélectionnées pour leurs hampes florales à tiges solides et leur port compact. Ex.: D. x 'Dark Blue', 'Dark White'.
3) Les hybrides ***Belladona:*** (signifie «belle femme»). Issus d'un croisement entre D. elatum et D. gradiflorum. Sa taille est moyenne et son inflorescence peu ramifiée, ils ont l'aspect d'un petit buisson. Fleurs simples ou semi-doubles. Espèce intéressante car ella accepte une exposition mi-ensoleillée. Apparition de la première variété en 1903 avec 'Lamartine'.

À noter que tous les delphiniums préfèrent être taillés après leur floraison. Parfois la plante possède une tige florale trop dense, donc il faut la tuteurer afin d'éviter les bris. Les delphiniums sont utilisés en médecine contre les maladies de la peau et les rhumatismes.

La culture du delphinium date des années 1850 environ en France. Ce sont les horticulteurs français qui améliorent l'espèce et réussissent à produire des variétés à fleurs doubles ou semi-doubles. L'espèce nommée D. elatum se propage par boutures et demeure très intéressante pour leur culture de fleurs coupées.

En 1900, l'Angleterre s'intéresse aux Delphiniums et rehausse la gamme de couleurs et la dimension des fleurs. Nous ne pouvons passer sous silence le travail acharné d'un horticulteur allemand Karl Foerster qui, de 1910 à sa mort, a développé des variétés encore commercialisées aujourd'hui.

Les Américains ont utilisé les meilleurs cultivars d'Europe et ont obtenu de nouveaux hybrides spectaculaires. La grande différence entre les lignées européennes et américaines est leur mode de reproduction. Les américaines se multiplient par semis et demeurent fidèles plusieurs années. Les européennes se multiplient par boutures et division, et leur durée de vie est beaucoup plus longue. Les fleurs sont aussi plus fortes et plus belles. Au Québec, peu de variétés européennes sont commercialisées car les lignées américaines dominent. Tout de même voici quelques noms intéressants:

'Ariel' 150 cm de haut, bleu clair.
'Azure Giant' 120 cm de haut, bleu, mouche blanche.
'Junior' 150 cm de haut, bleu clair, mouche foncé.
'Merlin' 170 cm de haut, bleu clair, mouche blanche.

En Europe, certaines espèces sont surnommées «Herbe aux poux» car avec la poudre de leurs semences, on prépare une lotion qui repousse les poux.

Sol: Bien drainé - Riche

Compagnons:
Été: Campanula et Dianthus 'Snaps in Wine'
Printemps: Arenaria verna et Monarda
Automne: Dicentra 'Luxuriant' et Stokesia laevis

Espèce **'Variété'**	Description	cm/po	cm/po	Ø cm	❀
belladonna					
'Atlantis'	Sa fleur est de couleur violet-pourpre, arrondie sur tige rigide.	80/32	45/18		6-8
'Balkleid'	Fleur de couleur bleu ciel.	120/48	45/18		6-8
'Bellamosum'	Fleur bleu gentiane. Hampe florale plus serrée. Floraison prolongée et abondante. Se propage par semis.	120/48	45/18	4,5	7-9
'Casa Blanca' ♥	Fleur blanc pur. Hampe florale lâche et ramifiée. Floraison prolongée et abondante.	150/60	45/18	4,5	7-8
'Cliveden Beauty'	Hampe florale lâche. Floraison prolongée et abondante. Sa fleur bleu clair est grande.	140/56	45/18	5,5	7-9
'Connecticut Yankee'	Hampe florale délicate, ramifiée, plante très buissonnante et lâche. Sa fleur est grande, simple à teintes variées. Issue d'un croisement entre D. belladonna x D. tatsienense vers 1960.	90/36	45/18	3	6-8
'Lamartine'	Fleur simple de couleur bleu foncé.	120/48	45/18		5-6
'Moerheimii'	Fleur blanc jaunâtre à œil jaune.	100/40	60/24		6
'Völkerfrieden'	Sa fleur est éclatante par sa couleur bleu gentiane à œil blanc. Intéressante en fleurs coupées.	120/48	75/30		7
cardinale					
'Butterfly Hybrids'	Les feuilles apparaissent à l'automne. Pédicelle de 2 à 6 cm. L'espèce cardinale est rouge, elle possède des racines ligneuses et mesure 200 cm. Nécessite un sol bien drainé. Fleurs d'un mélange de couleurs.	135/54	45/18	2	5-6
'Pygmy Mixed'	Beaucoup de variation dans les formes et hauteurs. Fleurs d'un mélange de couleurs.	75/30	40/16	3	6
elatum					
'Red Rocket'	Nouveau cultivar à fleur rouge rosé, double et abondante. Variété plus compacte que l'espèce. Zone 3.	120/48	60/24		6
grandiflorum					
	Espèce très buissonnante, tiges arquées, très minces. Se ressème bien. Les feuilles inférieures possèdent un pétiole, celles du haut n'en possèdent pas.	30/12	25/10		6-9
'Blue Butterfly' ♥	Hampe florale fine, lâche et ramifiée. Plante rustique. Fleur: Bleu clair.	25/10	30/12	3	6-9
'Blue Elf'	Hampe florale fine, lâche et ramifiée. Semblable à D. 'Blue Butterfly'. Fleur: Bleu gentiane.	30/12	30/12	3	6-9
'Blue Mirror'	Semblable à D.'Blue Elf', très florifère. Fleur: Bleu marine.	60/24	50/20		7

Espèce **'Variété'**	Description	⌂ cm/po	◊ cm/po	∅ cm	❀
tricorne	Gagnerait à être connue car elle croît à la mi-ombre ou à l'ombre. Sa fleur est bleue, violette ou blanche. Sa tige est simple, robuste ayant de 5 à 7 lobes profondément découpés. Zone 4.	40/16	30/12	3	6
hybrides					
'Astolat'	Fleur aux teintes de rose, mauve et lilas à œil noir.	150/60	45/18	3	6-7
'Black Knight'	Fleur bleu violet à œil noir.	150/60	45/18	3	6
'Bleu Springs'	Inflorescence dans les tons de bleu incluant lavande, à œil noir.	75/30	45/18	3	7-8
'Blue Bird' ♥	Fleur bleu reflet violet à œil blanc.	150/60	45/18	3	6
'Blue Fountains'	Mélange de fleurs aux couleurs variées. Plante compacte et stable.	100/40	45/18	3	6
'Blue Jay'	Fleur bleu poudre à œil noir.	150/60	45/18	3	6
'Cameliard'	Fleurs lavandes avec mouche blanche.	150/60	45/18		6
'Cherry Blossom'	Plante compacte. Fleurs d'un mélange de couleurs avec un œil blanc.	100/40	40/16	3,5	6
'Galahad'	Mi-hâtive. Fleur: Blanche.	150/60	45/18	3	6
'Guinevere'	Grosses fleurs donnant l'impression d'être bicolore par ses tonalités de teintes de rose lilas, œil blanc.	150/60	45/18	3	6
'Heavenly Blue'	Variété compacte à tige solide. Fleur bleu azur à œil blanc.	90/36	40/16	3	7-9
'King Arthur'	Fleur violet foncé à œil blanc.	135/54	45/18	3	6
'Lavender'	Différentes teintes de lavande à œil blanc.	80/32	45/18	3,5	6-7
'Pink Dream'	Introduite par Thomson et Morgan. Sélection de qualité dans différentes teintes de rose.	165/66	40/16		6
'Sky Blue'	Fleur bleu ciel à turquoise avec œil blanc.	80/32	45/18	3,5	6-7
'Summer Skies' ♥	Fleur bleu clair au reflet turquoise à œil blanc.	170/68	45/18	3	6
x ruysii					
'Pink Sensation'	Inflorescence ramifiée. Se propage par division. Préfère les sites ensoleillés. Zone 3. Fleur: Rose foncé à œil noir.	100/40	45/18		6-8

Dianthus Œillet • Pink

Famille: Caryophyllacées **Zone:** 3-4
Origine: Eurasie

Genre à feuillage persistant comprenant plusieurs espèces ayant comme caractéristique primaire un feuillage glabre effilé formant parfois un tapis dense. Fleur individuelle ou regroupée; existe dans les tons de blanc à rouge, à l'exception de quelques espèces à fleurs jaune verdâtre. Voici quelques espèces à connaître;

Amurensis: Floraison prolongée dans les teintes de rouge à violet. Feuilles larges. De 30 cm de haut.

Arenarius: Fleurs simples et délicates, très parfumées et à pétales frangés. Les feuilles vert-gris sont lancéolées et possèdent 3 nervures, à tige florale solitaire. La plante forme un coussin lâche.

Arvernensis: Floraison abondante et feuillage bleu-gris. De 10 à 15 cm de haut. Fleur rose. Juin- Juillet.

Barbatus: Bisannuelle à fleurs frangées réunies en cymes simples ou doubles ayant 8 à 12 cm de diamètre. De couleurs variées. Feuillage plus large que la moyenne. Se ressème facilement. Très florifère. Il existe aussi les variétés 'Holborn Glory' de 40 cm de haut, de couleur blanche avec un centre rouge, et la 'Scarlet Beauty', qui est de la même hauteur et d'un rouge écarlate.

Caryophyllus: Bisannuelle à grandes fleurs doubles de couleurs variées. Feuillage glauque. À la base de différentes huiles essentielles. Utilisée en parfumerie ou comme sédatif et antispasmodique en infusion. Surtout vendue dans la série Grenadin qui existe dans toutes les couleurs.

Charm series: Plante trapue et florifère. Grandes fleurs simples réunies en panicules et à larges pétales frangés. Feuillage vert foncé. Se retrouve dans toutes les teintes sauf en bleu et en jaune. Rabattre les fleurs à la fin août dans le but de permettre à la plante d'accumuler des réserves pour l'hiver.

Chinensis: Souvent vendue comme annuelle mais peut être cultivée comme vivace. Très florifère et de courte durée, avec un minimum de soins. Fleurs simples réunies en panicules. Feuillage vert foncé. Rabattre les fleurs à la fin août dans le but de permettre à la plante d'accumuler des réserves pour l'hiver.

Deltoïdes: Petites fleurs simples de 1 à 2 cm de diamètre sur une tige d'environ 10 cm de haut. Feuillage tapissant vert foncé, presque pourpre. Tailler les fleurs après la floraison. Fleur non parfumée.

Gratianopolitanus: Synonyme de D. caesius. Feuillage glauque formant des coussins décoratifs. Fleurs blanches à rouges, de simples à doubles, solitaires ou en petits groupes

Knappii: Une des seules espèces ayant des petites fleurs serrées à deux têtes et à pigmentation jaune. Feuillage vert foncé cilié.

Niditus: Plante compacte de 20 cm à floraison abondante de fleurs odorantes, rouges avec des pétales tachetés de rose. Juin à juillet.

Pavonius: Fleur solitaire rose-rouge, frangée, avec le dessus des pétales rose pâle, presque verdâtre; se referme le soir. Feuillage glauque, apparence d'une graminée.

x Allwoodii: Croisement entre D. caryophyllus et D. plumarius. Fleurs de couleurs variées: blanc, rose, saumon et pourpre. Large feuillage gris-bleu. Se propage par semis.

Sol: Sec - Bien drainé

---

amurensis 'Siberian Blues' Amur Pink

Utilisations: M
25 cm/ 10 po 30 cm/ 12 po

Fleur simple à pétales frangés. Un très bon drainage est nécessaire
Mai - Juillet **Couleur:** Mauve 

barbatus 'Extra Nain' Sweet William ☼

Utilisations: B - P - F

15 cm/ 6 po | 20 cm/ 8 po | ⊗ Arrondi - Coussin

Plante compacte. Zone 4.

Feuilles: Entières. Lancéolées - Opposées | **Feuillage:** Semi-persistant.

❀ Juin à septembre | ∅ 1,5 à 2 cm

barbatus 'Indian Carpet'

Utilisations: B - F - P

15 cm/ 6 po | 20 cm/ 8 po | ⊗ Arrondi - Coussin

Plante compacte de croissance uniforme. Fleur mélangée du blanc au rose et au rouge foncé. Zone 4.

❀ Juin à septembre | ∅ 1,5 à 2 cm

barbatus 'Miss Biwako'

60 cm/ 24 po | 20 cm/ 8 po | ❀ Juin à août

Variété à fleur rose foncé et odorante.

callizonus

10 cm/ 4 po | 15 cm/ 6 po | ❀ Juillet

Semblable à D. alpinus. Sa fleur est rose lavande au centre foncé, portée sur un long pédoncule qui excède du feuillage. Facile de culture. Zone 4.

carthusianorum 'Giganteus' Clusterhead Pink

Utilisations: B - P

70 cm/ 28 po | 30 cm/ 12 po | ⊗ Évasé - Étalé

Petites fleurs réunies en petits groupes sur une longue tige. Belle plante donnant l'aspect d'une graminée.

Feuilles: Entières. Linéaires

Feuillage: Persistant.

❀ Juin - Juillet | ∅ 1 à 1,5 cm | **Couleur:** Magenta

caryophyllus 'Grenadin'

Utilisations: B - P

50 cm/ 20 po | 30 cm/ 12 po | ⊗ Étalé

Longue tige à fleurs doubles. Il existe également d'autres D. car. 'Grenadin' avec exactement les mêmes caractéristiques sauf pour ses couleurs dont; jaune, rouge vin et rose.

Feuilles: Entières. Linéaires - Aciculées

Feuillage: Persistant.

❀ Juin - Septembre | ∅ 4 à 5 cm | **Couleur:** Blanc

caryophyllus 'Lillipot'

Utilisations: B - P

20 cm/ 8 po | 30 cm/ 12 po | ⊗ Arrondi - Buisson

Plante compacte naine. Très ramifiée à croissance uniforme. S'utilise en contenant ou en pleine terre.

Feuilles: Entières. Linéaires - Aciculées

Feuillage: Persistant.

❀ Juin - Septembre | ∅ 4 à 5 cm | **Couleur:** Multicolore 

***chinensis* 'Telstar'**

Utilisations: B - P

⌂ 15 cm/ 6 po ◊ 30 cm/ 12 po ⊗ Arrondi - Coussin

Plante peu rustique mais très florifère, se propage par semis. Semblable à D.'Charms Series'. Il existe aussi les variétés; 'Snow Fire', blanche avec oeil rouge et la 'Snow Flake', d'un blanc pur.

Feuilles: Entières. Linéaires - Lancéolées **Feuillage:** Semi-persistant.

❀ Juin - Septembre ∅ 3 à 3,5 cm **Couleur:** Mélange de couleurs

***deltoides* 'Albus'** Maiden Pink

Utilisations: A - P

⌂ 15 cm/ 6 po ◊ 30 cm/ 12 po ⊗ Couvre-sol - Tapissant

Il existe également des variétés à fleurs blanches à oeil rouge ou tachetées de rouge au centre.

Feuilles: Entières. Linéaires **Feuillage:** Vert. Persistant.

❀ Juillet à août ∅ 1,5 cm **Couleur:** Blanc

***deltoides* 'Artic Fire'**

⊗ Couvre-sol - Tapissant

Feuillage vert foncé. Fleur d'un blanc éblouissant avec oeil rouge vif. Couvre-sol. Zone 3.

Feuillage: Persistant.

***deltoides* 'Brilliancy'**

⌂ 30 cm/ 12 po ◊ 30 cm/ 12 po ⊗ Couvre-sol - Tapissant

Introduite par Jelitto en 1982. Issue d'un croisement entre D. deltoides et D. chinensis. Ses fleurs rouge cramoisi sont plus grandes que les autres variétés.

Feuillage: Persistant. ❀ Juin à juillet

***deltoides* 'Brilliant'** ♥

Utilisations: A - P

⌂ 15 cm/ 6 po ◊ 30 cm/ 12 po ⊗ Couvre-sol - Tapissant

Comme toutes les variétés de Dianthus, demande une taille après la première floraison, ceci l'incite à refleurir.

Feuilles: Entières. Linéaires **Feuillage:** Persistant.

❀ Juin à octobre ∅ 1,5 cm **Couleur:** Rose carmin

***deltoides* 'Flashing Light'**

Synonyme: D. 'Leuchtfunk' **Utilisations:** A - P

⌂ 15 cm/ 6 po ◊ 30 cm/ 12 po ⊗ Couvre-sol - Tapissant

Introduite en 1972.

Feuilles: Entières. Linéaires

Feuillage: Pourpré, en température froide. Persistant.

❀ Juin à octobre ∅ 1,5 cm **Couleur:** Rouge vin

***deltoides* 'Zing'** ♥

Utilisations: A - P

⌂ 25 cm/ 10 po ◊ 30 cm/ 12 po ⊗ Couvre-sol - Colonie

Différente des autres variétés à cause de ses larges feuilles et de ses grandes fleurs rose vif, disposées près de son feuillage.

Feuilles: Entières. Linéaires - Elliptiques

(Dianthus)

Feuillage: Persistant.

❀ Juillet à septembre ∅ 2 à 2,5 cm **Couleur:** Rose 

***gratianopolitanus* 'Dottie'** Cheddar Pink

15 cm/ 6 po 15 cm/ 6 po ⊗ Étalé - Coussin

Introduction de Fleming. Plante alpine ou de rocaille. Naine, 10 à 15 cm de haut. Sa fleur est d'un rouge bordeaux et blanche au printemps, début été. Zone 3.

Feuillage: Persistant.

***gratianopolitanus* 'Firewitch'**

Synonyme: D. 'Feuerhexe' **Utilisations:** A - P

15 cm/ 6 po 15 cm/ 6 po ⊗ Étalé - Coussin

Fleurs à larges pétales.

Feuilles: Entières. Linéaires - Aciculées

Feuillage: Cireux et pruine. Persistant.

❀ Mai - Juillet ∅ 2 à 2,5 cm **Couleur:** Magenta

***gratianopolitanus* 'Frosty Fire'**

Utilisations: A - P

25 cm/ 10 po 30 cm/ 12 po ⊗ Étalé - Coussin

Introduite par M.Tony Hubert. Sa fleur est semi-double souvent solitaire. Très populaire et florifère. Variété enregistrée.

Feuilles: Entières. Linéaires - Acuminées

Feuillage: Glauque et lustré. Persistant.

❀ Juin - Septembre ∅ 2 à 2,5 cm **Couleur:** Rouge

***gratianopolitanus* 'La Bourboule'**

Synonyme: D. 'La Bourbille' **Utilisations:** Al - Au

10 cm/ 4 po 15 cm/ 6 po ⊗ Coussin

Variété pour la culture en pot ou pour la rocaille. Fleurs simples existent aussi en blanc.

Feuillage: Aiguillé, gris argenté. Persistant.

❀ Mai - Juin **Couleur:** Rose

***gratianopolitanus* 'Rosafeder'**

20 cm/ 8 po 15 cm/ 6 po ⊗ Coussin

Fleurs simples, rose pur, parfumées, aux pétales frangés. Variété exceptionnellement vigoureuse et saine.

Feuillage: Persistant.

❀ Juin à juillet **Couleur:** Rose

***gratianopolitanus* 'Snap in Wine'**

Synonyme: D. 'Spotti' **Utilisations:** A - P

25 cm/ 10 po 30 cm/ 12 po ⊗ Étalé - Coussin

Fleurs tachetées de blanc. Hampe florale légèrement plus élevée et moins dense que D.gratianopolitanus 'Frosty Fire'.Majestueuse par sa différence et sa rusticité.

Feuilles: Entières. Linéaires - Acuminées

Feuillage: Glauque et lustré. Persistant.

❀ Juin - Septembre ∅ 2 à 2,5 cm **Couleur:** Rouge carmin

gratianopolitanus **'Tiny Rubies'**

Utilisations: A - P

15 cm/ 6 po | 30 cm/ 12 po | Coussin - Étalé

Très petites fleurs doubles, souvent solitaires sur une tige courte. Plante compacte très dense, populaire et très rustique. Floraison remontante.

Feuilles: Entières. Linéaires - Acuminées
Feuillage: Persistant.
Mai - Juin | ∅ 1 à 1,5 cm | **Couleur:** Rose

haematocalyx var. alpinus

Synonyme: D. ssp. pendicola | **Utilisations:** A - P

20 cm/ 8 po | 30 cm/ 12 po | Arrondi - Coussin

Fleurs aux pétales rose vif, frangés, jaunes en dessous. Zone 4.

Feuilles: Entières. Linéaires - Acuminées
Feuillage: Persistant.
Mai - Juillet | ∅ 2 à 2,5 cm | **Couleur:** Magenta

pavonius

Synonyme: D. neglectus | **Zone:** 3-8

Fleurs rose vif, revers verdâtre de 6 cm à 10 cm de haut, fleurissent en juin, puis en septembre. Son feuillage est persistant et gazonnant. De culture facile. Demande un sol riche, graveleux et acide. Plante utilisée en rocaille, auge et fentes de muret. Rabattre après la floraison.

plumarius **'Albus'** Cottage Pink

Utilisations: B - P

30 cm/ 12 po | 30 cm/ 12 po | Coussin - Étalé

Fleurs doubles, pétales frangés.

Feuilles: Entières. Linéaires - Acuminées | **Feuillage:** Persistant.
Juin à août | ∅ 3 à 3,5 cm | **Couleur:** Blanc

plumarius **'Aqua'**

Utilisations: B - P

25 cm/ 10 po | 30 cm/ 12 po | Coussin - Étalé

Fleurs doubles, pétales frangés et arrondis. Variété très parfumée.

Juin à août | ∅ 3 à 3,5 cm | **Couleur:** Blanc

plumarius **'Doris'**

Utilisations: B - P

20 cm/ 8 po | 20 cm/ 8 po | Coussin - Étalé

Variété résistante. Fleurs très parfumées, légèrement frangées, semi-doubles à oeil rouge.

Feuilles: Entières. Linéaires - Acuminées | **Feuillage:** Persistant.
Juin à août | ∅ 3 à 3,5 cm | **Couleur:** Rose

plumarius **'Etoile de Lyon'**

40 cm/ 16 po | Juin à août

Fleurs rouge carmin.

Feuillage: Persistant.

***plumarius* 'Heidi'**

Utilisations: B - P

⌂ 20 cm/ 8 po | ◊ 20 cm/ 8 po | ⊗ Arrondi - Coussin

Fleurs doubles.

❀ Mai à juin | ∅ 3 à 3,5 cm | **Couleur:** Rouge carmin

***plumarius* 'Helen'**

Utilisations: B - P

⌂ 30 cm/ 12 po | ◊ 20 cm/ 8 po | ⊗ Coussin - Étalé

Fleurs doubles.

❀ Mai à juin | ∅ 3 à 3,5 cm | **Couleur:** Rose saumoné

***plumarius* 'Marjolaine'**

⌂ 30 cm/ 12 po | ❀ Juin à août

Fleurs doubles, rouge pourpre.

Feuillage: Persistant.

***plumarius* 'Mrs Sinkins'**

Utilisations: B - P

⌂ 30 cm/ 12 po | ◊ 20 cm/ 8 po | ⊗ Coussin - Étalé

Ancien cultivar très parfumé à fleurs doubles qui ont tendance à s'effriter avec la chaleur. Son feuillage est gris-vert.

Feuilles: Entières. Linéaires - Acuminées | **Feuillage:** Persistant.

❀ Mai à juin | ∅ 3 à 3,5 cm | **Couleur:** Blanc

***plumarius* 'Orleans Rose'**

Fleurs roses.

Feuillage: Persistant.

***plumarius* 'Pink Princess'**

⌂ 30 cm/ 12 po | ◊ 20 cm/ 8 po

Floraison abondante, rose, parfumée. Zone 3.

Feuillage: Persistant. | ❀ Juin à août

***plumarius* 'Roodkapji'**

⌂ 25 cm/ 10 po | ❀ Juin à juillet

Petites fleurs rouges, abondantes.

Feuillage: Persistant.

***plumarius* 'Rose de Mai'**

⌂ 30 cm/ 12 po | ❀ Juin à août

Fleurs roses, doubles.

Feuillage: Persistant.

***plumarius* 'Roselyne'**

⌂ 30 cm/ 12 po | ❀ Juin à août

Feuillage: Persistant. | **Couleur:** Rose

plumarius 'Roseus'

Utilisations: B - P

40 cm/ 16 po | 30 cm/ 12 po | ⊗ Coussin - Étalé

Plante qui se propage par semis. Fleurs semi-doubles à doubles.

Feuilles: Entières. Linéaires - Acuminées | **Feuillage:** Persistant.

❀ Juin à août | ∅ 3 à 3,5 cm | **Couleur:** Mélange de couleurs

plumarius 'Saxonia'

30 cm/ 12 po | ❀ Juin à août

Feuillage: Persistant. | **Couleur:** Rouge

plumarius semperflorens 'Casino Flame'

Utilisations: B - P

20 cm/ 8 po | 30 cm/ 12 po | ⊗ Arrondi - Coussin

Fleurs doubles d'un rouge lumineux. Intéressante pour sa culture en contenant.

Feuilles: Entières. Lancéolées

Feuillage: Vert foncé, large. Semi-persistant.

❀ Mai à septembre | ∅ 3,5 à 4 cm | **Couleur:** Rouge 

plumarius 'Sonata'

30 cm/ 12 po | 30 cm/ 12 po

Une sélection de D. 'Spring Beauty', qui lui est supérieur par ses grandes fleurs doubles, à floraison hâtive et son mélange de couleurs.

Feuillage: Persistant. | ❀ Juillet à septembre

plumarius 'Spring Beauty'

Utilisations: F - P

30 cm/ 12 po | 30 cm/ 12 po | ⊗ Étalé

Fleurs semi-doubles à pétales frangés. Plante qui se propage par semis.

Feuilles: Entières. Linéaires - Cordées | **Feuillage:** Persistant.

❀ Juin à août | ∅ 3,5 à 4 cm | **Couleur:** Mélange de couleurs

plumarius 'Symphonie Blanche' 

Utilisations: B - P

25 cm/ 10 po | 30 cm/ 12 po | ⊗ Coussin - Étalé

Introduite par M. Tony Hubert. Belle variété à fleurs doubles. Florifère et résistante. Se propage par boutures. Il existe également la P.'Symphonie Rose', aux caractéristiques identiques sauf qu'elle est de couleur rose.

Feuilles: Entières. Linéaires - Acuminées | **Feuillage:** Persistant.

❀ Juin à août | ∅ 3,5 à 4 cm | **Couleur:** Blanc

_x_ 'Little Bobby'

Utilisations: B - P

30 cm/ 12 po | 30 cm/ 12 po | ⊗ Arrondi - Coussin

Grandes fleurs roses à oeil foncé rouge, très parfumées.

Feuilles: Entières. Linéaires - Acuminées | **Feuillage:** Glauque. Persistant.

❀ Mai - Juillet | ∅ 3,5 à 4 cm | **Couleur:** Rose framboise

x Allwoodii 'Alpinus'

Utilisations: A - P

20 cm/ 8 po — 30 cm/ 12 po — ⊗ Arrondi - Coussin

Beau mélange de couleurs dans les teintes de rose avec ou sans cercle rouge au coeur. Différente de D. alpinus. Zone 4.

Feuilles: Entières. Linéaires - Acuminées — **Feuillage:** Glauque. Persistant.

Juin à août — ∅ 2,5 à 3 cm

x Allwoodii 'Black and White Minstrels'

Utilisations: M - F — 30 cm/ 12 po — 30 cm/ 12 po

Fleurs doubles presque noires, marginées de blanc.

Feuillage: Persistant. — Juin à septembre

Dicentra Coeur saignant • Bleeding Heart

Famille: Fumariacées — **Zone:** 2

Origine: Amérique du Nord et Asie

Connue pour ses fleurs aux formes différentes, qui sont pendantes sur des tiges arquées. Le feuillage est aussi intéressant par sa légèreté que par sa couleur. Racines charnues, odorantes et cassantes. Certaines espèces font partie des plus vieilles plantes cultivées dans les jardins québécois. Dans les lieux chauds, elle entre en dormance rapidement. À planter du côté est de la maison afin de conserver un beau feuillage. Peut servir comme plante médicinale.

Sol: Humide - Frais

Compagnons:
Été: Astilbe et Iris sibirica
Printemps: Primula et Myosotis semperflorens
Automne: Astilbe taqueti 'Superba' et Tradescantia bleu

eximia Wild Bleeding Heart

⊗ Arrondi - Buisson

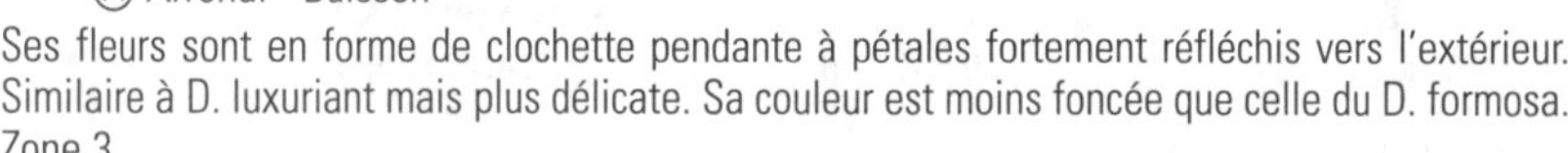

Ses fleurs sont en forme de clochette pendante à pétales fortement réfléchis vers l'extérieur. Similaire à D. luxuriant mais plus délicate. Sa couleur est moins foncée que celle du D. formosa. Zone 3.

Sol: Bien drainé - Riche

Feuillage: Glabre bien découpé.

eximia 'Alba'

Plante délicate, odorante au feuillage est très fin. Très lente à s'établir et exige un sol riche. Cette espèce s'accomode bien au soleil.

Feuilles: Petites folioles fortement découpées. — **Feuillage:** Glabre.

eximia 'Snowdrift'

Plante délicate au feuillage très fin, florifère. Sa floraison arrive tôt au printemps et continue jusqu'à l'automne.

eximia 'Snowflake'

⊗ Buisson

Fleurs blanches. Espèce enregistrée.

formosa

Utilisations: B - P — 40 cm/ 16 po — 30 cm/ 12 po

Fleurs roses plus foncées avec le temps. Croissance en sous-bois. Tolère l'ombre et la mi-ombre. Zone 3b.

Feuilles: Composées. Basales

❀ Mai à septembre — ∅ 0,14 à 0,18 cm — **Couleur:** Vieux rose

formosa 'Adrian Bloom'

Espèce très vigoureuse et florifère. Feuilles étroites et fleurs de couleur rose intense presque rouge. Peut atteindre 35 cm de haut.

formosa 'Aurora'

Croissance vigoureuse, feuillage bleuté, fleurs blanches très pures et floraison en mai. Peut atteindre 35 cm de haut.

formosa 'Bacchanal'

Fleurs rouge foncé de juin à septembre, d'un espacement et d'une hauteur de 30 cm. Son feuillage est bleu-vert.

formosa 'Bountiful'

Utilisations: B - P

25 cm/ 10 po — 30 cm/ 12 po — ⊗ Buisson

Couleur plus intense malgré la température fraîche du printemps et de l'automne. Floraison abondante.

Feuilles: Composées. Basales

Feuillage: Glabre et légèrement argenté.

❀ Mai à septembre — ∅ 1 à 2 cm — **Couleur:** Rose carmin

formosa 'Langtrees'

Synonyme: D. 'Pearl Drops'

Feuillage gris argenté à larges folioles. Fleurs de couleur crème ayant du rose brunâtre au bout. Préfère un sol humide. Floraison prolongée.

formosa 'Luxuriant'

Utilisations: B - P — 30 cm/ 12 po — 30 cm/ 12 po

Couleur plus intense avec la température fraîche, elle a une meilleure croissance à la mi-ombre et dans un sol riche qui est bien drainé. Elle est très vigoureuse et très florifère.

Feuilles: Composées. Basales

❀ Mai à octobre — ∅ 1 à 2 cm — **Couleur:** Rose

formosa 'Margery Fish'

Beau feuillage de teinte bleutée à texture de dentelle, ses fleurs sont d'un blanc pur. Peut atteindre 15 à 20 cm de haut. Cultivar vigoureux, pour l'ombre et particulièrement intéressant avec des hostas au feuillage jaune. Zone 5.

formosa 'Stuart Boothman'

Tige florale plus courte que l'espèce. Feuilles à folioles étroites. Ses fleurs sont rose foncé et son feuillage est très glauque.

formosa 'Zestful'

↑ 45 cm/ 18 po ↔ 30 cm/ 12 po

Larges fleurs, roses fleurissant de mai à septembre. Ses feuilles sont d'un vert clair.

spectabilis

Utilisations: F - O

↑ 90 cm/ 36 po ↔ 60 cm/ 24 po ⊗ Retombant

Fleurs pendantes en forme de coeur. Peu d'entretien et populaire. Parfois le feuillage dépérit prématurément avec la température élevée ou un trop fort ensoleillement. Rabattre après jaunissement. Croissance rapide.

Feuilles: Composées, folioles aux lobes arrondis. Basales

Feuillage: Glabre et arqué vers le bas.

❀ Mai - Juin ∅ 2 à 3 cm **Couleur:** Rose magenta et blanc

spectabilis 'Alba'

Utilisations: F - P

↑ 75 cm/ 30 po ↔ 60 cm/ 24 po ⊗ Retombant

Semblable à la forme d'une rose, mais légèrement plus petite et moins vigoureuse.

Feuilles: Composées. Basales

❀ Mai - Juin ∅ 2 à 3 cm **Couleur:** Blanc

Dictamnus Fraxinelle • Gas Plant

Famille: Rutacées **Zone:** 3

Origine: Europe

Plante à fleurs étoilées, blanches à roses, réunies en racèmes. Feuillage vert foncé, composé à texture cireuse. Croissance lente exigeant peu d'entretien. Tolère mal la transplantation car sa racine est pivotante. Attention, les feuilles et le fruit dégagent une huile volatile qui se consume à l'approche d'une flamme. La semence a une forte odeur de citron et elle contient du poison. Tolère bien les sols secs. Vendue en pot, elle a très peu d'apparence.

Sol: Bien drainé - Calcaire

Compagnons:
Été: Iris kaempferi et Achillea
Printemps: Campanula et Dicentra
Automne: Thalictrum glaucum et Heuchera

albus

Utilisations: F - P

↑ 80 cm/ 32 po ↔ 50 cm/ 20 po ⊗ Ovale - Érigé

Tige solide, fruits décoratifs étoilés. Fleurit de juin à juillet après trois ou quatre ans de plantation. Son inflorescence se compose de 5 pétales disposés de façon non symétrique avec des étamines longues et recourbées. Toxique.

Feuilles: Composées, possédant de 6 à 12 folioles et mesurant de 5 à 7 cm. Alternes - Pennées

Feuillage: Vert foncé, luisant et ses tiges sont ligneuses. Aromatique.

❀ Juin - Juillet ∅ 2 à 2,5 cm

Couleur: Rose avec rayures plus foncées

albus 'Albiflorus'

Utilisations: F - P

↑ 70 cm/ 28 po ↔ 50 cm/ 20 po ⊗ Ovale - Érigé

Il existe aussi la variété 'Purpureus' à fleurs rose pourpre. Moins vigoureuse.

Feuilles: Composées. Alternes - Pennées

Feuillage: Vert foncé et luisant. Aromatique.

❀ Juin - Juillet ∅ 3 à 3,5 cm **Couleur:** Blanc veiné de jaune

Digitalis Digitale • Foxglove

Famille: Scrophulariacées **Zone:** 4

Origine: Europe du Nord, Ouest de l'Afrique et centre de l'Asie

Plante vivace ou bisannuelle produisant des fleurs tubulaires plus ou moins larges et de différentes couleurs, réunies en racèmes. Le feuillage varie selon les espèces. Les fleurs pendent souvent dans le même sens. Il vaut mieux ne pas tailler les fleurs fanées des variétés bisannuelles après la floraison. Plante populaire et toujours en demande en raison de l'ampleur de sa floraison.

Sol: Bien drainé

Compagnons:

Printemps: Dicentra et Primula denticulata

Été: Aruncus et Hosta

Automne: Cimicifuga et Monarda

ferruginea Rusty Foxglove

Utilisations: F - P

150 cm/ 60 po 50 cm/ 20 po ⊗ Ovale - Érigé

Fleurs cireuses, crème tachetées de marron et veinées de pourpre. Bisannuelle à tige florale pourpre.

Feuilles: Simples, de 15 à 18 cm. Lancéolées - Basales

Feuillage: Vert foncé presque glabre, duveteux en dessous. Persistant.

❀ Juillet - Août ∅ 3 cm

ferruginea **'Herald's Yellow'**

Utilisations: M - F 18 cm/ 7 po 30 cm/ 12 po

Fleurs jaunes, plus grandes, cireuses. Bisannuelle.

❀ Juin - Juillet

grandiflora Yellow Foxglove

Synonyme: D. ambigua **Utilisations:** F - P

90 cm/ 36 po 30 cm/ 12 po ⊗ Ovale - Érigé

Espèce à grandes fleurs. Plante vivace qui se ressème facilement. Feuillage plus allongé que D.purpurea et très florifère. Il existe également une variété qui est courte qui se nomme 'Carillon', de 35 cm.

Feuilles: Simples, alternes, dentelées, ovales et sessiles. Lancéolées - Basales

Feuillage: Vert foncé et lustré. Semi-persistant.

❀ Juin - Juillet - Remontante ∅ 4 cm

Couleur: Jaune tacheté à l'intérieur

lanata x grandiflora **'John Innes Tetra'**

Utilisations: M - F 55 cm/ 22 po 30 cm/ 12 po

Plante bisannuelle. L'intérieur de la fleur est jaune soufre.

Feuilles: Sessiles.

Feuillage: Grisâtre et pubescent au revers.

❀ Juin - Juillet **Couleur:** Abricot

obscura

Utilisations: M - F ⌂ 50 cm/ 20 po ◊ 30 cm/ 12 po

Petites fleurs orange cuivré, tubulaires. Préfère une exposition; plein soleil.

Feuillage: Persistant.

❀ Mai ∅ 2 à 3 cm

parviflora

Utilisations: M - F ⌂ 20 cm/ 8 po ◊ 30 cm/ 12 po

Très florifère.

Feuillage: Pubescent.

❀ Juillet **Couleur:** Marron

purpurea ♥

Utilisations: F - M

⌂ 135 cm/ 54 po ◊ 30 cm/ 12 po ⊗ Ovale - Érigé

Bisannuelle. Mélange de couleurs allant du rose pâle au pourpre. Grandes fleurs. Se ressème facilement. Croissance en sol acide.

Feuilles: Entières, lancéolées à longs pétioles. Basales

Feuillage: Pubescent sous la feuille. Persistant.

❀ Juin - Juillet ∅ 2,5 cm

***purpurea* 'Alba'**

Utilisations: F - O

⌂ 120 cm/ 48 po ◊ 30 cm/ 12 po ⊗ Ovale - Érigé

Grandes fleurs tachetées de rouge vin. Existe en plusieurs couleurs séparées.

Feuilles: Entières. Ovées - Basales

Feuillage: Pubescent. Persistant.

❀ Juin - Juillet ∅ 2,5 cm **Couleur:** Blanc

***purpurea* 'Foxy'**

⌂ 75 cm/ 30 po ◊ 30 cm/ 12 po

Mélange de couleurs. Floraison dès la première année du semis. Plant compact.

***purpurea* 'Hybride Excelsior'** ♥

Utilisations: F - O

⌂ 135 cm/ 54 po ◊ 30 cm/ 12 po ⊗ Ovale - Érigé

Bisannuelle. Mélange de couleurs de rose pâle à foncé. Grandes fleurs également distribuées tout autour du racème.

Feuilles: Entières. Ovées - Basales

Feuillage: Pubescent. Semi-persistant.

❀ Juin - Juillet ∅ 2,5 cm **Couleur:** Rose

***purpurea* 'Peloric Mixte'**

Synonyme: D. campanulata **Utilisations:** M - F

⌂ 135 cm/ 54 po ◊ 30 cm/ 12 po

Semblable aux épis de D. purpurea, mais les fleurs qui sont les plus hautes de ceux-ci, sont gigantesques et en forme de couronne. Variété qui ressemble également à la Campanula medium.

❀ Juin - Juillet

purpurea* ssp. *heywoodii

Utilisations: M - F

⌂ 90 cm/ 36 po   ◊ 30 cm/ 12 po   ⊗ Rosette

Clochettes rose très pâle, intérieur du calice crème avec de petites taches pourpres. Croissance dans les roches. Sa tige florale atteind 75 cm de haut.

Feuillage: Pubescent.

❀ Juin - Juillet   **Couleur:** Rose

***purpurea* 'Sutton's Apricot'**

Utilisations: F - O

⌂ 120 cm/ 48 po   ◊ 30 cm/ 12 po   ⊗ Ovale - Érigé

Grandes fleurs.

Feuilles: Entières. Ovées - Basales

Feuillage: Pubescent. Persistant.

❀ Juin - Juillet   ∅ 2,5 à 3 cm   **Couleur:** Rose saumoné

x mertonensis

Utilisations: F - O

⌂ 90 cm/ 36 po   ◊ 30 cm/ 12 po   ⊗ Ovale - Érigé

Bisannuelle et tétraploïde. Hybride entre D. grandiflora et D. purpurea. Très grandes fleurs. Sa durée de vie est de plus ou moins trois ans.

Feuilles: Simples, légèrement dentées. Basales - Spatulées

Feuillage: Rugueux, bosselé et pubescent le long des nervures. Persistant.

❀ Juillet   ∅ 5 à 6 cm

Couleur: Rose saumoné, intérieur tacheté de pourpre

Disporopsis

Famille: Liliacées   **Zone:** 5b

Origine: Chine   **Synonyme:** Polygonatum sp.

Plante à feuillage persistant et à tige rigide. Se propage par rhizomes. Demande un sol humifère. Nous retrouvons également l'espèce D. sessile, blanc verdâtre de 50 cm de haut.

Disporum hookeri

Famille: Liliacées

⌂ 250 cm/ 100 po   ◊ 100 cm/ 40 po

Fleurs en forme de clochette, blanc vert, fleurissant en mai et à fruits orangés à l'automne. Préfère un sol tourbeux et humide. Zone 4.

lanuginosum

Plante produisant des fruits orange vif à l'automne. Ses fleurs sont jaune verdâtre et fleurissent en juillet.

Dodecatheon Étoile filante • Shooting Star

Famille: Primulacées   **Zone:** 4-5

Origine: Amérique   **Utilisations:** Al

On la reconnaît par son feuillage en rosette assez large. Les fleurs en ombelle, pendantes au bout de leur pédoncule, elles sont semblables à de petits cyclamens. La plante dépérit et disparaît au cours de l'été pour ne réapparaître qu'au printemps suivant.

(Dodecatheon)

Sol: Bien drainé - Acide

Compagnons: **Été:** Dicentra 'Luxiriant' et Heuchera
Printemps: Cyclamen et Primula polyantha
Automne: Aster dumosus et Anemone sylvestris

---

meadia **'Album'**

Synonyme: D. album

⌂ 15 cm/ 6 po ◊ 20 cm/ 8 po ⊗ Rosette

Feuilles glabres, oblongues à ovales de 30 cm de long.

---

pulchellum

Synonyme: D. radicatum

⌂ 30 cm/ 12 po ◊ 75 cm/ 30 po ⊗ Rosette

Fleurs rose à magenta. Préfère un sol riche et frais. On peut retrouver de 3 à 25 fleurs par tige.

Feuilles: Larges. Ovées - Lancéolées

Feuillage: Glabre en rosette. ❀ Mai - Juin

Doronicum Doronic • Leopardsbane

Famille: Asteracées **Zone:** 3

Origine: Europe ⊗ Arrondi - Buisson

Belles marguerites jaunes en capitule, ne demandant aucun soin particulier. Une des premières vivaces à fleurir. Sa tige florale allonge avec la hausse des températures.

Sol: Frais - Humide

Compagnons: **Été:** Iris et Delphinium 'Fountains'
Printemps: Saxifraga aizoon et Ajuga rubra
Automne: Coreopsis 'Moonbeam' et Ligularia 'Othello'

---

orientale **'Magnificum'**

Synonyme: D. caucasicum **Utilisations:** B - P

⌂ 60 cm/ 24 po ◊ 30 cm/ 12 po ⊗ Arrondi - Buisson

Marguerite.

Feuilles: Simples et alternes. Cordées - Dentées **Feuillage:** Glabre et luisant.

❀ Mai à juillet ∅ 5 à 6 cm **Couleur:** Jaune

---

x **'Finesse'**

Utilisations: B - P

⌂ 45 cm/ 18 po ◊ 30 cm/ 12 po ⊗ Arrondi - Buisson

Très grandes fleurs. Ligules très fines et rayonnantes.

Feuilles: Entières et alternes. Cordées - Dentées **Feuillage:** Vert clair et luisant.

❀ Mai à juin ∅ 7,5 cm **Couleur:** Jaune

---

x **'Little Leo'** ♥

Introduite par Benary seed. Fleurs jaunes, semi-doubles. Sa croissance est compacte et il est conseillé de la cultiver en potée fleurie puisqu'elle nécessite un apport d'engrais régulier. Peut atteindre de 30 à 40 cm de haut et le diamètre de son inflorescence est de 6 cm. Zone 4.

---

x **'Miss Mason'**

⌂ 60 cm/ 24 po ◊ 40 cm/ 16 po

Issue de D. caucasicum et D. austriacum. Variété à fleurs simples, jaune canari. Floraison hâtive et prolongée. Ses feuilles sont moins dentées que les autres variétés et plus persistantes.

❀ Mai à juillet ∅ 7 à 8 cm

***x* 'Spring Beauty'**

40 cm/ 16 po 40 cm/ 16 po

Plante à fleurs doubles, jaunes.

Draba Drave • Whitlow Grass

Famille: Brassicacées **Zone:** 3

Origine: Région montagneuse d'Europe et région arctique

Plante miniature à feuillage en rosette vert foncé. Petite inflorescence globulaire. Utile pour combler les joints entre les pierres d'une rocaille.

Sol: Bien drainé - Sablonneux

Compagnons: **Été:** Arenaria montana et Dianthus 'Frosty Fire'
Printemps: Iris pumila et Campanula portenschlagiana
Automne: Delphinium 'Blue Butterfly' et Hosta 'Nakaiana'

---

lasiocarpa

Synonyme: D. aizoon **Utilisations:** A - G

10 cm/ 4 po 10 cm/ 4 po ⊗ Coussin - Rosette

Fleurs en racèmes.

Feuilles: Entières. Linéaires - Aciculées **Feuillage:** En rosette. Persistant.

❀ Avril - Mai ∅ 2 à 2,5 cm **Couleur:** Jaune vif

---

parnassica

Utilisations: A - G - Al - Au

10 cm/ 4 po 10 cm/ 4 po ⊗ Arrondi - Coussin

Petites rosettes vert foncé, pubescentes.

Feuilles: Entières. Aciculées **Feuillage:** Persistant.

❀ Avril - Mai ∅ 3 cm **Couleur:** Jaune

---

sibirica

Synonyme: D. repens **Utilisations:** C - D

5 cm/ 2 po 10 cm/ 4 po ⊗ Couvre-sol - Tapissant

Long racème et feuillage tapissant.

Feuilles: Entières. Linéaires - Aciculées

Feuillage: Vert et pubescent, en rosette lâche. Persistant.

❀ Avril - Mai ∅ 2 à 3 cm **Couleur:** Jaune

Dracocephalum Dragonhead

Famille: Lamiacées **Zone:** 3

Origine: Europe, Asie, Afrique du Nord et Amérique du Nord

Regroupe 45 à 50 espèces de plantes vivaces et annuelles. Ses feuilles opposées sont entières ou dentées. Les fleurs tubulaires et verticillées, sont réunies en épis ou en racèmes terminaux ou axillaires. Les bractées larges peuvent faire penser à une feuille. Tige quadrangulaire. Plante à croissance facile. Préfère les sols secs, sablonneux et tolère le soleil de l'après-midi si le sol est suffisament humide. Intéressante dans les bordures et rocailles. Certaines espèces sont utilisées pour la naturalisation.

Sol: Tous les sols - Bien drainé

grandiflorum

Synonyme: D. rupestre ⌂ 50 cm/ 20 po ⊗ Arrondi - Buisson

Fleurs bleu violet à calice rouge. Ses feuilles ovales et pubescentes ont de 2,5 cm à 5 cm avec pétioles. Variété excellente pour la rocaille. Zone 5.

❀ Juillet - Août

Dryas Drias • Mountain Avens

Famille: Rosacées **Zone:** 3
Origine: Hémisphère Nord ⊗ Arrondi - Buisson

Grandes fleurs blanches, solitaires du genre fraisier. Feuillage épais et pubescent sur sa face postérieure. Croissance lente. Fruits décoratifs d'aspect plumeux.

Sol: Bien drainé - Humide

Compagnons:
Été: Dianthus plumarius et Delphinium grandiflorum
Printemps: Sedum tricolor et Aubrieta
Automne: Coreopsis 'Zagreb' et Stokesia

octopetala

Utilisations: A - R - Al - Au
⌂ 15 cm/ 6 po ◊ 15 cm/ 6 po ⊗ Couvre-sol - Rosette

Durée de vie prolongée, croissance en montagne. Fruits surmontés d'aigrettes argentées et plumeuses. Inflorescence à 8 pétales.

Feuilles: Entières, à marge crénelée. Oblongues - Elliptiques
Feuillage: Vert foncé, luisant et passe au brun à l'hiver. Persistant.
❀ Mai - Juin ∅ 2,5 à 3 cm **Couleur:** Blanc

Duchesnea Faux fraisier • Barren Strawberry

Famille: Rosacées **Zone:** 4
Origine: Sud de l'Asie

Plante tapissante ou couvre-sol. Intéressante en sous-bois.

Sol: Tous les sols - Humide

indica

Utilisations: C - E
⌂ 10 cm/ 4 po ◊ 30 cm/ 12 po ⊗ Couvre-sol - Tapissant

Son fruit est semblable à une fraise rouge.

Feuilles: Composées. Trifoliées
Feuillage: Semi-persistant.
❀ Mai - Juillet ∅ 1 à 1,5 cm **Couleur:** Jaune

x 'Variegata'

Voir Fragaria.

Echinacea Rudbeckie pourpre • Coneflower

Famille: Asteracées **Zone:** 3
Origine: Amérique du Nord ⊗ Ovale - Érigé

Très utilisée en aménagement paysager pour sa fiabilité et sa longue floraison. Grande inflorescence en capitule, tige solide. Connue également pour ses propriétés médicinales. Se propage par boutures, semis et division. Il existe des variétés à fleurs retombantes ou dressées.

Sol: Bien drainé
Compagnons: Été: Campanula persicifolia et Lupinus
Printemps: Tiarella 'Rosalie' et Phlox subulata blanc
Automne: Hibiscus 'Dixie Bell' et Sedum 'Vera Jameson'

---

pallida Pale Purple Coneflower

Utilisations: M - F - O 100 cm/ 40 po 30 cm/ 12 po

Grand capitule au gros cône rond entouré de fleurs ligulées filiformes et retombantes possédant de 8 à 10 rayons ayant 9 cm chacun. Si la plante est placée à la mi-ombre, elle deviendra plus haute. Sa durée de vie est de trois ou quatre ans. Son feuillage est linéaire, rugueux avec poils raides sur les deux faces de la pétiole.

Feuilles: Entières, de 8 à 12 cm et ayant 3 à 5 nervures prédominantes. Alternes - Linéaires
Juillet à septembre ∅ 10 à 15 cm

---

paradoxa Yellow Coneflower

Connue sous le nom de Brauneria paradoxa, sa fleur est jaune au centre brun chocolat, à longs pétales retombants de 7 cm, très impressionnants et apparaissant en juillet. Feuilles rigides, lancéolées et linéaires à 3 nervures. Peut atteindre 90 cm de haut. Se propage par semis.

---

purpurea Purple Coneflower

Utilisations: F - M - K - Pa - P - O
95 cm/ 38 po 45 cm/ 18 po

Sa fleur est ligulée, retombante à coeur conique brun rougeâtre. Pétioles très courts, pour les feuilles du haut qui sont aussi plus étroites et à pétioles très longs pour les feuilles du bas qui peuvent mesurer de 10 à 20 cm de long.

Feuilles: Entières, alternes, légèrement dentées. Ovées - Lancéolées
Feuillage: Rugueux et vert foncé.
Juillet à septembre ∅ 7 à 9 cm **Couleur:** Magenta

---

purpurea 'Alba'

Synonyme: E. 'White Swan' **Utilisations:** F - M - K - P - O
70 cm/ 28 po 45 cm/ 18 po

Sa fleur est ligulée, retombante à coeur brun jaunâtre. Moins vigoureux que l'espèce.

Feuilles: Entières. Ovées - Lancéolées
Feuillage: Rugueux.
Juillet à septembre ∅ 6 à 7 cm **Couleur:** Blanc pur

---

purpurea 'Bravado'

Utilisations: F - O 100 cm/ 40 po 45 cm/ 18 po

Larges fleurs ligulées, uniforme, coeur brun rougeâtre.

Feuilles: Simples et alternes. Ovées - Lancéolées
Juillet à septembre ∅ 7 à 8 cm **Couleur:** Magenta

***purpurea* 'Bright Star'**

Utilisations: F - P   ⌂ 95 cm/ 38 po   ◊ 45 cm/ 18 po

Fleurs ligulées, retombantes à centre marron. Les semis ne sont pas toujours uniformes.

Feuilles: Entières. Ovées - Lancéolées

❀ Juillet à septembre   ∅ 7 à 8 cm   **Couleur:** Rose foncé

***purpurea* 'Kim's Knee High'**

⌂ 40 cm/ 16 po   ◊ 30 cm/ 12 po

Sélection de Kim Hawks à pétales retombants.

Couleur: Rose clair

***purpurea* 'Magnus'**

Utilisations: F - M - K - P   ⌂ 80 cm/ 32 po   ◊ 45 cm/ 18 po

Fleurs ligulées, droites, non retombantes et à coeur rond, brun rougeâtre. Plant d'Hor 1998, encore la plus belle variété.

Feuilles: Entières. Ovées - Lancéolées   **Feuillage:** Rugueux.

❀ Juillet à septembre   ∅ 8 à 10 cm   **Couleur:** Magenta

***purpurea* 'Robert Bloom'**

Fleurs rouges au centre orangé de 12 à 20 cm de diamètre et à longue floraison.

***purpurea* 'White Lustre'**

Fleurs blanc crème au centre orangé. Plante plus grande que E. 'White Swan', elle peut atteindre 80 cm de haut.

---

tennesseensis

Utilisations: AI

Espèce très résistante. Fleurs retombantes, rose foncé au centre vert rosé ayant des pétales étroits, fleurissant de juin à août. Ses feuilles sont linéaires et mesurent de 4 à 5 cm de long. Peut atteindre 80 cm de haut.

Echinops Boule azurée • Globe Thistle

Famille: Asteracées   **Zone:** 3

Origine: Méditerranée et centre de l'Asie   ⊗ Ovale - Érigé

Semblable à des chardons par son feuillage épineux et ses inflorescences en capitule globulaire. Plante imposante. Attention, elle se ressème facilement lorsqu'on oublie de tailler les inflorescences défraîchies. Très jolie en fleurs coupées, il est conseillé de les cueillir avant maturité afin de conserver leur coloration bleutée.

Sol: Bien drainé - Profond

Compagnons:
Été: Salvia et Chrysanthemum maximum.
Printemps: Ajuga et Saponaria ocymoides
Automne: Echinacea et Perovskia

***bannaticus* 'Blue Globe'** ♥

Utilisations: F - P   ⌂ 150 cm/ 60 po   ◊ 50 cm/ 20 po

Florifère, vigoureux et ayant une grosse inflorescence. Tige tomenteuse.

Feuilles: Simples, très découpées ayant un long pétiole. Alternes - Pennées

Feuillage: Épineux et argenté en dessous.

❀ Juillet - Septembre ∅ 5 cm **Couleur:** Bleu

***bannaticus* 'Taplow Blue'**

100 cm/ 40 po 50 cm/ 20 po

Larges fleurs d'un bleu acier et parfumées.

❀ Juillet - Septembre

---

ritro

Utilisations: F - P 90 cm/ 36 po 60 cm/ 24 po

Inflorescence possédant de 4 à 10 fleurs par tige, d'aspect piquant. Se propage par semis.

Feuilles: Simples, légèrement découpées vers le bas, de 15 à 20 cm. Alternes - Lancéolées
Feuillage: Épineux et envers gris argenté Aromatique.
❀ Juin - Septembre ∅ 3 à 5 cm **Couleur:** Bleu mauve

---

ritro ssp. ruthenicus

Utilisations: M - Fs 110 cm/ 44 po 30 cm/ 12 po

Petit globe gris-mauve, miniature, sur longue tige bien étroite. Cette variété est un hybride de ritro.

Feuilles: Linéaires - Lobées
Feuillage: Vert foncé, envers blanc. ❀ Juillet - Août

***ritro* 'Veitch's Blue'**

100 cm/ 40 po 60 cm/ 24 po ❀ Juillet à septembre

Fleurs bleu acier, remontantes. Utilisées en fleurs coupées.

---

sphaerocephalus

Utilisations: F - P 175 cm/ 70 po 70 cm/ 28 po

Espèce vigoureuse, grosse inflorescence. Ses feuilles mesurent 3 cm de long.

Feuilles: Simples, le dessous est occasionnellement tomentueux. Alternes - Pennées
Feuillage: Épineux aux segments aigus.
❀ Juillet - Août ∅ 5 cm **Couleur:** Grisâtre

***sphaerocephalus* 'Arctic Glow'**

75 cm/ 30 po 30 cm/ 12 po

Introduite par Jellito. Croissance au soleil ou à la mi-ombre. Sa fleur est blanche à pédoncule rouge, floraison de juin à août.

Edraiantus Grassy-Bells

Famille: Campanulacées **Zone:** 4b
Origine: Méditerranée

Semblable aux campanules par ses fleurs et son feuillage ressemble plutôt à la touffe d'une graminée. Se propage par semis.

Sol: Bien drainé
Compagnons:
Été: Linum et Campanula glomerata
Printemps: Lavandula et Phlox subulata
Automne: Erodium et Lysimachia punctata

graminifolius

Utilisations: A - G

⌂ 10 cm/ 4 po ◊ 25 cm/ 10 po ⊗ Rosette

Fleurs violettes ou mauves, regroupées en clochette. Ses feuilles sont filiformes, groupées en rosette de 5 à 8. Comme les plantes de la famille des campanulacées, elles se sèment très bien. Existe aussi en blanc.

Feuilles: Entières. Linéaires **Feuillage:** Persistant.

❀ Juillet - Septembre ∅ 5 cm **Couleur:** Mauve

tenuifolius

Utilisations: Au ⌂ 10 cm/ 4 po ◊ 20 cm/ 8 po

Plante alpine, facile de culture. Elle existe en blanc ou violet.

❀ Juin - Juillet

Epilobium Epilobe • Fireweed ☺ 

Famille: Onagracées **Zone:** 2

Origine: Zone tempérée du globe

Plante indigène. Connue aussi sous le nom anglais de Fire Weed, puisqu'elle est colonisatrice après un feu de forêt. Certaines plantes possèdent une tige rosée ou pourpre, sa graine est attachée à un papus (fils de soie). Elle se développe facilement dans des sols moins riches. Un plant mature peut avoir 100 capsules contenant chacune 450 graines. Plante mellifère recherchée.

Sol: Tous les sols

Compagnons:
Été: Lythrum et Lilium
Printemps: Phlox 'Laphamii' et Tiarella 'Rosalie'
Automne: Rudbeckia et Sedum

angustifolium ☺

Utilisations: F - P

⌂ 150 cm/ 60 po ◊ 45 cm/ 18 po ⊗ Ovale - Dressé

Très décorative, se propage par stolon et pourrait devenir envahissante. Plante indigène partout au Québec, surtout dans le bouclier Laurentien. Ne pas laisser monter à la graine donc couper les fleurs fanées. Bouquet rouge, épilobe à feuilles étroites. Fleurs à 4 pétales.

Feuilles: Simples, de 5 à 15 cm. Alternes - Lancéolées

Feuillage: Pointu au sommet, aux nervures rosées.

❀ Juillet - Septembre ∅ 2,5 à 3 cm **Couleur:** Magenta

dodonaei

Synonyme: E. rosmarinifolium **Utilisations:** M - R

⌂ 60 cm/ 24 po ◊ 30 cm/ 12 po

Semblable à E. fleischeiri (30 cm). Tige ligneuse à la base, se propage par stolon (rouge).

Feuilles: Fines et étroites, de 3 à 6 cm. Alternes

❀ Juillet - Septembre ∅ 2,5 cm **Couleur:** Rose magenta

Epimedium Épimède • Barrenwort 

Famille: Berbéridacées **Zone:** 3-4

Origine: Europe et Asie

Plante à floraison printanière du genre ancolie. Possède 4 pétales et 8 sépales, légers et délicats. Feuilles composées s'agitant au moindre vent, se colorent au printemps ou à l'automne.

Plante résistante à croissance lente, mais à longue durée de vie. Se divise à l'automne.

Sol: Bien drainé - Humide

Compagnons: Printemps: Omphalodes et Mertensia

---

rubrum

Utilisations: B - M - S - L - P - R

30 cm/ 12 po — 30 cm/ 12 po — ⊗ Buisson - Couvre-sol

Nombreuses petites fleurs légèrement pendantes. Une des plus belle espèces. Issue de E. alpinum x E. grandiflorum. Éperon court et hampe florale un peu feuillée. Son feuillage est léger et luisant.

Feuilles: Composées, folioles ovées. Basales - Cordées

Feuillage: Marbré de brun passant au pourpre à l'automne. Semi-persistant.

❀ Mai - Juin — ∅ 1,8 à 2,5 cm — **Couleur:** Carmin et blanc

---

x *perralchicum* 'Frohnleiten'

25 cm/ 10 po — ❀ Mai — **Couleur:** Jaune canari

Un hybride allemand, robuste au feuillage lustré, légèrement denté, passant au rouge à l'automne.

---

x *versicolor* 'Sulphureum'

Utilisations: B - M - S - L - P

40 cm/ 16 po — 50 cm/ 20 po — ⊗ Buisson - Couvre-sol

Fleurs réunies en panicule dressée et très ramifiée à éperons courts. Issue de E. grandiflorum et de E. pennatum. Végétation forte du double de E. rubrum, hampe florale feuillée.

Feuilles: Composées, folioles ovées et cordées de 5 à 9. Basales

Feuillage: Large et pourpré. Semi-persistant.

❀ Mai - Juin — ∅ 1,5 cm — **Couleur:** Jaune clair

---

x *youngianum* 'Niveum'

Synonyme: E. album — **Utilisations:** B - M - P - S - L - R

20 cm/ 8 po — 25 cm/ 10 po — ⊗ Arrondi - Buisson

Sa fleur est délicate et pendante qui se démarque beaucoup du feuillage. Les folioles sont plus petites et plus étroites que les autres espèces et cultivars. Espèce non rhizomateuse. Issue de E. diphyllum et de E. grandiflorum. Très rustique. Avec ou sans éperons.

Feuilles: Composées, petites folioles ovées peu dentées. Basales

❀ Mai - Juin — ∅ 2 cm — **Couleur:** Blanc rosé

---

x *youngianum* 'Roseum'

Synonyme: E. lilacinum — **Utilisations:** B - M - S - P - L

20 cm/ 8 po — 25 cm/ 10 po — ⊗ Arrondi - Buisson

Semblable à E.'Niveum'. Issue de E. diphyllum et de E. grandiflorum.

Feuilles: Composées, petites folioles ovées. Basales

❀ Mai - Juin — ∅ 1,5 cm — **Couleur:** Rose violet

Eremurus Aiguille de Cléopâtre • Foxtail Lily

Famille: Asphodélacées — **Zone:** 5

Origine: Asie — ⊗ Dressé

Plante à grand tubercule étoilé produisant une rosette de feuilles longues et rubanées desquelles sort un impressionnant épi de petites fleurs étoilées. Exige un sol meuble et bien drainé en plus d'une protection hivernale. **Sol:** Profond - Riche

himalaicus

Utilisations: M - F

100 cm/ 40 po 60 cm/ 24 po ⊗ Dressé

Plante spectaculaire qui fleurit en même temps que les Iris germanica en juin. Préfère un sol riche, profond et bien drainé. Plantation comme les bulbes à l'automne soit de 10 à 15 cm de profondeur.

Feuilles: Velues le long de la nervure.

Feuillage: Rubanné, dressé à la base, glabre.

∅ 2,5 cm **Couleur:** Blanc avec anthères jaunes

stenophyllus

Famille: Liliacées

Synonyme: E. bungei 150 cm/ 60 po

Fleurs jaune foncé passant au brun orangé, de 2 cm de diamètre, disposées sur un long épi de plus de 40 cm de haut. Zone 4.

Sol: Bien drainé - Sablonneux

Erica carnea 'Pink Spangles' Heath (voir Calluna) ☺

30 cm/ 12 po 30 cm/ 12 po

Espèce à feuillage vert moyen possédant une fleur rose apparaissant d'avril à mai.

Feuillage: Persistant.

***carnea* 'Springwood White'** Heath

15 cm/ 6 po 20 cm/ 8 po ⊗ Arrondi - Buisson

Espèce à feuillage vert moyen possédant une fleur blanche apparaissant d'avril à mai.

Feuillage: Persistant.

Erigeron Vergerette • Fleabane ☺ 

Famille: Asteracées **Zone:** 3

Origine: Amérique du Nord et Europe

Plante qui pourrait être considérée comme un aster d'été, mais à port légèrement différent. Ses fleurs réunies en capitule, sont semblables à celles des marguerites; elles sont ligulées, à pétales filiformes. Ses racines servaient autrefois à la fabrication du savon, car elles dégagent un doux parfum. Sujette au mildiou tout comme l'aster.

Sol: Bien drainé - Ordinaire

Compagnons: **Été:** Monarde et Gypsophila
Printemps: Dicentra luxuriant et Polygonatum
Automne: Helenium et Heliopsis

aurantiacus

Utilisations: M - P

30 cm/ 12 po 30 cm/ 12 po ⊗ Ovale - Érigé

Préfère un sol bien drainé. De courte durée de vie. Zone 5.

Feuilles: Entières. Spatulées - Ovées

Feuillage: Vert foncé et lustré. Aromatique.

❀ Juillet - Août ∅ 4 cm **Couleur:** Orangé

glaucus

⌂ 30 cm/ 12 po ◊ 40 cm/ 16 po

Plante formant un coussin dense et très florifère.

Feuilles: Spatulées
Feuillage: Lustré. Persistant.
❀ Juin - Juillet
Couleur: Bleu violacé au centre jaune

karvinskianus 'Profusion'

Utilisations: B - F - M - G - P
⌂ 25 cm/ 10 po ◊ 30 cm/ 12 po ⊗ Arrondi - Coussin

Profusion de petites marguerites blanches changeant au rose carmin avec la maturation de chaque capitule. Très florifère. Se ressème facilement et se prête bien à la culture en panier suspendu. À noter, les feuilles du bas sont ovales ayant 3 à 5 dents. Zone 5b.

Feuilles: Entières, glabres et étroites portées par des tiges délicates.
Feuillage: Vert teinté de pourpre à l'occasion.
❀ Juillet - Septembre ∅ 1,5 à 2 cm **Couleur:** Blanc

specious var. macranthus

Utilisations: F - P
⌂ 45 cm/ 18 po ◊ 30 cm/ 12 po ⊗ Ovale - Érigé

Espèce à longue floraison et à grande fleur. Populaire.

Feuilles: Simples et basales. Spatulées - Accuminées
❀ Juin - Août ∅ 4 à 5 cm **Couleur:** Bleu lilas

x 'Adria'

Fleurs semi-doubles, très larges de couleur bleu violacé. Intéressante en fleurs coupées.

x 'Azure Fairy'

Synonyme: E. 'Azurfee'
Utilisations: F - P
⌂ 50 cm/ 20 po ◊ 30 cm/ 12 po ⊗ Ovale - Érigé

Fleurs ligulées, semi-doubles à large coeur jaune. Variété dépassée par la sélection de nouveau cultivar comme ex.: E. 'Pprosperity', de 50cm de haut et à fleurs bleu violacé.

Feuilles: Entières. Alternes - Spatulées
Feuillage: Glabre.
❀ Juillet - Août ∅ 3 à 4 cm
Couleur: Lavande

x 'Dunkelste Aller'

Synonyme: E. 'Darkest Of All'
Utilisations: F
⌂ 60 cm/ 24 po
◊ 30 cm/ 12 po
❀ Juillet - Septembre
Couleur: Violet foncé à coeur jaune

x 'Pink Jewel'

Synonyme: E. 'Rosa Jewel'
Utilisations: F - M - P
⌂ 50 cm/ 20 po ◊ 30 cm/ 12 po ⊗ Ovale - Érigé

Fleur ligulée à coeur jaune. Grand capitule. Populaire et compact. La feuille est très effilée dans le bas et possède une tache rouge au noeud.

Feuilles: Entières. Alternes - Spatulées
Feuillage: Légèrement rugueux sur le dessus.
❀ Juin - Août ∅ 3 cm **Couleur:** Rose à coeur jaune

x 'Rotes Meer'

50 cm/ 20 po | 30 cm/ 12 po | ❀ Juillet - Septembre

Variété vigoureuse et très florifère dans la superbe couleur de rose vif.

x 'Schwarzes Meer'

Sa fleur est violette. Peut atteindre 60 cm de haut.

Erinus Liver Balsam

Famille: Scrophulariacées **Zone:** 3
Origine: Europe et Afrique du Nord

Petite plante alpine à feuillage en rosette et de croissance lente.

Sol: Bien drainé - Calcaire
Compagnons: Été: Armeria et Saxifraga
Printemps: Aspurela et Iberis
Automne: Sedum 'Bronze Carpet' et Scabiosa

alpinus Alpine Balsam

Utilisations: A - G

10 cm/ 4 po | 15 cm/ 6 po | ⊗ Rosette

Petites fleurs. Floraison abondante. Se ressème facilement. Cette espèce existe également en blanc et en rouge.

Feuilles: Entières. Oblongues - Spatulées
Feuillage: Luisant. Persistant.
❀ Mai - Juin | ∅ 0,5 cm | **Couleur:** Magenta

Eriogonum Wild buckwheat

Famille: Polygoniacées **Zone:** 4
Origine: États-Unis

Plante cultivée pour son feuillage dense, très duveteux, et leur jolie floraison prolongée. Feuilles opposées ou alternes formant un coussin. Inflorescence en ombelle ou en cyme à petites fleurs cylindriques, campanulées ou plates. Le fruit est un akène.

Sol: Tous les sols - Bien drainé

umbellatum

20 cm/ 8 po | 40 cm/ 16 po | ⊗ Étalé

Fleurs jaune soufre à feuilles argentées.

❀ Juin - Septembre

Eriophyllum Woolly Sunflower

Famille: Asteracées **Zone:** 4
Origine: Amérique du Nord

Regroupe une douzaine de plantes annuelles, des vivaces ou ligneuses à tiges plus ou moins tendres. Les feuilles sont alternes, habituellement dentées et un peu laineuses. Inflorescences en cymes ou en corymbes. Ses fleurs sont de type marguerite, ligules et à centre jaune. À cultiver dans les jardins de rocaille ou en bordure des plates-bandes et des murets. Nécessite un sol modérément fertile à pauvre, mais très bien drainé.

Sol: Tous les sols - Bien drainé

lanatum

30 cm/ 12 po — 20 cm/ 8 po — ❀ Juillet - Septembre

Fleurs jaunes et abondantes. Feuillage tomentueux et étroit.

Erodium Storksbill

Famille: Geraniacées **Zone:** 5

Petite plante dont les fleurs, semblables à celles des géraniums vivaces, sont réunies en ombelle lâche. Très florifère. Répandue partout dans le monde. Une bonne épaisseur de neige est nécessaire à sa survie sous notre climat. Se ressème facilement. Certains l'utilisent comme bonsaï.

Sol: Bien drainé - Caillouteux

Compagnons:
Été: Delphinium grandiflorum et Geranium
Printemps: Aubrieta et Viola
Automne: Heuchera et Aster

chamaedryoides roseum

Synonyme: E. reichardii **Utilisations:** A - R

5 cm/ 2 po — 30 cm/ 12 po — ⊗ Rosette - Tapissant

Sa fleur est tachetée de pourpre. Il existe également une variété à fleur double.

Feuilles: Simples, petites, arrondies et crénelées avec de longs pétioles verts. Basales

Feuillage: Pubescent.

❀ Juin - Septembre — ∅ 1,5 à 2 cm — **Couleur:** Rose

manescavii

Utilisations: A - F

30 cm/ 12 po — 30 cm/ 12 po — ⊗ Rosette

Grande fleur veinée de pourpre, oeil blanchâtre groupé par 3 à 10 sur un long pédoncule. Croissance en rosette. Se sème bien.

Feuilles: Simples, lobées, dentelées mesurant 15 à 30 cm.

Feuillage: Vert et pubescent.

❀ Juin - Septembre — ∅ 3 cm — **Couleur:** Magenta

Eryngium Panicaut • Sea Holly

Zone: 3

Plante semblable aux chardons par son feuillage et ses inflorescences épineuses. Petites fleurs individuelles et sans intérêt réunies en capitules et entourées de bractées à forme particulière et aux couleurs voyantes. Les tiges et les feuilles sont argentées ou glauques. Conserver le feuillage et les semences sur le plant à l'automne afin d'attirer les oiseaux qui raffolent des graines. Plusieurs espèces sont dispersées à travers le monde.

Sol: Bien drainé - Sec

Compagnons:
Été: Astilbe 'Fanal' et Chrysanthemum 'Glory'
Printemps: Alchemilla mollis et Aquilegia
Automne: Anemone et Chrysanthemum 'Red Chimo'

alpinum

60 cm/ 24 po — 40 cm/ 16 po — ❀ Juin - Août

Feuillage vert foncé avec du bleu. Zone 4.

Feuilles: Dentées - Cordées

Feuillage: Vert foncé avec du bleu.

amethystinum ☺ ❤

Utilisations: F - P

⌂ 55 cm/ 22 po ⌽ 30 cm/ 12 po ⊗ Évasé

Petite inflorescence conique, entourée de bractées sur une tige ramifiée.

Feuilles: Entières. Bipennées

Feuillage: Glabre et épineux.

❀ Juillet - Août ∅ 1 à 1,5 cm **Couleur:** Gris-bleu

bourgatii

Utilisations: M - R ⌂ 50 cm/ 20 po ⌽ 30 cm/ 12 po

Cultivar intéressant. Fleurs entourées de bractées argentées, regroupées par 12 à 18 fleurs. Zone 4.

Feuilles: Palmées et mesurant 4 cm.

Feuillage: Veiné de blanc .

❀ Juillet - Août ∅ 3 à 4 cm **Couleur:** Bleu foncé

giganteum Giant Sea Holly

Utilisations: F - P

⌂ 75 cm/ 30 po ⌽ 45 cm/ 18 po ⊗ Arrondi - Buisson

Bisannuelle. Grande inflorescence à larges bractées, argentées, regroupées par 8 à 9 fleurs. Se propage par semis.

Feuilles: Laciniées, piquantes, en rosette. Cordées

Feuillage: Glabre. Semi-persistant.

❀ Juillet - Août ∅ 9 à 10 cm **Couleur:** Gris

***planum* 'Bleu nain'** Flat Sea Holly

Synonyme: E. planum 'Blauer Zwerg' **Utilisations:** F - P

⌂ 40 cm/ 16 po ⌽ 30 cm/ 12 po ⊗ Arrondi - Buisson

Inflorescence ramifiée sur laquelle se retrouve de nombreux petits capitules (6 à 8) entourées de bractées. Se ressème facilement. Très rustique. Zone 3b.

Feuilles: Simples et romboïdes, non épineuses.

Feuillage: Glabre. Semi-persistant.

❀ Juillet - Septembre ∅ 2 à 3 cm **Couleur:** Gris-bleu

variifolium

Utilisations: M - Fs ⌂ 45 cm/ 18 po ⌽ 30 cm/ 12 po

Feuillage: Vert largement veiné d'argent, épineux et glacé. Persistant.

❀ Juillet - Août ∅ 2 cm **Couleur:** Gris-bleu

x tripartitum

Petites fleurs bleu foncé, d'un espacement et d'une hauteur de 60 cm. Ses feuilles sont glabres, vert foncé, veinées de blanc et possèdent de 3 à 5 lobes.

❀ Août à septembre

x zabelii

⌂ 50 cm/ 20 po ⌽ 75 cm/ 30 po

Issue d'un croisement entre E.alpinum et E. bourgatii. Nous la considérons comme l'espèce la plus décorative avec ses gros capitules bleu violacé. Zone 4-5.

yuccifolium Rattlesnake Master

⌂ 100 cm/ 40 po ◊ 40 cm/ 16 po ⊗ Évasé

Différent des autres variétés et espèces, par leurs grandes feuilles étroites et dressées à la manière des yuccas. Grande hampe florale portant plusieurs petites inflorescences verdâtres, un peu bizarre! Demande plus d'humidité que les autres variétés.

Feuillage: Persistant.

❀ Juillet - Août ∅ 2,5 cm **Couleur:** Vert

Erysimum Cheiranthus • Flax Leaf ☺ ☼

Famille: Brassicacées **Zone:** 4

Origine: Europe, Asie et Amérique du Nord

Bisannuelle ou vivace. Semblable à la moutarde à fleurs géantes. Floraison spectaculaire en racèmes. Une bonne épaisseur de neige est nécessaire à la survie de la plante. Souvent confondue avec le Cheiranthus qui est de la même famille, mais à fleurs jaunes ou orangées. Elle se comporte comme une bisannuelle.

Sol: Tous les sols - Bien drainé

***x* 'Bowless' Mauve'** ♥

⌂ 70 cm/ 28 po ◊ 50 cm/ 20 po ⊗ Buisson

Très jolie plante, ressemble à un petit arbuste. Son feuillage est grisâtre, persistant à tiges ligneuses. Ses feuilles sont simples, alternes, et sessiles.

Feuillage: Persistant. ❀ Juillet à octobre

***x* 'Variegatum'**

Utilisations: M - Cu

⌂ 25 cm/ 10 po ◊ 40 cm/ 16 po ⊗ Buisson

Semblable à E. 'Bowless' par ses inflorescences et son port, mais à feuillage panaché. Nécessite une couverture hivernale. Zone 5b.

Feuillage: Bordé de jaune crème. Persistant.

❀ Juin à juillet **Couleur:** Violet

Eupatorium Eupatoire • Joe-Pye Weed 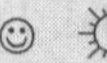 

Famille: Asteracées **Zone:** 2-3

Origine: Amérique du Nord ⊗ Ovale - Érigé

Plante imposante à large corymbe composé de minuscules capitules. Feuilles décoratives, opposées ou verticillées. Cette vivace indigène se retrouve surtout dans les fossés humides. Dégage un parfum subtil. Ses propriétés médicinales sont contre la grippe et la faiblesse générale.

Sol: Humide - Calcaire

Compagnons:
Été: Lythrum et Ligularia
Printemps: Trollius et Iris versicolor
Automne: Heliopsis et Hosta 'Royal Standard'

maculatum

⌂ 200 cm/ 80 po

◊ 90 cm/ 36 po

Variété indigène, spectaculaire au bord de pièces. Ses fleurs sont pourpres et son feuillage est vert foncé à tige maculée de pourpre.

❀ Juillet à septembre

***maculatum* 'Atropurpureum'**

Utilisations: F - P 150 cm/ 60 po 45 cm/ 18 po

Tige pourpre. Inflorescence ayant de 8 à 20 fleurs.

Feuilles: Entières. Verticillées - Lancéolées

Juillet à septembre ∅ 15 à 20 cm **Couleur:** Rose-pourpre

***maculatum* 'Gateway'**

Utilisations: M - Pa 165 cm/ 66 po 60 cm/ 24 po

Petit capitule regroupé en corymbe de 9 à 15 fleurs, bien ramifié et dense. Ce qui la distingue de E. purpureum c'est qu'elle ne possède que 3 à 7 fleurs par inflorescence pyramidale.

Feuilles: Verticillées par 4 ou 5.

Juin à août **Couleur:** Rose-mauve

purpureum Sweet Joe Pye Weed ☺

200 cm/ 80 po 150 cm/ 60 po Juillet à septembre

Fleurs roses à tiges pourpres en corymbe de 4 à 5 branches donnant un aspect large. Ses feuilles ovales, lancéolées aux pétioles courts qui sous pression dégagent une odeur de vanille. Zone 4.

***rugosum* 'Chocolate'** White Snakeroot

Cette variété est une sélection de l'espèce. Feuillage de couleur chocolat à maturité, de 15 à 18 cm, ovale et denté. La tige et le dessous des feuilles varient de vert à brun chocolat, contrastant avec les fleurs blanches. Floraison en septembre. Zone 4.

Euphorbia Euphorbe • Spurge ☹

Famille: Euphorbiacées **Zone:** 3

Origine: Région chaude tempérée et Tropique

Plante utilisée pour son feuillage ou ses bractées décoratives. De la même famille que le Poinsettia. Distribuée à travers le monde. L'une de ses caractéristiques est sa production de latex, parfois toxique. Se divise mal, semer plutôt directement en pleine terre. Préfère le soleil et ne requiert aucun entretien.

Sol: Sec - Bien drainé

Compagnons: Été: Centaurea et Dianthus 'Zing'
Printemps: Polygonatum et Iris pumila
Automne: Gaillardia et Malva Sylvestris

amygdaloides

Origine: Europe 40 cm/ 16 po ⊗ Étalé

Il existe la variété robbiae, de 60 cm de haur à fleurs jaune verdâtre, ses feuilles sont ovales et larges. Floraison en mai. Drageonne rapidement mais son feuillage est sensible au gel.

Feuillage: Semi-persistant.

Mai - Juin **Couleur:** Jaune

amygdaloides Rubra

Synonyme: E. Purpurea

40 cm/ 16 po 30 cm/ 12 po ⊗ Étalé

Se propage par semis et sa croissance est buissonnante. Ses feuilles vertes sont teintées de pourpre. Tolère un sol légèrement humide. Zone 5b.

Feuillage: Semi-persistant.

Mai - Juin **Couleur:** Jaune clair

cyparissias

Utilisations: C - L
⌂ 30 cm/ 12 po ◊ 35 cm/ 14 po
⊗ Couvre-sol - Colonie

Nombreuses petites inflorescences chartreuses, peu décoratives. Surtout utilisée pour son feuillage glauque, fin et semblable aux épines d'un conifère. Un sol pauvre est préférable pour limiter son développement.

Feuilles: Entières. Linéaires - Aciculées
Feuillage: Glabre, cireux et très doux au touché.
❀ Juin - Juillet ∅ 3 cm **Couleur:** Chartreuse

***dulces* 'Chameleon'**

⌂ 50 cm/ 20 po ❀ Mai - Juin

Énorme feuillage changeant continuellement de couleur pour devenir brun chocolat et offrir un attrait pour l'automne. Fleurs jaune verdâtre à centre pourpre, disposées en cloches pendantes.

Feuillage: Semi-persistant.

griffithii

Utilisations: M - F ⌂ 80 cm/ 32 po ◊ 50 cm/ 20 po

Ses fleurs sont orangées avec des tiges rouges et des bractées rouge orangé très voyantes. Plante vigoureuse. Exige un arrosage fréquent. Il existe la variété 'Great Dixter'. Zone 4b.

Feuillage: Vert foncé, sa coloration automnale est rouge.
❀ Juin - Juillet

***griffithii* 'Fireglow'**

Utilisations: B - P ⌂ 65 cm/ 26 po ◊ 40 cm/ 16 po

Bractées orange vif à cuivrées. Feuillage d'un vert bleuté aux nervures pourpres et belle coloration automnale jaune et rouge. Une protection est recommandée. Zone 5.

Feuilles: Entières. Lancéolées ❀ Juin - Août

myrsinites

Utilisations: A - G
⌂ 20 cm/ 8 po ◊ 30 cm/ 12 po ⊗ Étalé

Ses rameaux sont couchés. Se propage par semis. Zone 4.

Feuilles: Simples, sessiles en spirale. Verticillées - Ovées
Feuillage: Glabre et glauque d'aspect charnu. Persistant.
❀ Mai - Juin ∅ 5 à 10 cm
Couleur: Jaune

polychroma Cushion Spurge

Synonyme: E. epithymoïdes **Utilisations:** B - P
⌂ 40 cm/ 16 po ◊ 45 cm/ 18 po ⊗ Arrondi - Buisson

Une des premières plantes à colorer nos plates-bandes au printemps. Tige érigée. Les bractées sont responsables de sa voyante coloration printanière. Zone 4.

Feuilles: Simples et alternes. Oblongues - Ovées
Feuillage: Glabre à belle coloration automnale, rouge.
❀ Mai - Juin ∅ 5 à 6 cm
Couleur: Jaune

Fallopia Renouée • Fleeceflower

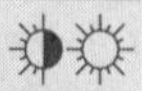

Famille: Polygonacées **Zone:** 3
Origine: Japon

Plante au feuillage décoratif. Souvent confondue avec les Polygonums ou Persicarias, elle entrerait dans une nouvelle classification botanique. À introduire de façon prudente car certaines espèces sont considérées comme envahissantes.

Sol: Humide - Frais

japonica

Voir Polygonum cuspidatum.

japonica var. compacta

Synonyme: Polygonum compactum **Utilisations:** C - L
60 cm/ 24 po 60 cm/ 24 po ⊗ Évasé - Colonie

Voir Polygonum cuspidatum 'Compactum'. Plante à tige arquée rouge.

Feuilles: Entières. Ovées - Cordées
Feuillage: Vert veiné de rouge.
Août à septembre ∅ 0,2 à 0,5 cm **Couleur:** Rose

japonica 'Variegata'

Utilisations: F - P
120 cm/ 48 po 90 cm/ 36 po ⊗ Évasé

Identique à l'espèce, tige et nervure rouge, feuille plus petite, plante moins vigoureuse.

Feuilles: Entières. Alternes - Cordées
Feuillage: Blanc tacheté de vert.
Août - Septembre **Couleur:** Blanc

Filipendula Filipendule • Queen-of-the-Meadow

Famille: Rosacées **Zone:** 3
Origine: Région tempérée

Plante à inflorescence en panicule, semblable à un corymbe. Les fleurs ressemblent à celles des spirées. Feuillage palmé et/ou composé. Certaines espèces ont des racines ligneuses tandis que d'autres sont à tubercules, elles sont toutes odorantes.

Sol: Humide - Riche

Compagnons:
Printemps: Aquilegia et Phlox stolonifera
Été: Echinacea et Veronica incana
Automne: Phlox paniculata et Sedum

palmata 'Digitata Nana'

Utilisations: B - P
30 cm/ 12 po 30 cm/ 12 po ⊗ Ovale - Érigé

Plante compacte contrairement à l'espèce palmata qui est d'un hauteur de 100 cm.

Feuilles: Composées. Palmées - Pennées **Feuillage:** Rugueux.
Juillet - Août ∅ 6 à 8 cm **Couleur:** Rose

purpurea

90 cm/ 36 po 30 cm/ 12 po ⊗ Étalé

Inflorescence plumeuse très voyante à tige pourpre. Foliole terminale découpée en 5 à 7 lobes. Variété rarement disponible. Existe aussi une variété en blanc F. purpurea 'Alba' .

Feuilles: Composées. Juin - Juillet **Couleur:** Rose

***purpurea* 'Elegans'**

110 cm/ 44 po 35 cm/ 14 po

Inflorescence en plumeau blanc et à étamine rouge donnant un aspect de rose. Foliole terminale large et palmée.

Feuilles: Composées. Juillet - Août **Couleur:** Blanc

***rubra* 'Venusta'** Queen-of-the-Prairie

Synonyme: F. 'Magnifica'
Utilisations: M - P
180 cm/ 72 po 50 cm/ 20 po
Ovale

Plante imposante et la plus haute. Rustique.
Se propage par stolons verticaux.

Feuilles: Composées, divisées en 3 à 5 lobes. Palmées - Pennées
Feuillage: Pubescent à nervures rouges.
Juin - Août ∅ 12 à 15 cm **Couleur:** Rose 

***ulmaria* 'Aurea'**

Utilisations: M - Pa
90 cm/ 36 po 35 cm/ 14 po Ovale - Érigé

Fleurs en plumeau qui devraient être coupées au début de la floraison, afin d'encourager la vigueur de son feuillage doré.

Feuilles: Composées. Juillet - Août **Couleur:** Blanc crème 

***ulmaria* 'Plena'**

Utilisations: F - J
70 cm/ 28 po 30 cm/ 12 po Ovale - Érigé

Fleurs doubles très voyantes et floconeuses qui persistent plus longtemps que l'espèce.

Feuilles: Composées. Palmées - Pennées
Feuillage: Pubescent sous la feuille.
Juin - Août ∅ 7 à 10 cm **Couleur:** Blanc 

***ulmaria* 'Variegata'**

Ovale - Érigé

Comme toutes les F. ulmaria, les feuilles sont irrugulièrement pennées.

Feuillage: Vert foncé, panaché de jaune crème au centre.
Couleur: Blanc crème

---

vulgaris Dropwort

Synonyme: F. hexapetala **Utilisations:** F - P
50 cm/ 20 po 30 cm/ 12 po Colonie - Dressé

Fleurs doubles, son feuillage est vert foncé, luisant, de fougère. Se propage rapidement grâce à ses racines tubéreuses. Excellent couvre-sol.

Feuilles: Composées. Palmées - Pennées
Juin - Août ∅ 8 à 10 cm **Couleur:** Blanc

x 'Kahome'

Utilisations: M - F

45 cm/ 18 po | 35 cm/ 14 po | ⊗ Ovale - Érigé

Plant nain à inflorescence plumeuse, foliole terminale palmé. La plus tardive.

Feuilles: Composées. | ❀ Juillet à août | **Couleur:** Rose

Fougères Voir chapitre spécial traitant des fougères. (p. 389)

Fragaria Fraisier • Strawberry

Famille: Rosacées | **Zone:** 3

Origine: Hybride | **Synonyme:** Duchesna

Surtout connu pour leurs fruits, les fraisiers sont aussi utilisés pour leur floraison et parfois leur feuillage décoratif. La majorité des variétés offertes sur le marché proviennent d'hybridation. On les reconnaît facilement par leurs feuilles à 3 folioles et par leurs stolons aériens.

Sol: Tous les sols - Bien drainé

Compagnons:
Été: Lupinus 'Gallery' et Aster 'pink Bouquet'
Printemps: Aubrieta 'Leichtlinii' et Lamium 'White Nancy'
Automne: Dianthus 'Zing' et Hosta 'Albo Picta'

virginiana 'Variegata'

Utilisations: C - M

20 cm/ 8 po | 30 cm/ 12 po | ⊗ Couvre-sol - Colonie

Surtout cultivé pour son feuillage, la plante perd parfois son caractère et retrouve son feuillage entièrement vert.

Feuilles: Composées. Trifoliées - Crénélées

Feuillage: Vert panaché de blanc. Semi-persistant.

❀ Juin à octobre | ∅ 2,5 cm | **Couleur:** Blanc

x 'Lipstick'

20 cm/ 8 po | 30 cm/ 12 po | ⊗ Couvre-sol - Colonie

Fleurs rose magenta. De belle apparence et couvre bien le sol rapidement. Il existe également la variété 'Mic Mac', à fleurs rose foncé. Zone 4.

x 'Pink Panda' 

Utilisations: C - M

20 cm/ 8 po | 30 cm/ 12 po | ⊗ Couvre-sol - Colonie

Plante à floraison continue. Fruits comestibles et délicieux. Provient d'une hybridation entre un fraisier et une potentille

Feuilles: Composées. Trifoliées - Crénélées

Feuillage: Vert foncé. Semi-persistant.

❀ Juin à octobre | ∅ 2,5 à 3 cm | **Couleur:** Rose

Gaillardia Gaillarde • Blanket Flower 

Famille: Asteracées **Zone:** 3
Origine: Amérique du Nord et du Sud

Plante à grands capitules solitaires, aux couleurs vives. Très florifère et se ressème facilement. Elle porte aussi des nodules sur les racines, ce qui facilite la reproduction. Demande à ce que le sol soit bien réchauffé au printemps avant d'émerger. Tolère difficilement les sols argileux.

Sol: Bien drainé - Riche
Compagnons: Été: Gypsophila paniculata et Achillea millefolium
Printemps: Alyssum et Lamium
Automne: Anemone et Hemerocallis 'Stella de Oro'

---

x grandiflorum 'Baby Cole'

15 cm/ 6 po — 20 cm/ 8 po — Juillet à août

Fleurs rouges et l'extrémité de ses pétales sont jaunes. La plus courte des gaillardes, mais moins rustique.

---

x grandiflorum 'Bremen'

Utilisations: F - P
70 cm/ 28 po — 30 cm/ 12 po — Étalé

Hybride tétraploïde dont les fleurs ligulées se terminent par une pointe jaune.

Feuilles: Entières. Alternes - Lancéolées
Feuillage: Pubescent et rugueux.
Juin à octobre — ∅ 10 cm — **Couleur:** Rouge vin

---

x grandiflorum 'Burgunder'

Utilisations: F - P
60 cm/ 24 po — 30 cm/ 12 po — Étalé

Hybride tétraploïde aux fleurs ligulées entièrement rouge vin. Généralement appelé 'Burgundy'

Feuilles: Entières. Alternes - Lancéolées
Feuillage: Pubescent et rugueux.
Juillet à octobre — ∅ 7 à 9 cm

---

x grandiflorum 'Dazzler'

Espèce dont la fleur brun orangé à l'extrémité jaune, apparaît de juin à septembre. Peut atteindre de 60 à 80 cm de haut.

---

x grandiflorum 'Goblin'

Synonyme: G. 'Kobold' **Utilisations:** B - P
30 cm/ 12 po — 30 cm/ 12 po — Arrondi - Coussin

Hybride tétraploïde nain. Fleurs jaunes, ligulées aux pétales terminés par une pointe de rouge. Populaire, très florifère et à croissance uniforme.

Feuilles: Entières. Alternes - Lancéolées
Feuillage: Pubescent et rugueux.
Juillet à octobre — ∅ 7,5 cm

---

x grandiflorum 'Golden Goblin'

Synonyme: G. 'Gold Kobold' **Utilisations:** B - F - M - P
75 cm/ 30 po — 30 cm/ 12 po — Étalé

(Gaillardia)

Hybride tétraploïde à fleurs ligulées entièrement jaune. A revoir, car dans plusieurs livres on indique 30 cm de haut et en réalité elle mesure 75 cm.

Feuilles: Entières. Alternes - Lancéolées
Feuillage: Pubescent et rugueux.
❀ Juin à octobre ∅ 7 à 9 cm **Couleur:** Jaune

---

x grandiflorum 'Mandarin'

⌂ 60 cm/ 24 po ◊ 30 cm/ 12 po ❀ Juillet à septembre

Introduite par Alan Bloom. Fleurs orangées à bout jaune. Serait peut-être la variété 'Tangerine' pour certain. Zone 3.

---

x grandiflorum 'Monarch'

Utilisations: B - P
⌂ 90 cm/ 36 po ◊ 30 cm/ 12 po ⊗ Étalé

Hybride tétraploïde dont les fleurs sont ligulées et terminées par une pointe de jaune. Longue tige.

Feuilles: Entières. Alternes - Lancéolées
Feuillage: Pubescent et rugueux.
❀ Juin à septembre ∅ 7 à 9 cm **Couleur:** Rouge vin

---

x grandiflorum 'Tokajer' ♥

Utilisations: B - F - M - P
⌂ 75 cm/ 30 po ◊ 30 cm/ 12 po ⊗ Étalé

Hybride tétraploïde dont les fleurs sont ligulées et terminées par une pointe orangée.

Feuilles: Entières. Alternes - Lancéolées
Feuillage: Pubescent et rugueux.
❀ Juin à octobre ∅ 7 à 9 cm **Couleur:** Rouge

Galega Rue des chèvres • Goat's Rue

Famille: Fabacées **Zone:** 4
Origine: Région méditerranéenne

De la famille des pois. Ses fleurs sont regroupées en racèmes dressés. Son feuillage est composé, semblable à la vesce, mais dressé. La plante peut produire des stolons en sol meuble. Elle possède des propriétés médicinales.

Sol: Bien drainé - Profond

Compagnons: **Été:** Aconitum et Saponaria 'Rosea Plena'
Printemps: Lamium et Arabis
Automne: Gaura et Rudbeckia

---

officinalis ☺

Utilisations: M - T - E
⌂ 100 cm/ 40 po ◊ 100 cm/ 40 po
⊗ Ovale - Dressé

Naturalisée sur le bord des routes en Angleterre, elle porte de 30 à 50 fleurs par plant qui sont disposées juste au-dessus du feuillage. La couleur de sa fleur varie soit du rose, blanc, bicolore ou lavande.

Feuilles: Composées, regroupées par 4 à 8 folioles. Pennées
Feuillage: Vert clair et glabre.
❀ Juillet - Septembre ∅ 1 à 1,5 cm

Galium Sweet Woodroof

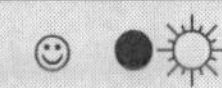

Famille: Rubiacées — **Zone:** 4
Origine: Europe, Nord de l'Afrique et Asie — **Synonyme:** Aspurela

Feuillage verticillé, caractéristique de l'espèce. Petites fleurs très parfumées à 4 pétales réunis en cyme terminale. Plante très florifère. Connue parmi les fines herbes pour aromatiser les punchs. Excellent couvre-sol à racines superficielles, donc peu envahissant. Son utilisation donne un effet de légèreté. Sa croissance rapide ralentit les mauvaises herbes.

Sol: Frais - Bien drainé

odoratum

Synonyme: Asperula odorata — **Utilisations:** C - M - S - L - T - J
15 cm/ 6 po — 25 cm/ 10 po — ⊗ Couvre-sol - Colonie

Croissance rapide.

Feuilles: Entières. Verticillées - Lancéolées
Feuillage: Vert foncé et lustré. Aromatique.
Mai - Juillet — ∅ 2 à 3 cm — **Couleur:** Blanc

Gaultheria Thé des bois • Teaberry

Famille: Éricacées — **Zone:** 2
Origine: Andes, Amérique du Nord, Asie et Australie

Plante ligneuse à petites fleurs campanulées blanc rosé et à fruits rouges pendants (baies). Croissance rapide par ses stolons aériens.

Sol: Acide - Riche

procumbens

Utilisations: C - L
15 cm/ 6 po — 25 cm/ 10 po
⊗ Couvre-sol - Colonie

Arbuste rampant aux fruits rouges décoratifs et au goût apprécié. Plante indigène.

Feuilles: Entières. Ovées
Feuillage: Vert foncé, cuirassé ayant une belle coloration. Persistant et aromatique.
Mai — ∅ 0,5 cm — **Couleur:** Blanc rosé

Gaura

Famille: Onagracées — **Zone:** 5
Origine: Sud des États-Unis

Plante à longue tige florale dressée portant un racème de fleurs de 4 pétales et de 5 longues étamines. Les fleurs sont disposées d'un côté et se referment le soir. Très florifère, cette plante résiste à la sécheresse. Décorative même après la floraison par son port et la couleur foncée de ses tiges. Réussit bien parfois en zone 4.

Sol: Bien drainé - Riche

Compagnons:
Été: Echinacea 'Purpurea' et Gypsophila 'Rosea'
Printemps: Lamium et Ajuga
Automne: Anemone robustissima et Thymus 'Variegata'

lindheimeri ♥

Utilisations: F - M - K - P

115 cm/ 46 po | 60 cm/ 24 po | ⊗ Étalé

Se propage rapidement par semis. Feuillage vert sombre, tige florale rouge à l'automne.

Feuilles: Entières, de 2.5 à 7.5 cm de long. Alternes - Lancéolées

Feuillage: Glabre et cireux tacheté de brun à l'occasion.

❀ Juin à octobre | ∅ 2,5 cm | **Couleur:** Blanc à calice rosé

***lindheimeri* 'Corrie's Gold'**

70 cm/ 28 po | 60 cm/ 24 po | ⊗ Étalé

Très populaire en Europe. Une forme de panaché. Préfère une exposition au soleil ou à la mi-ombre.

Feuillage: Jaune vert. ❀ Juin à octobre **Couleur:** Blanc rosé

***lindheimeri* 'Siskiyou Pink'**

55 cm/ 22 po | 50 cm/ 20 po | ⊗ Étalé

Nouvelle introduction d'Oregon, enregistrée, dont la tige et le pétiole sont rougeâtres. Ses étamines sont blanches.

❀ Juillet à octobre - Remontante **Couleur:** Rose brillant

Gentiana Gentiane • Gentian

Famille: Gentianacées **Zone:** 3

Origine: Région alpine ou arctique

Une des rares plantes produisant des fleurs d'un vrai bleu. Ses ports différents sont observables dans la nature, selon le milieu où ils ont évolué. Très recherchée pour sa longue durée de vie et ses fleurs campanulées ou tubulaires. Certaines espèces préfèrent les endroits humides; pour les variétés à floraison automnale. Germination difficile.

Sol: Calcaire - Bien drainé

Compagnons:
Été: Dianthus et Erinus
Printemps: Draba et Phlox subulata
Automne: Miscanthus et Sedum spectabilis

acaulis

Synonyme: G, 'Kochiana' **Utilisations:** A - R - Au - G - Al

10 cm/ 4 po | 15 cm/ 6 po | ⊗ Rosette - Coussin

Grandes fleurs de 5 à 8 cm de long qui sont dressées à calice profond. Espèce qui nécessite un sol bien drainé, mais le maintenir frais à légèrement humide. De culture facile, mais leur floraison est assez irrégulière. Existe aussi en blanc.

Feuilles: Simples et ovales. Elliptiques - Lancéolées

Feuillage: Semi-persistant. ❀ Juin à juillet ∅ 2 cm

Couleur: Bleu violacé à gorge blanche

andrewsii Bottle Gentian

45 cm/ 18 po | 45 cm/ 18 po | ⊗ Dressé

Plante indigène. Préfère l'ombre à la mi-ombre. Peu exigeante, elle se cultive dans tous les sols. Fleurs bleues, sessiles peu ouvertes, disposées au sommet des tiges. Zone 4a.

Feuilles: Lancéolées d'environ 5 cm. **Feuillage:** Lustré.

❀ Juillet - Août

asclepiadea

⌂ 50 cm/ 20 po ◊ 60 cm/ 24 po ⊗ Étalé - Retombant

Tige arquée. De culture difficile. Fleurs ouvertes groupées par 3 à l'aisselle des feuilles mesurant 5 à 6 cm de long. Sol meuble, frais et acide. Zone 3.

Feuilles: Opposées de 5 à 7,5 cm de large avec 3 à 5 nervures prononcées. Ovées - Lancéolées
Feuillage: Luisant.
❀ Juillet - Septembre - Remontante ∅ 4 cm
Couleur: Bleu violacé, strié de blanc à l'intérieur

dahurica

Utilisations: A - R
⌂ 30 cm/ 12 po ◊ 15 cm/ 6 po ⊗ Rosette

Fleurs campanulées, solitaires et terminales.

Feuilles: Entières. Lancéolées - Basales
❀ Juillet à septembre **Couleur:** Bleu

lutea

⌂ 100 cm/ 40 po
◊ 60 cm/ 24 po

Grandes feuilles pouvant atteindre jusqu'à 30 cm de long à nervures prononcées. Hampe florale forte, à fleurs jaunes, dressées, disposées en verticille.

❀ Juin - août

septemfida

Utilisations: Al
⌂ 25 cm/ 10 po ◊ 25 cm/ 10 po ⊗ Étalé - Rosette

La variété la plus courante, très feuillée, regroupée par 8 fleurs dressées. Zone 4.

Feuilles: Ovées **Feuillage:** Luisant.
❀ Juillet - Août **Couleur:** Bleu violacé à gorge pourpre

septemfida var. lagodechiana

Utilisations: A - R - C - Al
⌂ 15 cm/ 6 po ◊ 30 cm/ 12 po ⊗ Étalé - Rosette

Fleur en forme de cornet. Demande un sol humifère et une exposition ensoleillée ou mi-ombrée. Zone 3.

Feuilles: Entières. Ovées
Feuillage: Semi-persistant.
❀ Août - Septembre **Couleur:** Bleu à gorge blanche

Geranium Geranium vivace • Cranesbill

☺ 

Famille: Geraniacées **Zone:** 3
Origine: Région tempérée

Semblable aux géraniums annuels, qui se nomment en fait pelargoniums, mais plusieurs aspects diffèrents. Les géraniums vivaces sont des plantes caractérisées par leur feuillage palmé et disséqué. Leurs fleurs sont solitaires ou en petits groupes et de couleurs variées allant du blanc au magenta ou mauve presque noir.

Compagnons: **Été:** Liatris et Lilium
Printemps: Vinca Minor et Viola
Automne: Hosta 'Francee' et Lavandula

***cineREUM* 'Ballerina'** Grey leaf Cranesbill

Utilisations: A - B - R - G - Cu - D - C
⌂ 30 cm/ 12 po ◊ 15 cm/ 6 po ⊗ Rosette - Coussin

Remarquable cultivar de petite stature aux tiges florales rampantes et aux fleurs veinées de rouge foncé. Cette plante alpine préfère les sols grossiers et est elle rustique en zone 5.

Feuilles: Entières, pourtour orbiculaire, divisées en 5 à 7 parties, lobées et légèrement dentées à sinus aigu, de 5 cm. Fasciculées - Basales
Feuillage: Vert grisâtre. Semi-persistant.
❀ Juin - Septembre ∅ 2 à 2,5 cm
Couleur: Rose-mauve pâle veiné, oeil foncé.

***cinereum* 'Bordone'**

Synonyme: G. 'Janette' **Utilisations:** A - B - R - G - Cu - D - C
⌂ 45 cm/ 18 po ◊ 20 cm/ 8 po ⊗ Rosette - Coussin

Nouvelle variété facile à cultiver à fleurs rose magenta très intense et qui refleurissent jusqu'aux premières gelées. Son feuillage est vert moyen. Plante enregistrée. Zone 3.

Feuilles: Fasciculées - Basales **Feuillage:** Semi-persistant.
❀ Juin - Septembre **Couleur:** Rose magenta

***cinereum* 'Laurence Flatman'**

Utilisations: A - B - R - G - Cu - D - C
⌂ 35 cm/ 14 po ◊ 20 cm/ 8 po ⊗ Rosette - Coussin

Semblable à G. cinereum 'Ballerina' en plus vigoureux. Les fleurs sont toutefois moins uniformes, plusieurs présentant un triangle plus foncé au bout du pétale et pointant vers la base. Son feuillage est vert grisâtre. Zone 5.

Feuilles: Fasciculées - Basales
Feuillage: Semi-persistant.
❀ Juin - Septembre **Couleur:** Rose-mauve pâle veiné rouge foncé

***cinereum var. subcaulescens* 'Splendens'**

Utilisations: A - B - R - G - Cu - D - C
⌂ 30 cm/ 12 po ◊ 20 cm/ 8 po ⊗ Rosette - Coussin

Une variété des plus charmantes aux couleurs brillantes sans être criardes! Ses pétales sont particulièrement larges, arrondis et légèrement ciselés. Préfère les sols grossiers. Zone 5.

Feuilles: Au sinus peu profond. Fasciculées - Basales
Feuillage: Vert foncé. Semi-persistant.
❀ Juin - Août **Couleur:** Rouge

***clarkei* 'Kashmir White'** Clarke's Geranium

Synonyme: G. rectum 'Album' **Utilisations:** N - P - M - S
⌂ 60 cm/ 24 po ◊ 55 cm/ 22 po
⊗ Couvre-sol - Colonie (rhizomes souterrains)

Très belle plante pour naturaliser avec sa floraison prolongée de grandes fleurs veinées de violet, et peu d'entretien. Sans exigence particulière pour le type de sol. Elle tolère aussi l'ombre des arbres. Il existe également une variété de couleur pourpre. Zone 5.

Feuilles: Entières, pourtour orbiculaire; divisées presque jusqu'à la base en 7 lobes cintrés à mi-chemin, de 10-15 cm.
Feuillage: Très plumeux, vert foncé grisâtre. Semi-persistant.
❀ Juin - Septembre **Couleur:** Blanc veiné de rose-lilas

---

dalmaticum Dalmatian Cranesbill

Utilisations: R - C - D - G
15 cm/ 6 po 15 cm/ 6 po ⊗ Couvre-sol - Tapissant

Plante couvre-sol non envahissante au feuillage lisse et agréablement odorant devenant rouge orangé en automne. Préfère le plein soleil et les sols bien drainés. La floraison est moins abondante à la mi-ombre. Zone 4.

Feuilles: Entières, pourtour orbiculaire; divisées en 5 à 7 parties trilobées, sinus profond, aigu, de 4 cm.
Feuillage: Vert brillant et glabre. Persistant. Aromatique.
❀ Juin - Juillet ∅ 2 à 2,5 cm **Couleur:** Rose pâle

---

endressii Endress's Geranium

Utilisations: C - M - S - T - E - Cu - R - N
45 cm/ 18 po 40 cm/ 16 po ⊗ Couvre-sol - Colonie

Grâce à ses longs rhizomes rampants, elle est d'une excellente vigueur, s'adaptant à tous les types d'ensoleillement. Elle nécessite un sol bien drainé, tolérant les endroits secs. Inflorescence érigée en forme d'entonnoir en petits groupes. Fleurit mieux par temps frais. Zone 5.

Feuilles: Entières, pourtour étoilé; divisées en 5 parties, lobées et ternées, sinus profond et aigu, dentées, de 5-10 cm
Feuillage: Vert clair, lustré et légèrement pubescent.
❀ Juin - Juillet ∅ 2,5 cm **Couleur:** Rose vif brillant

***endressii* 'Wargrave Pink'**

Utilisations: C - M - S - T - E - Cu - R - N
45 cm/ 18 po 40 cm/ 16 po ⊗ Couvre-sol - Colonie

Cultivar vigoureux et dense pouvant être deux fois plus haut que l'espèce, au soleil. Ses pétales sont distinctement découpés et les fleurs bien au-dessus du feuillage. Zone 5.

Feuilles: Divisées en 6 parties. Palmées - Basales
❀ Juin - Juillet ∅ 2,5 cm **Couleur:** Rose-saumon

---

farreri Farreri Cranesbill

Utilisations: B - C - D - R - G
20 cm/ 8 po 15 cm/ 6 po ⊗ Rosette

Plante alpine, naine, sans rhizome ou racine tubéreuse, se multipliant par rejets de la rosette, à racine pivotante. Forme un tapis de fleurs tout à fait charmant. Préfère les sols caillouteux. Zone 4.

Feuilles: Entières, arrondies ou réniformes; divisées en 7 parties, lobes ternés et légèrement dentés, sinus profond, pétioles et contour de feuille rouge, 5 cm
Feuillage: Vert-gris faiblement marbré, pubescent. Semi-persistant.
❀ Mai - Juin ∅ 4 cm
Couleur: Rose pâle, étamines bleu-noir

himalayense **'Gravetye'** Lilac Geranium

Synonyme: G. grandiflora, G. meeboldii, G. h. 'Alpinum' **Utilisations:** B - C - S - N - P

35 cm/ 14 po 30 cm/ 12 po ⊗ Couvre-sol - Colonie

Plante tapissante à rhizomes souterrains courts et croissance modérée. Ses larges fleurs de 4 à 6 cm situées au bout de longues tiges et à la coloration d'automne éclatante. Excellent couvre-sol ne laissant pas de chance aux mauvaises herbes.

Feuilles: Entières, pourtour étoilé, divisées en 7 parties, trilobées et légèrement dentées, sinus profond en ogive.

Feuillage: Vert et pubescent. Semi-persistant.

❀ Juin - Août **Couleur:** Bleu clair au centre pourpre

himalayense **'Plenum'** Lilac Geranium

Synonyme: G. grandiflora, G. meebolfdii,G. h. 'Birch Double'

Utilisations: B - C - S - N - P

30 cm/ 12 po 25 cm/ 10 po ⊗ Couvre-sol - Colonie

Joli cultivar moins vigoureux mais à fleurs doubles qui persistent plus longtemps que l'espèce. Son feuillage est plus petit, plus rond et il est découpé moins profondément que l'espèce. Zone 4.

Feuilles: Divisées en 7 parties dentées, plus ou moins 5 cm.

Feuillage: Semi-persistant.

❀ Juin - Septembre ∅ 3 cm **Couleur:** Mauve

ibericum

Utilisations: B - N

50 cm/ 20 po 50 cm/ 20 po ⊗ Arrondi - Buisson

Excellente plante pour la naturalisation, préférant le soleil et adaptée aux conditions sèches. Ses fleurs à pétales dentés sont tournés vers le ciel et ont de 4 à 5 cm de diamètre. Zone 5b.

Feuilles: Entières, arrondies, divisées en 9 à 11 parties lobées chevauchantes, dentées, sinus court en ogive, de 10 cm.

Feuillage: Vert et très pubescent. Semi-persistant.

❀ Juin **Couleur:** Bleu-lavande brillant, veiné pourpre

macrorrhizum **'Bevan's Variety'** Bigroot Geranium

Utilisations: B - C - R - S - D - M

40 cm/ 16 po 30 cm/ 12 po ⊗ Couvre-sol - Colonie

Tolère l'ombre totale. Fleurs à sépales rougeâtres. Ses rhizomes souterrains sont forts, rendant l'établissement de mauvaises herbes quasi nul! De plus ses vieilles feuilles tournent au rouge et jaune en automne alors que les jeunes gardent leur vert de la saison chaude. Zone 4.

Feuilles: Entières, pourtour étoilé, divisées en 7 parties palmatilobées, sinus en ogive, 10 cm.

Feuillage: Vert et très pubescent. Persistant et aromatique.

❀ Mai - Juin - Remontante ∅ 2,5 cm

Couleur: Magenta foncé

macrorrhizum **'Ingwersen's**

Utilisations: B - C - R - S - D - M

40 cm/ 16 po | 35 cm/ 14 po | ⊗ Couvre-sol - Colonie

Très beau cultivar ayant tous les mérites de l'espèce, tolérant même les sols peu fertiles et les sécheresses occasionnelles. Ses fleurs sont réunies en petit groupe. Tolère l'ombre totale. Zone 4.

Feuillage: Persistant et aromatique.

❀ Mai à juin - Remontante | ∅ 2,5 cm

Couleur: Rose pâle

macrorrhizum **'Spessart'**

Utilisations: B - C - R - S - D - M

40 cm/ 16 po | 35 cm/ 14 po | ⊗ Couvre-sol - Colonie

Comme les autres cultivars de l'espèce, c'est la plante par excellence pour les endroits ombragés et secs. Zone 4.

Feuilles: Entières, pourtour étoilé, divisées en 7 parties palmatilobées, sinus en ogive,10 cm.

Feuillage: Vert et très pubescent. Persistant et aromatique.

❀ Mai - Juin - Remontante | **Couleur:** Rose foncé

maculatum Spotted Cranesbill

Utilisations: B - N - S

60 cm/ 24 po | 60 cm/ 24 po | ⊗ Arrondi - Buisson

Espèce indigène de l'est de l'Amérique du Nord, idéale pour la naturalisation. Très jolie combinée à des bulbes de printemps. Exposition à la mi-ombre. Zone 4.

Feuilles: Entières, divisées en 5 à 7 parties lobées et dentées, sinus profond et large, 5-20 cm

Feuillage: Vert et pubescent.

❀ Mai - Juillet | **Couleur:** Rose

phaeum Géranium à fleurs noires • Black Widow

Utilisations: C - S - P

50 cm/ 20 po | 60 cm/ 24 po | ⊗ Arrondi - Buisson

Plante très distincte par sa floraison presque noire et retombante. Elle préfère les sols humides ainsi que l'ombre et la mi-ombre, tolère un peu de sécheresse. Existe également en blanc. Zone 5.

Feuilles: Entières, divisées en 7 à 9 parties lobées et dentées, sinus aigu, 10-20 cm.

Feuillage: Vert brillant teinté de pourpre, découpé. Persistant.

❀ Mai - Juin | ∅ 2 cm

Couleur: Violet foncé, presque noir, base blanche

phaeum **'Lily Lovell'**

Utilisations: C - S - P

50 cm/ 20 po | 50 cm/ 20 po | ⊗ Arrondi - Buisson

Cultivar à fleurs plus grosses et d'un coloris plus vif offrant un excellent contraste avec son feuillage vert clair. Zone 5.

Feuilles: Basales | **Feuillage:** Persistant.

❀ Mai - Juin | **Couleur:** Mauve foncé

platypetalum Broad-petaled Geranium

Utilisations: B - P - T - C - S

50 cm/ 20 po 40 cm/ 16 po ⊗ Arrondi - Buisson

Plant distinctivement poilu à grosses feuilles plutôt rondes et de belle apparence toute la saison. Excellent couvre-sol pour une pente ensoleillée.

Feuilles: Entières, pourtour arrondi, divisées en 7 à 9 parties lobées et dentées, sinus en ogive, 20 cm.

Feuillage: Vert et pubescent. Profondément découpé. Dormant.

Juin ∅ 3 à 4 cm **Couleur:** Bleu lavande

pratense Géranium des prés • Meadow Cranesbill

Utilisations: B - Tu - N

60 cm/ 24 po 100 cm/ 40 po ⊗ Arrondi - Buisson à dressé

De haute stature, elle impose sa présence dans le jardin, spécialement en bordure des arbres ou le long des clôtures, envahissante. Tolère les sols alcalins et demande un sol très humide, surtout au soleil, se colore en automne. Se propage par semis. Zone 5

Feuilles: Entières, divisées en 7 à 9 parties lobées et très découpées, sinus très profond, 20 cm.

Feuillage: Vert et pubescent. Dormant.

Juin - Juillet ∅ 4 cm

Couleur: Bleu-violet foncé à blanc, parfois veiné rose

pratense var. striatum Géranium de Lancaster

Synonyme: G. 'Bicolor' **Utilisations:** B - P - J - N - Tu

60 cm/ 24 po 75 cm/ 30 po ⊗ Arrondi - Buisson à dressé

Belle variation, à grandes fleurs très spectaculaires striées et même tachetées de bleu-violet, d'intensité variable et du plus bel effet! Identique à la variété 'Mrs Kendell Clark. Zone 5

Juin - Juillet ∅ 4 cm **Couleur:** Blanc strié de bleu violacé

pratense 'Mrs Kendall Clark'

Utilisations: B - P - J - N - Tu

60 cm/ 24 po 75 cm/ 30 po ⊗ Arrondi - Buisson à dressé

Une couleur de fleur très particulière pour ce cultivar, soit d'un gris perle rehaussé de rose pâle très doux. Un désaccord existe entre deux descriptions de couleur, l'autre version étant d'un bleu pâle veiné de rose-blanc! Zone 5.

Juin - Juillet **Couleur:** Gris perle rehaussé de rose pâle

psilostemon Armenian Geranium

Synonyme: G. armenum **Utilisations:** B - N - S - Tu

70 cm/ 28 po 100 cm/ 40 po ⊗ Érigé - Buisson

Plante de très belle stature, élégante par sa fleur en coupole et son feuillage se colorant bien en automne. Préfère la mi-ombre et les sols riches et humides. Zone 5-6.

Feuilles: Entières, contour cordiforme, divisées en 7 parties lobées et très dentées, sinus profond, 20 cm.

Feuillage: Vert légèrement pubescent et belle coloration automnale. Semi-persistant.

Juin - Août ∅ 2,5 à 3 cm

Couleur: Rose magenta brillant, coeur et veines noirs

psilostemon 'Patricia'

Hybride vigoureux de G. psilostemon, pouvant fleurir des semaines et des semaines! Peut atteindre de 100 à 120 cm de haut parfois même plus, et de 80 à 90 cm de large. Vraiment remarquable! Préfère le plein soleil. Zone 5.

renardii Géranium du Caucase • Caucasian Geranium

Utilisations: R - D - G

25 cm/ 10 po | 25 cm/ 10 po | ⊗ Arrondi - Buisson

Unique tant par son feuillage feutré que ses fleurs aux veinures très ramifiées. Une plante qui exige des sols pauvres et aucun entretien sinon un endroit protégé. Belle coloration automnale. Zone 5.

Feuilles: Entières, réniformes, divisées en 5 à 7 parties lobées et dentées, pointes obtuses, 10 cm.

Feuillage: Vert-grisâtre mât, pubescent d'effet feutré, texture rugueuse. Dormant.

❀ Juin | ∅ 2 à 2,5 cm

Couleur: Blanc ou bleuté veiné mauve violacé

robertianum Herbe à l'esquinancie • Red Robin

Utilisations: S - N - M - C - J

30 cm/ 12 po | 35 cm/ 14 po | ⊗ Arrondi - Coussin

Plante annuelle à l'odeur désagréable qui survit à l'hiver pour souvent ne fleurir que l'année suivante. Elle est toutefois utile pour la naturalisation à l'ombre comme au soleil. Fut longtemps utilisée en herboristerie.

Feuilles: Entières, pourtour arrondi, divisées en 3 à 5 parties ovales, lobées et dentées, 10 à 12 cm.

Feuillage: Vert teinté de rouge-brun, pubescent. Persistant.

❀ Mai - Septembre | ∅ 1 à 1,3 cm

Couleur: Rose foncé veiné plus pâle, étamines rouge-orangé

sanguineum Géranium sanguin • Bloody Cranesbill

Utilisations: B - R - G - T - N - S

30 cm/ 12 po | 30 cm/ 12 po | ⊗ Arrondi - Coussin

Plante à courts rhizomes souterrains ayant très peu de feuilles basales et se colorant de rouge en automne. Florifère et populaire. Très adaptable, elle pousse dans les sols secs et sablonneux. Supporte bien la chaleur et le froid. Zone 3.

Feuilles: Entières, pourtour arrondi, divisées en 5 à 7 parties profondément lobées, sinus très profond, 5-10 cm. Opposées - Palmées

Feuillage: Vert. Semi-persistant.

❀ Mai - Août | ∅ 2 à 2,5 cm

Couleur: Rouge magenta foncé,coeur blanc

sanguineum 'Alan Bloom'

40 cm/ 16 po | 30 cm/ 12 po | ⊗ Arrondi - Coussin

Nouveau cultivar à la floraison abondante et continuelle. Zone 3. Enregistré C.O.P.F.

❀ Juin - Septembre | **Couleur:** Rose brillant

sanguineum 'Album'

40 cm/ 16 po | 40 cm/ 16 po | ⊗ Arrondi - Coussin

Sa fleur est d'un blanc pur, de 4 à 5 cm, sans aucune trace de rose. Son feuillage devient jaune en automne. Zone 3.

❀ Juin - Septembre **Couleur:** Blanc pur

***sanguineum* 'Alpenglut'**

Synonyme: G. sanguineum 'Alpenglow'

⌂ 30 cm/ 12 po ◊ 35 cm/ 14 po ⊗ Arrondi - Coussin

Un cultivar au feuillage plus foncé et à fleurs éclatantes. Zone 3.

Couleur: Rose rouge

***sanguineum* 'John Elsley'**

⌂ 30 cm/ 12 po ◊ 15 cm/ 6 po ⊗ Arrondi - Coussin

Variété prostrée au feuillage très foncé et à la floraison continuelle. Semblable à l'espèce avec une forme très compacte.

❀ Juin à septembre ∅ 2 à 2,5 cm **Couleur:** Rose mauve

***sanguineum* 'Max Frei'**

⌂ 30 cm/ 12 po ◊ 20 cm/ 8 po ⊗ Arrondi - Coussin

Sélection allemande ayant une plus grande fleur. Une floraison éclatante tout l'été sur un plant dense et buissonnant. Zone 3.

❀ Juin à septembre ∅ 3 cm **Couleur:** Rose carmin foncé

***sanguineum* 'Nanum'**

⌂ 15 cm/ 6 po ◊ 10 cm/ 4 po ⊗ Arrondi - Coussin

Plante pouvant être confondue avec G.sanguineum 'Minutum', elle est naine et compacte arborant de jolies fleurs en coupole. Feuille de 2 cm à sinus profond. Zone 3.

❀ Juin - Septembre **Couleur:** Rose rouge

---

sanguineum var. striatum Géranium des prés • Lancaster Geranium

Synonyme: G. sanguineum 'Lancastriense'

⌂ 20 cm/ 8 po ◊ 15 cm/ 6 po ⊗ Arrondi - Buisson à dressé

Belle variété compacte à fleurs avec multiples veines foncées sur fond pâle, lui donnant une couleur rose chair très pâle.

❀ Mai - Juin - Remontante

Couleur: Rose blanc veiné rouge pourpre

---

soboliferum

Utilisations: R - J - L - B

⌂ 30 cm/ 12 po ◊ 35 cm/ 14 po ⊗ Arrondi - Buisson

Plante peu connue au feuillage très découpé rappellant la fougère et préférant le soleil et les sols bien humides. Zone 6.

Feuilles: Entières, divisées presque jusqu'à la base en 7 parties, lobées et profondément découpées, 4-8 cm. **Feuillage:** Vert.

❀ Juillet - Septembre **Couleur:** Rouge pourpre foncé veiné plus foncé

***soboliferum* 'Stanhoe'**

Nouveauté! Geranium des plus remarquables par son feuillage argenté et sa floraison rose pâle léger. Il reste bas, 10 cm, et s'étend graduellement. Préfère le plein soleil et un bon drainage. Zone 5-6.

***sylvaticum* 'Mayflower'** Wood Cranesbill

Utilisations: N - S - P

△ 60 cm/ 24 po ◊ 50 cm/ 20 po ⊗ Arrondi - Coussin

Introduit par Alain Bloom en 1972. Excellent choix pour la naturalisation ou sous le couvert d'arbres, à l'ombre légère et dans les sols humides. Zone 4.

Feuilles: Entières, réniformes, divisées en 7 à 9 parties, lobées très découpées, sinus profond, 10-20 cm et plus.
Feuillage: Vert et pubescent.
❀ Mai - Juin
Couleur: Bleu violet très riche, coeur blanc

***wallichianum* 'Buxton's Variety'** Wallich geranium

Synonyme: G. 'Buxton's Blue' **Utilisations:** A - R - G - L - D

△ 60 cm/ 24 po ◊ 10 cm/ 4 po ⊗ Couvre-sol - Tapissant

Une fleur d'une beauté exceptionnelle et un feuillage des plus attrayants qui sont mis en évidence de façon remarquable cascadant un muret. Nécessite un sol frais, humide et un endroit protégé. Zone 6.

Feuilles: Entières, contour étoilé, divisées en 3 parties lobées et dentées, sinus en ogive, 5-8 cm.
Feuillage: Vert marbré de blanc.
❀ Juillet - Octobre ∅ 4 cm
Couleur: Bleu campanule veiné violet et centre blanc

wlassovianum

Utilisations: N - S - J - L

△ 60 cm/ 24 po ◊ 40 cm/ 16 po ⊗ Arrondi - Buisson

Un très joli feuillage feutré du plus bel effet avec des feuilles grises ou cuivrées, rougissant en automne. Préfère les sols humides voir même mouillés mais tolère les sols plus secs au soleil ou à la mi-ombre. Zone 5.

Feuilles: Entières, pourtour réniforme; divisées en 7 parties, lobées, peu dentées,sinus peu profond, 5-15 cm.
Feuillage: Vert-grisâtre foncé, pubescent.
❀ Juillet - Août

***x* 'Ann Folkard'** ♥

Utilisations: A - B - Cu - P - L

△ 35 cm/ 14 po ◊ 50 cm/ 20 po ⊗ Arrondi - Coussin

Inhabituelle par son feuillage vert doré et spectaculaire avec ses fleurs magenta de 3 à 4 cm. Elle pousse aussi bien à l'ombre qu'au soleil mais requiert un sol humide. Zone 5.

Feuilles: Entières, contour étoilé, divisées en 5 à 7 parties, lobées et dentées, sinus profond, 5-20 cm.
Opposées
❀ Juin - Octobre
Couleur: Rose magenta foncé, coeur noir

***x* 'Chocolate Candy'**

Cette nouvelle introduction est issue d'un croisement entre G.sessiliflorum et G.traversii. Le feuillage de cet hybride est d'une couleur brun chocolat, inhabituelle chez un géranium. Plante très basse, 10 cm, et de 30 cm de largeur, formant des rosettes de très petites feuilles, idéale pour la rocaille. Les fleurs sont d'un rose très pâle, presque blanc, s'harmonisant parfaitement bien avec le feuillage foncé. Préfère la mi-ombre et un sol bien drainé. Protection hivernale préférable. Zone 5.

---

x 'Johnson's Blue'

Utilisations: B - P - C
85 cm/ 34 po — 35 cm/ 14 po
⊗ Couvre-sol - Tapissant

Grandes fleurs teintées de violet, belle couleur d'automne. Variété florifère et populaire. Plante rampante au moyen de rhizomes souterrains. Préfère le soleil. Zone 4.

Feuilles: Entières, divisées en 7 parties lobées, dentées, sinus profond, 5-20 cm.
Feuillage: Vert et pubescent.
❀ Juin - Septembre — ∅ 3,5 à 4 cm
Couleur: Bleu

---

x 'Splish Splash'

Jolies fleurs blanches, marbrées de mauve bleuté. Préfère la mi-ombre pour préserver sa couleur unique de ses fleurs. De 50 cm de haut et de 40 cm de large. Zone 4.

---

x cantabrigiense 'Biokovo'

Utilisations: R - B - C - G - D
80 cm/ 32 po — 25 cm/ 10 po — ⊗ Couvre-sol - Tapissant

Belle plante tapissante aux tiges rampantes persistant longtemps et au beau coloris rouge en automne. A utiliser à l'ombre comme au soleil. Zone 5.

Feuilles: Entières, divisées en 7 parties lobées, sinus en ogive, 5-10 cm. Opposées - Dentées
Feuillage: Vert tendre, poils presque absents. Belle coloration automnale. Persistant et aromatique.
❀ Juin - Juillet
Couleur: Blanche avec une teinte de rose à la base.

---

x cantabrigiense 'Cambridge'

Utilisations: R - B - C - G - D
45 cm/ 18 po — 15 cm/ 6 po — ⊗ Couvre-sol - Tapissant

Hybride formant un tapis dense se couvrant de fleurs rose mauve très voyantes. Zone 5.

Feuillage: Persistant et aromatique. — ❀ Juin - Juillet 

---

x magnificum

Utilisations: B - C - P - T - M
60 cm/ 24 po — 55 cm/ 22 po — ⊗ Arrondi - Buisson

Superbe floraison en juin qui sera attendue chaque année avec impatience. Le feuillage abondant devient rouge et jaune en automne. Soleil ou mi-ombre. Zone 5.

Feuilles: Entières, pourtour arrondi, divisées en 7 parties chevauchantes, lobées et dentées, 10 cm.
Feuillage: Vert et pubescent.
❀ Juin — **Couleur:** Violet pourpre

***x oxonianum* 'Claridge Druce'**

Utilisations: B - C - E - M - N - P - S - T

⌂ 90 cm/ 36 po ◊ 75 cm/ 30 po ⊗ Arrondi - Buisson

Plante vigoureuse très feuillée et généralement pubescente à fleurs en forme d'entonnoir, très utile pour la répression des mauvaises herbes. Exposation à l'ombre ou au soleil. Zone 4.

Feuilles: Entières, pourtour étoilé, divisées en 5 parties larges, lobées et dentées, 5-20 cm.

Feuillage: Vert sombre légèrement lustré, pubescent et vigoureux. Persistant.

❀ Juin - Septembre ∅ 2,5 à 3 cm **Couleur:** Rose

***x oxonianum* 'Pearl Boland'**

Grandes fleurs étincellantes, émergeant rose foncé puis palissant vers le blanc, avec de petites lignes rouges sur chaque pétale. De 40 à 45 cm de haut et de 80 à 90 de large. Floraison de mai - juin jusqu'aux gels. Préfère le plein soleil. Zone 5.

Geum Benoite • Avens

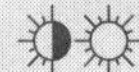

Famille: Rosacées **Zone:** 3-4

Origine: Région tempérée

Ses fleurs, semblables à celles des fraisiers, ont 5 pétales et 5 sépales. Elles sont voyantes, solitaires et disposées en panicules. Feuillage lobé, concentré à la base, sa feuille a une extrémité plus large et est parfois composée, d'aspect rugeux. Pousse à l'état naturel. Il est suggéré de diviser la plante aux trois ans afin de maintenir sa vigueur.

Sol: Bien drainé - Humide

Compagnons:
Été: Gypsophila repens et Dactylis 'Variegata'
Printemps: Iris pumila et alchemilla mollis
Automne: Astilbe pumila et Hosta 'Honeybells'

***chiloense* 'Blazing Sunset'**

⌂ 60 cm/ 24 po ◊ 30 cm/ 12 po

Fleurs semi-doubles, rouges et deux fois plus grandes que G. 'Mrs J. Bradshaw'.

Feuillage: Persistant.

***chiloense* 'Lady Stratheden'**

Utilisations: R

⌂ 50 cm/ 20 po ◊ 30 cm/ 12 po ⊗ Étalé

Grandes fleurs semi-doubles. Florifère. Zone 5.

Feuilles: De 10 cm de long.

Feuillage: Vert foncé, pubescent. Persistant.

❀ Juin à août ∅ 2,5 cm **Couleur:** Jaune

***chiloense* 'Mrs J. Bradshaw'**

⌂ 50 cm/ 20 po ◊ 30 cm/ 12 po ⊗ Étalé

Grandes fleurs semi-doubles, hampe florale érigée, feuillage basiforme. Courte durée de vie environ cinq ans. Florifère.

Feuillage: Vert foncé, pubescent. Persistant.

❀ Juin à août **Couleur:** Rouge vif

***chiloense* 'Princess Juliana'**

⌂ 50 cm/ 20 po ⊗ Étalé ❀ Juin - Septembre

Grandes fleurs orangées, lavées de jaune.

Feuillage: Persistant.

***chiolense* 'Fire Opal'**

⌂ 50 cm/ 20 po ◊ 40 cm/ 16 po ⊗ Étalé

Fleurs semi-doubles à floraison abondante.

Feuillage: Persistant. ❀ Juin à juillet - Remontante

∅ 2,5 à 3 cm **Couleur:** Rouge cuivré

***coccineum* 'Carmen'**

⌂ 25 cm/ 10 po ◊ 40 cm/ 16 po ❀ Juin à juillet

Sélection d'un semis de l'espèce, plant court avec une tige florale de 45 cm, bien ramifiée. Ses fleurs simples sont orange foncé à centre jaune doré et d'un diamètre de 2 à 3 cm. Plante enregistrée C.O.P.F. Zone 4.

Feuillage: Persistant.

***coccineum* 'Coppertone'**

⌂ 25 cm/ 10 po ◊ 15 cm/ 6 po ⊗ Étalé

Fleurs de couleur abricot, très ouvertes, abondantes sur de courtes tiges. Floraison hâtive.

Feuillage: Persistant.

montanum Mountain Avens

⌂ 25 cm/ 10 po ◊ 30 cm/ 12 po

Semblable à des boutons d'or. Se propage par stolons.

Feuilles: Irrégulièrement pennées. **Feuillage:** Persistant.

❀ Mai à juillet ∅ 2,5 à 3 cm **Couleur:** Jaune

***rivale* 'Leonard's Variety'** Water Avens

Utilisations: M

⌂ 50 cm/ 20 po ◊ 40 cm/ 16 po ⊗ Étalé

Fleurs roses, campanulées et pendantes ayant un calice brun rougeâtre. Plante qui peut être placée au bord d'un étang ou d'une pièce d'eau.

Feuillage: Persistant. ❀ Juin - Août

triflorum

⌂ 30 cm/ 12 po ◊ 30 cm/ 12 po ❀ Avril - Mai

Fleurs pourpres, groupées de 1 à 3, portées sur un long pédoncule. Ses feuilles de 15 cm sont pubescentes et divisées de 6 à 7. Zone 1.

Feuillage: Persistant.

***x* 'Borisii'** ♥

Utilisations: B - R

⌂ 30 cm/ 12 po ◊ 30 cm/ 12 po ⊗ Étalé

Plante compacte, florifère et très rustique, refleurit à l'automne lorsque la première floraison a été rabattue.

Feuillage: Vert tendre. Persistant.

❀ Mai à juillet **Couleur:** Orange foncé

Gillenia Spirée trifoliée • Bowman's Root

Famille: Rosacées **Zone:** 4
Origine: Amérique du Nord ⊗ Arrondi - Buisson

Les Gillenias portent des petites fleurs étoilées à 5 pétales. Leurs feuilles sont composées de 3 folioles et leurs tiges fines sont souvent pourpres. Plante méconnue et gracieuse à valeur ornementale sûre et à longue durée de vie.

Sol: Humide - Acide
Compagnons: Été: Aquilegia canadensis et Iris germanica
Printemps: Asperula odorata et Phlox divaricata
Automne: Anemone et Hibiscus

trifoliata

Utilisations: M - S - F
90 cm/ 36 po 65 cm/ 26 po ⊗ Dressé

Fleurs étoilées à 5 pétales. Rameaux à port lâche, devenant ligneux après trois ans. Plante méconnue mais très intéressante.

Feuilles: Composées, folioles de 3 à 5 cm de long. Dentées - Lancéolées
Feuillage: Grêle à tige rouge.
❀ Juillet - Août ∅ 2,5 cm
Couleur: Blanc à calice rouge

Glechoma Lierre terrestre • Creeping Charlie

Famille: Lamiacées **Zone:** 3
Origine: Eurasie

La plante est une mauvaise herbe commune partout au Québec, puisque ses tiges rampantes se développent rapidement et s'enracinent à chaque noeud. Inflorescence en épi bleu violacé, semblable à celle de l'Ajuga. Préfère les sols poreux, mais il faut éviter les sols secs.

Compagnons: Été: Lamium et Oxalis
Printemps: Ajuga reptans et Corydalis Automne: Chelone et Sedum spurium

hederacea 'Variegata'

Utilisations: C - Ps
10 cm/ 4 po 40 cm/ 16 po ⊗ Couvre-sol

Moins envahissant que l'espèce, ce cultivar assez capricieux, développe des feuilles vertes, panachées irrégulièrement de blanc crème.

Feuilles: Longs pétioles pubescents.
Feuillage: Persistant.
❀ Mai - Juin **Couleur:** Bleu lilas aux lèvres lavandes

Globularia Globulaire • Globe Daisy

Famille: Globulariacées **Zone:** 5
Origine: Région méditerranéenne et montagne de l'Europe

Forme des rosettes de feuillage persistant avec des fleurs en capitule dense souvent bleu-mauve. Plante à essayer, car jolie, de croissance rapide et à durée de vie prolongée.

Sol: Caillouteux
Compagnons: Été: Campanula persicifolia et Lysimachia 'Alexander'
Printemps: Iberis et Dicentra
Automne: Tricyrtis et Tradescantia

cordifolia

⌂ 10 cm/ 4 po ◊ 25 cm/ 10 po

Rameaux rampants et radicants. Sa fleur est disposée près du feuillage, généralement bleue, mais peut être aussi blanche ou rose. Tige glabre.

Feuilles: Spatulées 3 à 4 cm de long et échancrées au sommet.
Feuillage: Semi-persistant.
❀ Juin **Couleur:** Bleu

nudicaulis

Utilisations: R - G
⌂ 30 cm/ 12 po ◊ 15 cm/ 6 po ⊗ Buisson

Longue tige florale à une ou trois feuilles et portant un capitule solitaire. Variété rhizomateuse.

Feuilles: En rosettes de 6 à 12 cm de long. Oblongues
Feuillage: Vert foncé et lustré. Persistant.
❀ Juin ∅ 3 cm **Couleur:** Bleu mauve

Graminées Voir chapitre spécial traitant des graminées. (p. 401)

Gypsophyla Soupir de bébé • Baby's Breath

Famille: Caryophyllacées **Zone:** 3
Origine: Eurasie

Feuillage caduc généralement lustré et parfois glauque, feuilles opposées et sessiles. Tige à noeuds prononcés, racines pivotantes et charnues qui dépérissent rapidement en sol acide. Ne se transfert pas;, par contre, certaines variétés se greffent. Port érigé ou rampant. Petites fleurs délicates en panicules ou en cymes. Quelques espèces sont utilisées en fleurs coupées.

Sol: Sec - Pauvre
Compagnons: **Été:** Papaver et Delphinium
Printemps: Dicentra et Aquilegia **Automne:** Aster et Echinacea

cerastoides

⌂ 10 cm/ 4 po ⊗ Tapissant ❀ Mai - Juin

Variété intéressante pour les jardins alpins. Ses fleurs sont blanches, veinées de rose et de 1 cm de diamètre. Zone 4.

pacifica

Utilisations: F
⌂ 100 cm/ 40 po ◊ 60 cm/ 24 po ⊗ Arrondi - Buisson

Grande plante à fleurs roses ou pourpres, espèce très vigoureuse. Ses feuilles sont plus larges, plus épaisses avec entre-noeud et plus longues que G. paniculata.

Feuilles: Oblongues **Feuillage:** Charnu et vert clair.
❀ Août - Septembre **Couleur:** Rose

paniculata 'Bristol Fairy'

Utilisations: F - Fs
⌂ 70 cm/ 28 po ◊ 60 cm/ 24 po ⊗ Arrondi - Buisson

Fleurs doubles sur une tige florale large. Longivité variable.

Feuillage: Glauque à rameaux cassants.
❀ Juin - Août **Couleur:** Blanc

paniculata **'Compacta Plena'**

Utilisations: F - Fs

50 cm/ 20 po | 50 cm/ 20 po | ⊗ Coussin

Semblable à la G. 'Rosy Veil', mais plus compacte et à fleurs blanches, doubles. Cette variété est la plus tolérante à l'humidité.

❀ Juin à juillet | **Couleur:** Blanc

paniculata **'Flamingo'**

110 cm/ 44 po | 60 cm/ 24 po | ⊗ Arrondi - Buisson

Semblable à la G. paniculata 'Bristol Fairy', mais plus haute et aussi à fleurs doubles.

Feuillage: Glauque. | ❀ Juillet - Août | **Couleur:** Rose

paniculata **'Perfecta'**

Utilisations: F - Fs

100 cm/ 40 po | 60 cm/ 24 po | ⊗ Arrondi - Buisson

Grandes fleurs doubles. Florifère. Un cultivar amélioré de G. 'Bristol Fairy'.

Feuillage: Non lustré. | ❀ Juin - Août

Couleur: Blanc

paniculata **'Red Sea'**

Utilisations: F - Fs

90 cm/ 36 po | 60 cm/ 24 po | ⊗ Arrondi - Buisson

Fleurs doubles, rose foncé.

❀ Juin - Août

paniculata **'Schneeflocke'**

Synonyme: G. 'Snowflake'

90 cm/ 36 po | 60 cm/ 24 po | ⊗ Coussin - Colonie

Plante qu'on peut retrouver à 60% des fleurs doubles et 40% à fleurs simples. Floraison hâtive, elle supporte bien la chaleur. Plante qui se propage par semis.

❀ Juin - Août | **Couleur:** Blanc

repens **'Alba'** Creeping Baby's Breath

15 cm/ 6 po | 30 cm/ 12 po | ⊗ Coussin - Colonie

Plante rampante. Rabattre ou tailler les fleurs fanées pour promouvoir une nouvelle floraison et conserver un port intéressant.

Feuilles: Linéaires

❀ Mai à juillet | **Couleur:** Blanc

repens **'Red Beauty'**

15 cm/ 6 po | 30 cm/ 12 po | ⊗ Coussin - Colonie

D'apparence identique à G. rosea, mais rose plus foncé. Très résistante, florifère et remontante. Bonne plante pour boîte à fleurs ou panier suspendu.

❀ Juillet à septembre - Remontante

***repens* 'Rosea'**

△ 15 cm/ 6 po ◊ 30 cm/ 12 po ⊗ Coussin - Colonie

Semblable à G. reptans 'Alba', mais ses fleurs sont rose pâle à rose vif. Se propage par semis.

Feuilles: Linéaires ❀ Mai à juillet **Couleur:** Rose

***x* 'Rosenschleier'**

Synonyme: G. Rosy Veil' **Utilisations:** F - Fs

△ 40 cm/ 16 po ◊ 50 cm/ 20 po ⊗ Coussin - Colonie

Plante semblable à G. repens, mais aux inflorescences en panicules ramifiées à fleurs doubles. Propagation par bouture et division. Très florifère et demandant peu d'entretien. Son origine: G. paniculata et G. repens 'Rosea'.

Feuilles: Plus large et épaisse que G. repens.

❀ Juin à août **Couleur:** Rose foncé

Hedera Lierre anglais

Famille: Arabiacées **Zone:** 4

Origine: Europe et Afrique du Nord

Plante grimpante à feuillage persistant. Sa feuille palmée est semblable à celle de l'érable. Sous notre climat, cette vivace est utilisée comme couvre-sol. Les inflorescences sont peu intéressantes.

Sol: Riche - Bien drainé

***helix* 'Baltica'**

Utilisations: C

△ 20 cm/ 8 po ◊ 45 cm/ 18 po ⊗ Couvre-sol - Colonie

Espèce rustique originaire d'Europe de l'est. Intéressante pour faire de la sculpture horticole car elle supporte la taille et grimpe bien. Développe des racines adventives aux noeuds.

Feuillage: Vert foncé et lustré. Persistant.

Hedysarum French Honeysuckle

Famille: Fabacées **Zone:** 4

Origine: Hémisphère Nord

Surtout distribuée en hémisphère Nord, la plante s'apparente à un plant de pois. Feuillage composé, fleurs en racèmes denses.

Sol: Bien drainé - Pauvre

coronarium

Utilisations: F

△ 80 cm/ 32 po ◊ 50 cm/ 20 po ⊗ Érigé

Les gousses s'ouvrent en segment arrondi et piquant.

Feuilles: Composées de 3 à 5 paires de folioles de 3 à 5 cm de long.

❀ Juin à août ∅ 1,2 à 1,5 cm

Couleur: Rouge carmin

Helenium Sneezeweed 

Famille: Asteracées **Zone:** 3

Origine: Amérique du Nord et du Sud

Belle inflorescence en capitule aux couleurs vives. Fleurs ligulées à pétales larges, réunies sur un capitule presque sphérique. Floraison prolongée. Les variétés courtes fleurissent les premières.

Sol: Frais - Riche

Compagnons: Été: Echinops ritro et Hemerocallis 'Flava'
Printemps: Arenaria 'Aurea' et Sedum 'Capablanca'
Automne: Rudbeckia et Sedum Kamtschaticum 'Variegatum'

---

hoopesii

Utilisations: F - M

60 cm/ 24 po — 30 cm/ 12 po — ⊗ Étalé

Larges fleurs ligulées et ondulées à longs pétales, retombants. Variété peu feuillue.

Feuilles: Petites, sessiles mesurant 2,5 à 3 cm. Lancéolées

Feuillage: Glauque et lustré. Tige tomenteuse.

❀ Juin à juillet - Hâtive — ∅ 7 cm — **Couleur:** Jaune orangé

---

x **'Bruno'** Helen's Flower

⊗ Ovale - Érigé

Introduite par Alan Bloom. Sa fleur est rouge brun presque acajou et apparaissant de août à septembre. Peut atteindre de 100 à 120 cm de haut.

---

x **'Butterpat'**

⊗ Ovale - Érigé

Sélection de Alan Bloom. Floraison prolongée. Peut atteindre 120 cm de haut. Fleur de couleur jaune intense.

---

x **'Chipperfield Orange'**

⊗ Ovale - Érigé

Fleur orangée, rayée de brun, apparaissant de juillet à septembre. Peut atteindre 120 cm de haut.

---

x **'Crimson Beauty'**

⊗ Ovale - Érigé

Fleur de couleur rouge brun teintée or et apparaissant de juillet à septembre. Peut atteindre 60 cm de haut.

---

x **'Moerheim Beauty'**

⊗ Ovale - Érigé

Ancien cultivar à floraison hâtive. Fleur lumineuse rouge brunâtre à centre brun et passant à l'orangé en vieillissant. Floraison de juillet à septembre. Peut atteindre 80 à 90 cm de haut.

---

x **'Pumilum Magnificum'**

80 cm/ 32 po — 40 cm/ 16 po — ❀ Juillet à septembre

Presque similaire à H. x 'Butterpat', mais hâtive. Sa fleur est de couleur jaune à disque jaune passant au brun.

x 'Waldtraut'

⌂ 100 cm/ 40 po ❀ Août à octobre

Grandes fleurs jaune or, nuancées de brun cuivré. Floraison mi-hâtive.

Helianthemum Hélianthème • Rock Rose ☼

Famille: Cistacées **Zone:** 4

Origine: Europe, Amérique du Nord et du Sud ⊗ Coussin

Plante alpine aux fleurs simples ou doubles ayant 5 pétales et existant en plusieurs coloris. Elles sont réunies en grappes (corymbes) retombantes par groupes de 4 à 12 avec des étamines jaunes au centre. Son feuillage est persistant. Feuilles opposées de 2 à 4 cm, ovales à lancéolées. Supporte bien la sécheresse. Tailler après la première floraison pour inciter la deuxième. Éviter l'humidité au sol.

Sol: Pauvre - Bien drainé

Compagnons:
Été: Lysimachia clethroides et Iris germanica
Printemps: Ajuga 'Pink Beauty et Vinca minor
Automne: Malva et Thymus

mutabile Common Sun-Rose

Utilisations: R - G - Au

⌂ 20 cm/ 8 po ◊ 30 cm/ 12 po ❀ Juin à août

Rustique et très intéressante par son aspect buisson remontant. Offerte en plusieurs couleurs. Plante qui se propage par semis.

Feuilles: Face postérieure gris argenté. **Feuillage:** Vert foncé.

x 'Ben Fhada'

⌂ 15 cm/ 6 po ◊ 30 cm/ 12 po ❀ Juin à août

Feuillage vert intense et fleur jaune vif au coeur orangé.

Feuillage: Persistant.

x 'Ben Heckla'

⌂ 15 cm/ 6 po ◊ 30 cm/ 12 po ❀ Juin à août

Fleur cuivrée à coeur rouge pourpré.

Feuillage: Persistant.

x 'Buttercup'

⌂ 20 cm/ 8 po ◊ 40 cm/ 16 po

Feuillage: Persistant. ❀ Juin à août **Couleur:** Jaune

x 'Cerise Queen'

⌂ 30 cm/ 12 po ◊ 30 cm/ 12 po ❀ Juin à août

Grande fleur double, rouge clair.

Feuillage: Lustré, vert foncé et duveteux. Persistant.

x 'Fire Dragon' ♥

Synonyme: H. 'Mrs Clay' **Utilisations:** S

⌂ 20 cm/ 8 po ◊ 30 cm/ 12 po ❀ Juin à août

Contraste intéressant des fleurs orangées sur un feuillage argenté.

Feuillage: Persistant.

x 'Henfield Brillant'

△ 30 cm/ 12 po ◊ 30 cm/ 12 po ❀ Juin à août

Variété à fleurs simples, rouge écarlate attirant le regard.

Feuillage: Gris-vert, duveteux. Persistanté

x 'Lawrenson's Pink'

△ 20 cm/ 8 po ◊ 30 cm/ 12 po ❀ Juin à août

Fleur rose vif contrastante avec son petit coeur cuivré.

Feuillage: Vert foncé, lustré. Persistant.

x 'Raspberry Ripple'

△ 20 cm/ 8 po ◊ 30 cm/ 12 po

Fleur irrégulièrement panachée de rose pourpre. Variété à croissance rapide.

Feuillage: Vert légèrement bleuté. Persistant.

❀ Juillet à août **Couleur:** Blanc

x 'The Bride'

Synonyme: H. 'Snow Queen' ou 'La France'

△ 15 cm/ 6 po ◊ 30 cm/ 12 po ❀ Juin à août

Feuillage gris argenté qui se tient bien. Grandes fleurs blanches à coeur jaune. Port compact.

Feuillage: Persistant.

x 'Wisley Pink'

Synonyme: H. 'Rhodanthe Carneum'

△ 25 cm/ 10 po ◊ 30 cm/ 12 po ❀ Juin à août

Très grandes fleurs rose clair à coeur jaune.

Feuillage: Glauque, gris argenté. Persistant.

x 'Wisley Primrose'

△ 15 cm/ 6 po ◊ 30 cm/ 12 po ❀ Juin à août

Large feuillage vert grisâtre. Fleur jaune or.

Feuillage: Persistant.

x 'Yellow Queen'

Synonyme: H. 'Sulphureum Plenum'

△ 30 cm/ 12 po ◊ 30 cm/ 12 po ❀ Juin à août

Fleur double jaune.

Feuillage: Persistant.

Helianthus Tournesol vivace • Sunflower

Famille: Asteracées **Zone:** 3-4

Origine: Amérique du Nord ⊗ Ovale - Érigé

Grande plante de la même famille que le tournesol annuel, mais à capitule plus petit. Certaines espèces produisent des tubercules comestibles. Les variétés modernes sont moins drageonnantes et plus décoratives. Leurs feuilles basales sont opposées et les supérieures, alternes. Préfère un sol humide au moment de la floraison. Planter au soleil sans tuteur.

Sol: Riche - Calcaire

decapetalus

Synonyme: H. multiflorus | **Utilisations:** F
175 cm/ 70 po | 45 cm/ 18 po

Grand capitule à ligules jaunes (12 à 14) et au coeur brunâtre. Longue tige solide et pétiole court. Fleur persistante, durant 4 à 6 semaines. Rhizomes épais et traçant formant de grandes colonies.

Feuilles: Ovales de 20 cm de long et 15 cm de large. Dentées
❀ Septembre - Octobre ∅ 13 à 15 cm **Couleur:** Jaune doré

***decapetalus* 'Maximus Flore'**

Synonyme: H. multiflorus maximus | **Utilisations:** F
150 cm/ 60 po | 45 cm/ 18 po

Semblable à H. decapetalus, mais à fleurs très doubles.

❀ Août - Septembre **Couleur:** Jaune

maximilianii Maximillian Sunflower

25 cm/ 10 po ❀ Août - Octobre

Fleurs jaunes de 10 cm de diamètre, son feuillage est velu et denté. Ses feuilles sont rigides, alternes, sessiles de 30 cm de long. Zone 3.

salicifolius

Synonyme: H. orgyalis | **Utilisations:** K
225 cm/ 90 po | 45 cm/ 18 po | ⊗ Érigé

Longues tiges, très différentes des autres espèces. Surtout utilisé pour son feuillage. Petits et nombreux capitules vigoureux. Croissance rapide, car à long rhizome émettant beaucoup de tiges.

Feuilles: Linéaires à lancéolées. Alternes
Feuillage: Étroit, gracieux et retombant.
❀ Octobre - Novembre ∅ 5 cm **Couleur:** Jaune

Helichrysum Immortelle ☼

Famille: Asteracées **Zone:** 5-6

Feuillage persistant, souvent pubescent, gris argenté. Fleurs en capitule à texture de papier. Préfère la chaleur et le soleil.

Sol: Bien drainé - Caillouteux

***x* 'Gold Baby'**

Synonyme: H. thianschanicum 'Goldking' | **Utilisations:** F - Fs
30 cm/ 12 po | 30 cm/ 12 po

Semblable à notre immortelle indigène Anaphalis margaritacea.

Feuillage: Gris argenté.
❀ Juillet à août **Couleur:** Jaune canari

***x* 'Schwefellicht'**

Synonyme: H. 'Sulphur Light' | **Utilisations:** B - D
25 cm/ 10 po | 30 cm/ 12 po | ⊗ Arrondi - Coussin

Fleur jaune soufre tournant à l'orangé.

Feuilles: Lancéolées **Feuillage:** Pubescent, argenté.
❀ Juillet à août

Heliopsis False Sunflower

Famille: Asteracées **Zone:** 3
Origine: Amérique du Nord ⊗ Ovale - Érigé

Plante aux tiges solides portant de larges feuilles entières. Inflorescence en capitule semblable à celle de l'Hélianthus ou de la Rudbeckia. On la retrouve dans les vieux jardins. Souvent endommagée par le mildiou. De croissance rapide. Il est conseillé de tailler les fleurs fanées afin d'inciter une nouvelle floraison.

Sol: Sec - Meuble
Compagnons: Été: Delphinium et Veronica
Printemps: Aster alpinus et Polygonum
Automne: Phlox paniculata et Helenium

helianthoides

Synonyme: H. scabra 'Summer Sun'
120 cm/ 48 po 45 cm/ 18 po
Capitule simple à semi-double se tournant vers le ciel. Vigoureux. Tolère les sols secs.
❀ Juin à septembre **Couleur:** Jaune doré

helianthoides 'Goldspitze'

Utilisations: M - F
135 cm/ 54 po 45 cm/ 18 po ❀ Juillet à septembre
Fleurs jaunes entièrement doubles à coeur vert.
Feuillage: Vert foncé.

x 'Goldgefieder'

Synonyme: H. 'Golden Plume'
100 cm/ 40 po 45 cm/ 18 po ❀ Septembre à octobre
Très grandes fleurs doubles, jaune orangé passant au canari et à coeur orangé.

x 'Lohfelder'

150 cm/ 60 po
Introduite en 1971. Fleurs semi doubles, jaune orangé.

Helleborus Rose de Noël • Hellebore

Famille: Renonculacées **Zone:** 4-5
Origine: Europe et Asie

Jolie plante, méconnue, d'aspect différent, au feuillage palmé et profondément lobé. Fleurs blanches tournant au vert. Sa croissance est lente mais sa durée de vie est longue. Elle est souvent recherchée par les collectionneurs. Une couverture de neige lui est indispensable. Préfère un sol frais au printemps mais sec à l'été. Ne supporte pas la transplantation.

Sol: Calcaire - Humide

atrorubens

40 cm/ 16 po 50 cm/ 20 po
D'origine horticole, il faut la planter à l'abri du vent. Fleurs brun pourpre, inclinées, de 4 à 5 cm de diamètre. Son feuillage est caduc et ample. Ses feuilles effilées et dentées ont de 7 à 11 divisions.
Feuillage: Persistant ❀ Avril

niger Christmas Rose

Utilisations: M

⇧ 25 cm/ 10 po ⇨ 30 cm/ 12 po ⊗ Arrondi - Buisson

Fleurs blanches regroupées par 1 à 3 avec étamine jaune au centre. Son feuillage vert sombre est persistant et cuirassé. Ses feuilles sont à lobes oblongues et larges. Zone 4b.

Feuillage: Persistant ❀ Avril à mai

orientalis

Fleurs verdâtres, feuillage persistant, vert foncé et lustré. Ses feuilles ont des lobes finement dentées. Zone 5.

Feuillage: Persistant

***orientalis* 'Red Mountain'** Lenten Rose

Utilisations: M

⇧ 30 cm/ 12 po ⇨ 30 cm/ 12 po

Fleurs rouges au feuillage persistant.

Feuillage: Persistant ❀ Avril à mai

purpurascens

⇧ 30 cm/ 12 po ⇨ 30 cm/ 12 po

L'espèce la plus rustique à fleurs violettes, cirées, pendantes et de 5 à 7 cm de diamètre. Son feuillage est vert luisant, mince et caduc. Ses feuilles possèdent 5 folioles divisées.

Feuillage: Persistant ❀ Avril à mai

***x* 'Royal Heritage Strain'** 

Provient de la sélection Wayside Gardens qui travaille depuis plus de 15 ans, une lignée afin d'améliorer leur vigueur et leur floraison. Sa gamme de couleurs varie du blanc au rouge. Zone 5.

Feuillage: Persistant

Hemerocallis Lis d'un jour • Daylily 

Famille: Hémérocallidacées **Zone:** 2-3

Origine: Europe et Asie ⇨ 45 cm/ 18 po

Plante à grandes fleurs en forme de lis, éphémères. Inflorescence bien au dessus du feuillage en éventail, long, étroit et retombant semblable a celui des graminées. La majorité des cultivars sont des hybrides, très robustes. Très populaires, plusieurs sociétés d'hémérocalles existent. Suite à leur hybridation assez intensive, plusieurs coloris, formes et nouvelles caractéristiques ont été développés. Voici quelques renseignements afin de vous aider à sélectionner une variété plus qu'une autre. A priorité au Québec les hémérocalles sont de feuillage caduc, vous remarquerez que dans la documentation américaine ou autre il est mention de variétés au feuillage persistant à semi-persistant. Si tel est le cas pour nous ce sont des variétés qui demandent un peu plus de surveillance ou un léger paillis.Il se fait beaucoup de croisement depuis plus de 50 ans mais la nouvelle vague est à fleurs tétraploïdes, aux formes ondulées, très colorées à floraison remontante sur un plant trapu, fort et parfumé. Mais nous remarquons aussi que les anciennes variétés reprennent intérêt auprès des amateurs qui cherchent à naturaliser un coin de leur jardin. Nous avons essayé de les classer par époque de floraison; s'il y a lieu. Nous mentionnons parfois que la variété n'est pas enregistrée pas l'Association des hémérocalles mais l'apparition de ces variétés parfois bien connues provient de firme indépendante ou d'un collectionneur qui n'a pas enregistré ce nom.

Sol: Frais - Tolère les sols secs

Compagnons: **Été**: Geranium 'Johnson Blue' et Campanula punctata
Printemps: Aquilegia et Lamium 'White Nancy'
Automne: Helianthemum et Filipendula purpurea

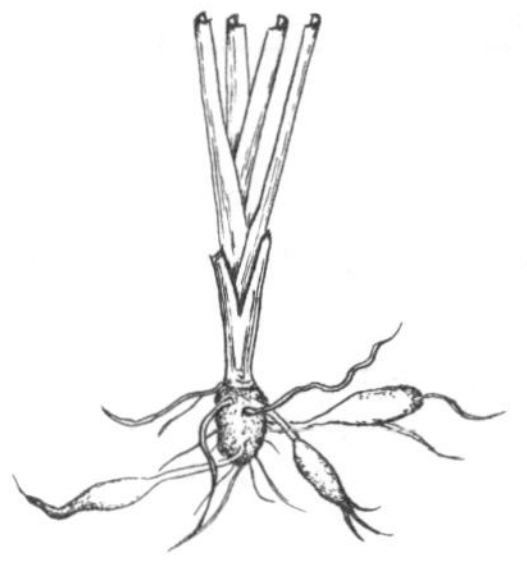

Racine

Fruit

FORME DE FLEUR

Évasée

Circulaire

Araignée

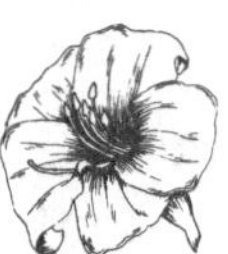

Récurvée

Double

Trompette

Étoilée

COULEUR SUR LA FLEUR

Uniforme

Bicolore

Halo sur pétales et sépales

Halo sur pétales

Centre pâle

***Espèce* 'Variété'**	Description	⌂ cm/po	Ø cm	❀	Remontante	⚘
hybrides						
'Absolute Zero'	Introduite par Millikan en 1986. Fleurs blanches à gorge jaunâtre. Plante diploïde à croissance rapide et redouble à tous les ans. Fleur: Blanche.	45/18	10	7		
'Admiral'	Introduite par Hall en 1955. Fleur: Framboise.	90/36		7		
'Alan'	Introduite par Claar en1953. Fleur: Rouge cerise, gorge jaune.	90/36	14	7-8		
'Alice in Wonderland' ❤	Introduite par Wild en 1966. Diploïde. Fleur: Jaune tendre, gorge verte avec lèvres blanches.	80/32	14	7		•
'American Revolution'	Introduite par Wild en 1972. Grandes fleurs évasées, veloutées. Excellente variété. tétraploïde Fleur: Bourgogne aux reflets noirs, gorge verte et veloutée.	70/28	13	7		
'Anzac'	Introduite par Parry en1968. Grandes fleurs évasées, rubanées et ondulées. Floraison prolongée et remontante. Fleur: Rouge gorge verdâtre.	80/32	17	7		
'Apricot Beauty'	Petites fleurs doubles en trompette, feuillage érigé. Tétraploïde. Variété non enregistrée. Fleur: Abricot au cœur jaune.	80/32	8	8		
'Arkansas Post' ❤	Introduite par Parker en 1965. Gagnante d'un prix 1974. Grandes fleurs évasées à sépales recourbés. Diploïde. Fleur: Crème œil rouge vin, gorge verte.	90/36	15	7	•	
'Autumn Red'	Introduite par Nesmith en 1941. Pétales étroits et vigoureux. Floraison abondante, bonne fertilité. Plante idéale pour les endroits difficiles. Très rustique Fleur: Rouge.	90/36	11,5	7		
'Bailey Hay'	Introduite par Wild en 1973. Grandes fleurs à pétales larges, ondulés. Variété compacte et tétraploïde. Fleur: Orange cantaloup, reflets satinés.	60/24	12	7		
'Bama Music'	Introduite par Hardy en 1965. Grandes fleurs évasées à pétales recourbés. Tétraploïde. Fleur: Rose pâle gorge jaune et verte.	70/28	12	7		
'Barbara Mitchell'	Introduite par Pierce en 1984. Diploïde. Fleurs parfaites, rondes et ondulées. Existe maintenant une variété tétraploïde. Fleur: Rose. Remontante	50/20	15	7	•	
'Bejewelled'	Introduite par Child en 1970. Grandes fleurs étoilées, diploïde. Change de couleur selon la température. Floraison prolongée. Fleur: Magenta.	70/28	12	7		
'Beloved Country'	Fleur: Vieux rose aux reflets rouges.	60/24	11	7		
'Bitsy' ❤	Introduite par Warner en 1963. Gagnante d'un prix en 1968et 1969. Miniature. Longue floraison remontante. Sa fleur ouvre la nuit et ses pétales sont ondulés. Fleur: Jaune.	45/18	4	6	•	

François Bissonnette

(514) 271-2131

Espèce **'Variété'**	Description	cm/po	Ø cm	❀	Remontante	
'Black Eyed Stella'	Introduite par Roberson en 1989. Espèce très florifère, remontante et diploïde. Fleur en trompette et arrondie. Miniature. Très fertile. Floraison nocturne. Fleur: Jaune doré, halo rouge au centre.	40/16	7	7	•	
'Blaze of Fire'	Introduite par Wild en 1966. Grandes fleurs étoilées. Fleur: Rouge à gorge jaune.	100/40	13,5	7		
'Bold Courtier'	Introduite par Nesmith en1939. Gagnante d'un prix en 1950. Bicolore, pétales étroits, fleur en trompette. Floraison prolongée. Fleur: Rouge et jaune.	120/48	11	7		
'Bold Eagle'	Introduite par Griesbach-Klehm en 1979. Grandes fleurs à pétales larges. Tétraploïde. Fleur: Rouge carmin.	100/40	13	7		
'Bonanza'	Introduite par Ferrick en 1954. Pétales étroits et vigoureux. Diploïde. Fleur: Jaune orangé avec halo rouge marron.	85/34	11	7		•
'Bridget'	Introduite par Pittard en 1974. Fleur: Rouge noir, gorge verte et jaune.	45/18	8	7		
'Bright Dancer'	Introduite par Spalding en 1956. Pétales étroits. Variété diploïde. Fleur: Rouge vif, gorge jaune.	95/38		7	•	•
'Burning Daylight'	Introduite en 1957 par H.A. Fischer. Gagnante d'un prix en 1967. Grandes fleurs évasées. Larges feuilles.Floraison prolongée. Fleur: Orange velouté.	70/28	15	7		•
'Buttercurls'	Fleurs de grandeur moyenne à pétales larges, ondulés, tétraploïde. Fleur: Jaune pâle.	70/28	9	7		
'Canary Glow'	Petites fleurs en trompette réunies sur une longue et fine hampe florale. Variété non enregistrée. Fleur: Jaune.	60/24	6	7		
'Caramia'	Forme évasée. Miniature. Variété non enregistrée. Fleur: Vieux rose.	40/16	7,5	7		
'Carey Quinn'	Introduite par Hall en 1960. Variété diploïde. Fleur: Rouge foncé à gorge jaune.	60/24	13	7		
'Cartwheels'	Introduite par Fay en 1956. Très grandes fleurs orange cantaloup à reflets satinés et à pétales larges. Variété très florifère.	80/32	17	7		
'Cassadiana'	Fleurs arrondies à pétales ondulés. Fleur: Rose.	50/20	8	6		
'Catherine Woodberry'	Introduite par Childs en 1967 et gagnante d'un prix en 1973. Floraison prolongée, reste ouverte toute la nuit. Grandes fleurs à pétales ondulés. Fleur: Rose lilas, gorge et cœur vert.	75/30	15	7		•
'Cedar Waxwing'	Introduite par Griesbach en 1979. Grandes fleurs à larges pétales frangés, tétraploïde. Fleur: Vieux rose.	85/34	15	7		

Espèce **'Variété'**	Description	cm/po	Ø cm	❀	Remontante	
'Charbonier'	Introduite par Whatley en 1970. Gagnante d'un prix en 1976. Grandes fleurs à larges pétales arrondis et ondulés. Fleur: Jaune crème.	80/32	15	7		
'Cheek to Cheek'	Introduite par Fass en 1971. Variété diploïde. Fleurs doubles. Fleur: Jaune.	50/20	12	7		
'Cherry Cheeks'	Introduite par R.C. Peck en 1968. Gagnante d'un prix en 1975. Grandes fleurs évasées, pétales larges, tétraploïde. Fleur: Rouge cerise, gorge jaune.	80/32	15	7		
'Chicago Apache'	Introduite par Marh en 1981, elle possède une inflorescence rouge à gorge verte et sa fleur est de 12 cm de diamètre. Peut atteindre 65 cm de haut. Variété tétraploïde. Toutes les variétés Chicago ont une zone 4.			7		
'Chicago Blue Eyes'	Introduite par Marh en 1976. Fleurs lavandes avec un œil foncé. Variété tétraploïde.	60/24	13,5	6	•	
'Chicago Fire'	Introduite par Marsh en 1973. Variété tétraploïde. Fleur: Rouge à gorge et lèvres jaunes.	75/30	15	7		
'Chicago Pettitcoat's' ♥	Introduite par Marsh Klehm en 1980. Grandes fleurs à larges pétales veloutés et ondulés à bordure jaune doré et gorge jaune, tétraploïde et de forme évasée. Fleur: Rose corail.	60/24	12,5	6		
'Chicago Picotee Lace'	Introduite par Marsh en 1980. Variété tétraploïde. Fleur: Crème et lavande.	50/20	13	7		
'Chicago Rosy'	Introduite par Marsh en 1974. Variété tétraploïde. Larges fleurs. Plante vigoureuse. Fleur: Rose foncé.	60/24	16	7		
'Chicago Royal'	Introduite par J.E. Marsh en 1970. Très grandes fleurs étoilées. Variété tétraploïde. Fleur: Rouge betterave, halo centrale, gorge verte.	60/24	17	7		•
'Chicago Sunrise'	Introduite par J.E. Marsh en 1969. Très grandes fleurs étoilées, floraison spectaculaire. Variété tétraploïde. Fleur: Orangée, plus intense dans le centre.	70/28	15	7		
'Children's Festival' ♥	Introduite par Wild en 1972. Forme évasée et fleurs ondulées. Miniature. Fleur: Rose saumoné à cœur abricot vif.	60/24	11	6-7		
'Chloe'	Introduite par Nesmith en 1938. Gagnante d'un prix en 1952. Courte hampe florale. Fleur étoilée, bicolore. Floraison prolongée. Fleur: Jaune crème, l'extrémité des sépales lavandes.	110/44	11	7		
citrina	Espèce décrite par Baroni en 1897. Trompette profonde à odeur de citron, non envahissante, touffes serrées. Ouverture nocturne. Originaire de Chine. Espèce très florifère et demande beaucoup d'eau en été. Fleur: Jaune.	90/36	10	7		•

Espèce 'Variété'	Description	cm/po	Ø cm	❀	Remontante	
'Condilla'	Introduite par Grooms en 1977. Fleurs doubles, jaune or à pétales légèrement ondulés et de 11 à 12 cm de diamètre. Diploïde.			6-7		
'Confidence'	Création québécoise. Variété tétraploïde, avec deux fois le nombre normal de chromosomes. Ses fleurs sont de forme ovale et de 10 cm. De couleur pourpre avec une auréole centrale plus foncée,un cœur jaune vif et des pétales frangés.					
'Crazy Lace'	Fleurs évasées. Variété diploïde. Fleur: Rose très pâle, gorge verte.	70/28	12	7		
'Dacquiri'	Fleur: Abricot à gorge jaune.	80/32	17	7	•	
'Dainty Pink'	Introduite par Viette en 1972. Grande fleur évasée, longue hampe florale. Tétraploïde. Fleur: Rose mauve délavé, gorge verte.	90/36	13,5	7		
'Edelweiss'	Très grande fleur à pétales larges et arrondis. Hampe florale compacte, diploïde. Fleur: Orangée.	70/28	16	7		
'Eenie Allegro'	Introduite par Aden en 1981. Variété diploïde. Floraison prolongée. Plante miniature. Fleur: Abricot bordé de rose.	35/14	6	7		
'Eenie Fanfare'	Introduite par Aden en 1981. Variété diploïde. Floraison prolongée. Fleur: Rouge bordé de blanc.	30/12	7	7		
'Eenie Weenie'	Introduite par Aden en 1976. Plante compacte et très fertile. Forme de la fleur récurvée et arrondie, miniature. Une des premières variétés à fleurir. Fleur: Jaune à gorge verte.	25/10	3	6	•	•
'Elegant Greetings' ♥	Introduite par Hall en 1966. Très grandes fleurs évasées. Fleur: Rose pâle, gorge verte.	75/30	15	7		
'Elisabeth Spike'	Fleur semblable à H. fulva, mais plus contrastante, en trompette. Variété vigoureuse et non enregistrée. Fleur: Orange brûlé.	80/32	11	7		
'Evening Gown'	Introduite par Reckomp en 1972. Variété tétraploïde. Fleur: Melon.	70/28	12	7	•	•
'Fairy East'	Grandes fleurs en trompette. Tétraploïde. Variété non enregistrée. Fleur: Rose, gorge orangée.	70/28	13,5	7		
'Fan Dancer'	Introduite par Fass en 1969. Grandes fleurs étoilées à pétales ondulés. Variété diploïde. Fleur: Crème reflets rose mauve.	80/32	12	7-8		•
'Flames of Fantasy'	Introduite par Hall en 1965. Très grandes fleurs étoilées. Tétraploïde. Fleur: Rouge vif, gorge jaune.	100/40	15	7		

Espèce 'Variété'	Description	⌂ cm/po	Ø cm	❀	Remontante	
flava	Petites fleurs et feuillage étroit. Cette espèce fut décrite pour la première fois au 18e siècle. Originaire de Chine et de Sibérie. Tolère les sols humides. Fleur: Jaune.	80/32	8	6		•
'Fond Caress'	Introduite par Milliken en 1952. Grandes fleurs en trompette. Fleur: Jaune.	70/28	12	7		
'Frances Fay'	Introduite par Fay en 1957. Grandes fleurs à longs pétales effilés. Très florifère et ayant une floraison prolongée. Variété tétraploïde. Fleur: Abricot.	70/28	13,5	7		
'Frans Hals'	Introduite par W.B. Flory en 1955. Bicolore et vigoureuse. Fleurs en trompette ayant 3 pétales rouges et 3 jaunes. Très fertile. Variété diploïde. Fleur: Rouge brique et jaune.	75/30	11,5	7-8		
fulva	Introduite par Linné en 1762. Espèce utilisée comme parent pour créer la majorité des cultivars disponibles. Elle est souvent considérée comme un clone, vigoureuse et populaire. Échappée de culture partout au Québec. Fleur: Orange brûlé.	120/48	9	6		
'Gala Greetings'	Fleurs à pétales larges et de forme évasée. Fleur: Rouge cerise, gorge orangée.	70/28	13	7		
'Gentle Shepherd'	Introduite par Yancey en 1980. Gagnante d'un prix en 1987. Ses pétales sont ondulés et frisés. Diploïde. Fleur: Blanche avec petite gorge verte.	75/30	13	7		
'Georges Caleb'	Introduite par Wild en 1978. Son enregistrement officiel est George Caleb Bingham. Fleur: Rose avec une ligne crème à cœur vert.	75/30	18	7		•
'Gold Cap'	Introduite par Viette en 1970. Grande fleur diploïde et évasée. Fleur: Jaune doré.	90/36	13,5	7		
'Golden Chimes'	Introduite par H.A. Fischer en 1954. Petites fleurs en trompettes. Floraison prolongée et très florifère. Fleur: Jaune	60/24	8	6		
'Golden Gate'	Introduite par Christenson en 1949. Fleurs larges d'apparence très forte à floraison prolongée. Fleur: Jaune orangé.	90/36	15	7	•	•
'Golden Prize'	Introduite par Peck en 1968. Variété tétraploïde. Beau feuillage tolérant bien la chaleur à fleurs larges. Fleur: Jaune doré.	65/26	17			
'Golden Spector'	Introduite par Nesmith en 1939. Grandes fleurs évasées. Variété non enregistrée. Fleur: Jaune pâle gorge verte.	110/44	13	6		
'Goliath'	Introduite par Bechtold en 1946. Fleurs jaunes avec étamines noires.	65/26	15			
'Grape Velvet'	Introduite par Wild en 1978. Variété diploïde. Fleur: Pourpre à gorge verte.	60/24	12	7		

Espèce 'Variété'	Description	⌂ cm/po	Ø cm	❀	Remontante	⚘
'Hall's Pink'	Fleurs étoilées à développement lent. Variété populaire. Il n'y a pas d'enregistrement officiel sous ce nom. Fleur: Rose satiné, œil saumoné et gorge orangée.	50/20	12	7		
'Happy Returns' ♥	Introduite par Apps en 1986, elle possède une inflorescence de 7 cm de diamètre, parfumée. Miniature 45 cm de haut. Très longue floraison. Fleur: Jaune citron.			6	•	•
'Heavenly Harp'	Introduite par Reckamp en 1966. Très grandes fleurs de forme évasée, possèdent de nombreux boutons florales et très florifère. Variété tétraploïde. Fleur: Abricot et doré.	85/34	16	7		•
'Hyperion'	Introduite par Franklin B. Mead en 1924. Fleurs un peu ondulées en trompette évasée. Un des hybrides les plus populaires. Variété résistante, très florifère et à longue floraison. Fleur: Jaune à gorge verte.	100/40	16	7		•
'Ice Carnival' ♥	Introduite par Childs en 1967. Grandes fleurs à pétales larges et transparents. Longue floraison. Il existe maintenant une variété tétraploïde. Fleur: Blanche gorge verte.	70/28	15	7	•	•
'Inner View'	Introduite par Morss en 1982. Variété tétraploïde. Fleurs larges. Fleur: Lavande bordé de crème.	65/26	17	6	•	•
'James Marsh'	Introduite par Marsh en 1978. Variété tétraploïde. Floraison prolongée. Fleur: Rouge écarlate.	70/28	16	7		•
'Joan Senior'	Introduite par Durio en 1977, elle possède une inflorescence de 15 cm de diamètre, à pétales délicats et frisés. Peut atteindre 45 cm de haut. Fleur: Blanche à gorge lime.			6	•	
'Kindly Light'	Introduite par Bechtold en 1950. Gagnante d'un prix en 1989. Très grande fleur araignée ayant de longs pétales étroits et recourbés. Miniature. Longue floraison. Diploïde. Fleur: Jaune avec une touche de citron.	70/28	20	7		
'Kwanso' ♥	Forme double de l'espèce fulva, originaire du Japon. Décrite pour la première fois en 1712. Variété tétraploïde et stérile. Fleur double au bord de pétale ondulé. Croissance rapide, tige forte et se multiplie rapidement Fleur: Orange fauve avec une touche de rouge cuivré.	80/32	12,5	7		
'Lady Inara'	Introduite par Hall en 1956. Gagnante d'un prix en 1962. Diploïde. Fleur: Rose pâle.	90/36		6-7		
'Late Summer'	Introduite par Hall en 1959. Variété diploïde. Fleur: Jaune avec œil brun.	100/40				
'Leebea Orange Crush'	Introduite par Gate en 1978. Variété tétraploïde. Fleur: Orangée avec œil rouge.	45/18	15	6	•	•

***Espèce* 'Variété'**	Description	⌂ cm/po	Ø cm	❀	Remontante	
'Little Audrey'	Introduite par Soules en 1981. Variété diploïde. Fleur: Jaune avec œil rouge.	50/20	6	7		
'Little Bumble Bee'	Miniature. Fleur: Jaune avec œil chocolat.	50/20				
'Little Business'	Introduite par Maxwell en 1971. Variété tétraploïde. Fleur: Rouge framboise.	45/18	5	6	•	
'Little Grapette' ♥	Introduite par Williamson en 1970. Gagnante d'un prix en 1975 et 1977. Forme évasée, recourbée et ondulée. Floraison prolongée. Miniature. Fleur: Pourpre, halo plus foncé au centre et gorge verte.	30/12	7	6		
'Little Wine Cup'	Introduite par Carter-Powell en 1969. Forme récurvée et arrondie. Très florifère. Miniature. Fleur: Mauve à cœur vert.	50/20	4	6	•	
'Luxury Lace'	Introduite par Miss E. Spalding en 1959. Gagnante d'un prix en 1962, 1965 et 1970. Pétales recourbés et floraison prolongée. Fleur: Rose lavande.	80/32	11	7	•	•
'Lynn Hall' ♥	Introduite par Hall en 1957. Forme évasée. Miniature. Fleur: Pêche avec œil rouge.	50/20	9			
'Magic Dawn'	Introduite par Hall en 1955. Variété bicolore. Le bout des pétales est marron avec une lèvre prononcée et sépales jaunes. Fleur: Jaune clair.	90/36	12	7		
'Margaret Perry'	Introduite par Amos Perry. Fleur: Orangée.	70/28	12	6		
'Mary Todd'	Introduite par Fay en 1967. Gagnante d'un prix en 1978. Grandes fleurs en forme de trompette très florifère. Variété tétraploïde. Pétales très ondulés. Fleur: Jaune avec nervure centrale blanche.	65/26	15	6	•	•
'Melody Doll'	Introduite par Peck en 1971. La bordure des pétales est ondulée. Fleur: Rose saumoné.	60/24	13,5	6-7		
'Mini Pearl' ♥	Introduite par Jablonski en 1982. Grandes fleurs à sépales et pétales recourbés, croissance rapide. Floraison prolongée et abondante. Fleur: Rose saumoné à gorge jaune.	40/16	7	6-8		•
'Mini Stella' ♥	Introduite par Jablonski en 1983. Fleur: Jaune avec œil rouge.	25/10	3	6	•	•
'Missoury Beauty'	Introduite par Wild en 1966. Fleurs évasées à pétales légèrement ondulés. Fleur: Orangé crémeux gorge verte.	85/34	11	6-7		
'Monte'	Introduite par Russell en 1945. Fleur bicolore en trompette semblable à H. 'Bold Courtier'. Fleur: Jaune et brun.	100/40	11	7		
'My Hope'	Introduite par Rechamo en 1978. Grandes fleurs à bordure ondulée et évasée. Variété tétraploïde. Fleur: Jaune melon.	55/22	11	8		

Espèce 'Variété'	Description	cm/po	Ø cm	❀	Remontante	
'Nashville'	Introduite par Claar en 1952. Petite fleur en trompette. Miniature. Fleur: Orangée.	50/20	5	7		
'Neyron Rose'	Introduite par E.J. Kraus en 1950. Gagnante d'un prix en 1950. Grandes fleurs évasées. Fleur: Rose magenta nervures blanches.	80/32	13	7		
'Ochroleuca'	Introduite par Sprenger en 1903. Fleur en trompette, pétales très étroits, feuillage très fin. Ouverture des fleurs seulement l'après-midi. Hybride de H. citrina et H. thunbergii. Fleur: Jaune pâle.	65/26	8	6	•	
'Oriental Gem'	Grandes fleurs évasées et recurvées. Variété tétraploïde. Fleur: Rouge carmin.	90/36	13,5	7		
'Pardon Me'	Introduite par Apps en 1982. Elle possède une inflorescence de 7 cm de diamètre de couleur rouge clair, en plus d'être parfumée et nocturne. Miniature, elle peut atteindre 45 cm de haut.			7	•	
'Pasha's Passport'	Les tiges de 70 cm mettent en évidence d'énormes fleurs de 15 à 18 cm de diamètre, rose crème à auréole prune et à œil jaune. Le bord de ses pétales et sépales sont joliment ondulés.					
'Penny's Worth'	Introduite par Hager en 1987. Floraison prolongée et remontante. Diploïde. Miniature. Fleur: Jaune pâle gorge foncée.	30/12	4	6		
'Pink Charm'	Introduite par Nesmith en 1940. Un des premiers hybrides à teinte rose, pétales étroits et légèrement recourbés, fleur en trompette. Très rustique. Fleur: Rose orangé à cœur jaune.	120/48	11	7		
'Pink Damask' ♥	Introduite par J.C. Stevens en 1951. Pétales étroits et ondulés. Fleurs en trompette étoilée. Croissance rapide. Fleur: Vieux rose gorge jaune.	90/36	12	7	•	
'Pink Lace'	Introduite par Kraus en 1954. Fleurs étoilées à pétales étroits. Variété populaire à croissance rapide. Fleur: Rose pâle argenté.	70/28	13,5	7		
'Pink Prelude'	Introduite par Nesmith en 1948. Gagnante d'un prix en 1955. Fleurs évasées. Fleur: Rose saumoné.	100/40	11	7		
'Prairie Bell'	Introduite par Marsh en 1965. Gagnante d'un prix en 1971. Grandes fleurs évasées et ondulées. Hampe florale courte et compacte. Floraison prolongée. Fleur: Rose reflets rouges, gorge jaune.	65/26	11	7		
'Prairie Blue Eyes' ♥	Introduite par Marsh en 1970. Gagnante d'un prix en 1976. Fleurs à forme arrondie et évasée, à pétales larges. Très florifère et croissance rapide. Fleur: Lavande centre vert et large halo bleu.	70/28	14	7		

Espèce 'Variété'	Description	cm/po	Ø cm		Remontante	
'Provocante'	Création québécoise de Jacques Doré. C'est une tétraploïde à très grandes fleurs de 17,5 cm de diamètre, rose lavande et de forme triangulaire. Produit très rapidement des touffes matures.					
'Purple Water'	Introduite par Russell en 1942. Petites fleurs en trompette, longue hampe florale, vigoureuse. Floraison prolongée. Fleur: Rouge foncé très violacé et gorge jaune.	90/36	14	6-7		
'Radiant Beams'	Introduite par Reckomp en 1979. Grande fleur à pétales larges et ondulés, de forme évasée et tétraploïde. Fleur: Abricot.	75/30	14	8		•
'Radiant Greetings'	Introduite par Wild en 1975. Pétales larges et ondulés. Fleur: Jaune orangé avec halo rouge.	95/38	14	7	•	
'Raspberry Sunday'	Introduite par Viette en 1973. Fleurs de forme évasée. Fleur: Rose magenta.	80/32	13	7		
'Red Cup'	Introduite par Douglass en 1954. Grandes fleurs évasées à pétales étroits. Croissance rapide. Fleur: Rouge à cœur et lèvre jaune.	70/28	13,5	6-7		
'Red Fountain'	Introduite par Willd en 1976. Très florifère, tige forte et pétales épais. On peut retrouver plus de 25 fleurs par plante. Fleur: Rouge à gorge jaune.	55/22	13	7-8	•	
'Red Magic'	Introduite par Viette en 1950. Grandes fleurs en trompette, veloutées à pétales recourbés. Fleur: Rouge à gorge jaune.	100/40	15	6-7		
'Rosy Cherub'	Introduite par Spalding en 1974. Pétales très larges et très recourbés. Floraison prolongée. Fleur: Rose avec halo rouge et lèvres blanches.	35/14	7	6-7		
'Roys Yellow'	Introduite par Griesbach-Klehm. Très grande fleur. Tétraploïde. Fleur: Jaune crème.	110/44	16	7		
'Salmon Shire'	Grandes fleurs évasées. Variété non enregistrée. Fleur: Rose saumoné.	100/40	13	7		
'Sammy Russell'	Introduite par Russell en 1951. Fleurs en trompette. Fleur: Rouge bronze, gorge jaune.	80/32	11	6		
'Scarlet Tanager'	Introduite par Grieslack en 1979. Grandes fleurs à pétales larges, de forme évasée et tétraploïde. Fleur: Rouge.	80/32	15	7		
'Siloam Baby Talk'	Introduite par Henry en 1982. Très fertile. Diploïde et miniature. Fleur: Rose à gorge jaune et cœur vert.	40/16	6,5	6-7		
'Siloam Byelo'	Introduite par Henry P. en 1980. Inflorescence parfumée de 8 cm de diamètre de couleur rose à œil rouge. Peut atteindre 40 cm de haut.			7		•
'Siloam Button Box'	Introduite par Henry en 1976. Gagnante d'un prix en 1983. Grandes fleurs légèrement ondulées à développement rapide. Diploïde et de forme évasée. Miniature. Toutes les variétés Siloam sont de la zone 4. Fleur: Crème avec œil marron et gorge verte.	50/20	11	6-7		

***Espèce* 'Variété'**	Description	cm/po	∅ cm	❀	Remontante	
Siloam Dream Baby'	Introduite par Henry P. en 1980. Inflorescence de 7 à 9 cm de diamètre de couleur abricot à œil pourpre. Floraison prolongée. Peut atteindre 45 cm de haut.			6		
'Siloam Fairy Tale'	Introduite par Henry en 1978. Fleurs roses à pétales ondulés, de forme évasée et diploïde. Miniature. Très florifère. Fleur: Rose à œil orchidée.	45/18	6	7		
'Siloam June Bug'	Introduite par Henry en 1978. Gagnante d'un prix en 1982 et 1984. Larges pétales ondulés de forme évasée. Variété remontante, très fertile, diploïde et miniature. Fleur: Jaune doré à œil bourgogne et gorge verte.	55/22	7	7		
'Siloam Little Girl'	Introduite par Henry en 1976. Variété miniature. Fleurs délicates et ondulées, possèdent deux tons de rose à gorge dorée et à cœur vert.	45/18	9,5	7		
'Siloam Pee Wee'	Introduite par Henry en 1982. Fleurs légèrement ondulées, de forme évasée. Miniature. Floraison prolongée. Fleur: Jaune crème, œil marron et gorge verte.	45/18	6	6-7		
'Siloam Pink Petite'	Introduite par Henry en 1975. Fleurs légèrement ondulées. Miniature. Floraison prolongée. Fleur: Rose avec œil rouge.	55/22	7	7		
'Siloam Red Ruby'	Introduite par Henry en 1977. Fleurs à pétales larges et ondulés, forme évasée et diploïde. Miniature. Floraison prolongée. Fleur: Rouge vin.	45/18	10	7		
'Siloam Red Toy'	Introduite par Henry en 1975. Gagnante d'un prix en 1983. Petites fleurs légèrement ondulées, forme évasée et diploïde. Miniature. Il existe maintenant une variété tétraploïde. Fleur: Rouge.	45/18	6,5	7		
'Siloam Ribbon Candy'	Introduite par Henry P. en 1981. Elle possède une inflorescence de 8 cm de diamètre de couleur rose à œil rose foncé. Elle peut atteindre 70 cm de haut.			7		
'Siloam Show Girls'	Introduite par Henry en 1981. Fleurs de forme ronde, recourbées à bordure ondulée, de couleur rouge avec un œil rouge plus foncé et à gorge verte.	45/18		7		
'Siloam Sugar Time'	Introduite par Henry P. en 1981. Inflorescence parfumée de 7 cm de diamètre de couleur abricot à œil bourgogne. Peut atteindre 50 cm de haut.					
'Siloam Tee Tiny'	Introduite par Henry P. en 1981. Inflorescence de 6 à7 cm de diamètre de couleur orchidée à œil pourpre.					

***Espèce* 'Variété'**	Description	cm/po	Ø cm	❀	Remontante	
'Siloam Tiny Mite'	Introduite par Henry P. en 1981. Inflorescence de 6 cm de diamètre de couleur jaune à œil bourgogne. Peut atteindre 50 cm de haut. Zone 4.			7		
'Siloam Ury Winniford' ♥	Introduite par Henry en 1980. Petites fleurs à pétales fortement ondulés et légèrement recourbés. Forme évasée et diploïde. Miniature. Variété résistante aux insectes et aux maladies. Floraison prolongée. Zone 4. Fleur: Crème œil pourpre et cœur vert.	60/24	8	7		
'Siloam Virginia Henson'	Introduite par Henry P. en 1979. Elle possède une inflorescence de 10 cm de diamètre de couleur rose à œil rouge et à gorge verte. Floraison prolongée. Peut atteindre 45 cm de haut. Variété diploïde.			7		
'Sirocco'	Introduite par Cox en 1979. Grandes fleurs teintées de pêche, légèrement ondulées et de forme ronde. Variété tétraploïde. Fleur: Rose saumon avec lèvres jaunes.	80/32	15	6		
'Stagecoach Inn'	Introduite par Wild en 1976. Variété diploïde. Par contre, la variété 'Stagecoach' est cuivrée et atteint les 95 cm. Le diamètre de sa fleur est de 16 cm. Fleur: Rose et lavande.	55/22	19	7		
'Starling'	Introduite par Griesbach Klehm en 1979. Fleurs de forme évasée et à pétales larges. Fleur: Rouge vin.	70/28	15	7		
'Stella De Oro' ♥	Introduite par Jablonski en 1975. Nombreuses fleurs retombantes. Variété très populaire, légèrement parfumée, diploïde et miniature. Il existe maintenant une variété tétraploïde. Fleur: Jaune doré, petit cœur vert.	30/12	7	6-9	•	
'Streaker'	Introduite par Mc Kinney en 1974. Elle possède une inflorescence de 12 cm de diamètre de couleur rose et à œil rouge. Peut atteindre 50 cm de haut.			6	•	
'Summer Love'	Introduite par Miliken en 1954. Variété diploïde. Fleur: Jaune doré.	80/32		7		•
'Summer Wine' ♥	Introduite par Wild en 1973. Fleurs à pétales frisés et larges. Plante compacte. Croissance rapide. Fleur: Violet à cœur jaune verdâtre.	60/24	14	7		
'Thumbelina'	Introduite par Fisher en 1954. Gagnante d'un prix en 1965. Fleurs en forme de trompette. Miniature. Très florifère. Fleur: Orangée.	40/16	5	6-7		
'Tijuana'	Introduite par Wild en 1967. Fleur: Rose rouge velouté, gorge jaune et verte.	90/36	15	7	•	
'Tik Tok'	Introduite en 1956. Très florifère. Fleur: Jaune doré.	70/28	10	6		

***Espèce* 'Variété'**	Description	⌂ cm/po	Ø cm	❀	Remontante	
'Toyland'	Très florifère. Fleur: Melon.	70/28				
'Vireo' ♥	Grandes fleurs de forme arrondie et évasée. Fleur: Rouge.	80/32	13	7		
'Vivipare'	Propriété de faire des petits au bout des feuilles, ex.: plantes araignées. Fleur: Jaune.			7-8		
'Winsome Lady'	Introduite par Gates en 1964. Gagnante de nombreux prix. Fleurs parfumées, roses à cœur vert.	60/24	14	6	•	
'Yellow Lollipops'	Introduite par Crochet en 1980. Variété diploïde et il en existe une maintenant tétraploïde. Fleur: Jaune clair.	30/12	6	6-7		
'Yellow Stone'	Introduite par Krauss. Fleurs en trompette. Fleur: Jaune citron, gorge verte.	90/36	12	7		
'Yesterday Memories'	Introduite par Spalding en 1976. Grandes fleurs d'un rose clair uni, à gorge verte.Diploïde. Il existe maintenant une variété tétraploïde.	48/19	16,5	7		

Hepatica Sharp-lobed Liverivort

Zone: 3

Sa floraison prend deux à trois ans après le semis. Ses fleurs sont bleues, éclatantes et largement ouvertes avant l'apparition du feuillage. Plante peu difficile mais qui ne se transplante pas.

Sol: Humifère - Frais

acutiloba

Plant de 5 cm de haut, par 25 de large, se distingue de H. americana par le lobe des feuiles non arrondi mais pointu au sommet.

❀ Avril - Mai **Couleur:** Blanc violacé

americana

⊗ Arrondi - Coussin

Différente par ses feuilles à lobes ronds au sommet. De couleur lilas, rose ou blanc. Peut atteindre 15 cm.

nobilis

☺

Synonyme: H. triloba **Utilisations:** R - S

⌂ 15 cm/ 6 po ◊ 25 cm/ 10 po

Les fleurs émergent tôt le printemps, ensuite les nouvelles feuilles apparaissent.

Feuilles: De 3 à 5 lobes très distincts à bout pointu.

Feuillage: Vert foncé et rouge, épais. Semi-persistant.

❀ Avril - Mai Ø 2 à 3 cm

Couleur: Bleu à étamines blanches

Heracleum Berce • Corn Parsnip

Famille: Apiacées **Zone:** 3
Origine: Amérique du Nord et Eurasie ∅ 100 cm

Sa feuille peut atteindre 1 mètre. Son feuillage est composé, profondément dentelé. Inflorescence en ombelle composée, énorme. Ses semences sont nauséabondes et peuvent provoquer des irritations cutanées.

Sol: Riche - Profond

---

mantegazzianum ☹

Utilisations: I - Pa - J - K 250 cm/ 100 po 120 cm/ 48 po

Pétiole et hampe florale pubescent, tacheté de pourpre. Tailler les inflorescences lorsqu'elles sont fanées car la plante se propage rapidement par semis. Se comporte comme une bisannuelle. Toxique.

Feuilles: Profondément découpées d'une longueur de 100 cm. Pennées
Feuillage: Luxuriant et énorme.
❀ Août **Couleur:** Blanc

Hesperis Julienne des dames • Sweet Rocket

Famille: Brassicacées **Zone:** 3
Origine: Eurasie

Bisannuelle. Fleurs variant du blanc au violet, en racèmes paniculés (grappes). Feuilles entières et pubescentes en plus d'être délicatement dentées. Naturalisée partout au Québec, le long des cours d'eau. Elle rappelle un peu la giroflée par ses fleurs et son parfum. À diviser tous les deux ou trois ans. Elle a tendance à se ressemer abondamment.

Sol: Riche - Calcaire

---

matronalis Dame's Rocket ☺

Utilisations: M - F - Pa 100 cm/ 40 po
30 cm/ 12 po ⊗ Ovale - Érigé

Fleurs à quatre pétales, du blanc au violet. Se propage par semis, de culture facile. Les feuilles sont disposées en rosette, les basales sont cordées à lancéolées et les supérieures sont ovales et lancéolées.

Feuilles: Entières, de 10 cm de long et presque toujours sesilles.
❀ Juin - Juillet

---

matronalis var. albiflora

Utilisations: M - F - Pa
75 cm/ 30 po 30 cm/ 12 po

Sélection de plante à fleurs blanches seulement. Il existe H. m. 'Alba Plena' qui est à fleur blanche et double.

❀ Juin - Juillet

Heuchera Heuchère • Alumroot 

Utilisations: F - Tu - Cu - R **Zone:** 3

Il existe deux principaux types d'heuchère à feuillage persistant; Une américaine, cultivée pour son feuillage décoratif et qui requiert moins de lumière. Ses feuilles en forme de feuille d'érable sont généralement très colorées, parfois frangées ou ondulées. Elle présente une haute tige florale, mais est moins décorative que l'autre type d'heuchère;Soit la H. sanguinea, qui est surtout appréciée pour sa floraison prolongée et abondante. Ses feuilles sont vertes ou tachetées d'argent. Elle se reproduit habituellement par semis contrairement aux heuchères américaines.

Sol: Bien drainé - Riche

Compagnons:
Été: Astilbe 'Peach Blossom' et Campanula 'Blue Clips'
Printemps: Iris versicolor et Primula polyantha
Automne: Anemone robustissima et Festuca glauca

Espèce* *'Variété'	Description	cm/po	cm/po	
americana				
'Green Spice'	Feuillage argenté, marginé de gris foncé et nervuré de pourpre. Très grandes feuilles lisses. Spécimen vigoureux. Plante enregistrée.	25/10	45/18	
'Mint Frost'	Le feuillage est vert menthe superposé d'argenté. Son pétiole rouge, la rend irrésistible. Sa fleur est jaune soufre et blanche. Plante enregistrée.	20/8	40/16	
'Plum Pudding'	Port étroit. Feuillage lustré de couleur prune-pourpre à nervures argentées. Plante enregistrée.	40/16	50/20	
'Ring of Fire'	Feuillage argenté, coloré de pourpre le long des nervures. L'automne le rebord de plusieurs feuilles tourne au corail. Plante enregistrée.	20/8	40/16	
'Ruby Veil'	Un feuillage rouge rubis nervuré de gris ardoise. Très grandes feuilles qui tolèrent bien le soleil.	15/6	30/12	
'Velvet Night'	La plus sombre des heuchères. Feuillage chatoyant, noir recouvert de pourpre métallique, les nervures sont pourpre foncé. Les feuilles mesurent 18 cm. Plante enregistrée.	20/8	40/16	
hybride				
'Amethyst Myst'	Feuillage améthyste teinté d'une brume argenté. Feuilles lustrées. Plante enregistrée.	60/24	60/24	
'Brandon Pink'	Attire les oiseaux-mouches.			
'Bressingham'	Le feuillage est vert garni de jolies fleurs roses à rouges. Très florifère.	45/18	45/18	6-8
'Bronze Beacon'	Feuillage bronze très attirant, mettant en valeur de superbes fleurs rouges.			
'Can Can'	Forme un massif compact. Feuillage ondulé, vert argenté veiné de vert foncé. Plante enregistrée.	40/16	50/20	
'Canyon Pink'	Fleurs roses, éclatantes au cœur rose pâle.			

Espèce 'Variété'	Description	⇧ cm/po	⇨ cm/po	❀
'Cappuccino' ❤	Le feuillage est de couleur café expresso avec une touche de crème. Tolère le soleil. Plante enregistrée.	20/8	40/16	
'Cascade Dawn'	Le feuillage est teinté de lavande et garde sa couleur toute la saison. Plante enregistrée.	20/8	40/16	
'Cathedral'	Grandes feuilles foncées, tachetées de pourpre, rappelant les vitraux d'une cathédrale. Plante enregistrée.	15/6	30/12	
'Champagne Bubbles'	Feuillage compact, variété très florifère et remontante. Fleurs blanches à roses. Plante enregistrée.	20/8	40/16	
'Checkers'	Feuillage très épais et d'apparence métallique. Grandes fleurs ivoires.	20/8	40/16	
'Cherries Jubilee'	Feuillage couleur chocolat, marge très ondulée et envers de la feuille pourpre. Fleurs rouge cerise. Plante enregistrée.	20/8	40/16	
'Chocolate Ruffles' ❤	Feuillage très ondulé. La feuille est bourgogne à la base tournant au brun chocolat. Très florifère, fleurs mauves. Plante enregistrée.	35/14	50/20	
'Chocolate Veil'	Feuillage chocolat noir teinté de pourpre. Feuilles très larges, jusqu'à 20 cm de diamètre. Plante enregistrée.	20/8	40/16	
'Coral Bouquet'	Petit spécimen, au feuillage vert, possédant de grandes fleurs en grappe, couleur rose corail. Demande un sol bien drainé.	15/6	30/12	
'Ebony and Ivory'	Le feuillage très ondulé, est de couleur ébène et de grandes fleurs ivoires forment tout un contraste, très florifère. Plante enregistrée.	25/10	45/18	
'Eco - Improved'	Très gros feuillage argenté, veiné de pourpre. Le contour de la feuille est gris foncé.	40/16	40/16	
'Eco Magnififolia'	Feuillage argent nervuré de vert, passant au rouge betterave au froid. Superbe à l'automne.			
'Fireworks'	Une explosion de fleurs corail sur un feuillage bronze, légèrement ondulé. Plante enregistrée.	20/8	40/16	
'High Society'	Un feuillage lisse, de couleur étain nervuré de noir charbon. Le tout recouvert de jolies fleurs de couleur crème. Plante enregistrée.	15/6	30/12	
'Magic Wand'	Fleurs couleur rouge cerise, explosives, de taille imposante et remontantes. Plante enregistrée.	20/8	40/16	
'Mint Julep'	Variété au feuillage vert tendre, veiné plus foncé. Tolère bien l'ombre.	40/16	50/20	
'Northern Fire'	Plante enregistrée.			
'Oakington Jewel'	Feuillage métallique fabuleux qui change avec les saisons. Fleurs rose coquillage sur de fortes tiges.	70/28	70/28	

Espèce 'Variété'	Description	⌂ cm/po	◊ cm/po	❀
'Palace Passion'	Feuillage pourpre et charnu, recouvert de belles fleurs rose magenta. Tolère le soleil. Plante enregistrée.	15/6	30/12	
'Persian Carpet'	Un pot-pourri de pourpre entrelacé d'argent et de gris. Le feuillage change de couleur avec les saisons. Plante enregistrée.	20/8	40/16	
'Petite Pearl Fairy'	Un plant miniature. De charmantes fleurs roses émergent d'une touffe dense de feuillage foncé, saupoudré d'argent. Plante enregistrée.	10/4	30/12	
'Pewter Veil'	Le feuillage est cuivré rose au printemps changeant à l'étain argenté. Plante enregistrée.	20/8	40/16	
'Purple Sails'	Son port est érigé. Feuillage ondulé, lavande pourpre nervuré d'argenté, avec un fini métallique. Feuille en forme de feuille d'érable. Plante enregistrée.	20/8	40/16	
'Regal Robe'	D'apparence spéciale, feuille de 10 cm de diamètre, marbré d'argent et de lavande.			
'Sashay'	Feuillage ondulé de couleur bourgogne à la base et vert foncé au bout, très beau contraste de couleur.	25/10	45/18	
'Silver Shadows'	Le feuillage épais, argent foncé et lustré est teinté de rose au printemps. Les feuilles sont très grandes, jusqu'à 20 cm de diamètre. Plante enregistrée.	30/12	45/18	
'Smokey Rose'	Feuillage bronze fumé à bordure ondulée. Spécimen très vigoureux à croissance rapide. Fleurs rose magenta.	40/16	50/20	
'Stormy Seas'	Feuillage ondulé, brodé de lavande, de gris charbon, d'argenté et d'étain. Spécimen magnifique et très vigoureux. Plante enregistrée.	20/8	40/16	
'Strawberry Swirl'	Feuillage vagué, argenté. Les plants matures ont des hampes florales très hautes, garnies de centaines de fleurs roses parfumées en forme de larme. Vigoureux. Plante enregistrée.	25/10	45/18	
'Whirlwind'	Feuillage vert bronzé remarquable pour ses cannelures et par ses feuilles très ondulées. Plante compacte agrémentée de jolies fleurs blanches. Plante enregistrée.	40/16	50/20	
'White Spires'	Feuillage vert fortement ondulé recouvert d'une explosion de jolies fleurs blanches parfumées.	25/10	45/18	5-6
'Whites Marbles'	Ses fleurs blanches doubles de 30 cm de long rehaussent son feuillage bronze argenté. Ses feuilles ressemblent à celles de l'érable.	40/16	50/20	6
micrantha				
'Bressingham Bronze'	Feuillage bronzé à rouge betterave qui garde bien sa couleur en plein soleil tout au long de l'été. Délicates fleurs crèmes en août. Plante enregistrée.	60/24	60/24	8

Espèce 'Variété'	Description	⌂ cm/po	◊ cm/po	❀
'Mt St-Helens'	Possède de grandes fleurs rouge écarlate.			
'Night Watch'	Feuillage pourpre foncé.	25/10	45/18	
'Palace Purple' ❤	Feuillage acajou, très beau tout au long de la saison, garnit de petites fleurs blanches.	25/10	45/18	
'Pewter Moon'	Feuillage gris argenté, marbré de marron et l'envers de la feuille est pourpre. Les fleurs sont roses. Plante enregistrée.	40/16	45/18	6-7
'Raspberry Regal'	Feuillage vert nervuré de gris argenté. Grandes fleurs doubles, rouge framboise. Plante enregistrée.	40/16	50/20	6-7
'Ruffles'	Forme un monticule de 30 cm de large de feuilles vertes laineuses et extrêmement ondulées. Petites fleurs blanches.			
sanguinea				
'Chatterbox'	Feuillage vert agrémenté de grandes fleurs roses. Très florifère sur une longue période de floraison.	30/12	45/18	6-8
'Coral Cloud'	Très beau feuillage vert, agrémenté de belles fleurs rose saumon.	30/12	45/18	
'Gold Dust'	Un amalgame de doré, vert et argent. Le feuillage est couronné de fleurs rouge corail. Demande un sol bien drainé.	20/8	40/16	
'June Bride'	Possède de grandes fleurs blanches. Très florifère.	30/12	45/18	6-8
'Purple Petticoats'	Feuillage dentelé pourpre foncé au revers, sa texture est unique. Spécimen vigoureux. Plante enregistrée.	30/12	45/18	
'Snow Angel'	Feuillage crème irrégulièrement maculé de taches vertes, contrastant avec ses petites fleurs rose foncé.	75/30	60/24	5-7
'Snow Storm'	Feuillage multicolore, tacheté de blanc marginé de vert foncé et couronné de jolies fleurs rouge cerise. Demande un sol bien drainé. Plante enregistrée.	10/4	30/12	5
'Spangles'	Feuillage tacheté de crème et de doré, agrémenté de jolies fleurs rouge orangé. Demande un sol bien drainé.	10/4	30/12	
'Splendens' ❤	Feuillage arrondi-lobé, marbré de vert argenté. Très belles fleurs rouges .	30/12	45/18	6-8
'Splish Splash'	Feuillage vert tacheté de blanc, éclat rose fabuleux à l'automne. Fleurs rouge cerise éclatantes. Préfère un sol bien drainé.	10/4	30/12	6

Heucherella 

Famille: Saxifragacées **Zone**: 3

Hybride entre Heuchera X brizoïdes et Tiarella cordifolia. Les feuilles sont palmées et lobées, regroupées en touffe, et semblables à celles des tiarellas; nervures pourprées. Fleurs roses réunies en racèmes étroits.

Compagnons: **Été:** Geranium et Astilbe
Printemps: Iberis et Iris pumila
Automne: Viola labradorica et Anemone

---

alba 'Bridget Bloom'

Utilisations: M 40 cm/ 16 po 30 cm/ 12 po

Introduite par Alan Bloom. Issue d'un croisement entre H.brizoides et Tiarella wherryi. Ses fleurs sont rose vif sur de longues grappes et remontantes. Croissance lente.

Feuillage: Vert clair, nervuré de pourpre. ❀ Juin à septembre

Hibiscus Rose Mallow

Famille: Malvacées **Zone:** 4-5
Origine: Amérique du Nord

Très grandes fleurs solitaires, disposées à l'aisselle des feuilles supérieures, aux pétales larges et arrondis. Tige solide, ligneuse et droite, émergeant seulement lorsque le sol est bien réchauffé, soit à la mi-juin environ. Nécessite une protection.

Sol: Sec - Riche

Compagnons: **Été:** Saponaria et Centaurea
Printemps: Polemonium et Campanula porteschlagiana
Automne: Hemerocallis et Boltonia

moscheutos 'Anne Arundel'

Utilisations: M - I 120 cm/ 48 po 80 cm/ 32 po

Un cultivar aux feuilles découpées resemblant à celles des érables. Fleurs roses d'un diamètre de 20 cm. Les différentes variétés de cette espèce possèdent un port érigé et buissonnant.

❀ Juillet à octobre **Couleur:** Rose

---

moscheutos 'Disco Belle' Swamp Rose Mallow

100 cm/ 40 po 80 cm/ 32 po ❀ Août à septembre

Fleurs apparaissant dans différents tons. Ses feuilles ovales et cordées sont alternes. Se propage par semis.

---

moscheutos 'Lady Baltimore' 

Utilisations: M - I 120 cm/ 48 po 80 cm/ 32 po

Grandes fleurs roses satinées à oeil rouge, d'un diamètre de 15 à 20 cm. Ses feuilles sont plamées et découpées.

❀ Juillet à octobre

---

moscheutos 'Lord Baltimore'

Utilisations: M - I 120 cm/ 48 po 80 cm/ 32 po

Grandes fleurs rouges, brillantes d'un diamètre de 25 cm. Ses feuilles sont palmées et découpées.

❀ Juillet à octobre

***moscheutos* 'Southern Belle'**

Utilisations: M - I 120 cm/ 48 po 70 cm/ 28 po

Un cultivar populaire pour ses grosses fleurs au coloris variant de rose, rouge et blanc et d'un diamètre de 25 cm. Ses feuilles sont ovales et cordées. Zone 5.

❀ Août à septembre ∅ 20 cm

***x* 'Blue River II'**

Utilisations: M - I 120 cm/ 48 po 80 cm/ 32 po

Issu de H. moscheutos et H. militaris, qui pousse le long de la Blue River en Oklahoma. Très grandes fleurs blanches de 25 cm de diamètre. Ses feuilles sont ovales et cordées.

❀ Août à octobre

***x* 'Sweet Caroline'**

Utilisations: M - F

190 cm/ 76 po 100 cm/ 40 po ⊗ Ovale - Érigé

Fleurs roses, veinées de magenta au coeur légèrement plus foncé, de 20 cm de diamètre. Pétales irrégulièrement ondulés et recourbés vers l'arrière. Plante enregistrée.

***x* 'Turn of the Century'**

Utilisations: M - K

190 cm/ 76 po 100 cm/ 40 po ⊗ Ovale - Érigé

Fleurs bicolores recourbées aux pétales rouges à lèvre rose.

❀ Juillet à octobre

Hieracium Epervière • Orange Hawkweed

Famille: Asteracées **Zone:** 2

Origine: Eurasie

Petite plante naturalisée presque partout au Québec. Capitules groupés au bout d'une longue tige pubescente. Feuillage également pubescent et en rosette.

Sol: Pauvre - Caillouteux

Compagnons:
Été: Salvia et Lysimachia
Printemps: Ajuga reptans et Primula
Automne: Tradescantia et Pennisetum

aurantiacum

Utilisations: M - A - R - T

30 cm/ 12 po 30 cm/ 12 po ⊗ Rosette

Envahissante par ses stolons et ses semences, il est donc conseillé de couper les fleurs fanées afin d'éviter cela. Les boutons florales sont aussi un élément de décoration avant leur ouverture. Préfère les sols pauvres.

Feuilles: Pouvant atteindre 20 cm de long. Spatulées

Feuillage: Vert foncé.

❀ Juillet - Septembre ∅ 2 cm

Couleur: Orange cuivré et centre jaune

Hosta Voir chapitre spécial traitant des hostas. (p. 419)

Houstonia Star Violet

Famille: Rubiacées **Zone:** 3
Synonyme: Hedyotis

Genre nommé en l'honneur de William Houston, un botaniste français du XVIIIe siècle. Vivace indigène dans les prés du sud-ouest du Québec. Petites fleurs pourpres ou blanches, de forme parfaite. Croissance en petites touffes dressées. Ses feuilles sont opposées, entières et à pétiole pubescent. Idéale pour les rocailles humides et les auges. Éviter les sols calcaires.

caerulea

5 cm/ 2 po | 20 cm/ 8 po | ❀ Avril - Juin

Fleurs étoilées, bleues à halo blanc vers le centre et gorge jaune et ayant 4 pétales. Apparaît dès la fonte des neiges. Il arrive qu'elles fleurissent à l'automne par temps frais. Croissance rapide pour former une colonie naturelle.

Houttuynia Chameleon Plant

Famille: Saururacées **Zone:** 4
Origine: Asie de l'est

Plante de milieu humide à feuilles cordées, panachées et à fleurs minuscules en épis, entourées de 4 bractées blanches. Se propage par stolons et boutures. Une odeur nauséabonde se dégage de chaque partie de la plante. Surtout cultivée pour son feuillage coloré. Croissance rapide et abondante.

Sol: Humide - Riche
Compagnons:
Été: Thalictrum et Lythrum
Printemps: Sempervivum et Epimedium
Automne: Polygonum et Achillea 'La Perle'

cordata 'Chameleon'

Synonyme: H. 'Variegata' **Utilisations:** M - C
30 cm/ 12 po | 30 cm/ 12 po

Son feuillage perd son caractère lorsque planté dans un endroit peu ensoleillé. Croissance rapide, même envahissante, mais sous nos climat, la plante est affectée par nos hivers.

Feuilles: Entières, de 6 à 7 cm. Alternes - Cordées
Feuillage: Panaché de vert, jaune, rouge vif et crème. Aromatique.
❀ Juillet - Septembre

cordata 'Flame'

30 cm/ 12 po | 30 cm/ 12 po | ⊗ Couvre-sol - Colonie

Probablement une sélection de H. 'Chameleon'. On retrouve dans son feuillage tricolor du vert, du rouge et du doré.

Feuilles: Cordées **Feuillage:** Aromatique.

Hymenoxys

Famille: Asteracées **Zone:** 4
Origine: Amérique du Nord ⊗ Couvre-sol - Colonie

Vendu sous le nom de H. grandiflora. Le genre Hymenoxys compte une trentaine de plantes annuelles, de vivaces et de ligneuses. Feuilles entières ou pennées et alternes. Sa fleur est de

(Hymenoxys)

type marguerite; capitule et centre jaunes. Très aromatique. Floraison vers la fin du printemps, début de l'été. Cultiver dans un sol graveleux, très bien drainé. À protéger de l'humidité excessive en hiver. La plupart des espèces sont bisannuelles; elles meurent après s'être ressemées.

Sol: Bien drainé

Hypericum Millepertuis • St-Johnswort ☺

Famille: Hyppericacées **Zone:** 4

Origine: Région tempérée et sub-Tropicale

Plante reconnue pour ses fleurs jaunes et ses longues étamines décoratives. Plusieurs espèces répandues dans les régions tempérées et subtropicales. Propriétés médicinales nombreuses. Regain de popularité depuis 2 ans.

Sol: Sec - Profond

calycinum ☺

Utilisations: T

40 cm/ 16 po 30 cm/ 12 po ⊗ Couvre-sol

Ne pas rabattre au printemps car les boutons florales apparaissent sur les pousses de l'année précédente. Préfère un endroit ensoleillé.

Feuilles: Ovales de 7 à 10 cm. **Feuillage:** Glauque. Persistant.

❀ Juillet - Septembre ∅ 7,5 cm **Couleur:** Jaune

olympicum f. minus ☺

Synonyme: H. repens **Utilisations:** M - R

15 cm/ 6 po 30 cm/ 12 po ⊗ Arrondi - Coussin

Fleurs à pétales très minces, presque translucides, les boutons florales semblent orangés avant l'ouverture et sont groupés par 2 à 5. Tolère les sols secs. Très feuillus et de croissance rapide, à rabattre au printemps ou à l'automne car les boutons florales se forment sur les pousses de l'année.

Feuilles: Glabres de 3 à 5 cm. Elliptiques

Feuillage: Vert lumineux. Persistant.

❀ Juillet - Août ∅ 5 cm **Couleur:** Jaune

Iberis Candy Tuft ☺

Famille: Brassicacées **Zone:** 3

Origine: Méditerranée

Feuillage vert foncé, luisant et glabre. Fleurs à 4 pétales souvent blancs, regroupés en racèmes. Plante retombante, très jolie sur un muret. Ne pas la rabattre à l'automne ou au printemps puisque c'est une vivace à feuillage persistant. Demande un sol bien drainé et riche en matière organique. Entretien réduit.

Compagnons:
Été: Incarvillea et Hemerocallis
Printemps: Iris pumila et Aubrieta
Automne: Chelone et Hosta 'Royal Standard'

gibraltarica

30 cm/ 12 po 30 cm/ 12 po ❀ Mai à juin

Fleurs blanches teintées de rose ou rouge. Ses feuilles ont 3 cm de long. Zone 5.

Feuillage: Persistant.

***sempervirens* 'Alexander's White'**

Utilisations: B - M - R

⌂ 30 cm/ 12 po ◊ 30 cm/ 12 po ⊗ Arrondi - Coussin

Variété très florifère à fleurs denses.

Feuillage: Compact, vert et luisant. Persistant.

❀ Mai à juin **Couleur:** Blanc

***sempervirens* 'Autumn Beauty'**

De 25 cm de haut. Variété ayant deux 2 floraisons soit une au printemps et une à l'automne.

***sempervirens* 'Little Gem'** ♥

Synonyme: I. 'Weisser Zwerg' **Utilisations:** M - R - B

⌂ 15 cm/ 6 po ◊ 30 cm/ 12 po ⊗ Rosette

Feuilles: Fines et étroites.

Feuillage: Vert foncé, luisant et compact. Persistant.

❀ Mai à juin **Couleur:** Blanc

***sempervirens* 'October Glory'**

Utilisations: M - R - B ⌂ 20 cm/ 8 po ◊ 30 cm/ 12 po

Apparition de la fleur au printemps et parfois à l'automne.

Feuillage: Persistant. ❀ Mai à juin **Couleur:** Blanc

***sempervirens* 'Purity'**

Utilisations: M - R - B ⌂ 20 cm/ 8 po ◊ 30 cm/ 12 po

Plante très compacte. Un des meilleurs cultivars à floraison abondante.

Feuillage: Vert foncé. Persistant.

❀ Mai à juin **Couleur:** Blanc

***sempervirens* 'Snowflake'** ♥

Synonyme: I. 'Schneeflocke' **Utilisations:** M - R - B

⌂ 30 cm/ 12 po ◊ 30 cm/ 12 po

Très florifère.

Feuillage: Persistant. ❀ Mai à juin **Couleur:** Blanc

Impatiens Balsam

Famille: Balsaminacées **Zone:** 4

Origine: Cosmopolite, sauf Amérique du Sud, Austalie, Nouvelle-Zélande

Genre composé d'environ 850 espèces d'annuelles, de vivaces à feuillage persistant ou de ligneuses à tiges plus ou moins tendres. Feuilles simples, habituellement dentées, pouvant être alternes, opposées ou verticillées. Inflorescence en racème; fleurs suivies de capsules de semences explosives. Tiges plus ou moins succulentes. Toutes les espèces se ressèment facilement. La longue floraison égaie beaucoup les plates-bandes, et les hybrides au feuillage coloré les rendent encore plus attrayantes.

Sol: Riche - Bien drainé

balfourii

⌂ 120 cm/ 48 po ◊ 60 cm/ 24 po

Annuelle qui se ressème alors nous la considérons comme une vivace. Zone 4.

Incarvillea Incarvillée • Hardy Gloxinia

Famille: Bignoniacées **Zone:** 4b
Origine: Asie ⊗ Rosette

Plante à feuilles composées de 15 à 20 folioles. Grandes fleurs à corolles profondes, réunies en panicule et en petits groupes de 5 à 12. La racine possède la propriété d'éloigner les mulots.

Sol: Bien drainé - Sablonneux

Compagnons:
Été: Chrysanthemum maximum et Linum
Printemps: Aquilegia et Arabis
Automne: Anemone et Phlox paniculata

delavayi

Utilisations: M - F

50 cm/ 20 po 40 cm/ 16 po ⊗ Rosette

Grandes fleurs à corolles profondes et à gorge jaune. Grosses racines pivotantes. Nécessite une protection hivernale. Il existe aussi une variété blanche 'Alba'.

Feuillage: Luisant, vert foncé en rosette.

❀ Juillet ∅ 6 cm **Couleur:** Rose carmin

Inula Aunée • Sword Leaf

Famille: Asteracées **Zone:** 3
Origine: Europe et Asie

Fleurs ligulées de type marguerite, jaune orangé, très fines et souvent retombantes. Plusieurs espèces se retrouvent un peu partout dans le monde. Différente de Buphthalmum par ses fruits et la forme de ses fleurs.

Sol: Riche - Frais

Compagnons:
Été: Campanula cochlearifolia et Papaver alpinum
Printemps: Ajuga 'Variegata' et Phlox subulata rosea
Automne: Arrhenatherum variegatum et Hosta 'Golden Tiara'

ensifolia

Utilisations: M - B - F

50 cm/ 20 po 40 cm/ 16 po ⊗ Arrondi - Buisson

Coeur jaune orangé et ligule jaune vif, solitaire. Il existe la variété 'Compacta' mesurant 20 cm.

Feuilles: Petites, étroites, entières et sessiles de 9 cm. Alternes
Feuillage: Vert foncé et glabre.

❀ Juillet à août **Couleur:** Jaune

orientalis

Synonyme: I. glandulosa **Utilisations:** M - F

60 cm/ 24 po 40 cm/ 16 po ⊗ Ovale - Érigé

Grand capitule à fleurs ligulées fines, retombantes et ayant un grand coeur. A remarquer les boutons florales sont très laineux.

Feuilles: Sessiles, dentées, de 12 à 15 cm. Ovées - Lancéolées
Feuillage: Vert clair, pubescent et épais.

❀ Juillet à août ∅ 9 à 10 cm **Couleur:** Orangé et jaune

royleana ☺

⌂ 55 cm/ 22 po ◊ 40 cm/ 16 po

Variété très résistante au froid.

Feuilles: Epaisses de 15 à 25 cm à pétiole cilié et poilu. Ovées - Dentées
Feuillage: Pubescent à nervures prononcées.
❀ Juillet - Septembre ∅ 12 cm **Couleur:** Jaune à coeur orangé

Iris ☺

Famille: Iridacées **Zone:** 3
⊗ Évasé

Le genre Iris est l'un des plus répandus dans le monde. Aucune espèce ne provient de l'hémisphère Sud. Nous pouvons en conclure que cette plante préfère une période de froid. En général, les organes des fleurs des iris se présentent en groupe de trois: 3 pétales; formant le verticille interne chez l'Iris germanica. Ils sont dressés au centre.3 sépales; formant le segment du cercle externe, ils sont généralement plus longs, plus larges et plus colorés que les pétales. Ils sont retombants, garnis ou non de poils courts (barbe) à la base, le long de la nervure médiane. Ils présentent leur face intérieure.3 stigmates et 3 anthères.Le tout procure à la plante une apparence symétrique. Les cultivars modernes ont plus de pétales ou de sépales, mais sont toujours disposés par multiples de 3. **Nous classons les Iris en deux types principaux**: les bulbeux (plantes à bulbe) et ceux à rhizomes. Dans ce guide, nous ne traitons que du deuxième type. Parmi les Iris à rhizomes, nous faisons aussi la distinction entre deux types de racines: a) tubéreuses et b) fasciculées (fibreuses). Il est important de les connaître car leurs exigences de culture et leur époque de floraison sont très différentes. L'époque de floraison des Iris barbus est facile à dicerner car la hauteur de la plante indique si nous avons affaire à une espèce hâtive ou tardive. Dans le cas des autres espèces voici un petit tableau pouvant vous aider à faire un choix pour votre aménagament. Ainsi en utilisant le genre Iris on peu obtenir une floraison sur une longue période. N.B. que dans chaque groupe ou espèce il y a parfois des variétés plus hâtives ou tardives que d'autres.

Avril - Mai	: cristata, forestii, media, pumila
Juin	: barbata, germanica, setosa, sibirica, versicolor.
Juillet et Août	: ensata, pallida, pseudacorus, sibirica, spuria, x versata.
Septembre	: barbata

A- LES RACINES À RHIZOMES TUBÉREUX:

1) **miniatures nains:** 20 cm de haut maximum, fleurs solitaires et minuscules à floraison hâtive. Plante peu vendue. Ex.: Iris 'Lemon Puff', introduit par Dunbar en 1965, à fleurs jaune pâle à blanches. Iris 'Azurea', fleurs bleu ciel.
2) **Iris pumila miniature:** 21 à 40 cm de haut, hampe florale peu ramifiée mais floraison abondante, fleurs de 7,5 à 10 cm de diamètre. En général, fleurit à l'époque de floraison des lilas communs. Ex.: Iris 'Blue Demon', bleu pâle et Iris 'Cherry Garden', rouge vin.
3) **Iris media intermédiaire:** 41 à 70 cm de haut, hampe florale ramifiée de 3 à 10 fleurs de 10 à 12,5 cm de diamètre. Ex.: Iris 'Sea Patrol', bleu ciel.
4) **Iris germanica:** Grande taille (syn. Iris barbata eliator): au moins 71 cm de haut, fleur de 13 à 18 cm de diamètre. Floraison en juin. Le dernier à fleurir dans la série barbus. Plante qualifié par certains auteurs comme étant «l'Orchidée du Nord». Lorsqu'on se réfère aux multiples couleurs et formes de fleur, l'Iris germanica est d'origine hybride et les espèces utilisées comme parent sont difficiles à identifier. Espèce très répandue dans les jardins à cause de sa panoplie de couleurs, de sa rusticité et de sa culture facile. Utilisée en massif et en fleurs coupées. Feuilles larges et glauques disposées en éventail. Demande un sol bien drainé et riche. Ses racines sont à disposer en surface du sol. Dans la classification de

ces iris, leur époque de floraison est directement liée à leur hauteur. Ainsi, les pumilas sont les plus hâtives.

5) **Barbata:** est en fait un synonyme de l'iris germanica à grande taille que nous conservons dans cette catégorie à des fins d'utilisation spéciale. Eh oui, cette série d'iris est remontante, c'est-à-dire que la plante fleurit au moins deux fois par année, soit en juin et en septembre. Elle garde ses fleurs jusqu'à la gelée (environ jusqu'au mois d'octobre).
Les cultivars mentionnés dans ce guide ont été observés et cultivés au Québec. Leur résultat est exceptionnel (fleurs géantes et abondantes). Intéressantes en potée fleurie à l'automne avec des anémones ou des asters. Attention toutefois lors de l'achat de ces cultivars car il existe des variétés importées du sud des États-Unis qui sont prometteuses, mais qui n'ont pas encore été expérimentées, notamment en ce qui a trait à deux floraisons et à leur rusticité.

B- LES RACINES FASCICULÉS ET FLEURS NON BARBUES:

Nous listons ici les espèces que nous développons à chaque fiche, car elles sont d'un intérêt particulier et ornemental.

Iris: cristata, ensata, forestii, laevigata, pallida, pseudacorus, setosa, sibirica, spuria, versicolor et x versata.

Compagnons:
Été: Aconitum et Astilbe
Printemps: Ajuga repens et Lamium
Automne: Aster novae-angliae et Hosta 'Krossa Regal'

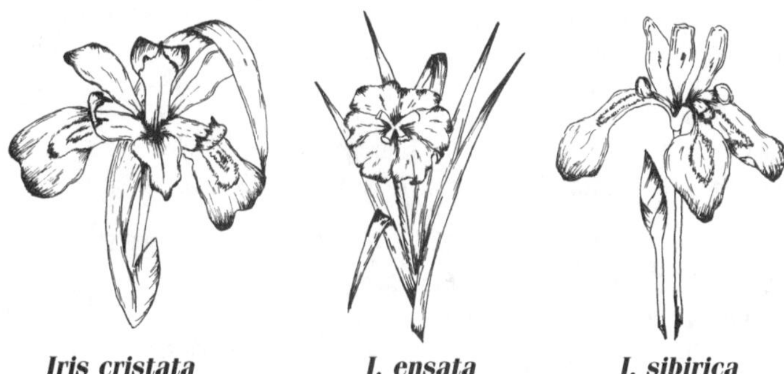

Iris cristata ***I. ensata*** ***I. sibirica***

Espèce 'Variété'	Description	⌂ cm/po	▷ cm/po	Ø cm	❀	♀
barbata	Floraison remontante.					
'Autumn Orchid' ❤	Grandes fleurs bleues,intéressantes, effet de nuance de bleu car en boutons le bleu est plus foncé et palissant un peu par la suite. Variété plus courte.	60/24	60/24			•
'Champagne Elegance'	Introduit par Niswonger en 1987. Floraison abondante et prolongée, de 7 à 10 fleurs par tige, sépales blancs et pétales abricot.	85/34	60/24			
'Ebory Ember'	Très prolifique, 10 à 15 fleurs par tige. Pétales pourpre violacé pâle, sépales pourpre foncé, veinés de blanc au centre.	90/36	60/24		5	
'First Snow Fall' ❤	Fleurs blanches, légèrement veinées de fines lignes violet pâle. Variété impressionnante.	80/32	60/24			•
'Goden Encore'	Introduit par Jones en 1972. Fleurs jaune vif aux sépales marqués de blanc à barbe doré.	90/36	60/24			
'Horned Lace'	Pétales amandes et sépales lavandes.	65/26	60/24			
'Immortality'	Introduit par Zurbrigg en 1982. Variété légèrement plus courte. Émet moins de tiges que les autres. Ses fleurs sont blanc pur et ondulées.	70/28	60/24			•
'Queen Dorothy'	Introduit par Hall en 1984. Fleurs blanches bordées de bleu lilas, légèrement ondulées.	55/20	60/24		5	
'Sign of Leo' ❤	Introduit par Zurbrigg en 1976. Grandes fleurs aux pétales violets tirant sur le rouge avec des boutons floraux noirs.	90/36	60/24			•
'Summer Fantasy'	Introduit par Brown en 1965. Pétales lilas, sépales violets lavés de rouge vin et marqués de jaune au centre.	75/30	60/24			
cristata	Espèce surnommée l'Iris à crête charnue. Ses fleurs sont bleu pâle à lilas avec des taches orangées ou blanches, abondantes et réunies par 2 ne dépassant pas son feuillage. Intéressante en bordure. Il existe aussi une variété à cette espèce soit 'Alba'. Zone 4.	15/6	20/8	5	5	

***Espèce* 'Variété'**	Description	⌂ cm/po	◊ cm/po	Ø cm	❀	
ensata	Syn.: I. kaempferi Fleurs de formes différentes et d'une gamme de coloris très étendus, simples ou doubles et groupées par 3 ou 4. Petits pétales et grands sépales déployés à l'horizontal au dessus de son long feuillage bien dressé et rubané, vert foncé. Ses feuilles sont de 2 à 3 cm de large à nervures centrales prononcées. Demande une période bien humide au printemps mais sèche après la floraison. Un vocabulaire différent des autres Iris existe pour décrire la couleur de ses fleurs et de ses nervures. Ex.: sablé, marbré et auréolé.À découvrir car ses fleurs sont magnifiques. Zone 3-4 Se subdivise en 3 groupes d'hybrides: 1) Edo: comprend les anciens hybrides datant de 1700 environ. 2) Higo: comprend les cultivars nains, aux larges fleurs simples ou doubles. 3) Ise: comprend les cultivars plus hauts aux larges fleurs simples ou doubles.	75/30			7	
'Activity'	Fleurs veinées, bleu lavande.	90/36	35/14		7	
'Azure Perfection'	Introduit par Hazzard en 1965. Fleurs pourpres au centre violet foncé.				8	
'Blue Beauty'	Fleurs bleu poudre.	90/36				
'Charity'	Fleurs blanches légèrement veinées de violet.	90/36	35/14		7	
'Cry of Rejoice'	Fleurs rouge pourpre au centre jaune.	90/36	35/14		7	
'Emotion'	Fleurs blanches, bordées de bleu.	75/30				
'Glamour'	Fleurs lavandes à veines pâles. Introduit par Hazzard 1970.	100/40	35/14		7	
'Gracieuse'	Grandes fleurs blanches bordées de lilas.	80/32				
'Innocence'	Fleurs blanches, veinées de jaune, larges, disposées à l'horizontal donnant l'impression d'une fleur double.	90/36	35/14		7	
'Iso-No-Nami' ♥	Fleurs pourpres, veinées de violet.	90/36	35/14		7	
'Jodlesong'	Fleurs pourpres à violettes, larges et d'apparence crêpée.	70/28	35/14		6-7	
'Lavender Wash'	Fleurs pourpres veinées de blanc.	80/32	35/14			
'Light at Dawn'	Fleurs blanches presque bleues, gorge jaune, pétales larges, lilas à bordure bleue.	70/28	35/14		6-7	
'Ling'	Introduit par Copeland en 1984. Variété différente de ton ivoire et crème.					

Espèce **'Variété'**	Description	⌂ cm/po	▷ cm/po	∅ cm	❀	
'Loyalty'	Fleurs bleu violacé au cœur jaune.	80/32	35/14		7	
'Marie Chouard'	Création de Tony Hubert. Fleurs bleues à floraison prolongée soit du 15 juillet au 15 août.					
'Moonlight Wave's'	Fleurs blanches.	80/32	35/14		7	
'Oase'	Introduit par H. De Vroomen. Fleurs blanches à lèvres jaunes, teintées de rose au centre de chacune des pétales et de 15 cm de diamètre. Croissance vigoureuse devenant aussi haute que large. Zone 4.				6	
'Ocean Mist'	Introduit par Marx en 1953. Fleurs bleu clair avec un halo blanc au centre.	110/44	45/18			
'Oriental Eyes'	Introduit par Vogt en 1984. Presque indescriptible, pétales violets, sépales plus clairs avec du jaune et un halo pourpre.					
'Ruby King' ❤	Grandes fleurs rouge violacé. Variété populaire.	90/36	35/14		7	
'Sanko Niskil'	Fleurs blanches veinées de rose.	90/36				
'Thunder and Lightning'	Introduit par Marx en 1954. Fleurs violet pourpre avec du jaune au centre.	90/36				
'Variegata' ❤	Fleurs bleu foncé au feuillage vert panaché de blanc. Assez difficile à cultiver.	80/32	35/14		7	
forrestii	Fleurs jaunes, veinées de pourpre marron. Ses fleurs sont réunies par 2, ses pétales sont dressés puis retombants, de 5 à 6 cm de diamètre. Cette espèce possède 2 à 3 feuilles effilées et luisantes. Zone 5.	30/12	30/12		5-6	
germanica						
'Accent'	Fleurs jaune vif et rouge, veloutées.	95/38	30/12		6	
'Alla Grow'	Fleurs cuivrées, veloutées de rouge vin.	95/38	30/12		6	
'Ambassadeur'	Introduit par Vilmonin en 1920. Issu d'un semis. Vieille variété aux fleurs bronze violet et pourpres. Fleurs de grosseur moyenne.	95/38	30/12		6	
'Amethyst Flame'	Introduit par Schreiner en 1957. Grandes fleurs de couleur améthyste à petite barbe jaune pâle. Variété tétraploïde.	95/38	30/12		6	
'Arab Chief'	Introduit par Whiting en 1942. Fleurs orange brûlé.	95/38	30/12		6	

Espèce **'Variété'**	Description	△ cm/po	◇ cm/po	∅ cm	✿	
'Arpège' ♥	Grandes fleurs bicolores, pétales blancs au reflet bleuté et sépales bleu violet.	95/38	30/12		6	
'Babbling Brook'	Fleurs larges à pétales bleu pâle, légèrement lilas à effet satiné et barbe jaune très pâle.	95/38	30/12		6	
'Basic Black'	Fleurs veloutées, violet noir.	85/34	30/12		6	
'Batik'	Introduit par Ensminger en 1986. Splendides fleurs bleu royal tachetées de blanc de façon irrégulière. Aspect original rappelant ce type de peinture.					
'Belle de Juin'	Fleurs mauves à violettes.				6	•
'Bicolor'	Vieille variété à fleurs bleu-gris et violettes.	80/32	30/12		6	
'Black Knight' ♥	Fleurs violet foncé. Floraison abondante et prolongée.	70/28				•
'Black Taffeta'	Introduit par Songer en 1953. Très belles fleurs noires, intéressantes en fleurs coupées. Floraison abondante.	90/36			7	
'Blue Staccato'	Introduit par Gibson en 1976. Fleurs blanches, marginées de mauve, très ondulées.				5-6	•
'Brasilia'	Fleurs de couleur cuivrée.	85/34	30/12		6	
'Brave Viking'	Grandes fleurs bleues à tige solide. Variété très florifère.	95/38	30/12		6	
'Camelot'	Introduit par Tompkins en 1965. Fleurs bicolores à pétales rose mauve, sépales rouge vin, sa barbe est rouge orangé.	95/38	30/12		6	
'Chanteuse'	Introduit par Gatty en 1980. Floraison prolongée. Fleurs rose pâle à coeur blanc crème, ondulées. Elle ressemble à l'Iris 'Apple Blossom'.	90/36			6	
'Chapeau' ♥	Introduit par Babson en 1969. Grandes fleurs bicolores à pétales beiges, et sépales rose lilas.	90/36	30/12		6	
'Cliffs of Dover'	Introduit par Fay en 1952. Très florifère et vigoureux à fleurs d'un blanc pur et à barbe jaune.	90/36	30/12		6	
'Cranberry Ice'	Fleurs rouges.				6-7	•
'Crinoline'	Fleurs bicolores à pétales pourpres, sépales blancs tachetés de pourpre et à barbe jaune.	90/36	30/12		6	
'Deep Space'	Introduit par Tompkins en 1961. Très grandes fleurs bleues.	100/40	30/12		6	
'Etincelle'	Pétales jaunes, sépales rouges. Très florifère.	80/32	30/12		6	

***Espèce* 'Variété'**	Description	△ cm/po	▷ cm/po	Ø cm	✿	⚲
'Gai Luron'	Pétales jaunes, sépales rouges.	85/34	30/12		6	
'Glacier'	Fleurs d'un blanc givré. Bordure des pétales ondulés.	90/36	30/12		6	
'Granada Gold'	Grandes fleurs jaune vif.	90/36	30/12		6	
'Hawaï'	Fleurs lilas, tachetées de blanc.	90/36	30/12		6	
'Horizon' ♥	Fleurs roses de grosseur moyenne.	80/32	30/12		6	
'Jet Fire'	Fleurs rouge marron au cœur moucheté de blanc.				6	•
'Joanna'	Vieille variété à fleurs violettes de grosseur moyenne.	95/38	30/12		6	
'Laced Cotton'	Introduit par Schreiner en 1980. De 5 à 6 fleurs par tige, très grosses d'un blanc pur à pétales frisés. Floraison abondante. Mi-hâtive à tardive.	90/36	30/12			
'Latin Lover'	Introduit par Shoop en 1969. Fleurs roses à rouge vin ressemblant à l'Iris 'Rose and Wine'.	95/38	30/12		7	
'Lugano'	Introduit par Cayeux en 1959. Fleurs blanches.	95/38	30/12		6	
'May times'	Fleurs bicolores à pétales mauves et sépales roses.	90/36	30/12		6	
'Milestone'	Grandes fleurs, bicolores à pétales beiges et sépales lilas aux reflets beiges.	95/38	30/12		6	
'Mme Debat'	Fleurs rose saumoné.	100/40	30/12		6	
'Mod Mode'	Fleurs blanches, ombrées de rose pâle.					•
'Night Laughter' ♥	Grandes fleurs violettes à reflets noirs.	95/38	30/12		6	
'Northern Jewel'	Introduit par Schreiner en 1971. Fleur blanche.	60/24	30/12		5	
'One Desire'	Fleurs roses à barbe rouge cerise.	86/34	30/12		6	
'Orange Gem' ♥	Grandes fleurs orangées à reflets cuivrés, très ondulées.	95/38	30/12		5-6	
'Pacifica Panorama'	Grandes fleurs bleu lavande.	95/38	30/12		6	
'Party Dress'	Introduit par Muhlestein en 1950. Grandes fleurs roses ressemblant à l'iris 'Apple Blossom'.	80/32	30/12		7	
'Pink Horizon'	Fleurs d'un rose moyen.				6	•
'Prairie Sunset'	Introduit par Sass en 1939. Fleurs rose saumoné à barbe saumon.	85/34	30/12		6	
'Provencal'	Grandes fleurs bicolores aux pétales rouge vin, sépales jaune crème tachetés de rouge vin.	95/38	30/12		6	
'Queen in Calico'	Introduit par Gibson en 1980. Fleurs rose violet picotées de rose et striées.	80/32				

Espèce **'Variété'**	Description	△ cm/po	◊ cm/po	Ø cm	❀	⚲
'Rare Treat'	Fleurs blanches bordées de bleu.					
'Red at Night'	Introduit en 1992. Fleurs rouges. À noter que trois variétés d'Iris germanica se ressemblent au point de vue de leur couleur et l'époque de floraison, soit l'Iris 'Spartan', 'Vitafire' et 'Red at Night'. Toutes belles et de couleur riche.	95/38	30/12			
'Ruby Mines'	Fleurs de couleur grenat aux reflets noirs.	95/38	30/12		7-8	•
'Sable' ♥	Introduit par Cook en 1938. Fleurs bleu foncé, veloutées aux reflets violets.	90/36	30/12		6	
'Sapphire Hills'	Introduit par Schreiner en 1971. Fleurs bleu moyen, regroupées par 3 à 4 sur la tige et ses pétales sont ondulés. Floraison abondante.					
'Sea Patrol'	Belle variété dans les tons de bleu ciel à effet remarquable.	45/18				
'Shipshape'	Introduit par Babson en 1971. Grandes fleurs bleu intense à barbe jaune et étroite.	95/38				
'Spartan'	Introduit par Schreiner en 1973. Fleurs rouges.	90/36				
'Stepping Out'	Introduit par Schreiner en 1964. Grandes fleurs bleues, ondulées à sépales blancs, bordés de bleu violet nettement dessiné.				7	
'Sultan's Palace'	Inflorescence rouge marron.					•
'Superstition'	Introduit par Schreiner en 1977. Fleurs violettes très foncées à reflet d'ébène et ondulées.				6	•
'Susan Bliss'	Introduit par Bliss en 1922. Vieille variété à fleurs rose violacé, de grosseur moyenne.	90/36	30/12		5-6	
'Vitafire'	Fleurs rouge foncé.	86/34	30/12		6	
'Vitality'	Belles fleurs de couleur jaune intense.	60/24	30/12		7	•
'Voila'	Introduit par Gatty en 1972. Un très bon Iris à floraison abondante. Fleurs mauve foncé, presque noires à l'ouverture, dégagent un parfum de raisin rouge.					•
'White Knight'	Introduit par Saunders en 1916. Fleurs d'un blanc pur à barbe jaune.	60/24	30/12		6	
'Windsor'	Inflorescence rose moyen.	90/36	30/12		6	
'Wine et Rose'	Fleurs d'une combinaison de rose clair à violet foncé.					
'Zantha'	Introduit par Fay en 1947. Très grandes fleurs jaune or.	95/38	30/12		5-6	

Espèce **'Variété'**	Description	cm/po	cm/po	Ø cm	❀	
hybride						
'Enfant Prodige'	Introduit par M. Tony Hubert. Issu de I.versata 'Oriental Touch' et I. ensata sp. Ses pétales sont érigés, lilas à lame blanche et ses sépales retombants sont violet clair lilacé, marbrés de taches violettes à l'occasion et rehaussés d'un halo pourpre foncé autour d'un cœur jaune vif. Feuilles longues légèrement retombantes. Plante enregistrée.	43/17	24/9			
'Nouvel Age'	Introduit par M.T. Hubert en 1992. Issu de I. versata, I. ensata et I. versicolor. Fleurs de couleur pourpre à violet foncé. Plante enregistrée.	75/30	35/14			
'Nui'	Fleurs jaunes.	20/8	30/12		5-6	•
laevigata						
	On peut également retrouver cet Iris en Chine, au Japon et en Corée. Semblable à l'Iris ensata, mais ses feuilles sont moins rigides, moins érigées. Il pousse les pieds dans l'eau toute la saison. Fleurs bleu foncé, veinées de jaune au centre. Elle croît très bien en plate-bande. Zone 4.	80/32	35/14		6-7	
'Variegata' ♥	Semblable à l'espèce, croissance lente. Fleurs d'un mélange de couleurs et son feuillage est panaché de vert et blanc.	50/20	35/14		6-7	
media						
'Appleblossom'	Introduit par Bousthay en 1973. Fleurs rose tendre à centre blanc. Variété très florifère. Floraison prolongée.	45/18				•
'Artic Fancy'	Introduit par Brown en 1964. Ses fleurs ondulées sont violet foncé sur fond blanc. Très joli et facile de culture.					
'Atropurpurea'	Ancienne variété, fleurs violet pourpre à barbe blanche.	30/12	30/12		5-6	•
'Chatter Box' ♥	Fleurs ondulées à deux tons, plus rose violacé que I. peppermint 'Twist'.	45/18				
'Knotty Pine'	Introduit par Goett en 1959. Fleurs teintées de beige, ambrées et avec du blanc.	20/8	30/12		5-6	•
'Ritz'	Fleurs jaune citron, tachetées de rouge vin tirant sur le brun.	30/12	30/12		5-6	•
'Snow Gnome'	Fleur blanc pur.	55/20				•

***Espèce* 'Variété'**	Description	cm/po	cm/po	Ø cm	❀	
pallida	Grandes fleurs bleu lavande, groupées de 3 à 6. Fleurs et rhizomes très odorants. Les rhizomes sont utilisés depuis longtemps en parfumerie. Son feuillage est bleu gris et légèrement velu en dessous. Ses feuilles sont de 4 cm de large. Zone 4b.	100/40	40/16	10	6	•
'Argentea Variegata'	Fleurs bleu lavande et son feuillage est vert panaché de blanc. Croissance lente. Exige une exposition au soleil.	70/28	35/14		6	•
'Variegata' ♥	Espèce plus vigoureuse à fleurs bleues et son feuillage est vert panaché de jaune crème.	70/28	35/14		6	•
pseudacorus	Fleurs jaunes, veinées de brun au centre, à pétales étroits et sépales retombants. Feuillage bien érigé, imposant de 3 cm de large et coloré de rose à la base avec l'intérieur de la racine ou du cœur rose également. Possède une floraison plus abondante en sol ordinaire. Tailler les capsules de semence pour éviter que la plante se ressème. Système radiculaire très fort et ramifié. Sa croissance est rapide. A utiliser près d'un bassin d'eau. Nouveaux cultivars prometteurs de l'Europe car il sont tétraploïdes, telles les variétés; 'Beuron', jaune moyen et 'Egengold', jaune doré. Zone 3.	100/40	60/24		5-6	
'Alba'	Sûrement une mutation car on ne retrouve pas cette espèce dans les livres. Fleurs blanc crème au cœur jaune avec des lignes brunes. D'un intérêt spécial car le plante est plus courte que les autres et fleurit aussi avant l'espèce.	60/24	30/12			
'Sun Cascade'	Introduit par M.T. Hubert. Fleurs doubles, jaune vif. Plante très vigoureuse, superbe, presque stérile. Elle a été obtenue par semis à partir de l'espèce-type. Elle peut être plantée au bord de l'eau en sol détrempé. Prévoir beaucoup d'espace. Plante enregistrée C.O.P.F. Zone 2.	120/48	30/12		6	

Espèce **'Variété'**	Description	⇧ cm/po	⇕ cm/po	Ø cm	❀	⚘
'Variegata' ♥	Variété légèrement moins vigoureuse. Très semblable à l'espèce. Fleurs jaunes au feuillage panaché au printemps changeant au vert plus tard en saison.	110/44	40/16		6	
var. bastardii	Plante plus compacte à fleurs jaune crème.	120/48	30/12			
pumila **'Banberry Ruffles'**	Introduit par Reath en 1970. Fleurs abondantes, ondulées de couleur bleu moyen.	28/11	30/12		6	
'Blue Denim'	Introduit par Warburton en 1958. Fleurs unies bleu clair.				5	•
'Blue Verona'	Inflorescence bleu-mauve.				5	
'Boo' ♥	Introduit par Markham en 1971. Fleurs blanches avec une tache bleu clair au centre des sépales.	22/9				•
'Cherry Garden' ♥	Fleurs bourgognes aux reflets violets, à odeur de cerise. Plante compacte, de croissance rapide, très florifère et uniforme.	38/15	30/12		5	•
'Golden Fair'	Introduit par Warburton en 1960. Fleurs jaune moutarde, abondantes.	30/12	30/12		5	
'Lavender Sparkle'	Fleurs lavandes, lustrées.	25/10	30/12		5	
'Orange Plaza'	Fleurs orangées. Florifère et vigoureuse.	20/8	30/12		5-6	•
'Peppermint Twist'	Ressemble à I. 'Chatterbox', qui est plus rose. Fleurs ondulées, blanches et bordées de lilas.	25/10	30/12		5	
'Purple Lurida'	Fleurs violet foncé au reflet pourpre.				5	
'Yo-Yo'	Fleurs d'une variation de tons de mauve à pourpre. Floraison uniforme.	32/13	30/12		5	
setosa	Originaire dans le gazon et les rochers de l'estuaire du St-Laurent. Surnommé l'Iris à pétales aigus, car ils sont étroits, disposés au centre de la fleur d'un quart de la longueur des sépales. Ceux-ci sont violets, veinés plus foncés, marqués de blanc au centre. Ses feuilles vertes, brillantes fortement nervurées et teintées de violet à la base. Aux Îles de la Madeleine sont fruit est désigné sous le nom de gland. Zone 3.	45/18	30/12		6	

Espèce 'Variété'	Description	⌂ cm/po	⇨ cm/po	∅ cm	❀	
sibirica						
	Gagnante en popularité, plusieurs nouveaux hybrides aux couleurs et formes différentes sont offerts sur le marché. Petites fleurs si on les comparent aux Iris Barbus, regroupées de 2 à 5 fleurs. Plante à feuillage fin semblable à une graminée rougeâtre à la base, racines très fournies et fortes. Tolère un lieu légèrement inondé au printemps. On devrait le diviser aux 3 à 4 ans. Se comporte de façon non uniforme en potée fleurie. Une série de nouveaux cultivars; tétraploïdes et courts ont été introduits par Mons. Ewen, un américain. On utilise son nom pour désigner une nouvelle couleur; rouge vin. Zone 3. Il y a plusieurs années (1930 et plus), Mlle Preston de la ferme expérimentale d'Ottawa a introduit de nombreuses variétés qui sont commercialisées aujourd'hui et qui portent les noms des lacs et rivières du Canada. Ex.: Gatineau et Rimouski.	90/36	40/16	9	6	
'Ausable River'	Introduit par Casseber en 1969. Fleurs bleues à marge blanche, étroites et tachetées de blanc.	75/30	40/16		6-7	
'Butter and Sugar'	Introduit par Mc Ewen en 1977. Fleurs blanches à sépales retombants jaune pâle. Refleurissent à l'automne.	70/28	40/16			
'Caesar's Brother'	Grandes fleurs violettes de 11 cm, à sépales retombants et veinés plus foncé. Variété très robuste.	110/44	40/16		6	
'Cambridge' ♥	Introduit par Brummett en 1964. Grandes fleurs bleues de 11 cm, à pétales larges et étalés horizontalement et veinés plus foncé.	85/34	40/16		6	
'Caree Lee' ♥	Fleurs de couleur magenta à sépales retombants et veinés. Variété très belle mais d'origine inconnue.	110/44	40/16		6	
'Dreaming Spire's'	Grandes fleurs de 17 cm de large, ondulées, lavandes et bleu foncé à pétales colorés de rouge. Plante vigoureuse.	90/36	40/16		6	
'Dreaming Yellow'	Fleurs larges de 12 cm à pétales blancs et sépales jaune pâle.	85/34	40/16		6	

Espèce 'Variété'	Description	⇧ cm/po	⇨ cm/po	Ø cm	❀	
'Ego'	Introduit par Mc Garvey en 1965. Très grandes fleurs d'un bleu moyen, veinées de violet.					
'Ewen' ♥	Introduit par Mc Ewen en 1971. Grandes fleurs rouges de 75 cm avec un petit cœur blanc. Plante tétraploïde.	85/34	40/16		6	
'Foretell'	Grandes fleurs larges de couleur très spéciale soit bleue, entrecroisées de jaune. Sépales ondulés.	85/34	40/16		6	
'Gatineau' ♥	Introduit par Mlle Preston en 1932. Grandes fleurs larges, bleu azur à sépales retombants veinés de violet. Floraison abondante.	100/40	40/16		6	
'Miss Duluth'	Grandes fleurs bleues, ouvertes à nervures blanches.	85/34	40/16		6-7	
'Perry's Blue'	Grandes fleurs larges de 9 cm, bleu pâle et veinées de bleu foncé.	85/34	40/16		6	
'Perry's Pansy'	Très grandes fleurs violettes à sépales retombants et veloutés.	110/44	40/16		6	
'Rimouski' ♥	Introduit par Mlle Preston en 1937. Grandes fleurs blanches, tachetées de jaune à la base des sépales.	95/38	40/16		6	
'Salem Witch'	Fleurs mauves picotées de blanc. Floraison hâtive soit en même temps que I. germanica et d'une durée de trois semaines.	60/24	40/16			
'Sea Shadow's'	Grandes fleurs de 12 cm, bleu clair.	95/38	40/16		6	
'Silver Edge' ♥	Introduit par Mc Even en 1973. Grandes fleurs tétraploïdes, bleu foncé, larges à bordure bleu clair et à reflet argenté.	70/28	40/16		6	
'Snow Queen'	Introduit par Barr en 1900. Hybride d'Iris sibirica et d'Iris sanguinea. Fleurs blanches, délicates à gorge jaune et à sépales retombants. Floraison hâtive et remontante à l'automne.	90/36	40/16		6	
'Snowcrest'	Introduit par Gage en 1932. Fleurs blanches de 9 cm, à gorge jaune et à sépales retombants et ondulés.	100/40	40/16		6	
'Sparkling Rose' ♥	Introduit par Hager en 1967. Grosses fleurs rose-mauve.	90/36				
'Suji Iri'	D'origine inconnue. Variété courte à petites fleurs blanc bleuté avec picots blancs. Intéressante pour donner un effet naturel.					
'Swank'	Introduit par B. Hager en 1968. Très grandes fleurs bleues, veinées de violet.	100/40	40/16		6	

Espèce 'Variété'	Description	⌂ cm/po	◊ cm/po	Ø cm	❀	♉
'Tycoon'	Introduit par Cleveland en 1938. Fleurs larges, violet-pourpre.					
'Velvet Gown' ♥	Magnifique variété d'apparence spéciale. Fleurs au centre bleu pâle et extérieur bleu mauve.	75/30	40/16			
'White Jewel'	Grandes fleurs blanches, déployées horizontalement.	70/28	40/16		6-7	
'White Swirl' ♥	Introduit par Casseber en 1957. Grandes fleurs blanches, larges.	100/40	40/16		6	
spuria	Espèce à croissance vigoureuse. Ses fleurs bleu-pourpre ou lilas, sillonnées de jaune sont parfumées et réunies par 1 à 4. Ses feuilles sont glauques, très effilées et d'un centimètre de large. Tolère un sol alcalin ou salin. Intéressante en fleurs coupées. Il existe beaucoup de cultivars à travers le monde. Zone 5.	70/28	40/16	9	6-7	

versicolor Blue Flag Iris ☺ ◐☼

Zone: 2-3
Origine: Amérique du Nord
Utilisations: I - O
⌂ 55 cm/ 22 po
◊ 40 cm/ 16 po

On tente depuis longtemps à nommer cette plante comme emblème de la province du Québec car la fleur sur notre drapeau n'est nulle autre qu'une fleur d'Iris et non d'un lys. Fleurs délicates bleu violet veinées et à gorge jaune et blanche, sépales spatulés, retombants deux fois plus longs que les pétales dressés au centre. Feuillage arcqué vert, glauque, étroit et teinté de pourpre à la base. Espèce facile à acclimater au jardin. Depuis quelques années de nombreux cultivars ont été développés dans des teintes nouvelles et uniformes mais très peu portent un nom de variété, ils sont vendus par couleur. L'Iris versicolor sert aussi de parent à une nouvelle lignée introduite par M.T. Hubert, soit l'Iris x versata provenant de l'Iris versicolor et de l'Iris x ensata. Existe aussi 'Blanc' ou de couleur 'Rougette'.

Sol: Humide ❀ Juin - Juillet

'Magenta' Fleurs de couleur magenta à gorge blanche et jaune provenant du centre de recherche Norseco, où l'on a hybridé l'Iris versicolor pour produire des plantes ornementales supérieures à l'espèce. Nombreuses variétés en couleur séparée.

'Pourpre' Semblable à I. 'Magenta', mais en plus violacée. Fleurs pourpres. Spécimen de 60 cm de haut.

'Violet et blanc' Spécimen de 80 cm de haut.

'Violet foncé et jaune' Plante semblable à l'espèce, mais ses fleurs sont violettes plus foncées à gorge jaune. Spécimen de 80 cm de haut.

x versata

Cet Iris est plus proche de son parent l'Iris versicolor que l'Iris ensata. Ses fleurs sont plus abondantes, ses sépales plus grands avec une tache jaune vif. La forme aussi de sa fleur est plus arrondie que celle de l'Iris versicolor. Ses pétales sont plus grands et plus larges que ceux de ses parents, légèrement veinés ou de couleur uniforme. Floraison à la fin juin. Il n'existe pas d'espèce-type, ce sont des cultivars différents.

x versata 'Bee Flaminco'

Fleurs mauve pâle, la base de ses sépales jaunes est entourée d'un anneau pourpre.

x versata 'Belle Promesse'

Introduit par M.T. Hubert. Fleurs pourpre foncé, d'apparence veloutée.

x versata 'Gogo Boy'

Fleurs à sépales violet clair, veinés de blanc avec un hâle foncé au centre.

x versata 'Joliette'

Fleurs légèrement parfumées à pétales violets, sépales violet foncé et bordure rose et blanche. Tige à trois fourches et à trois fleurs. Mi-hâtive à tardive.

x versata 'Oriental Touch'

Introduit par M.T. Hubert et enregistré. Fleurs à pétales mauve violacé et sépales mauves avec une ligne centrale blanche. Tige florale forte et ramifiée par 2, produisant 12 à 20 fleurs chaque.

x versata 'Puplet Cha-Cha'

Fleurs violet foncé, les sépales sont marqués d'une ligne centrale blanche.

x versata 'Purple Polka'

Très beau cultivar. Fleurs violettes très foncées et la base des sépales est tachée légèrement de jaune.

x versata 'Sweet Tongo'

Fleurs bleu-violet.

Jasione Shepherd's Scabious

Famille: Campanulacées **Zone:** 4
Origine: Europe et Asie

Fleurs campanulées, regroupées en inflorescences denses et globulaires généralement bleu-mauve. Petites feuilles pubescentes et persistantes qui supportent bien la sécheresse. Se propage par semis et division.

Sol: Pauvre - Acide
Compagnons:
Été: Lavandula et Astilbe
Printemps: Iris pumila et Campanula bellidifolia
Automne: Chrysanthemum et Sedum

laevis

Synonyme: J. perennis **Utilisations:** F - R - Au - M
25 cm/ 10 po · 30 cm/ 12 po · ⊗ Rosette - Coussin

Fleurs campanulées en boule plumeuse semblable à une fleur de centaurea. Emet des stolons.

Feuilles: Lancéolées **Feuillage:** Vert clair et velu. Persistant.
Juillet à août · ∅ 3 cm · **Couleur:** Bleu mauve

***laevis* 'Blaulicht'**

Synonyme: J. 'Blue Light'

Très intéressant en fleurs coupées. Le cultivar Blaulich (Blue Light) mesure 30 à 50 cm, sa fleur est plus grosse et sa rusticité réclame une zone 5.

Jovibarba Joubarbe

Famille: Crassulacées **Zone:** 3

Utilisations: Al - Au

Presque la même identité que le Sempervivum, mais séparé de ce genre pour des raisons botaniques, soit la forme de ses fleurs campanulées de 6 ou 7 pétales, sa couleur qui est jaune et le développement de petites rosettes au coeur des feuilles centrales. Utilisation privilégiée d'auges et de jardins alpins.

Compagnons:
Été: Anthemis rudolphiana et Papaver alpinum
Printemps: Ajuga et Campanula muralis
Automne: Sedum spurium et viola

***hirta* 'Rax'**

15 cm/ 6 po 20 cm/ 8 po ⊗ Rosette

Fleurs jaunes contrairement aux Sempervivums.

Feuilles: Pointues, pourpres au coeur vert formant une rosette.

Juillet - Août ∅ 3 à 5 cm

x sobolifera

Synonyme: Sempervivum soboliferum **Utilisations:** Al - Cu

15 cm/ 6 po 20 cm/ 8 po ⊗ Rosette

Fleurs jaunes contrairement aux Sempervivums. Croissance en rosette. Hampe floral de 5 à 7 cm de haut.

Feuillage: Charnu, vert clair à pointes rouges. Persistant.

Juillet - Août ∅ 2 à 4 cm

Kalimeris Double Japanese Aster

Famille: Asteracées **Zone:** 4-5

Origine: Japon ⊗ Rosette

Fleurs semblables à celles des Asters. Petit feuillage formant des touffes légères, robustes. Sans exigences particulières.

incisa

60 cm/ 24 po 30 cm/ 12 po Septembre - Octobre

Nombreuses tiges ramifiées, fleurs blanches ou lilas à coeur jaune. Demande une exposition ensoleillée ou mi-ombrée. Zone 4.

Feuilles: Incisées mesurant 10 cm. **Feuillage:** Vert clair.

***mongolica* 'Hortensis'**

Utilisations: F

60 cm/ 24 po 30 cm/ 12 po ⊗ Érigé

Petit capitule semi-double à fleurs ligulées. Très florifère et facile de culture. Intéressant pour sa floraison prolongée de plus de 10 semaines. Zone 4.

Feuilles: Mesurant 15 cm. Alternes **Feuillage:** Léger.

Juin à septembre **Couleur:** Blanc au coeur jaune crème

Kirengeshoma Yellow Waxbells

Famille: Saxifragacées **Zone:** 4-5
Origine: Japon et Corée

Plante de sous-bois à feuillage palmé et à petites fleurs campanulées jaune crème, d'aspect cireux, regroupées en cyme axillaire et terminale. Éviter de la transplanter et lui donner plus d'eau à la fin de l'été. Les fruits sont empoisonnés.

Sol: Frais - Riche

koreana

90 cm/ 36 po — 75 cm/ 30 po — ⊗ Arrondi - Buisson

Semblable à K. palmata sauf que son inflorescence est érigée et sa fleur plus ouverte.

Feuilles: Lobées - Dentées — ❀ Août - Septembre

palmata

Utilisations: M

80 cm/ 32 po — 55 cm/ 22 po — ⊗ Arrondi - Buisson

Fleurs pendantes à 5 pétales. Se propage par semis, boutures et division.

Feuilles: De 7 à 10 lobes peu profonds et pointus.
Feuillage: Glabre à tige pourpre.
❀ Août à septembre — **Couleur:** Jaune pâle

Kitaibela

Famille: Malvacées **Zone:** 5
Origine: Europe et Yougoslavie

Très résistante à la sécheresse.

Sol: Ordinaire - Profond

vitifolia

Utilisations: K

175 cm/ 70 po — 150 cm/ 60 po — ⊗ Dressé

Vigoureux. Sa fleur est blanche à rosée se retrouvant à l'aisselle des feuilles (semblable à la Malva). Croissance rapide. Propagation par semences, boutures ou division.

Feuilles: Simples, semblable à des feuilles de vignes.
❀ Août - Octobre

Knautia Oreille d'âne • Crimson Scabious

Famille: Dipsacacées **Zone:** 4-5
⊗ Étalé

De la même famille que la Scabiosa et très semblable de par son inflorescence en capitule porté sur des tiges de 30 à 50 cm de haut. Feuillage surtout concentré à la base de la plante. Supporte les sols secs grâce à sa racine pivotante profonde.

arvensis

Utilisations: M - F

100 cm/ 40 po — 30 cm/ 12 po — ⊗ Étalé

Plante idéale pour le jardin, très ramifiée à port lâche.

Feuilles: Pennées
❀ Juillet - Septembre — ∅ 3 à 4 cm — **Couleur:** Bleu violacé

macedonica

Utilisations: M - F

70 cm/ 28 po — 30 cm/ 12 po — ⊗ Dressé

Fleur très spéciale d'apparence double et de couleur peu fréquente. Floraison abondante et tige très ramifiée. Se comporte parfois comme une bisannuelle.

Feuilles: Basales - Dentées — **Feuillage:** Vert sombre.

❀ Juillet à septembre — ∅ 1,5 à 3 cm — **Couleur:** Rouge vin

Kniphofia Red-Hot-Poker

Famille: Liliacées — **Zone:** 5

Origine: Afrique du Sud

Synonyme: Tritoma — ⊗ Évasé

La plante ressemble à un aloès en fleurs. Feuillage en rosette semblable à celui d'une graminée. Fleurs tubulaires réunies en racème, comme un épi, changeant de couleur selon la maturité. Culture difficile sous notre climat. Elle exige une protection hivernale et/ou attacher les feuilles ensemble afin d'éviter l'accumulation d'eau au coeur.

Sol: Bien drainé - Riche — ❀ Août

Compagnons:

Printemps: Gypsophila et Veronica

Été: Nepeta et Penstemon

Automne: Pennisetum et Sedum

x 'Flamenco'

⊗ Évasé

Nouvelle variété qui fleurit la même année du semis. Fleurs crèmes, orangées, jaunes et rouges, intéressantes en fleurs coupées.

x 'Pfitzeri'

Synonyme: Tritoma — **Utilisations:** M - F - O

75 cm/ 30 po — 40 cm/ 16 po — ⊗ Évasé

Le bouton de la fleur est orangé, mais la fleur est rouge.

Feuilles: Linéaires — **Feuillage:** Vert lustré. Persistant.

❀ Août à septembre

x 'Primrose Beauty'

Fleurs roses et jaunes, de 75 à 90 cm de haut et fleurissant de juin à septembre.

x 'Springtime'

100 cm/ 40 po

Fleurs de couleur corail et blanc crème. Variété robuste.

Lactuca Lettuce

Famille: Asteracées — **Zone:** 4

Origine: Cosmopolite: zones tempérées nord

Une centaine de plantes annuelles et de vivaces forment ce genre. Tige solitaire, érigée, à plusieurs branches, feuilles lobées. Fleurs bleues, occasionnellement bleu-blanc, bleu-violet, roses, blanches ou jaunes. Plante dont le feuillage et la floraison sont attrayants; utilisée pour la naturalisation. Préfèrent un sol neutre à acide, humide et humifère.

Sol: Riche - Humide

alpina

Synonyme: Ciberbita alpina

⌂ 150 cm/ 60 po ◊ 90 cm/ 36 po ❀ Juillet - Septembre

Fleurs violettes de 2 cm de diamètre. Ses feuilles inférieures sont de 25 cm de long et ses feuilles supérieures sont engainantes. Tige florale rouge et pubescente.

Lamiastrum Faux lamier • Golden Nettle

Famille: Lamiacées **Zone:** 3

Origine: Europe et Est de l'Iran

Le genre Lamiastrum est maintenant classé comme un Lamium dans la nomenclature horticole. Tiges érigées à rampantes, stolonifères. Plante utilisée comme couvre-sol dans des endroits mi-ombragés à ombragés. Surtout recherchée pour son feuillage vert panaché argenté et pubescent. Floraison en mai et juin. Croissance forte et rapide.

Sol: Tous les sols - Bien drainé

Compagnons: Été: Papaver et Campanula persicifolia
Printemps: Ajuga 'Metallica' et Lysimachia nummularia
Automne: Rudbeckia et Perovskia

***galeobdolon* 'Herman's Pride'**

Synonyme: Lamium galeobdolon 'Hermann's Pride' **Utilisations:** A - B - C - G - N - S - T

⌂ 30 cm/ 12 po ◊ 50 cm/ 20 po ⊗ Couvre-sol - Colonie

Intéressant à utiliser comme couvre-sol dans des endroits sombres pour son très joli feuillage à motifs géométriques argentés. Ses tiges sont érigées à rampantes, parfois stolonifères, quadrangulaires et pubescentes. S'étend rapidement. Zone 3.

Feuilles: Entières, dentées, étroites, pointues.

Feuillage: Argenté, rayé et strié de vert. Semi-persistant.

❀ Mai - Juin **Couleur:** Jaune

***galeobdolon* 'Silberteppich'**

Synonyme: L. 'Silver Carpet' **Utilisations:** A - B - C - G - N - S - T

⌂ 20 cm/ 8 po ◊ 30 cm/ 12 po ⊗ Couvre-sol - Colonie

Variété à croissance lente, formant un coussin sans stolons. Zone 3.

Feuilles: Entières. Dentées

Feuillage: Argenté foncé, veiné de vert. Semi-persistant.

❀ Mai - Juin **Couleur:** Jaune

***galeobdolon* 'Variegatum'**

Synonyme: Lamium galeobdolon'Variegatum' ou 'Florentinum'

Utilisations: A - B - C - G - N - S - T

⌂ 30 cm/ 12 po ◊ 35 cm/ 14 po ⊗ Couvre-sol - Colonie

Cette variété présente des feuilles plus petites que les autres variétés. De croissance moyenne, elle est tout indiquée pour les plus petits jardins. Tige sarmenteuse. Elle se comporte bien en panier suspendu à l'intérieur. Zone 3.

Feuilles: Entières. Ovées

Feuillage: Vert moyen maculées d'argent. Semi-persistant.

❀ Mai - Juin **Couleur:** Jaune pâle

x 'Silver Spangle'

Synonyme: Lamium galeobdolon 'Silver Spangled' **Utilisations:** A - B - C - G - N - S - T
30 cm/ 12 po ⊗ Couvre-sol - Colonie

Variété un peu moins connue, qui a une très bonne croissance. A essayer!

Feuilles: Entières, dentelées irrégulièrement.
Feuillage: Légèrement pubescent et de couleur très argenté. Semi-persistant.
❀ Mai - Juin **Couleur:** Jaune

Lamium Lamier • Dead Nettle

Famille: Lamiacées **Zone:** 3
Origine: Europe, Afrique du Nord et Asie

Regroupe une cinquantaine d'espèces et de variétés de plantes rampantes et/ou stolonifères, à tige quadrangulaire. Les feuilles varient de ovées à réniformes, leur base étant cordée, le pourtour est crénelé. Leur forme générale rappelle celle des feuilles de l'ortie. Les fleurs sont labiées, disposées en faux verticilles. L'inflorescence est un épi dense. Les lamiers sont intéressants par leur feuillage panaché décoratif et leur floraison printanière de différentes teintes, selon les variétés. On les utilisent comme couvre-sol, en bordure d'arbustes ou de vivaces vigoureuses. De croissance rapide. Il est important de les tailler pour éviter un port lâche. Certaines espèces stolonifères peuvent être envahissantes.

Sol: Tous les sols - Bien drainé
Compagnons: **Été:** Campanula et Astilbe
Printemps: Primula denticulata et Ajuga 'Burgundy Glow'
Automne: Tradescantia et Chrysanthemum 'Red Chimo'

***album* 'Friday'** Ortie blanche • White Dead Nettle

Utilisations: B - C - G - N - S - T
30 cm/ 12 po 50 cm/ 20 po ⊗ Couvre-sol - Colonie

Vivace stolonifère, à tige quadragulaire, pubescente. Tiges florales érigées de 25-30 cm de long. Se naturalisera même sur un sol mal drainé, argileux, mais tout de même fertile. Plante de peu d'entretien. Zone 3.

Feuilles: Entières, de 6 cm de long, ovées, oblongues. Opposées - Dentées
Feuillage: Jaune bordé de vert, pubescent. Persistant.
❀ Mai - Juin **Couleur:** Blanc

***maculatum* 'Album'** Lamier maculé • Spotted Dead Nettle

Utilisations: A - B - C - G - S - T
20 cm/ 8 po 50 cm/ 20 po
⊗ Couvre-sol - Colonie

Vivace basse, stolonifère; certaines tiges ascendantes et d'autres couchées sur le sol. Utiliser à la mi-ombre, dans un sol léger, humifère et pas trop lourd. Ne tolère pas l'ombre dense, particulièrement en sol mouillé. Zone 3.

Feuilles: Entières, jusqu'à 9 cm de long, triangulaires à ovées, base cordée. Opposées - Dentées
Feuillage: Légèrement pubescent, vert foncé plus ou moins maculé d'argent. Persistant.
❀ Mai - Juin **Couleur:** Blanc

maculatum **'Aureum'**

Synonyme: L. 'Gold Leaf' **Utilisations:** A - B - C - G - T

⌂ 20 cm/ 8 po ◊ 40 cm/ 16 po ⊗ Couvre-sol - Colonie

Vivace intéressante à utiliser dans les coins mi-ombragés pour son feuillage qui attire l'oeil. Variété qui craint les situations sèches, croissance lente. Zone 3.

Feuilles: Simples et ovées. Opposées - Dentées

Feuillage: Jaune doré avec une bande blanc argenté étroite au centre. Persistant.

❀ Mai - Juin **Couleur:** Rose

maculatum **'Beacon Silver'**

Synonyme: L. Ibergroschen' **Utilisations:** A - B - C - G - S - T

⌂ 20 cm/ 8 po ◊ 50 cm/ 20 po ⊗ Couvre-sol - Colonie

Variété qui, à cause de son feuillage argenté, va créer des zones plus claires, plus lumineuses dans des endroits ombragés ou très sombres. Intéressant. Zone 3.

Feuilles: Entières. Opposées - Dentées

Feuillage: Argenté, avec une bordure étroite verte. Persistant.

❀ Mai - Juin **Couleur:** Rose-pourpre

maculatum **'Beedham's White'**

⊗ Couvre-sol - Colonie

Variété récente, au feuillage chartreuse et à fleurs d'un blanc pur. Zone 3.

maculatum **'Chequers'**

Utilisations: A - B - C - S - T - G

⌂ 25 cm/ 10 po ◊ 50 cm/ 20 po ⊗ Couvre-sol - Colonie

Cultivar vigoureux. Variété au feuillage panaché intéressant se teinte de rouge à l'automne. Très florifère. Zone 3.

Feuilles: Simples et larges. Opposées - Dentées

Feuillage: Vert foncé avec une large rayure argentée au centre de la feuille. Persistant.

❀ Mai - Juin **Couleur:** Rose violet

maculatum **'Pink Pewter'**

Utilisations: A - B - C - S - T - G

⌂ 20 cm/ 8 po ◊ 50 cm/ 20 po ⊗ Couvre-sol - Colonie

Semblable à L. 'White Nancy'. Plante compacte. Belle variété à utiliser dans des endroits ombragés. Floraison d'un très beau rose, pouvant se prolonger jusqu'à l'été. Zone 3.

❀ Mai - Juin **Couleur:** Rose clair

maculatum **'Shell Pink'**

Synonyme: L. 'Roseum' **Utilisations:** A - B - C - S - T - G

⌂ 20 cm/ 8 po ◊ 50 cm/ 20 po ⊗ Couvre-sol - Colonie

Variété récente, à fleurs larges, abondantes. Zone 3.

❀ Mai - Juin **Couleur:** Rose clair

maculatum **'White Nancy'**

Utilisations: A - B - C - S - T - G

⌂ 20 cm/ 8 po ◊ 50 cm/ 20 po ⊗ Couvre-sol - Colonie

Variété semblable à L. 'Beacon Silver' mais à fleurs blanches et plus argentées. Croissance vigoureuse. Zone 3.

❀ Mai - Juin — **Couleur:** Blanc

---

orvala

Utilisations: C - N - S - P

55 cm/ 22 po — ◊ 30 cm/ 12 po — ⊗ Couvre-sol - Colonie

Grandes feuilles à la base desquelles on retrouve plusieurs fleurs tachetées et superposées. Plante à découvrir. Forme de belles talles, sans stolons. Pour naturalisation dans des endroits ensoleillés à mi-ombragés, en bordure d'un sous-bois ou en situation mi-ombragé dans un sol ordinaire et pas trop sec. Zone 5.

Feuilles: Entières et grandes de 10 à 15 cm. Opposées - Dentées

Feuillage: Vert foncé, lustré. Persistant.

❀ Mai - Juin — **Couleur:** Rouge brunâtre, pourpré

Lathyrus Pois vivace • Sweet Pea

Famille: Fabacées (Syn. Légumineuse) — **Zone:** 3

Origine: Europe

Plante grimpante à floraison continue, facile de culture et à longue durée de vie. Fleurs semblables à celles des pois de senteur, mais plus petites et inodores. Feuillage composé, délicat et résistant.

Sol: Ordinaire - Meuble

Compagnons:
Été: Saponaria et Bergenia
Printemps: Anacyclus et Bergenia
Automne: Malva et Chrysanthemum 'Clara Curtis'

---

latifolius Everlasting Pea

Utilisations: C — 200 cm/ 80 po — ◊ 40 cm/ 16 po

Fleurs groupées par 3 à 8, variant du blanc au rouge selon les semis. Ses feuilles à folioles ovales sont glauques et très nervées avec tige ailée. Planter à la base d'un treillis, sur le haut d'un mûret ou comme couvre-sol.

Feuillage: Effillé. — ❀ Juin à août

---

vernus

30 cm/ 12 po — ◊ 45 cm/ 18 po — ❀ Mai

Espèce à croissance vigoureuse de forme compacte à floraison hâtive et abondante. Fleurs rouge violacé palissant au bleu à la maturité. Feuilles à folioles lancéolées et pointues. Offerte dans les teintes; de rose 'Alboroseus' ou de blanc 'Alboflorus'.

Lavandula Lavande • Lavender

Famille: Lamiacées — **Zone:** 4-5

Origine: Méditerranée — ⊗ Arrondi - Buisson

Emblème de la Provence, connue pour ses fleurs en épis et son feuillage odorant. La plante est légèrement ligneuse; ses feuilles sont persistantes. La planter dans un endroit bien ensoleillé pour encourager sa floraison et un port compact. Rabattre les hampes florales seulement. Ne supporte pas les hivers humides. Éviter les paillis de feuilles qui risquent de la faire mourir; utiliser plutôt des branches de conifères.

Sol: Sec - Calcaire

Compagnons:
Été: Iris et Campanula glomerata
Printemps: Viola 'Freckles' et Arabis
Automne: Chelone et Linum

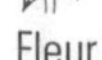

Feuille — Fleur

angustifolia

Synonyme: L. vera ou L. officinalis

Surnommée la lavande vraie. Fleurs bleu foncé, parfumées, son feuillage est grisâtre et aromatique. Se retrouve dans les teintes de blanc dont L. angustifolia 'Alba' ou de rose lilas L. angustifolia 'Rosea', parfumées, de 50 cm de haut et sa végétation est abondante et se propage par boutures.

Feuillage: Persistant.

***angustifolia* 'Blue Cushion'**

Plante enregistrée C.O.P.F.

***angustifolia* 'Hidcote Blue'**

Utilisations: M - O   30 cm/ 12 po   30 cm/ 12 po

Plante compacte et propagée par semis. Floraison prolongée.

Feuillage: Gris-vert. Persistant.

Juin à août   **Couleur:** Pourpre

***angustifolia* 'Jean Davis'**

Utilisations: M - Fs   35 cm/ 14 po   30 cm/ 12 po

Vendue sous différents noms sur le marché "Hidcote Pink', 'Londdon Pink' et 'Rosea'. Son aspect est différent des autres.

Juin à août   **Couleur:** Rose pâle

***angustifolia* 'Lady'**

Utilisations: M - F   40 cm/ 16 po   40 cm/ 16 po

Plante fleurissant dès la première saison. Compacte et de forme régulière.

Feuillage: Persistant.   Juin à juillet   **Couleur:** Bleu violacé

***angustifolia* 'Munstead'**

Synonyme: L. 'Nana compacta'   **Utilisations:** M - Pa

40 cm/ 16 po   30 cm/ 12 po

Plante très compacte qui se propage par semis.

Juin à août   **Couleur:** Lavande

latifolia Dutch Lavender

Utilisations: M - O   60 cm/ 24 po   30 cm/ 12 po

Fleurs semblables à celle de la Lavande commune. Se propage par boutures.

Feuilles: Plus grandes et plus longues que l'espèce.

Juin à août

stoechas ssp. pedunculata

60 cm/ 24 po   50 cm/ 20 po   Buisson

Surnommée lavande papillon, car sa fleur est retombante, elle est mauve sur un épis court. Plante très décorative qui nécessite une protection et un sol sec. La Lavandula stoechas est la lavande espagnole, elle est utile en fines herbes.

Feuillage: Vert clair, très aromatique. Persistant.

Août à septembre   **Couleur:** Mauve

x intermedia 'Dutch Lavander'

Synonyme: L. Dutch Lavander'

Fleurs semblables à celles de la lavande commune. Se propage par boutures seulement.

Feuillage: Persistant.

Lavatera Lavataire • Tree Mallow

Famille: Malvacées **Zone:** 4

Origine: Europe Centrale et du Sud-Ouest ⊗ Buisson

Grande plante à tiges érigées fortement ramifiées, à feuilles larges, lobées et pubescentes. Fleurs semblables à celles de la Malva ou de l'Hibiscus mais plus petites et en forme de coupe. Ses pétales sont échancrés et recurvés vers l'arrière un peu, solitaires et axillaires à l'extrémité de chacune des tiges. Existe dans les teintes de blanc, rose ou bourgogne. Souvent cultivée par les producteurs d'annuelles car elle se sème bien mais se transplante mal..

Sol: Sec - Profond

Compagnons:
Été: Liatris et Filiependula
Printemps: Paeonia et Primula japonica
Automne: hibiscus et Sedum atropurpureum

thuringiaca

Utilisations: S - F   150 cm/ 60 po   45 cm/ 18 po

Fleurs roses de 4 à 8 cm de diamètre avec feuilles à 5 lobes. Tige ligneuse à la base. Rabattre à 15 cm au printemps (ne pas rabattre au sol).

Feuillage: Persistant.   ❀ Juillet - Septembre

∅ 4 cm   **Couleur:** Rose magenta

x 'Barnsley'

200 cm/ 80 po   60 cm/ 24 po

Fleur blanche satinée à coeur rose foncé à rouge. Très florifère. Échappée de culture.

Feuillage: Vert grisâtre. Persistant.   ❀ Juillet - Septembre

Leontopodium Edelweiss

Famille: Asteracées **Zone:** 4

Origine: Région montagneuse d'Europe et Carpate ⊗ Rosette

Plante d'aspect velu spécial. Fleurs peu décoratives car d'aspect terne au feuillage pubescent argenté. Demande un bon drainage. Croît bien dans les rocailles et les auges.

Sol: Pauvre - Calcaire

Compagnons:
Été: Limonum et Gaillardia
Printemps: Lychnis atrosanguinea et Viola
Automne: Achillea 'Terra Cotta' et Heuchera

alpinum

Utilisations: R   20 cm/ 8 po   20 cm/ 8 po

Fleurs peu colorées. Plante populaire à cause de la chanson portant ce nom et elle est aussi l'emblème de l'Autriche.

Feuillage: A bractées laineuses.   ❀ Juillet - Août

alpinum 'Mignon'

10 cm/ 4 po   20 cm/ 8 po

Fleurs d'un blanc pur. Coussin dense. Facile de culture.

palibinianum

Synonyme: L. ochroleucum var campestre
⌂ 45 cm/ 18 po ◊ 25 cm/ 10 po

Espèce très vigoureuse. Fleurs larges d'un diamètre de 7 cm au dessus du feuillage. Ses feuilles sont lancéolées de 20 cm de long, tomentueuses des deux côtés.

wilsonii

Utilisations: R - Cu ⌂ 10 cm/ 4 po ◊ 15 cm/ 6 po

Inflorescence voyante. Plant nain.

Feuillage: Très fin. ❀ Juillet - Août

Leucanthemum Voir Chrysanthemum

Lewisia Betterroot

Famille: Portulacacées **Zone:** 5
Origine: Nord-ouest Américain ⊗ Rosette

Plante alpine au feuillage succulent, disposé en rosette, ses fleurs étoilées à pétales étroits sont regroupés en petit nombre et sont d'une pure beauté. L'espèce plus connue et que l'on retrouve sur le marché est L. cotyledon var.heckneri à feuilles larges et dentées et L. var.hocwellii à feuilles étroites, lustrées et à marge crispée.

Sol: Bien drainé - Riche
Compagnons: Été: Sedum 'Caba Blanco' et Linum
Printemps: Campanula muralis et Dianthus 'Tiny Rubies'
Automne: Festuca et Sidalcea

cotyledon

Utilisations: R - Cu - Au ⌂ 15 cm/ 6 po ◊ 25 cm/ 10 po

Fleurs allant du blanc au rose, en passant par le pêche. Très florifère. Placer du gravier autour du collet de la plante afin d'éviter la pourriture. Plante vendue plus souvent sous le nom de L. 'Sunset hybrids'.

Feuillage: Lustré, succulent, en rosette. Persistant.
❀ Mai - Juillet ∅ 2 à 3 cm

nevadensis

⌂ 5 cm/ 2 po ◊ 20 cm/ 8 po ❀ Juillet - Août

Fleurs blanches à lèvres vertes et au coeur jaune sur une courte tige. Ses feuilles linéaires, lustées et de 6 cm de long disparaissent après la floraison.

pygmaea

Synonyme: L. minima **Utilisations:** Al ⊗ Rosette

Variété très florifère. Inflorescence courte supportant de 6 à 8 fleurs blanches, roses ou rose foncé à pétales de 2 cm de large. Zone 4.

tweedyi

⌂ 20 cm/ 8 po ◊ 30 cm/ 12 po ❀ Mai - Juillet

Magnifique variété à très grandes fleurs de 5 cm de diamètre, blanches à coeur et lèvre jaune, bordées de rose à l'extrémité des pétales. Ses feuilles sont ovales, charnues de 18 cm par 6 cm. Offerte sous le nom de L. teedyi 'Alba' ou 'Rosea'.

Liatris Liatride à épis • Blazing Star 

Famille: Asteracées **Zone:** 3
Origine: Amérique du Nord
⊗ Évasé

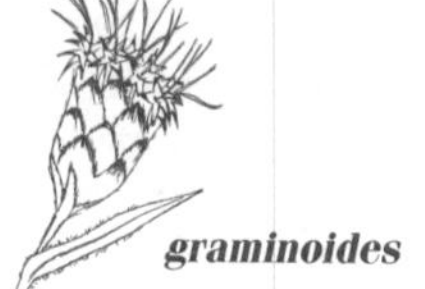

Fleurs minuscules en capitule réunis en racèmes, semblables à des épis. Feuilles étroites et fines. La plante à la particularité de fleurir en commençant du haut vers le bas. Populaire en fleurs coupées. De culture rapide et facile, soit par les semis ou la division de son bulbe. Remplace bien le Lythrum.

Sol: Bien drainé - Riche

Compagnons: Été: Chrysanthemum maximum et Delphinium
Printemps: Polemonium et Lamium 'Pink Pewter'
Automne: Perovskia et Lavatera

---

aspera

Voir Liatris scariosa.

---

pycnostachya

150 cm/ 60 po — Juillet à septembre

La plus grande des Liatris. Floraison prolongée à fleurs lavandes, à pétales longs et pointus, offrant une apparence cotonneuse. Ses feuilles sont étroites de 30 cm de long et ses tiges pubescentes sont arquées à l'extrémité. Elle tolère bien la sécheresse. Il existe une variété 'Alba'. Zone 4.

---

scariosa

Elle est probablement la L. aspera 'September Glory' de 90 cm de haut. Fleurs pourpres, rondes à marge blanche sur la base du capitule, elles ouvrent presque toutes en même temps, excellentes en fleurs coupées. Sa tige est rigide, ses feuilles mesurent 45 cm de long par 3 cm de large. Elle est surnommée la liatris rugueuse. Elle existe également la variété 'White Spire', similaire à la 'September Glory' mais blanche et la 'Magnifica' à fleurs larges dans le haut.

***scariosa* 'Gracious'**

120 cm/ 48 po — 30 cm/ 12 po — Juillet à août

Floraison prolongée, fleurs d'un blanc pur et excellentes en fleurs coupées.

---

spicata Spike Gayfeather

Synonyme: L. callilepis **Utilisations:** S - Pa
90 cm/ 36 po — 50 cm/ 20 po — Juillet à septembre

Inflorescence mauve à long épi dense et ses feuilles sont de 25 cm par 1 cm de large. Se propage par semis ou division.

***spicata* 'Floristan Weiss'**

Utilisations: S - Pa — 90 cm/ 36 po — 30 cm/ 12 po

Variété à fleurs blanches. Se retrouve aussi dans le rose magenta sous le nom de 'Floristan Violett'. Ils ont tendance à être moins vigoureux après 4 à 5 ans.

Juillet à août **Couleur:** Blanc

***spicata* 'Kobold'** ♥

Synonyme: L. 'Gnome'
Utilisations: S - Pa
⌂ 45 cm/ 18 po ◊ 30 cm/ 12 po ❀ Juillet à août

Plante compacte à inflorescence dense, lilas-mauve. Floraison hâtive. A essayer car elle est toujours fidèle et peu exigeante.

***spicata* 'Silver Tip'**

⌂ 90 cm/ 36 po ❀ Juillet à août

Fleurs lavandes. Il existe aussi un cultivar court L. var. montana de 30 cm de haut.

Ligularia Ligulaire

Famille: Asteracées
Zone: 3-4
Origine: Asie

Plante recherchée pour son feuillage ornemental, luxuriant ou tropical. Fleurs en capitule groupé en corymbes, panicules ou racèmes. Les formes ligulées préfèrent les sols riches, profonds et frais et une exposition mi-ombragée. Vivace sous-utilisée, devrait faire partie de tous les aménagements.

Sol: Riche - Frais
Compagnons:
Printemps: Aquilegia et Trollius
Été: Echinacea et Liatris
Automne: Macleaya et Solidago

dentata

Synonyme: L. clivorum
Utilisations: S - M
⌂ 120 cm/ 48 po ◊ 90 cm/ 36 po ⊗ Arrondi - Buisson

Inflorescence regroupant de 12 à 14 fleurs jaune orangé à centre brun. Les jeunes feuilles semblent velues et plus dentées.

Feuilles: Grandes. Cordées - Dentées
❀ Août à septembre ∅ 8 à 10 cm

***dentata* 'Desdemona'**

⌂ 120 cm/ 48 po ◊ 90 cm/ 36 po ⊗ Arrondi - Buisson

Sélection de L. dentata mais son feuillage est vert brunâtre à la suface, pourpre en dessous tout comme son pétiole. Variété très voisine de L. 'Othello'.

❀ Août à septembre **Couleur:** Orangé

***dentata* 'Orange Queen'**

⌂ 150 cm/ 60 po ◊ 90 cm/ 36 po

Variété plus vigoureuse que L. desdemona. Sa fleur est plus grande de couleur jaune orangé.

***dentata* 'Othello'** ♥

Utilisations: S - M
⌂ 100 cm/ 40 po ◊ 90 cm/ 36 po ⊗ Arrondi - Buisson

Semblable à L. 'Desdemona' mais son feuillage est pourpre des deux côtés, d'aspect exotique et porté sur de longs pétioles. Croissance rapide. La variété L. 'Moorbleit' possède un feuillage encore plus pourpre et mesure 80 cm. A l'automne après la floraison si nous n'avons pas coupé les fleurs fanées, nous remarquons un fruit sec, décoratif et particulier.

Feuilles: Rondes de 40 cm de diamètre.
❀ Août à septembre **Couleur:** Jaune orangé

japonica

⌂ 150 cm/ 60 po ◊ 90 cm/ 36 po ❀ Juin à juillet

Fleurs jaune orangé, regroupées par 2 à 8, son corymbe est disposé sur un pédoncule ayant de 3 à 20 cm de long et ses feuilles sont réniformes, lobées irrégulièrement de 3 lobes. Zone 5.

macrophylla

Synonyme: Senecio ledebouri ❀ Juillet à septembre

Différente des autres espèces par son feuillage érigé et ses fleurs. Sa hampe florale mesure jusqu'à 150 cm, elle porte une inflorescence conique, composée de nombreuses fleurs jaunes. Ses feuilles sont glauques, elliptiques, finement dentées mesurent 35 à 60 cm. Zone 4.

przewalskii

Utilisations: S - M

⌂ 180 cm/ 72 po ◊ 95 cm/ 38 po ⊗ Ovale - Érigé

Inflorescence similaire à L. 'The Rocket' mais de teinte plus claire. Zone 4.

Feuillage: Vert foncé à sinus profond.

❀ Juillet à août **Couleur:** Jaune

veitchiana

⌂ 200 cm/ 80 po ◊ 100 cm/ 40 po ⊗ Ovale - Érigé

Inflorescence en racème pyramidal à plusieurs fleurs jaunes au coeur brun ayant 7 cm de diamètre et de 12 à 14 rayons. Ses feuilles de 60 cm sont dentées à la base, triangulaires à cordées, molles, portées sur un pétiole robuste de 40 à 60 cm de long. Zone 5.

wilsoniana

⌂ 160 cm/ 64 po ◊ 90 cm/ 36 po

Espèce décorative et peu connue. Nombreuses fleurs disposées sur un racème pyramidal, ses bractées sont en génétal en nombre de 6 à 8. Son fruit est décoratif. À remarquer que son pétiole est rond, creux et mesure 20 à 25 cm.

Feuilles: Cordées ❀ Août à septembre ∅ 6 cm

x 'Gregynog Gold'

⌂ 180 cm/ 72 po ◊ 100 cm/ 40 po

Introduit en 1950. Hybride entre L. dentata et L. veitchiana. Fleurs jaune vif orangé, son épis est lâche, conique et large de 10 cm à la base. Ses feuilles sont vertes et rondes. Préfère les sols riches et très humides. Zone 5.

x 'The Rocket'

Utilisations: S - M

⌂ 150 cm/ 60 po ◊ 90 cm/ 36 po ⊗ Ovale - Érigé

Probablement un hybride de L. przewalskii et de L. stenocephala. Inflorescence genre épis effilé à tige noirâtre ressemblant un peu à L. przewalskii mais de couleur plus orangée. Zone 4.

Feuilles: Triangulaires de 24 par 20 cm à pointe allongée. Dentées

❀ Juillet à août **Couleur:** Jaune orangé

x heissei

Utilisations: S - M ⌂ 180 cm/ 72 po ◊ 40 cm/ 16 po

Hybride issu de croisement entre L. dentata, L. veitchiana et L. wilsoniana. Il fleurit un peu avant L. dentata.

Feuilles: Larges, oblongues à cordées.
❀ Juillet à septembre ∅ 8 cm

Feuillage: Vert d'aspect rugueux.
Couleur: Orangé

x palmatiloba

Hybride issu d'un croisement entre L. dentata et L. japonica mais ses fleurs jaune orangé de 7 cm de diamètre, aux ligules larges sont plus jolies que L. japonica. Son feuillage est vert forêt. Ses feuilles rondes sont moins profondément lobées. Fleurit aussi bien à l'ombre qu'en sol riche et humide au soleil.

❀ Juillet à août

Lilium Lis • Lily

Famille: Liliacées
Zone: 3-5
⊗ Dressé

Exceptionnellement nous incluons dans ce guide des plantes à bulbes, mais compte tenu de leur popularité et considérant que les producteurs de vivaces les offrent, nous nous y attarderons que brièvement. Plante bulbeuse connue pour ses grandes fleurs aux couleurs et formes variées, solitaires, terminales ou en racèmes, en panicules ou ombelles variant selon les espèces ou les hybrides. Celles-ci ont 3 pétales et 3 sépales tous semblables, soudés ou non jusqu'à la base nectarifère au centre, 6 étamines couvertes de pollen abondant, en général jaune mais parfois brun ou rouge (tachant) et stigmate trilobé. On sélectionne certaines espèces de façon judicieuse, une floraison continue est possible. De plus en plus utilisée en potée fleurie ou en fleurs coupées. Elle occupe une place de choix car sa période de floraison comble un creux de floraison dans les vivaces. La plante est parfois attaquée par le crisocère du Lis; un coléoptère à carapace rouge dont les larves dévorent le feuillage. Exige peu d'entretien sauf pour les variétés géantes exigent parfois un tuteur. Un petit truc afin de prolonger la floraison, couper l'organe femelle ou enlever le pollen ainsi il n'y aura pas de fécondation, votre plante s'en portera mieux. A noter que parfois le pollen tache les fleurs et enlève de la beauté, surtout sur une fleur blanche. Pour conserver notre bulbe en bonne condition, couper les fleurs fanées et laissez jaunir le feuillage avant de le couper.

Sol: Bien drainé - Riche

Compagnons:
Printemps: Euphorbia et Nepeta
Été: Achillea et Echinacea
Automne: Sidalcea et Anemone

amabile

Origine: Corée △ 75 cm/ 30 po ❀ Juillet

Fleurs du type martagon, rouge orangé, lustrées, tachetées de points noirs et regroupées par 1 à 6 sur un long pédoncule. Dégage une odeur nauséabonde. Se propage par semis dès la maturité des graines. La variété L. amabile 'Luteum' est jaune.

asiatique Asiatic Lily

⊗ Dressé ❀ Juillet ∅ 10 à 12 cm

Cette section regroupe une grande quantité de cultivars issus de croisements entre les espèces botaniques; L. amabile, L. bulbiferum, L. callosum, L. cernuum, L. concolor, L. lancifolium, L. maculatum, L. nanum, L. pensylvanicum, L. pumilum et L. wilsonii. Espèce qui se subdivise en trois groupes selon la disposition de leur fleur 1) érigée 2) dressée 3) pendante. Ses fleurs sont parfumées. Espèce très facile de culture. Demande un sol bien drainé, meuble et riche en matière organique.

Utilisée de plus en plus en potée fleurie. Ses feuilles sont alternes. Il existe maintenant des variétés sans pollens car les étamines se transforment en pétales pour former une fleur double. Nous vous proposons les meilleurs cultivars:

(Lilium)

'Alpenglow'	Fleurs roses et centre plus pâle.
'Apeldorn'	Orange pâle avec des points pourpres au centre.
'Apollo'	Blanches à étamines pourpres, de 75 cm de haut. Utilisées en potée fleurie.
'Aprodite'	Rose lavande.
'Chanson'	Rouges.
'Cherished'	Rose clair.
'Chinook'	Abricot.
'Connecticut King'	Jaune foncé, floraison prolongée de 3 à 4 semaines.
'Cordelia'	Jaune foncé.
'Corina'	Rouge foncé.
'Corrida'	Jaune moyen et couleur peau.
'Corsica'	Blanc ivoire au centre rose foncé.
'Crète'	Rose foncé.
'Cote d'azur'	Rose soutenu à floraison abondante.
'Dreamland'	Jaune vif avec une bande abricot au centre de chaque segment.
'Elite'	Orange.
'Enchantement'	Rouge orangé, lustrées, dressées, floraison abondante et utilisées en potée fleurie.
'Fire King'	Cultivar produit en 1930, floraison abondante, segments orange vif avec des points noirâtres.
'Harmony'	Orange.
'Haydee'	Jaune citron.
'Liliput'	Rouge orangé, de 40 cm de haut, plante compacte.
'Little Kiss'	Roses à coeur foncé.
'Lucyda'	Blanc pur.
'Malta'	Rose foncé.
'Marrissa'	La marge des segments est rose avec un soupçon d'orangé alors que la base est abricot.
'Marseille'	Rose pâle à coeur plus foncé.
'Matterhorn'	Blanches, mouchetées de points bruns et marquées au centre des segments par une ligne jaune.
'Monte Negro'	Rouge foncé.
'Montreux'	Roses.
'Milano'	Orange.
'Nadina'	Rose pâle.
'Nauona'	Segments blanc pur.
'Nepal'	Blanc neige.
'Nerone'	Rouge foncé.
'Orange Mountain'	Orangé vibrant.
'Peach Blush'	3 pétales roses et 3 pêches.
'Red Carpet'	Plante compacte, rouge, intéressante en potée fleurie.
'Red Night'	('Roter Cardinal') rouge intense.
'Rosita'	Rose foncé.
'Scarlet Emperor'	Rouge cerise.
'Selina'	Roses à floraison hâtive.
'Snowcap'	Grosses fleurs blanc crème.
'Sorbet'	Fleurs exceptionnelles, segments ourlés de rose bonbon et marqués au centre de rose pâle.
'Summer Sun'	Pêche doré.
'Sunray'	Jaune vif, légèrement tigrées, feuillage lustré, vert foncé.
'Tangerine'	Orange vif.
'Tristan'	Rouges.
'Vivaldi'	Segments roses très pâles.

'White Kissi'	Blanches avec quelques petis picots rouges.
'Yellow Blaze'	Jaune canari.

Il exite également la série Pixie de 40 cm de haut, qui se retrouve dans toute les couleurs et elle est intéressante en potée fleurie.

---

auratum Gold Banded Lily 

Zone: 5

Origine: Japon — **Synonyme:** Lys orientaux

150 cm/ 60 po — 50 cm/ 20 po — Août

Grandes fleurs blanches, picotées de points rouges et marquées d'une ligne jaune prononcée au centre de ses 6 pièces florales. Celles-ci sont soudées environ sur une demi de la longueur et recourbées vers l'extérieur aux extrémités. Ses fleurs en forme de coupe, érigées, cirées de 15 à 25 cm de diamètre sont regroupées au sommet de la tige florale qui lui donne un aspect exotique. Ses feuilles ovées, lancéolées de 22 cm de long sont disposées sur toute la longueur de la tige. Demande un sol riche, bien drainé et alcalin. Tolère mal le soleil. Un bon bulbe arrive à produire 6 fleurs, il faut prendre la précaution de le planter dans un endroit ou l'accumulation de neige est abondante. Les nouveaux cultivars sont listés sous le nom d'Hybrides orientaux et sont issus d'un croisement entre L. auratum et L. speciosum dont:

'Acapulco'	Fleurs d'un rose moyen.
'Barbaresco'	Rose fuchsia
'Blushing Pink'	Rose pâle, marquées de blanc.
'Bolero'	Rose moyen à coeur plus foncé.
'Casablanca'	Blanc pur sans picots à étamines rouges.
'Crimson Elegance'	Rouge cramoisi, bordées d'une ligne blanche.
'Golden Elegance'	Larges fleurs, aux segments blancs agrémentés au centre d'une ligne jaune.
'Journey's End'	Rose bonbon à marge décolorée et floraison tardive.
'Laura'	Roses, généralement ponctuées de points rougeâtres.
'Miss Rio'	Rose pâle, ornées d'une bande plus foncée au centre ponctuée de rouge.
'Mona Lisa'	Roses de 85 cm de haut.
'Nippon'	Blanches, agrémentées au centre d'une ligne jaune.
'Noblesse'	Blanc rosé, agrémentées d'une ligne de jaune au centre à chacun de ses pétales.
'Odéon'	Fleurs parfumées à segments d'un blanc pur.
'Omega'	Roses et blanches, tachetées de pourpre.
'Platyphylbum kimono'	Sa fleur n'est pas picotée et ses feuilles sont plus étroites.
'Red Jewel'	Rouge foncé.
'Rose Elegance'	Roses à floraison tardive.
'Starburst Sensation'	Blanches. Variété enregistrée.
'Stargazer'	Segments roses très foncés, ponctués de rouge à floraison tardive.
'Tiber'	Rose foncé, décolorées en bordure.
'Versailles'	Blanches généreusement ponctuées de lavande.

---

aureliens Lys aurelien • Trumpet Lily 

Synonyme: L. 'Trumpet' — **Zone:** 4a

135 cm/ 54 po — 40 cm/ 16 po — Dressé

Les hybrides x aureliens et les hybrides à fleurs en trompette ou en coupe sont des Lis issus de croisements entre L. brownii, L. henryi, L. leucanthum, L. saugentiae et L. sulphureum. Ils portent de grosses fleurs larges, regroupées par 2 à 3 au sommet de la tige. Utilisées en fleurs coupées.

(Lilium)
Voici quelques variétés:

'African Queen'	Fleurs en forme de trompette dont les segments varient du jaune à l'abricot et marron à l'extérieur.
'Amethyst Temple'	Rose foncé proche du magenta.
'Anaconda'	Abricot foncé dont l'extérieur des sépales sont cuivrés, de 150 cm de haut, vigoureux.
'Black Dragon'	Blanc verdâtre avec une gorge jaunâtre et l'extérieur des sépales pourpres. Variété très attrayantes .
'Bright Star'	Larges fleurs, épaisses, blanc crème relevées d'un centre orange foncé qui forme une étoile sur les segments.
'Copper King'	Fleurs parfumées à segments intérieurs de couleur abricot à marron et aux teintes cuivrées à l'extérieur.
'Golden Splendor'	D'un jaune pur à jaune pâle, très larges et teintées de rouge à l'extérieur.
'Golden Temple'	Jaunes, ponctuées légèrement d'abricot rosé avec l'extérieur des sépales presque noirâtres.
'Green Magic'	Blanc verdâtre.
'Lady Anne'	Blanc crème à gorge abricot foncé.
'Moon Temple'	Jaune verdâtre et l'extérieur des sépales vert moyen.
'Olympic Hybride'	Coloris assez varié, de fleurs lustrées d'un blanc pur à rose avec une gorge jaune, l'extérieur est brun ou vert pâle, sa forme est variable; trompette ou bol. Vigoureux.
'Orange Sunburst'	Orange avec une marge plus pâle.
'Pink Perfection'	De 180 cm de haut, couleurs variables qui vont du rose moyen au blanc rosé, l'extérieur est marron, d'une beauté exceptionnelle.

❀ Juillet à août ∅ 10 à 12 cm

---

aureliens **'Northtern Beauty'**

⌂ 120 cm/ 48 po

Croisement entre L. orientale 'Black Beauty' et L. aureliens 'White Henry'. Variété triploïde. Ses fleurs sont rouge foncé à gorge jaune, légèrement parfumées, fleurissant de la mi-août au début septembre. Ses feuilles larges sont très attrayantes, décoratives. Très rustique. Plante enregistrée C.O.P.F.

---

aureliens **'Starburst Sensation'**

⌂ 110 cm/ 44 po

Lys hybride entre L. 'Damson' et L. speciosum 'Tornado'. Ses fleurs sont rondes, roses à gorge foncé, parfumées et ses pétales sont rose pâle. Elle peut obtenir de 10 à 12 fleurs par tige à sa maturité. Plante enregistrée C.O.P.F. Zone 3.

❀ Juillet à août

---

bulbiferum

Origine: Europe ⌂ 75 cm/ 30 po

Naturalisé dans l'est du Québec. Fleurs jaune orangé, dressées, solitaires, à court pédoncule velu. La face extérieure de la fleur est velue et ses pièces florales sont non soudées. Ses feuilles de 7 à 10 cm de long sont nombreuses et couvrent toute la longueur de la tige, épaisses, sessiles de 3 à 5 nervures. Bulbe qui émet des stolons qui produisent des caïeux. La variété 'Croceum' ses fleurs sont orangées, c'est un lys sans bulbille. Zone 4.

Sol: Bien drainé

❀ Juillet

canadense Lys du Canada • Wild yellow Lily

135 cm/ 54 po | 50 cm/ 20 po | ⊗ Dressé

Une espèce vigoureuse portant une muiltitude de fleurs jaune orangé, tachetées de petits points noirâtres à l'intérieur, pen-dantes, groupées par 1 à 16 sur un long pédoncule. Pièce florale soudée mais divisée à l'extrémité sur une longueur de 5 à 8 cm qui se recourbe vers l'extérieur. Ses feuilles ont de 5 à 15 cm de long, lancéolées, fortement nervées, disposées en verticille sur toute la longueur de la tige. Bulbe presque cylindrique porté sur un fort rhizome. Tige plus ou moins forte. Préfère un sol au pH neutre à légèrement acide et humifère, craint les sols secs. Il existe la variété 'Coccineum' à fleurs rouge brique dont la face intérieure des feuilles est rugueuse. Zone 3.

Juillet - Août | ∅ 6 à 8 cm

candidum Madonna Lily

Origine: Méditerranée | **Utilisations:** F - M

110 cm/ 44 po | 30 cm/ 12 po

Le lis de la Madonne. Une tige produira entre 5 et 20 fleurs campanulées, lustrées et érigées aussi longues que larges en forme de tromprette. Sa fleur symbole de pureté et de virginité est blanche à étamines jaunes. Lente à s'établir mais de bonne longivité. Elle produira une rosette de feuilles. Important d'irriger le sol en période de sécheresse. Plante médicinale. Moins rustique que les autres espèces. Zone 5b.

Sol: Alcalin

Juin | ∅ 10 à 15 cm

chalcedonicum Cap Lily

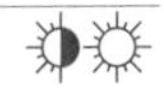

Origine: Grèce | 120 cm/ 48 po

Fleurs rouge orangé à pièces florales non soudées, regroupées par 1 à 10. Ses feuilles sont de 12 cm de long. Espèce très sensible au botrytis. Zone 5.

Sol: Bien drainé

Juillet à août

henryi Henry's Lily

Origine: Chine | 200 cm/ 80 po

Espèce très vigoureuse, devrait être plus utilisée. Ses fleurs sont abricot, picotées abondamment de points bruns, regroupées jusqu'à 20 fleurs sur le même plant, parfois 2 fleurs sur le même pédoncule. Pièces florales non soudées, recourbées complètement vers l'arrière et pendantes. Le sol doit être bien drainé, meuble et légèrement alcalin. En sol acide le bulbe déperi. Production de bulbilles sur la tige, feuilles très nervurées, bulbe sphérique à écaille pourpre. La variété citrinum est jaune pâle à picots bruns. Zone 5.

Juillet à août

lancifolium Tiger Lily 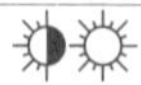

Zone: 4
Origine: Chine et Japon **Synonyme:** L. tigrinum
125 cm/ 50 po 40 cm/ 16 po ⊗ Dressé

Un lys intéressant et commun dans les vieux jardins. Fleurs groupées de 5 à 25, très grandes et luisantes (cirées), fortement penchées et recourbées vers l'extérieur. Bulbes de 2 à 4 cm, solitaires et globuleux. Ses pièces florales sont divisées. A remarquer que les sépales sont plus étroits que les pétales et que son pollen est brunâtre. Ses feuilles supérieures sont plus courtes et elles portent des bulbilles noires à leurs aisselles, qui lui servent de moyen de reproduction. Tige forte, rougeâtre et pubescente à l'extrémité. Il produit des fleurs rouge orangé, mouchetées de points noirâtres. Demande un sol au pH légèrement acide. Se vend en général par couleur; du blanc au rouge. Nous retrouvons les variétés: 'Sweet Surrender': Fleurs blanc crème, tachetées de marron, pendantes à pétales recourbés.Yellow Star': Fleurs jaunes, tachetées de points noirs, pendantes à pétales recourbés. Un cultivar vigoureux. Il existe maintenant une mutation à fleurs doubles, orangées à picots brunâtres, de 90 cm de haut et de zone 3.

❀ Juin à juillet ∅ 10 à 13 cm

martagon Martagon Lily

Origine: Alpes **Utilisations:** M - F
110 cm/ 44 po 30 cm/ 12 po

Nombreuses petites fleurs blanches, roses ou rouges parfois mouchetées de points noirs, pendantes, satinées, regroupées par 5 à 30 et d'une odeur nauséabonde. Pièces florales non soudées et recourbées abondamment vers l'arrière. Petit bulbe jaune à tige pourpre et ses feuilles verticillées sont de 16 cm de long. Sol au pH légèrement acide ou alcalin. Croissance lente, mais de bonne longivité. Zone 4.

Sol: Bien drainé **Feuilles:** Verticillées
❀ Juillet ∅ 6 à 8 cm

martagon var. album

Utilisations: M - F 110 cm/ 44 po 30 cm/ 12 po

Semblable à l'espèce, mais à fleurs blanches, tachetées de points noirs et à tige verte. Vigoureuse.

❀ Juillet

monadelphium 

Origine: Caucase et Turquie 90 cm/ 36 po

Espèce à floraison hâtive et longue. Ses fleurs jaunes, tachetées de rouge au coeur sont parfumées, abondantes, soudées au trois quart de sa longueur, pendantes à l'extrémité, recourbées vers l'extérieur et regroupées par 5 à 20 fleurs. Son point d'attache avec le pédicelle est rouge et ses étamines sont fusionnées. Plantation des bulbes à l'automne seulement. Zone 4b.

Sol: Bien drainé -Riche ❀ Mai - Juin ∅ 6 à 10 cm

philadelphicum Wood Lily

75 cm/ 30 po

Plante indigène. Ses fleurs sont rouge orangé, tachetées de points pourpres, dressées généralement solitaires et regroupées par 1 à 5 fleurs au centre. Pièces florales non soudées. Ses feuilles

en verticille sont plus nombreuses au sommet de la tige. Petits bulbes à écailles charnues. Se retrouve en lieu sec et sablonneux. Zone 4.

Sol: Bien drainé - Acide ❀ Août

---

pumilum Lys corail ☼

Synonyme: L. tennifolium

⌂ 50 cm/ 20 po ◊ 35 cm/ 14 po ⊗ Dressé

Une espèce apparentée au Lis, de type martagon. Fleurs rouge orangé, lustrées, pendantes, regroupées de 5 à 20 et son feuillage est étroit. Ses feuilles sont simples, étroites, alternes de 10 cm de long. Petits bulbes coniques, blancs. Espèce éphémère (4 à 5 ans) mais qui se propage bien par semis. Variétés intéressantes: L. 'Golden Gleam', à fleurs jaunes et L. 'Red Star', roses, fleurissant après l'espèce. Zone 3.

❀ Juin - Juillet ∅ 5 cm

---

regale Royal Lily ◐☼

⌂ 125 cm/ 50 po ◊ 50 cm/ 20 po ⊗ Dressé

Introduit par Ernest H. Wilson en 1903. Un grand lis dont la fleur blanche à grande gorge jaune est teintée de rose à l'extérieur des pétales et complètement lustrée. Fleurs en forme de trompette, réunies par 1 à 8 sur une tige feuillée jusqu'en haut. Ses feuilles sont lancéolées de 12,5 cm. Plante souvent classée avec les lis aureliens par erreur car sa forme lui ressemble. Se multiplie rapidement par semis. Bulbe rond de 10 cm et ses écailles sont pourpres. Zone 4.

Sol: Bien drainé

❀ Juillet à août ∅ 10 à 12 cm

---

speciosum Japanese Lily ☼

Origine: Chine et Japon **Zone:** 5

⌂ 135 cm/ 54 po ◊ 35 cm/ 14 po ⊗ Dressé

Une espèce remarquable à larges fleurs roses, cirées, de 15 à 20 cm, parfumées et à pétales recurvés avec marge et sommet blancs. La surface de la corolle est parsemée de points rose foncé. Fleurs similaires à L. 'Henry', regroupées de 15 à 20 sur une tige feuillée. Bulbe rond, jaune à pourpre. Idéale pour la potée fleurie et en fleurs coupées. Ses feuilles alternes ont 18 cm de long. Voici trois variétés populaires:

Lilium var. album fleurs blanches à rayons verdâtre au centre et l'extérieur rouge.
Lilium var. roseum fleurs blanches à marge rose foncé.
Lilium var. rubrum fleurs blanches, tachetées de rouge rubis à tige florale pourpre.

Sol: Acide ❀ Août à septembre

---

x columbia Platte Lilies

⌂ 110 cm/ 44 po ◊ 40 cm/ 16 po ❀ Juillet

Ces lis hybrides sont issus de divers croisements. Notamment avec Lilium pumilum ou des cultivars de cette espèce. Ils furent créés par Judith Freeman Mc Ray. Se caractérisent par de nombreuses fleurs de plus de 20, groupées sur une hampe florale. Zone 5. Voici différentes variétés de cette espèce:

'Bon Bow' fleurs rose pastel à longue floraison.
'Bornie' rose clair avec une gorge parsemée de points bruns.
'Butterflies' blanches, ponctuées de rose surtout à la base du périanthe.
'In Love' larges fleurs, rose foncé sur une hampe florale de 120 cm de haut.
'Musette' cultivar superbe, à la floraison hâtive, à fleurs roses et au coeur rose pâle, bien ouvertes.

'Rodéo'	vigoureux à fleurs blanc crème marquées de rose abricot.
'Sara Marshall'	rose foncé.
'Tiger Babies'	pêche avec une gorge plus foncée au coloris abricot orangé et aux multiples points bruns.
'Windermere'	à l'extrémité rose moyen, gorge rose abricot pâle ponctuée de brun sur une tige florale très rigide.

Limonium Statice vivace • Sea Lavender ☼

Famille: Plumbaginacées **Zone:** 4
Origine: Alpes

Souvent retrouvé au bord de la mer, d'où lui vient son nom français. La plante forme une rosette de feuillage large à texture de cuir. Plusieurs magnifiques fleurs, entourées d'une corolle étoilée blanc argenté et regroupées en une large panicule vaporeuse. Plante très utilisée en fleuristerie. Le genre est retrouvé partout dans le monde. Ne se transplante pas mais possède une grande longivité.

Sol: Bien drainé - Sablonneux

Compagnons: **Été:** Geranium et Astilbe
Printemps: Bergenia et Doronicum
Automne: Anem one et Sedum spectabile

gmelinii Siberian Statice

Utilisations: A - F - Fs - M - P
50 cm/ 20 po | 45 cm/ 18 po | ⊗ Rosette - Arrondi

Plante retrouvée sur les steppes, dans des sols alcalins. Belle floraison à calice bleu violet foncé et corolle rose. Zone 4.

Feuilles: Entières, elliptiques à oblongues-ovées. De 10 à30 cm de long par 2 à 8 cm de large, parfois plus large.
❀ Juillet à août

latifolium

Utilisations: M - Fs - F - A - P
70 cm/ 28 po | 45 cm/ 18 po | ⊗ Rosette - Arrondi

Belle plante dont le feuillage devient rougeâtre à l'automne. Inflorescence très ramifiée, couverte de petites fleurs lavandes. Longue floraison. Zone 3.

Feuilles: Entières, coriaces, spatulées à elliptiques. De 20 à 60 cm de long par 8 à 15 cm de large.
Feuillage: Grand, large en rosette et cuirassé. Persistant.
❀ Juin à août

otolepis 'Select'

Utilisations: M - Fs - F - P
70 cm/ 28 po | 60 cm/ 24 po | ⊗ Rosette - Arrondi

Belle vivace à grande inflorescence légère et ramifiée. Zone 5.

Feuilles: Celles de la base sont ovées à spatulées, 7 cm de long et celles originant de la tige sont rondes, réniformes à suborbiculaires, de1 à 3 cm de long.
❀ Juillet à août
Couleur: Bleu et blanc

tataricum Tartarian Statice

Synonyme: Goniolimon tataricum **Utilisations:** M - Fs - F

⌂ 30 cm/ 12 po ◊ 30 cm/ 12 po ⊗ Rosette - Arrondi

Belle plante qui est surtout utilisée pour les bouquets de fleurs séchées. Ses feuilles sont obovées à lancéolées et spatulées. Petites taches blanches sur le dessus de la feuille, de 7 à 15 cm de long. Aime particulièrement les étés chauds et secs.

Feuillage: Persistant.

❀ Juillet à août **Couleur:** Rose

Linaria Gueule de loup vivace • Toadflaxes

☺ ☼

Famille: Scrophulariacées **Zone:** 4-5

⊗ Couvre-sol - Tapissant

Racème de fleurs de gueule de loup sur tige dressée. Feuillage glabre et glauque. Plante très colorée, intéressante à essayer. Rabattre après la floraison. L'espèce cymbalaria est développée sous ce nom de genre; à voir.

Sol: Bien drainé - Léger

cymbalaria

Voir Cymbalaria muralis.

***purpurea* 'Canon J. Went'**

Utilisations: M - F

⌂ 70 cm/ 28 po ◊ 30 cm/ 12 po

Tige pourpre. Une couverture hivernale est préférable.

❀ Juin - Septembre **Couleur:** Rose

Linnaea Linnée

Famille: Caprifoliacées **Zone:** 1

⊗ Couvre-sol - Tapissant

Plante traçante formant des tiges à petites feuilles plutôt rondes, donnant l'aspect d'un chapelet. Hampe florale de 7 à 10 cm de haut portant 1 à 2 fleurs tubulaires; elle fait penser à un mini lampadaire. Retrouvée partout sur l'hémisphère Nord, plus précisément dans les forêts de conifères.

Compagnons: **Été:** Epimedium et Nepeta

Printemps: Fougère et Dicentra eximia

Automne: Calluna et Veronica 'Blue Charm'

borealis var. americana

Utilisations: C - R - Al

⌂ 10 cm/ 4 po

◊ 30 cm/ 12 po

Feuilles: Petites, arrondies légèrement lobées.

❀ Juillet - Août

Couleur: Rose pâle 

Linum Flax 

Origine: Hémisphère Nord **Zone:** 4
⊗ Évasé

Petites fleurs délicates à 5 pétales de couleurs différentes selon les espèces, regroupées en racèmes, corymbes, cymes, panicules, terminales ou axillaires. À noter que la fleur ouvre au soleil et se referme ou tombe l'après-midi, cela peu durée tout l'été. Feuillage à texture très fine et fruit décoratif, capsule pendante. Certaines espèces sont utilisées pour la confection de tissus ou sont médicinales. Plante nouvellement utilisée pour nourrir les poules afin de réduire le taux de cholestérol dans l'oeuf.

Sol: Bien drainé - Sec
Compagnons: **Été:** Tiarella et Filipendula vulgaris
Printemps: Trollius et Aquilegia canadensis
Automne: Heuchera et Astilbe taquetii 'Superba'

***flavum* 'Compactum'** Golden Flax
Utilisations: R - M 20 cm/ 8 po 30 cm/ 12 po
Très florifère mais sa croissance est lente. Possède deux types de feuilles soit: lancéolées dans le haut ou spatulées à la base. Zone 5.
❀ Juin à août **Couleur:** Jaune doré

***narbonense* 'Heavenly Blue'** Narbonne Flax
35 cm/ 14 po 30 cm/ 12 po ❀ Juin à septembre
Grandes fleurs bleu azur à oeil blanc, restant ouvertes toute la journée. Son feuillage est glauque et ses feuilles pointues sont linéaires à lancéolées. Variété intéressante et plus courte, mais qui demande une certaine protection. Se propage par boutures et semis. Zone 5b.

---

perenne Blue Flax
Utilisations: M
45 cm/ 18 po 30 cm/ 12 po ⊗ Érigé
Fleurs bleues, délicates, son feuillage est persistant et glauque. Plante légère et souple à croissance en touffe évasée et arquée.
Feuilles: Aiguillées ❀ Juin à août ∅ 2 à 3 cm

***perenne* 'Album'**
Utilisations: M 45 cm/ 18 po 30 cm/ 12 po
Fleurs délicates d'un blanc cassé. Son feuillage est persistant et glauque. Plante légère et souple.
Feuilles: Aiguillées ❀ Juin à août

***perenne* 'Nanum Diamant'**
Utilisations: R 30 cm/ 12 po 30 cm/ 12 po
Semblable à L. perenne 'Album', mais de forme compacte. Son feuillage est persistant.
❀ Juin à août **Couleur:** Blanc

***perenne* 'Nanum Saphir'**
Utilisations: B - R 30 cm/ 12 po 30 cm/ 12 po
De forme compacte à croissance très lente. Son feuillage persistant est gris-vert.
❀ Juin à août

Liriope Lily-turf 

Famille: Convallariacées
Zone: 5
Origine: Chine
⊗ Arrondi - Coussin

Vivace ayant l'apparence d'une graminée. Excellente comme couvre-sol grâce à son rhizome traçant. Feuillage persistant ou caduc. La plante exige une protection hivernale. Elle produit des fruits noirs, environ 4 par tige florale, lustrés et décoratifs.

Sol: Bien drainé - Acide

Compagnons:
Printemps: Lamium et Iberis
Été: Oenothera et Lysimachia
Automne: Tradescantia et Aster

muscari

45 cm/ 18 po — 45 cm/ 18 po — ⊗ Rosette - Couvre-sol

Moins envahissante que L. spicata. Fleurs violettes de 10 cm de haut, arrivent juste un peu au dessus de son feuillage. Inflorescence inclinée. Ses feuilles sont opposées de 45 cm de long par 2 cm de large et possèdent 10 nervures. Voici quelques suggestions de variétés intéressantes:

'Chrismas Tree' compacte, à fleurs lavandes et de 20 cm de haut.
'Majestic' de 40 cm de haut, large épis lilas foncé.
'Silvery Sunproof' de 30 cm de haut, fleurs lavandes, son feuillage est panaché de blanc et de jaune, tolérant le soleil.
'Variegata' de 25 cm de haut, moins rustique que l'espèce.

❀ Août — ∅ 2 cm

spicata

Utilisations: M — 30 cm/ 12 po — 30 cm/ 12 po

La plus rustique des liriopes. Ses fleurs sont regroupées par 3 à 6 et ses feuilles possèdent 9 nervures. Un bon paillis est nécessaire pour protéger le feuillage de la plante. Croissance rapide et drageonnante.

Feuillage: Persistant.
❀ Juillet - Août
Couleur: Mauve

Lithodora Gremil 

Famille: Boraginacées
Zone: 5b
Origine: Sud de l'Europe

Vivace classée avec les arbustes. Sensible au gel. Apprécie les lieux chauds et ensoleillés, dans un sol bien drainé, meuble et humifère. Très florifère et attrayante par sa couleur de fleur. Tige rampante. À ne pas rabattre au sol.

diffusa

Synonyme: Lithospermum diffusum
20 cm/ 8 po — 60 cm/ 24 po — ❀ Mai - Juin

Fleurs bleu gentiane disposées dans les axes à petites feuilles lancéolées, alternes et sessiles. On retrouve la variété 'Star'.

diffusa 'Grace Ward'

Utilisations: M - R — 15 cm/ 6 po — 45 cm/ 18 po

Contrairement à l'espèce, elle accepte les sols calcaires. Fleurs larges bleu ciel.

Feuillage: Pubescent. Persistant.
❀ Juin - Août

***diffusa* 'Heavenly Blue'**

Fleurs bleu foncé. Variété dont la croissance est plus abondante et forte.

Feuillage: Persistant.

Lobelia Lobélie • Cardinal Flower ☺ ◐☼

Famille: Campanulacées **Zone:** 3-4

Origine: Région chaude tempérée et Tropique

Genre comptant environ 365 espèces. On y retrouve des vivaces, des annuelles et quelques plantes aquatiques. De couleurs brillantes, les différentes espèces présentent de nombreuses variantes, mais elles ont toutes des feuilles simples, alternes, souvent basales. Les fleurs sont tubulaires, en racèmes terminaux ou panicules, aussi solitaires. Elles peuvent être utilisées en plate-bande ou en bordure de plans d'eau. Existent à l'état sauvage jusqu'en zone 2. Les cultivars offerts sur le marché sont moins rustiques.

Sol: Humide - Frais

Compagnons:

Printemps: Phlox divaricata et Primula

Été: Salvia et Delphinium

Automne: Iris ensata et Aster

cardinalis Lobélie cardinal ☺ 

Utilisations: M - J - N - O - P

90 cm/ 36 po | 30 cm/ 12 po | ⊗ Ovale - Dressé

Plante des plus intéressantes pour sa magnifique floraison rouge écarlate en milieu d'été. Les tiges érigées, sont la plupart du temps glabres, non ramifiées et très souvent rougeâtres. Une protection hivernale sera nécessaire dans des climats très froids. Zone 3.

Feuilles: Simples, oblongues à ovées, acuminées, vertes avec un soupçcon de rouge et de 10 cm de long. Alternes - Dentées

Feuillage: Vert. ❀ Juillet - Septembre **Couleur:** Rouge écarlate

***fulgens* 'Elmfever'** Scarlet Lobelia

Synonyme: L. splendens **Utilisations:** M - N - O - S - P

90 cm/ 36 po | 50 cm/ 20 po | ⊗ Ovale - Dressé

Espèce qui ressemble beaucoup à Lobelia cardinalis, mais L. fulgens est légèrement velu, la tige est rougeâtre foncé. Magnifique floraison. Protection hivernale essentielle ou à hiverner dans une couche froide. Zone 5.

Feuilles: Simples, linéaires à lancéolées, de 15 cm de long. Alternes

Feuillage: Souvent rougeâtre foncé.

❀ Juin - Août **Couleur:** Rouge écarlate

***siphilitica* 'Blue Select'** Lobélie bleue • Blue Cardinal Flower

Utilisations: F - M - O - P

105 cm/ 42 po | 30 cm/ 12 po | ⊗ Ovale - Dressé

Magnifique plante à utiliser pour sa floraison incomparable. Zone 3.

Feuilles: Simples, ovées à lancéolées, de 10 cmde long. Alternes - Dentées

Feuillage: Vert pâle, légèrement pubescent.

❀ Juillet - Septembre **Couleur:** Bleu

***x* 'Gladys Lindley'**

Très belle floraison blanche. A utiliser en plates-bandes ou en fleurs coupées. Exposition ensoleillée ou à l'ombre légère. Plante enregistrée C.O.P.F. Zone 4.

x 'La Fresco' 

Récente variété à fleurs d'un violet incomparable. Remarquable dans le jardin quand elle est harmonisée avec des fleurs blanches et roses. Son feuillage est pourpre. De 60 à 70 cm de haut. Fleurs coupées fantastiques. Exposition ensoleillée ou à l'ombre légère. Zone 4.

x 'Misty Morn'

Un nouveau coloris dans la gamme des Lobelia, ce lavande violacé est étonnant. S'agencera très bien avec des couleurs chaudes. De 60 à 70 cm de haut. Magnifiques en fleurs coupées. Préfère le plein soleil ou l'ombre légère. Zone 4.

x 'Rose Beacon'

Un rose éclatant des plus recherchés! Pour enrichir le bouquet de fleurs séchées. De 80 cm de haut. Préfère une expostion au soleil ou à la mi-ombre. Zone 4. Plante enregistrée C.O.P.F.

x 'Ruby Slippers'

Floraison en épis, rose grenat, velouté, se prolongeant plus longtemps que toutes les autres Lobelias. Fleurs plus grosses que L. cardinalis et de 5 cm de haut. Feuillage vert brillant. Magnifiques en fleurs coupées. Exposition ensoleillée ou légèrement ombrée. Enregistrée C.O.P.F. Zone 4.

x 'Sparkle Devine'

Fleurs rouge magenta foncé étincelantes! Variété tétraploïde. De 75 cm de haut. Exposition ensoleillée ou légèremnt ombrée. Zone 4. Plante enregistrée C.O.P.F.

x 'Summit Snow'

Dans la gamme de blancs, voici une variété présentant un des blancs les plus purs et éclatants! De 80 cm de haut. Préfère le soleil ou l'ombre légère. Zone 4.

x 'Wildwood Splendor'

Floraison à partir de juillet de la couleur d'une améthyste, violet pâle. Les fleurs sont larges. De 90 cm de haut. Préfère le soleil ou l'ombre légère. Plante enregistrée C.O.P.F. Zone 4.

x gerardii 'Vedrariensis'

Utilications: M - N - O - P

⌂ 70 cm/ 28 po ◊ 50 cm/ 20 po ⊗ Ovale - Dressé

Lobelia x gerardii est issue d'un croisement entre L.cardinalis et L.siphilitica. Vivace robuste à courts rhizomes, de très bonne rusticité. Zone 3.

Feuilles: Entières, lancéolées à elliptiques, de 10 cm de long. Alternes

Feuillage: Vert foncé, teintées de rougeâtre.

❀ Juillet - Septembre **Couleur:** Violet foncé

x speciosa

Utilisations: M - F - N - O - P

⌂ 100 cm/ 40 po ◊ 35 cm/ 14 po ⊗ Ovale - Dressé

Issue d'un croisement entre L.cardinalis, L.fulgens et L.siphilitica. Regoupe des hybrides vigoureux et florifères, présentant des floraisons aux tons lumineux et spectaculaires. Fleurs tétraploïdes, donc plus grandes que chez les autres Lobelias. Protection hivernale préférable. Se ressème aisément. Zone 3.

Feuilles: Simples, oblongues à ovées et acuminées. Alternes

❀ Juin - Août **Couleur:** Rouge ou mauve teinté de violet

x speciosa 'Complexion'

Utilisations: M - F ⌂ 100 cm/ 40 po ◊ 30 cm/ 12 po

Très semblable à la variété 'Compliment', mais à fleurs rose abricot.

❀ Juillet - Août

x speciosa 'Compliment'

Utilisations: F - M - O

⌂ 65 cm/ 26 po ◊ 30 cm/ 12 po ⊗ Ovale - Dressé

Cet hybride nous offre de très grandes fleurs, spectaculaires, à pétales larges, semblable à l'espèce mais à tige pubescente et plus vigoureuse. On retrouve les variétés: 'Compliment Blue' à fleurs bleues, 'Compliment Deep Red' à fleurs rouge brillant et 'Compliment Scarlet' à fleurs rouges.

Feuilles: Simples, oblongues à ovées et acuminées. Alternes

❀ Juin - Août **Couleur:** Bleu ou rouge ou écarlate

x speciosa 'Queen Victoria' Red-Leaved Cardinal Flower

Utilisations: F - M - O - P

⌂ 90 cm/ 36 po ◊ 30 cm/ 12 po ⊗ Ovale - Dressé

Magnifique cultivar qui attire l'oeil autant par sa floraison colorée que par le rouge de son feuillage qui égayera la plate-bande toute la saison. Protection hivernale. Zone 5.

Feuilles: Simples, oblongues à ovées, acuminées et de couleur rouge betterave. Alternes

❀ Juillet - Septembre **Couleur:** Rouge vif

Lotus Lotier • Golden Bird's Foot ☺ ☼

Famille: Fabacées (Syn. Légumineuse) **Zone:** 3

⊗ Couvre-sol - Colonie

Vivace tapissante à fleurs jaunes, lumineuses. Ses feuilles sont composées de 5 folioles.

Sol: Sec

Compagnons:

Printemps: Dianthus deltoides et jasione

Été: Antennaria et Armeria

Automne: Salvia et sedum

corniculatus

Utilisations: R - Pa ⌂ 15 cm/ 6 po ◊ 30 cm/ 12 po

Semblable aux fleurs de pois, bonne plante résistante au sel. Florifère. Peu cultivée.

❀ Juin - Septembre **Couleur:** Jaune doré

corniculatus 'Flore Pleno'

⌂ 15 cm/ 6 po ◊ 30 cm/ 12 po

Fleurs jaunes. Variété non envahissante. Idéale dans les emplacements secs et ensoleillés. Il existe aussi une variété à fleurs pourpres avec un feuillage panaché.

Feuillage: Persistant ❀ Juin - Août

Lunaria Monnaie du Pape • Money Plant 

Famille: Brassicacées **Zone:** 4

⊗ Ovale - Érigé

Bisannuelle. Se ressème à profusion. Bien connue des amateurs de fleurs séchées (fruits).

Sol: Bien drainé - Riche

Compagnons:
Été: Iris sibirica et Ligularia
Printemps: Geranium 'Walter Ingwersen' et Phlox divaricata
Automne: Echinops et Aster 'Alma Potshke'

---

annua 'Grandiflora Purpurea'

Utilisations: F - Fs

100 cm/ 40 po 40 cm/ 16 po Juin

Fleurs rose magenta, zone 5.

---

annua var. albiflora

Utilisations: F - Fs

100 cm/ 40 po 40 cm/ 16 po

Plante à fleurs blanches seulement, contrairement à l'espèce qui sont roses ou pourpres. Ses feuilles sont sessiles dans le haut.

Juin **Couleur:** Blanc

---

rediviva

80 cm/ 32 po 50 cm/ 20 po

Fleurs blanc lilacé et parfumées. Feuilles finement dentées, présentes aussi sur la tige florale. Les feuilles du haut sont munies d'un long pétiole pourpre. Fruit elleptique, de même usage et aussi joli que L. annua. Se propage bien par division ou par semis. Zone 4.

Lupinus Lupin 

Famille: Fabacées **Zone:** 3-4

⊗ Ovale - Érigé

Existe à l'état naturel en Gaspésie mais dans les teintes de bleu. Préfère un climat frais et légèrement humide. Sa floraison est printanière et abondante. Légumineuse utilisée pour nourrir le bétail en Europe. Il y a maintenant deux catégories; x 'Gallery' plus courtes et x 'Russell' dans toutes les couleurs. Il existe également une variété annuelle jaune L. luteus.Il y a trois raisons de non réussite de culture:

1) La lignée x 'Russell' est moins vigoureuse que les variétés anciennes.
2) Ne pousse pas dans un sol alcalin même à faible teneur.
3) Le lupin a besoin de compagnie, il doit y avoir de la végétation environnante afin de protéger ses racines, et il est même bon d'appliquer un léger paillis aux chaleurs de juillet.

N'oubliez pas que pour conserver au plant toute sa vigueur, il faut tailler les fleurs fanées. Sol sablonneux avec de la mousse de tourbe en profondeur pour lui procurer un milieu acide. Noter que les limaces apprécient les jeunes feuilles du lupin.

Sol: Sec

Compagnons:
Été: Chrysanthemum et Delphinium
Printemps: Dicentra 'Luxuriant' et Phlox 'Candy Stripe'
Automne: Chrysanthemum 'Red Chimo' et Baptisia

lepidus

Synonyme: L. lyallii | **Utilisations:** M - R

10 cm/ 4 po | 25 cm/ 10 po | Août

Inflorescence en épis. Elle arbore un feuillage vert argenté, caduc. Ses feuilles sont composées, palmées et lancéolées. Son port est étalé. Sa rusticité est aléatoire au Québec.

perennis

Origine: Amérique du Nord

60 cm/ 24 po | 30 cm/ 12 po | Mai - Juin

Fleurs bleues parfois roses ou blanches. Ses feuilles ont 8 folioles contrairement au L. polyphyllus qui en compte plus; soit de 9 à 17. Pousse très bien en sol sablonneux. Plante très rustique.

***x* 'Gallery'**

Utilisations: M - F

50 cm/ 20 po | 40 cm/ 16 po | Juin - Juillet

Plant compact et nain. Il existe plusieurs variétés avec les mêmes caractéristiques sauf pour la couleur de sa fleur dont: 'Gallery Blanc', 'Gallery Bleu', 'Gallery Jaune', 'Gallery Rose' et 'Gallery Rouge'.

***x* 'Minarette'**

Utilisations: M - Tu

60 cm/ 24 po | 40 cm/ 16 po | Juin - Juillet

Se propage par semence, donnant des plants nains à racèmes compacts, de couleurs variées.

***x* 'Russell'**

Utilisations: M - Tu

80 cm/ 32 po | 40 cm/ 16 po | Juin - Juillet

Espèce se retrouvant sous différentes variétés et différentes couleurs dont:

'La Châtelaine'	À pétales roses et blancs
'La Demoiselle'	Blancs et crèmes
'Le Chandelier'	Jaune pâle
'Le Gentilhomme'	Bicolores, bleu violacé et blancs
'Les Pages'	Rouge carmin
'Mon Château'	Rouge brique

Lychnis Lychnide • Campion

Famille: Caryophyllacées | **Zone:** 4

Origine: Zone tempérée du globe et arctique

Ce genre regroupe une vingtaine d'espèces vivaces pour la plupart, certaines étant bisannuelles. Toutes ces espèces se ressèment facilement et abondamment. Les feuilles sont simples, opposées, souvent velues. Les fleurs ont 5 pétales; elles sont de forme tubulaire ou étoilée avec les pétales s'ouvrant à plat. Elles se présentent solitaires, en cyme terminale ou occasionnellement en panicule. Selon les espèces, les exigences de culture pour le sol et l'exposition peuvent varier. On utilisera les espèces plus hautes dans des plates-bandes ou dans des jardins à l'aspect plus sauvage, et les espèces plus petites, telles que les espèces alpines, dans les jardins de rocaille.

Sol: Tous les sols - Bien drainé

Compagnons:

Printemps: Euphorbia et Phlox subulata

Été: Penstemon et Iris

Automne: Helenium et Pennisetum

alpina Lychnide alpin • Alpine Campion

Synonyme: Viscaria alpina **Utilisations:** A - G - Al - Au - D

⌂ 15 cm/ 6 po ◊ 15 cm/ 6 po ⊗ Rosette

Très jolie petite plante alpine formant de petites touffes de feuilles, à fleurs rose pourpré, formées de 5 pétales, divisés en 2 lobes, dont l'extrémité est frisée. Inflorescence dense, feuillage semblable à celui d'une graminée ou d'un petit Dianthus. Préfère les sols non calcaires. La variété oelandica est encore plus courte et très odorante. Zone 4.

Feuilles: Simples, linéaires à spatulées, vert foncé et de 4 cm de long.

❀ Juin à juillet **Couleur:** Rose-pourpre

chalcedonica Croix de Jérusalem • Maltese Cross

Utilisations: F - M - N - P

⌂ 90 cm/ 36 po ◊ 45 cm/ 18 po ⊗ Arrondi - Buisson

Cultivar très connu et très populaire auprès des amateurs. Plant dressé à tiges simples et poilues. L'inflorescence, une cyme ressemblant à une ombelle de 5 à 10 cm de diamètre, est formée de 10 à 50 fleurs, de forme étoilée et aux pétales échancrés. Couper les fleurs fanées prolongera la période de floraison. Préfère un sol fertile, humide. Peut demander un support. Se ressème librement. Zone 3.

Feuilles: Entières, engainantes, velues, de 5 à 8 cm. Opposées

Feuillage: Vert pomme.

❀ Juillet à août **Couleur:** Rouge écarlate

***chalcedonica* 'Morgen Rot'** ♥

Utilisations: F - M - N - P

⌂ 110 cm/ 44 po ◊ 50 cm/ 20 po ⊗ Arrondi - Buisson

Très jolie variété à fleurs roses, au feuillage foncé et vigoureuse. Zone 3.

Feuilles: Simples, engainantes, velues, de 5 à 8 cm. Opposées

❀ Juillet à août **Couleur:** Rose saumoné

cognata

Synonyme: L. fulgens **Utilisations:** F - M - N - P

⌂ 60 cm/ 24 po ◊ 45 cm/ 18 po ⊗ Arrondi - Buisson

Vivace à tiges légèrement recouvertes d'un duvet blanchâtre. Zone 5.

Feuilles: Simples, ovées étroites et sessiles. Opposées

❀ Juillet à août **Couleur:** Rouge foncé

coronaria Coquelourde • Rose Campion ♥

Synonyme: Agrostemma coronaria **Utilisations:** F - M - N - P

⌂ 75 cm/ 30 po ◊ 45 cm/ 18 po ⊗ Arrondi - Buisson

Plante forte, vigoureuse, bisannuelle ou vivace de courte durée; mais qui se ressème abondamment. Tiges érigées, dont la moitié supérieure est ramifiée. Les fleurs sont au bout de longues tiges. Zone 3.

Feuilles: Épaisses, velues et de 10 à 18 cm. Opposées

Feuillage: Gris argenté. Persistant.

❀ Juillet à août **Couleur:** Rouge-pourpre

coronaria **'Angel's Blush'**

Utilisations: M - F - N - P
75 cm/ 30 po   45 cm/ 18 po   ⊗ Arrondi - Buisson

Ce cultivar a les mêmes caractéristiques que l'espèce, mais ses fleurs sont plus larges, blanches à oeil rose pâle prenant des teintes de rouge rosé. Se ressème facilement. Zone 3.

Feuillage: Gris argenté.   ❀ Juillet à août

coronaria **'Atrosanguinea'**

Utilisations: F - M - N - P ⊗ Arrondi - Buisson   ❀ Juillet à août

Mêmes caractéristiques que l'espèce, ce cultivar a pour sa part le feuillage gris pâle, et les fleurs rouge carmin foncé. Zone 3.

Feuilles: Sessiles, linéaires à lancéolées. Opposées

flos-cuculi **'Nana'** Lychnide fleur de coucou • Ragged Robin

Utilisations: A - B - J   ⊗ Évasé
15 cm/ 6 po   15 cm/ 6 po

Petite plante très intéressante pour ses jolies fleurs laciniées. Préfère les sols frais et humides. Zone 3.

Feuilles: Entières, feuilles basales, oblancéolées à spatulées, pétiolées, ses feuilles caulinaires sont linéaires à lancéolées et sessiles. Opposées.
❀ Mai à juin   **Couleur:** Rouge

fulgens **'Chinese Delight'** Chinese Delight Catchfly

Synonyme: L. cognata   **Utilisations:** F - M - N - P
50 cm/ 20 po   55 cm/ 22 po   ⊗ Arrondi - Buisson

Introduit par le Jardin botanique d'Edmonton. L'origine est le nord de la Chine où les graines ont été ramassées sur des plants poussant dans les régions ouvertes des forêts. Floraison d'une très jolie couleur à fleurs de 4 à 6 cm de diamètre, avec une longue dent sur le côté de chaque pétale, et une profonde échancrure à l'extrémité. Cultivar tolérant la mi-ombre, à croissance modérée. Cultivar résistant. Enregistré C.O.P.F. Zone 3.

Feuilles: Entières, elliptiques à ovées et de 8 cm de long. Opposées
Feuillage: Vert.   ❀ Juillet à août   **Couleur:** Rose saumoné

viscaria Attrape-mouches • German Catchfly

Synonyme: Viscaria vulgaris   **Utilisations:** B - F - M - N - P
45 cm/ 18 po   40 cm/ 16 po
⊗ Arrondi - Buisson

Vivace formant un genre de coussin à la base, avec des tiges raides, non ramifiées pour la plupart, visqueuses. Florifère. Intéressante à utiliser sur des sites dont le sol est pauvre, sec et non calcaire. Zone 3.

Feuilles: Entières, lancéolées, velues et de 4 à 8 cm de long. Opposées
Feuillage: Fin, vert moyen.
❀ Juin à juillet   **Couleur:** Rose magenta

wilfordii

Utilisations: F - M - P
50 cm/ 20 po   45 cm/ 18 po   ⊗ Arrondi - Buisson

Belle vivace à fleurs rose foncé et ses pétales sont profondément et finement laciniés. Zone 5.

Feuilles: Entières, ovées à étroites et à peine velues. Opposées

❀ Juillet à septembre **Couleur:** Rose foncé

***x arkwightii* 'Orange Gnome'**

Encore plus nain que L. vesuvius. Fleurs rouge orangé à feuilles pourpres, très voyantes. Zone 4.

***x arkwrightii* 'Vesuvius'** Arkwright's Campion

Utilisations: B - F - M - N - P

45 cm/ 18 po 35 cm/ 14 po ⊗ Arrondi - Buisson

Cultivar particulièrement spectaculaire par sa floraison écarlate orangé et son feuillage d'une coloration brun foncé, intense. Les fleurs sont très grandes, de 3 à 5 cm de diamètre, les pétales sont échancrés. Il est possible d'avoir une deuxième période de floraison si on coupe les fleurs cette première. Préfère un sol léger, bien drainé. Vivace de courte durée. Zone 3.

❀ Juin à août **Couleur:** Rouge orangé

x haageana Haage Campion

Utilisations: B - F - M - N - P

40 cm/ 16 po 35 cm/ 14 po ⊗ Arrondi - Buisson

Groupe d'hybrides issu du croisement L.fulgens et L.sieboldii. Vivace formant un massif plus ou moins dressé, à tiges et feuilles velues, à croissance plutôt lente. Les fleurs, dans des tons de rouge orangé magnifiques, sont regroupées en cyme, elles ont 5 cm de diamètre, de forme tubulaire avec des pétales échancrés s'ouvrant à plat. Vivace de courte durée. Zone 3.

Feuilles: Entières, lancéolées, velues et de 4 à 8 cm de long . Opposées

Feuillage: Vert moyen. ❀ Juin à août

Lysimachia Lysimaque • Loosestrife

Famille: Primulacées **Zone:** 3-4

Nombreuses variétés nouvelles et anciennes mais toujours très faciles de culture. Croissance rapide. Fleurs blanches ou jaunes. Feuillage panaché vert, jaune ou pourpre. Son port et son type d'inflorescence varient d'une plante à l'autre, mais elles sont abondantes et décoratives. Il existe des variétés sauvages L. terrestris,peu florifère mais à bulbilles, et L. thyrsiflora, florifère dans les marecages.

Sol: Frais

Compagnons: **Été:** Iris ensata et Campanula punctata
Printemps: Alchemilla et Viola
Automne: Aster et Hosta plantaginea

barystachys

Utilisations: M - F

60 cm/ 24 po 40 cm/ 16 po ⊗ Buisson

Petites fleurs blanches, étoilées semblable à L. cléthroides, mais ses feuilles sont non acuminées, elles sont alternes, sessiles et velues. Son feuillage est glauque en dessous et jaune orangé à l'automne. Ses tiges et ses feuilles sont légèrement pubescentes.

❀ Juillet - Août

ciliata

Zone: 5

100 cm/ 40 po — ⊗ Dressé

Fleurs solitaires à l'aisselle des feuilles supérieures. Son feuillage est brun à l'émergence passant au vert à l'été et au jaune orangé à l'automne. Ses feuilles sont opposées, lancéolées de 15 cm à pétiole cilié (poilu). Espèce lieux humides. Sa croissance est rapide grâce à ses rhizomes souterrains. Il existe une différente de la L. ciliata 'Atropurpurea'.

∅ 1,5 à 2,8 cm — Juillet - Août

ciliata 'Firecraquer'

Utilisations: M - Cu
Synonyme: L. ciliata 'Atropurpurea'

70 cm/ 28 po — 50 cm/ 20 po

Ses fleurs sont jaunes. Son feuillage pourpre est éclatant. Variété non envahissante qui préfère les sols riches et humides. Zone 3.

Juillet - Août

clethroides Goosereck Loosetrife

90 cm/ 36 po — 90 cm/ 36 po — ⊗ Dressé

Inflorescence blanche de 25 à 30 cm de long, recourbée en forme de bec de canard avant l'éclosion. Sont feuillage vert mat est pubescent. Ses feuilles sont alternes et lancéolées. Exige un sol bien drainé, car son système radiculaire charnu et drageonnant est bien développé. Utilisation en fleurs coupées et en colonie. Zone 3.

Juillet - Septembre

congestiflora 'Outback Sunset'

15 cm/ 6 po — 30 cm/ 12 po

Plante très peu rustique mais intéressante à cultiver en contenant. Ses fleurs sont jaunes et son feuillage est panaché.

ephemerum

Utilisations: F

100 cm/ 40 po — 60 cm/ 24 po — ⊗ Dressé

Beaucoup moins rustique et envahissante que les autres espèces. Fleurs disposées sur une longue grappe fine très décorative. Son feuillage est glauque. Ses feuilles sont lancéolées, étroites et de 12 à 15 cm de long. Demande une protection et exige un sol frais car ne tolère pas le sec. Zone 5b.

Juillet à septembre — ∅ 1 cm
Couleur: Blanc veiné de rose

japonica 'Minutissima'

Utilisations: Al - Au

Plante rampante de lieu mi-ombragé, sol frais et humifère. Ses fleurs sont jaunes. Idéale pour les jardins alpins et la rocaille.

nummularia Creeping Jenny

Utilisations: C

5 cm/ 2 po 60 cm/ 24 po

⊗ Couvre-sol - Tapissant

Son nom commun est 'herbe aux écus'. Plante à tige rampante à fleurs jaunes, solitaires et axillaires. Son feuillage est vert lustré et ses feuilles sont rondes et opposées. De croissance rapide. Elle s'adapte bien à l'intérieur et elle est vendue en panier suspendu. Souvent utilisée pour camoufler les bords de bassins. Naturalisée de l'Europe.

❀ Juin à juillet

nummularia 'Aurea'

5 cm/ 2 po 45 cm/ 18 po ❀ Juin à juillet

Identique à l'espèce mais au feuillage jaune doré et lustré. Ses fleurs sont jaunes. Préfère les sols frais. Indispensable comme feuillage d'écoratif, tapissant.

punctata Yellow Loosestrife

Utilisations: M - Cu

100 cm/ 40 po 30 cm/ 12 po ⊗ Érigé

De croissance rapide et de longue floraison en sol bien drainé. Espèce robuste qui se propage par semis, boutures et division. Ses fleurs jaunes sont regroupées de 2 à 7 en verticille autour de la tige carrée et pubescente. Ses feuilles sont lancéolées et verticillées par 3 ou 4. Zone 3.

❀ Juillet à septembre ∅ 2 à 2,5 cm

Couleur: Jaune

punctata 'Alexander'

Synonyme: L. punctata 'Variegata' ❀ Juin à juillet

Introduite par Terra Nova. Variété moins agressive que les autres. Identique à l'espèce, mais à feuillage vert bordé de crème, légèrement rosé lorsque les températures sont plus basses. Ses fleurs sont jaune doré. Plante vigoureuse et intéressante à introduire. Plante enregistrée C.O.P.F Zone 5.

Lythrum Purple Loosetrife

Famille: Lythracées **Zone:** 3

Floraison abondante en période creuse pour les vivaces. Plante poussant en colonie. Sa réputation depuis quelques années est surfaite en tant que destructeur de la flore indigène. Il est préférable de couper les fleurs fanées afin d'éviter l'ensemencement et pour mieux contrôler son étalement. Il existe deux espèces rattachées à ce genre dont:

Salicaria Le nom salicaria indique que sa feuille ressemble à celle du saule. Son nom anglais est Purple Loosestrife. Ses feuilles sont cordées ou embrassantes à la base, racines ligneuses. Sa tige est carrée et elle porte des feuilles de trois formes différentes selon sa hauteur; elle a aussi trois sortes de fleurs. À observer, un fait rare, elle possède parfois deux bourgeons superposés sur le même noeud.

Virgatum Espèce moins envahissante. Ses fleurs sont portées sur un pédicelle, ses feuilles sont étroites à la base et ses racines sont ligneuses. De 100 cm de haut. Fleurit de juillet à août et de zone 4.

Sol: Humide

Compagnons:

Été: Achillea et Iris sibirica

Printemps: Bergenia et Aquilegia

Automne: Rudbeckia et Lysimachia ciliata

***salicaria* 'Firecandle'**

Synonyme: L. 'Feverkerze'

Floraison intéressante, rose foncé, lumineuse sur un épi pointu et de 150 cm de haut.

***salicaria* 'Happy'**

Plante compacte. Fleurs rose foncé, de 45 cm de haut .

***salicaria* 'Morden Pink'**

Utilisations: M - F   75 cm/ 30 po   45 cm/ 18 po

Variété populaire et la plus compacte de la série Morden du Monitoba. De plus elle est non envahissante.

❀ Juin à septembre   **Couleur:** Rose

***salicaria* 'Morden Spires'**

Variété très florifère, à fleurs rose fuschia.

***salicaria* 'Morden's Gleam'**

Utilisations: M - F   90 cm/ 36 po   45 cm/ 18 po

Provient de L. 'Morden's Pink'

❀ Juin à août   **Couleur:** Rose magenta

***salicaria* 'Robert'**

Utilisations: M - F   80 cm/ 32 po   45 cm/ 18 po

Variété populaire, la plus en demande car sa floraison est uniforme et de couleur lumineuse. Elle tolère bien un lieu ensoleillé.

❀ Juin à septembre   **Couleur:** Rose carmin

***virgatum* 'Dropmore Purple'**

Fleurs rose violacé à pourpre. Variété très belle et la plus foncée.

***virgatum* 'Rose Queen'**

Fleurs roses, délicates, de 50 cm de haut.

***virgatum* 'Rosy Gem'**

Fleurs rose foncé. Variété la plus connue.

***x* 'Floralie'**

Utilisations: M - F   120 cm/ 48 po   45 cm/ 18 po

Introduit par M. T. Hubert. Cultivar développé pour les Floralies de Montréal en 1980. Plante enregistrée.

❀ Juillet à septembre   **Couleur:** Rose

***x* 'Florarose'**

Utilisations: M - F   90 cm/ 36 po   45 cm/ 18 po

Introduite par M.T. Hubert. Variété compacte à essayer. Plante enregistrée.

❀ Juillet à septembre   **Couleur:** Rose carmin

x 'Terra Nova'

Utilisations: M - F ⇑ 55 cm/ 22 po ⇔ 40 cm/ 16 po

Trouvé à Terre-Neuve par M. Tony Huber, cette salicaire est presque entièrement stérile et ne produit aucun pollen viable. Floraison plus tardive que les autres. Sa croissance en buisson ne se ramifie pas.

❀ Juillet à septembre **Couleur:** Rose

Macleaya Plume Poppy

Famille: Papaveracées **Zone:** 3-4

Grande plante au feuillage crénelé et gris sur le revers. Croissance rapide et envahissante par son rhizome traçant. Sêve rougeâtre.

Sol: Tous les sols

Compagnons:
Été: Ligularia 'The Rocket' et Astilbe 'Ostrich Plume'
Printemps: Trollius 'Yellow Beauty' et Hosta 'Francee'
Automne: Hemerocallis 'Anzac' et Rudbeckia 'Herbstonne'

***microcarpa* 'Kelway's Coral'**

Utilisations: M - S ⇑ 200 cm/ 80 po ⇔ 90 cm/ 36 po

Introduite en 1930. Grande plante à tiges solides. Gros rhizome charnue, pourrait être utilisé comme écran. Inflorescence plumeuse.

Feuilles: Palmées - Lobées **Feuillage:** Glauque.

❀ Août à septembre

Malva Mauve • Mallow

Famille: Malvacées **Zone:** 3

Origine: Europe, Asie et Afrique du Nord

Regroupe une trentaine d'espèces. Plante fournie, à plusieurs ramifications. Les feuilles sont orbiculaires, cordées ou réniformes, entières ou lobées, quelques fois pinnatiséquées et dentées. Les fleurs à 5 pétales, de forme conique ou plus évasée, sont axillaires, solitaires, en grappes ou parfois en racèmes terminaux. Elles sont violettes, bleues, roses ou blanches. De 1 à 3 bractées visibles; ce trait les distinguant du genre Lavatera, qui présente pour sa part 3 à 9 bractées jointes. Plante attrayante pour leur floraison abondante et continue en milieu d'été. De culture facile. Durée de vie plutôt courte, mais se ressèment aisément. Intéressante pour la naturalisation.

Sol: Tous les sols - Bien drainé

Compagnons:
Été: Delphinium grandiflorum et Iris germanica 'Alba'
Printemps: Iris pumila et Aster 'Happy End'
Automne: Echinacea et Hemerocallis 'Gold Cap'

***alcea* 'Fastigiata'** Hollyhock

Utilisations: F - M - N - P

⇑ 100 cm/ 40 po ⇔ 60 cm/ 24 po ⊗ Ovale - Dressé

Belle vivace à croissance plus érigée que l'espèce. Sa tige est poilue et ramifiée. Longue floraison qui peut même se prolonger très tard à l'automne. Sol ordinaire, sableux, même légèrement calcaire. Zone 4.

Feuilles: Basales, orbiculaires à 5 lobes incisés. Alternes - Dentées

❀ Juin à septembre **Couleur:** Rose foncé

***moschata* 'Alba'** Mauve musquée • Musk Mallow

Utilisations: F - N - M - P

60 cm/ 24 po | 60 cm/ 24 po | ⊗ Ovale - Érigé

Plante buissonnante, plus ou moins dressée. Tige poilue et ramifiée. Longue floraison et abondante. Tolère un sol légèrement calcaire. Zone 3.

Feuilles: Basales à 3 lobes, celles du haut sont profondément découpées, de 3 à 7 lobes. Alternes - Dissequées

Feuillage: Aromatique. ❀ Juin à septembre **Couleur:** Blanc

***moschata* 'Rosea'**

Utilisations: F - M - N - P

60 cm/ 24 po | 60 cm/ 24 po | ⊗ Ovale - Érigé

Plante buissonnante, plus ou moins dressée. Tige poilue et ramifiée. Longue floraison et abondante. Tolère sol légèrement calcaire. Zone 3.

❀ Juin à septembre **Couleur:** Rose

***sylvestris* 'Bibor Felho'** ☺

Utilisations: F - M - N - P

105 cm/ 42 po | 90 cm/ 36 po | ⊗ Ovale - Dressé

Floraison spectaculaire sur toute la hauteur de la plante.

Feuilles: De 3 à 7 lobes peu découpés, de 10 cm de diamètre. Cordées - Dentées

❀ Juin à octobre **Couleur:** Rose-mauve

***sylvestris* 'Brave Heart'** Grande mauve • Tall Mallow

Utilisations: F - M - N - P 110 cm/ 44 po

50 cm/ 20 po | ⊗ Ovale - Dressé

Vivace ou bisannuelle. Variété à croissance très érigée, base ligneuse, tige poilue. Fleurs lilas, striées de violet. Sol ordinaire, mais parfois plus gourmande que les autres espèces. Peut souffrir de la rouille en situation trop sèche.

Feuilles: Très grandes, cordées à arrondies. Entre 3 et 7 lobes, peu découpés.

❀ Juin à septembre

Mazus

Famille: Scrophulariacées **Zone:** 4

Origine: Sud-est de l'Asie, Chine, Taïwan, États Malais, Australasie

Comprend environ 20 à 30 espèces de plantes basses, tapissantes. Les feuilles sont dentées ou incisées, de forme linéaire à spatulée; celles de la base étant opposées ou en rosette et celles des tiges sont alternes. Les tiges, rampantes, s'enracinent aux noeuds. Les fleurs ont un court pédicelle et sont bilabiées. Couvre-sol attrayant en rocaille. Aiment les sols riches en humus, sans calcaire.

Sol: Humide - Bien drainé

reptans

15 cm/ 6 po | 20 cm/ 8 po | ❀ Avril à mai

Fleurs pourpres à lèvre maculée blanche, jaune et violet. Son feuillage est persistant, vert clair. Plante tapissante. Il existe une variété blanche 'Albus'.

Feuillage: Persistant.

Meconopsis Asiatic Poppy

Famille: Papaveracées
Origine: Népal

Fleurs monocarpiques, très décoratives. Ses feuilles vert grisâtre sont disposées en rosette pubescente. Eviter les endroits chauds. Sol humifère, frais et acide. Rustique avec une certaine protection. Le semis demande une période de stratification. Tailler les fleurs fanées pour renforcir le plant.

Meconopsis betonicifolia Pavot bleu

Origine: Himalaya
Synonyme: M. baileyi
90 cm/ 36 po
35 cm/ 14 po

Grandes fleurs bleues à 4 pétales garnis de nombreuses étamines jaunes. Ses feuilles disposées sur un long pétiole de 90 cm sont vert grisâtre, ovales, crenelées à longs poils bruns. Son port est dressé légèrement retombant. Les échecs de culture viennent plus souvent du choix du sol que de la rusticité. Se divise bien et se sème mais n'accepte pas très bien la transplatation. Sa racine est courte. Cette espèce est l'emblème du 'Jardin de Métis'. Zone 4.

❀ Juin - Juillet

grandis

100 cm/ 40 po

La plante est entièrement pubescente, brunâtre. Fleurs violettes, regroupées par 1 à 4 de 10 cm de diamètre, disposées sur un pédicelle court de 10 à 15 cm, ouvertes en coupe. Ses feuilles sont elleptiques, entières ou crenelées jusqu'à 25 cm de long se rétrécissant pour former un pétiole. Eviter les sols calcaires. Les bergers retirent de l'huile de ses graines pour chasser les poux.

❀ Mai - Juin

Melampodium

Famille: Asteracées
Zone: 4
Origine: Amérique: zones tropicales et chaudes

Composé d'environ 37 espèces. Les feuilles sont entières à dentées, parfois pinnatiséquées, leur forme varie de linéaire à ovale. La fleur est en forme de marguerite, les ligules sont blancs à jaune pâle et le centre est jaune.

Sol: Tous les sols - Bien drainé

leucanthum

30 cm/ 12 po
30 cm/ 12 po

Fleurs blanc crème, de 2 à 2,5 cm de diamètre à pétales dentés, recurvés et striés de pourpre en dessous. Son feuillage vert olive est velu. Ses feuilles sont opposées, sessiles et linéaires.

Mertensia Virginia Bluebells

Famille: Boraginacées
Zone: 2

Originaire des sous-bois. Plante peu connue mais d'intérêt ornemental. Fleurs bleu ciel ou roses selon leur maturité. On la remarque dans les jardins au printemps seulement par sa floraison abondante en grappes pendantes, car son feuillage glauque et glabre disparaît par la suite. l'espèce que nous cultivons est indigène à l'Amérique de Nord.

Sol: Humide - Riche

maritima

15 cm/ 6 po — 40 cm/ 16 po — ⊗ Rampant - Rosette

Jolie plante indigène au Québec qui croît sur les rivages sablonneux ou rocailleux de l'estruaire du Golfe St-Laurent. Zone 3b.

Feuillage: Glauque et argenté. Persistant.

❀ Juin - Juillet — **Couleur:** Blanc

virginica

60 cm/ 24 po — 30 cm/ 12 po

⊗ Étalé

Plante à petites fleurs bleues ou roses en clochettes pendantes et à grandes feuilles glabres bleutées dormant pendant la période estivale.

❀ Mai

Mimulus Monkey Flower

Famille: Scrophulariacées — **Zone:** 5

Origine: Amérique du Nord

Son nom signifie un petit mime dû à ses fleurs picotées rappelant cette apparence. Ses feuilles opposées sont généralement dentées et velues. Fleurs axillaires en forme de tube à 3 lobes, solitaires, sensibles au toucher, elles referment ses 2 lèvres. Préfère les lieux humides, de rusticité précaire, elle se comporte comme une annuelle en se ressemant à profusion. Plante indigène.

Sol: Léger - Humifère

moschatus

30 cm/ 12 po — 30 cm/ 12 po

Fleurs jaunes, tachetées de brun, d'un diamètre de 2 cm. Son feuillage est lustré et charnu, rarement pétiolé. Ses feuilles ont 5 cm de long, ovales à oblongues à tiges collantes. Espèce ancienne et populaire pour son odeur musquée. Par contre les nouveaux cultivars ne sont pas parfumés dont les variétés; Mimulus x 'Fire Dragon', grandes fleurs rouges, tachetées de jaune et de 30 cm de haut et Mimulus x 'Maginfique', fleurs blanches, tachetées de rouge et de 30 cm de haut.

❀ Juin - Septembre

ringens

60 cm/ 24 po — 60 cm/ 24 po

Plante vivace à rhizome glabre. Espèce robuste. Fleurs violettes à étamines saillantes, portées sur un court pédicelle de 3 cm environ. Son feuillage est vert ou lavé de bronze. Tiges rigides à 4 côtés, ailées dont les feuilles sont sessiles, oblongues, lancéolées et dentées de 10 cm de long. Utilisation; naturalisée et bord de pièces d'eau. Zone 4.

Sol: Léger

❀ Juillet à septembre

Minuartia Sandwort

Famille: Caryophyllacées — **Zone:** 1

Origine: Région tempérée et arctique de l'hémisphère Nord

Genre regroupant environ 60 espèces formant des petits coussins ou tapis. Minuscules feuilles étroites, linéaires. Ces plantes sont semblables à l'Arenaria mais diffèrentes par la largeur des feuilles qui est de 1 à 2 cm. Petites fleurs blanches ou verdâtres en mai et juin. Vivaces intéressantes à utiliser autour des murets, dans les rocailles et dallages.

Sol: Tous les sols - Bien drainé

---

verna

15 cm/ 6 po | 15 cm/ 6 po | ⊗ Coussin

Espèce très rustique mais méconnue. Jolies fleurs blanches.

Monarda Beebalm

☺ ◑☼

Famille: Lamiacées **Zone:** 3

Origine: Amérique du Nord

Plante à feuillage aromatique et à tige carrée. Feuilles simples, ovales à lancéolées, habituellement dentées; variant d'un vert moyen à un vert foncé ou légèrement pourpré, avec des nervures marquées. Fleurs tubulaires s'ouvrant en verticille au sommet des tiges; elles sont blanches, roses, rouges ou violettes, souvent avec des bractées colorées et d'environ 60 à 75 cm de haut. Son port est ovale et étalé. Floraison intéressante en milieu d'été. Aime les sols riches, humides et bien drainés; éviter les sols trop secs qui augmentent l'incidence du blanc (oïdium). Utilisée en parfumerie, en cuisine comme aromate, et en fleurs coupées. Attire les colibris et les papillons. Les anciennes variétés sont sensibles au blanc (oïdium), mais de nouveaux cultivars et hybrides résistants à la maladie ont été créés par plusieurs spécialistes.

Sol: Humide - Riche

Compagnons:
Été: Delphinium et Achillea 'Coronation Gold'
Printemps: Pulmonaria et Dicentra spectabilis 'Alba'
Automne: Sedum 'Automn Joy' et Rudbeckia 'Goldsturm'

***didyma* 'Adam'** Oswego Tea

Vivace d'une hauteur de 90 cm, fleurs rouge cerise. Toutes les variétés de cette espèce ont leurs feuilles simples, opposées, pennées, dentées, vert foncé, pubescentes en dessous et de 14 cm long.

Feuillage: Aromatique ❀ Juillet à août

***didyma* 'Alba'**

Belle floraison blanche, 75 cm de haut.

Feuilles: Ovées - Lancéolées

Feuillage: Aromatique ❀ Juillet à août

***didyma* 'Blue Stocking'**

Synonyme: M. 'Blaustrumpf'

Plante formant de beaux massifs, fleurs bleu-violet, bractées pourpre violacé et de 90 à 120 cm de haut.

Feuillage: Aromatique ❀ Juillet à août

***didyma* 'Cambridge Scarlet'**

Belle floraison d'un rouge écarlate vif,calice rouge brunâtre et de 90 cm de haut.

Feuillage: Aromatique ❀ Juillet à août

***didyma* 'Croftway Pink'**

Plante de 100 cm de haut, belle floraison rose pâle, bractées teintées de rose.

Feuillage: Aromatique ❀ Juillet à août

didyma 'Gardenview Scarlet'

Vivace de 60 à 90 cm de haut, fleurs rouges, très larges et ayant une bonne résistance au blanc (oïdium).

Feuillage: Aromatique ❀ Juillet à août

didyma 'Snow Maiden'

Fleurs blanches de 100 cm de haut.

Feuillage: Aromatique ❀ Juillet à août

didyma 'Snow White'

Synonyme: M. 'Schneewittchen'

Variété à floraison blanc crème et de 90 cm de haut .

Feuillage: Aromatique ❀ Juillet à août

didyma 'Twins'

Belle floraison rose foncé, 75 cm de haut, serait résistant au blanc (oïdium).

Feuillage: Aromatique ❀ Juillet à août

punctata Spotted Beebalm

35 cm/ 14 po

Vivace ou bisannuelle, entre 30 et 90 cm de haut. Tige pubescente, feuillage légèrement velu, fleurs en verticille, jaunes ou roses tachetées de violet et bractées vert pâle ou légèrement teintées de rose pourpre. Préfère un sol sablonneux. Zone 4.

Feuilles: Opposées, pennées, dentées, jusqu'à 9 cm de long et 2,5 cm de large.
Feuillage: Légèrement pubescent. Aromatique.
❀ Juillet à août

x 'Aquarius'

Cultivar de 75 à 90 cm de haut, floraison rose pâle, feuillage vert légèrement bronze et résistant au blanc (oïdium).

Feuilles: Simples, opposées, pennées, dentées, et de 14 cm long. Ovées - Lancéolées
Feuillage: Vert foncé, pubescent en dessous. Aromatique
❀ Juillet à août

x 'Beauty of Cobham' 

Belle floraison rose pâle, feuillage vert violacé et de 90 cm de haut.

Feuillage: Aromatique. ❀ Juillet à août

x 'Jacob Cline'

Introduite par Pépinière Saul. Fleurs rouges, très larges, de 120 cm de haut et très résistantes au mildiou.

x 'Mahogany'

Cultivar pouvant atteindre 90 cm de haut, floraison rouge vin foncé avec bractées rouge brunâtre.

Feuillage: Aromatique.
❀ Juillet à août

x **'Marshall's Delight'**

Vivace pouvant atteindre 75 à 90 cm de haut. Floraison rose, tige glabre ou légèrement poilue et résistante au blanc (oïdium). Enregistrée C.O.P.F.

Feuillage: Aromatique ❀ Juillet à août

x **'Panorama'**

Variété qui fleurit dans des teintes de rouge, rose et saumon et de 75 cm de haut.

Feuillage: Aromatique ❀ Juillet à août

x **'Petite Delight'**

45 cm/ 18 po

Introduit par Morden au Manitoba. Cultivar nain, résistant aux maladies. Inflorescence rose lavande et son feuillage est lustré. Préfère le plein soleil. Enregistré C.O.P.F. Zone 2.

Feuillage: Aromatique ❀ Juillet à août

x **'Pink Tourmaline'**

Floraison rose, plante compacte de 45 à 60 cm de haut, résistante au blanc (oïdium). Enregistrée C.O.P.F.

Feuillage: Aromatique ❀ Juillet à août

x **'Prairie Night'**

Synonyme: M. 'Prärienacht'

Cultivar pouvant atteindre 90 à 120 cm de haut, fleurs violet avec bractées légèrement teintées de rouge.

Feuillage: Aromatique ❀ Juillet à août

x **'Red Pagoda'**

Fleurs rouges disposées en étages. Plante de 60 à 75 cm de haut. Enregistrée C.O.P.F.

Feuillage: Aromatique ❀ Juillet à août

x **'Ruby Glow'**

Belle variété compacte, de 60 à 75 cm de haut à floraison rouge rubis. Enregistrée .C.O.P.F.

Feuillage: Aromatique ❀ Juillet à août

x **'Scorpion'**

Cultivar de 75 à 90 cm de haut, floraison rouge et serait résistant au blanc (oïdium).

Feuillage: Aromatique ❀ Juillet à août

x **'Seduction'**

Sa floraison est rouge et atteint 125 cm de haut. Plante enregistrée.

❀ Juillet à août

x **'Violet Queen'**

Floraison violet pourpre et de 75 à 90 cm de haut.

Feuillage: Aromatique ❀ Juillet à août

Myosotis Ne m'oubliez pas • Forget-me-not 

Famille: Boraginacées **Zone:** 3
Origine: Europe, Asie, Amérique du Nord et Australie
⊗ Arrondi - Buisson

Genre regroupant 50 espèces de plantes annuelles, bisannuelles ou vivaces. Les fleurs sont solitaires ou en cymes scorpioïdes, bleues, roses ou blanches avec un oeil habituellement jaune, bien visible. Ce genre comprend des espèces très populaires, très appréciées au niveau ornemental. Les besoins au niveau du sol et de l'exposition peuvent varier selon les espèces.

Sol: Humide - Bien drainé
Compagnons:
Printemps: Primula et Cerastium
Été: Lysimachia ciliata et Coreopsis
Automne: Tricyrtis et Helenium

alpestris Alpine Forget-me-not

Synonyme: M. sylvatica ssp. 'Alpestris' **Utilisations:** B - F - M - N - P - S
20 cm/ 8 po 15 cm/ 6 po ⊗ Couvre-sol - Colonie

Belle vivace, très fournie. Sur le marché, on retrouve souvent le M.sylvatica vendue sous le nom de M.alpestris.

Feuilles: Entières, ovées, oblongues à lancéolées de 8 cm de long.
❀ Mai - Juin **Couleur:** Bleu au coeur jaune

x 'Gold'n Sapphires'

Cette nouvelle variété s'illumine au printemps avec son feuillage jaune éclatant et ses fleurs bleu foncé compactes. Intéressante à utiliser avec les Euphorbias et les Ajugas pour le contraste du feuillage. Préfère le soleil ou la mi-ombre. De 20 cm de haut. Zone 5.

scorpioides 'Semperflorens'

Utilisations: B - F - M - N - P - S - J
20 cm/ 8 po 25 cm/ 10 po
⊗ Couvre-sol - Colonie

Vivace à rhizome rampant, dont la tige est angulaire, habituellement glabre. Ce cultivar est nain et sa floraison se poursuit pendant tout l'été. Zone 4.

Feuilles: Entières, oblongues à lancéolées, parfois pubescentes et de 10 cm de long.
❀ Juin à août **Couleur:** Bleu

sylvatica 'Nana Blanc' Garden Forget-me-not

Utilisations: B - F - M - N - P - S
15 cm/ 6 po 15 cm/ 6 po ⊗ Couvre-sol - Colonie

Le très apprécié myosotis des jardins, avec plusieurs cultivars différents, tous bisannuels. Se ressème aisément. On retrouve les variétés; 'Nana Bleu' à fleurs bleues et 'Nana Rose' à fleurs roses. Zone 4.

❀ Mai - Juin **Couleur:** Blanc

sylvatica 'Rosea' Garden Forget-me-not

Utilisations: B - F - M - N - P - S 30 cm/ 12 po
20 cm/ 8 po ⊗ Couvre-sol - Colonie ❀ Mai à juin

Très joli myosotis à fleurs roses. Bisannuelle qui se ressème. L'espèce M.sylvatica comprend aussi de nombreuses autres variétés dont la série Victoria, cultivars nains de 10-15 cm, dans les teintes de blanc, bleu ou rose. Zone 4.

Nepeta Menthe des chats • Catmint

Famille: Lamiacées **Zone:** 4
Origine: Europe, Afrique du Nord et Asie

Plante à feuillage aromatique. Fleurs souvent bleues ou lavandes et groupées en racèmes allongés à l'extrémité des tiges arquées. Préfère les endroits ensoleillés. Populaire dans les jardins anglais. Elle attire les abeilles et les chats.

Sol: Sec - Bien drainé

Compagnons: Été: Polemonium caeruleum et Lysimachia punctata
Printemps: Stachys 'Silver Carpet' et Alchemilla mollis
Automne: Andropogon et Hemerocallis 'Hyperion'

---

govaniana

Synonyme: Dracocephalum govanianum **Utilisations:** M
80 cm/ 32 po 30 cm/ 12 po

Variété agréablement odorante dont les branches ramifiées offrent un effet gracieux. Ses fleurs sont bleues, son feuillage est vert jaunâtre et ses feuilles sont pointues, dentées et cordées à la base. Inflorescence de 3 cm de long sur un long pédoncule.

Feuillage: Aromatique. ❀ Août à septembre

---

grandiflora

90 cm/ 36 po 60 cm/ 24 po

Flerus bleu lavande, de 2 cm de long sur un épis allongé. Ses feuilles sont cordées, crenelées et de 5 cm de long. Zone 5.

Feuillage: Aromatique. ❀ Mai à juin

---

mussinii

Utilisations: M - C
30 cm/ 12 po 30 cm/ 12 po ⊗ Arrondi - Buisson

Vieille espèce à floraison abondante ayant souvent comme synonyme N. x faassenii, mais je crois qu'elle sont différentes car la N. mussinii se reproduit par semis alors que la N. faassenii est stérile.

Feuilles: Rondes - Dentées.
Feuillage: Gris-vert et pubescent. Aromatique. ❀ Juillet à septembre

---

sibirica

Synonyme: Dracocephalum sibiricum **Utilisations:** M - F
90 cm/ 36 po 30 cm/ 12 po ⊗ Arrondi - Buisson

Tige érigée et vigoureuse. Inflorescence ramifiée à gandes fleurs de 4 cm de long.

Feuilles: Dentées jusqu'à 8 cm de long. Lancéolées
Feuillage: Vert foncé au dessus et velu en dessous. Aromatique
❀ Juin à juillet **Couleur:** Bleu violacé

---

subsessilis

30 cm/ 12 po 30 cm/ 12 po ⊗ Arrondi - Buisson

Croît dans les terrains rocheux et sur le bord des cours d'eau. Fleurs bleues de 3 cm de long. Ses feuilles ovales ont de 6 à 10 cm de long. Espèce à nombreuses tiges possédant de courts pétioles.

Feuillage: Aromatique. ❀ Juillet à septembre

x 'Six Hills Giant'

Utilisations: M

50 cm/ 20 po | 40 cm/ 16 po | Étalé

Copie conforme de N. x fassenii mais à plus grrandes fleurs et à tiges plus vigoureuses. Sa tige est dressée. Ses fleurs sont d'un bleu intense. Tolère bien les sols frais.

Feuillage: Aromatique. | Juin à septembre

x 'Souvenir d'André Chaudron'

Synonyme: N. sibirica 'Bleu Beauty'

60 cm/ 24 po | 60 cm/ 24 po | Arrondi - Buisson

Fleurs bleu lavande. Plante très robuste, longue floraison, craint l'humidité à ses pieds. Zone 2.

***x faassenii* 'Blue Wonder'**

Utilisations: M

30 cm/ 12 po | 30 cm/ 12 po | Arrondi - Buisson

Plante compacte, très florifère, très belle et de forte apparence. Inflorescence regroupée en verticille sur la tige. Se reproduit seulement par boutures et division. Il existe une variété de couleur blanche 'White Wonder'.

Feuillage: Grisâtre. Aromatique.

Juin à septembre | **Couleur:** Lavande

***x faassenii* 'Dropmore Blue'**

Utilisations: M

30 cm/ 12 po | 30 cm/ 12 po | Arrondi - Buisson

Semblable à N. mussinii, mais à fleur et à feuilles plus grandes. Florifère.

Feuillage: Aromatique. | Juin à septembre | **Couleur:** Bleu

Oenanthe Evening Primerose

Famille: Ombellifères | **Zone:** 5

Origine: Hémisphère Nord, Afrique du Sud, Australie

Genre regroupant environ 30 espèces. Plante intéressante pour son feuillage coloré. Feuilles habituellement pennées, alternes. Ombelles de petites fleurs blanches étoilées, comptant 5 pétales avec une encoche, à croissance rapide. Cultiver dans un sol modérément fertile, préférablement humide à très mouillé. Couvre-sol utile comme filtreur d'eau. Peut tolérer un sol plus sec si son exposition est semi-ombragée. Excellente plante pour jardins aquatiques.

Sol: Tous les sols - Humide

***javanica* 'Flamingo'**

Facile de culture et de croissance rapide. Feuillage décoratif, vert, blanc à bordudre rosée.

Oenothera Oenothere • Common Sundrops

Famille: Onagracées | **Zone:** 3

Origine: Nouveau monde

Produit généralement des fleurs jaunes à 4 pétales, solitaires, axillaires ou en racèmes. Feuilles habituellement simples. Plante dressée ou rampante.

Sol: Tous les sols

Compagnons:

Été: Geranium sanguineum et Phlox 'Miss Lingard'
Printemps: Polygonum affine Lamium 'White Nancy'
Automne: Gaillardia 'Goblin' et Sedum 'Indian Chief'

***berlanderi* 'Siskiyou'**

Synonyme: O. speciosa 'Siskiyou' **Utilisations:** M

⌂ 30 cm/ 12 po ◊ 40 cm/ 16 po ⊗ Étalé

Plante compacte à très grandes fleurs. Semblable à O.speciosa. Zone 5.

Feuilles: Lancéolées

❀ Juin à septembre ∅ 3 à 6 cm **Couleur:** Rose

***fremontii* 'Lemon Silver'**

⌂ 20 cm/ 8 po ◊ 45 cm/ 18 po

Sélection d'un semis de l'espèce. Grandes fleurs jaune clair à texture très mince, de 7 à 8 cm de diamètre et contrairement à l'espèce elles ouvrent le jour. Ses feuilles sont étroites et de couleur argentée. Se ressème et se propage par boutures. Plante enregistrée C.O.P.F.

❀ Juin - Septembre

***fruticosa* 'Youngii'** Sundrops

Utilisations: M - F

⌂ 40 cm/ 16 po ◊ 35 cm/ 14 po ⊗ Arrondi - Buisson

Grandes fleurs et tiges dressées.

Feuilles: Lancéolées - Ovées

❀ Juin à août ∅ 5 à 8 cm **Couleur:** Jaune

missouriensis Ozark Sundrop

Synonyme: O. macrocarpa **Utilisations:** M - R

⌂ 20 cm/ 8 po ◊ 35 cm/ 14 po ⊗ Rosette

Très grandes fleurs s'ouvrant le soir.

Feuilles: Grandes. Elliptiques **Feuillage:** Vert foncé.

❀ Juin à septembre ∅ 5 à 8 cm **Couleur:** Jaune

pallida Evening Primrose

Utilisations: M

⌂ 45 cm/ 18 po ◊ 30 cm/ 12 po ⊗ Étalé

Grandes fleurs ouvrant le soir, changeant au rose à maturité.

Feuilles: Lancéolées

❀ Juin à septembre ∅ 3 à 5 cm **Couleur:** Blanc

pumila Sundrops

Synonyme: O. perennis

⌂ 35 cm/ 14 po ◊ 20 cm/ 8 po ⊗ Arrondi - Buisson

Espèce considérée comme bisannuelle.

Feuilles: Linéaires - Lancéolées

❀ Juin à août ∅ 3 à 5 cm **Couleur:** Jaune

***speciosa* 'Pink Petticoats'** Shoroy Primrose

Utilisations: M ⌂ 55 cm/ 22 po ◊ 35 cm/ 14 po

Grandes fleurs veinées de rose foncé, très florifère, qui se ressème à profusion. Rusticité douteuse. Touffe buissonnante, plutôt étalée. Demande un sol bien drainé. Zone 5.

Feuilles: Lancéolées - Oblongues

❀ Juin à septembre ∅ 3 à 6 cm **Couleur:** Rose 

speciosa* var. *rosea

Utilisations: M — 40 cm/ 16 po — 50 cm/ 20 po

Grandes fleurs roses à tige prostrée et touffe buissonnante plutôt étalée. Plante très florifère et se ressème à profusion. Demande un sol bien drainé.

Feuilles: Ovées — Juin à septembre — Ø 3 à 6 cm

***tetragona* 'Fireworks'**

Synonyme: O 'Fyrverkeri' **Utilisations:** M - F

40 cm/ 16 po — 35 cm/ 14 po

⊗ Arrondi - Buisson

Grandes fleurs groupées à l'extrémité des tiges. Se propage par stolons. Croissance rapide.

Feuilles: Lancéolées

Feuillage: Vert ayant une belle coloration automnale (rouge).

Juin à août — Ø 3 à 5 cm

Couleur: Jaune

triloba

Utilisations: M — 30 cm/ 12 po — 30 cm/ 12 po

Fleur comparable à celle du O. missouriensis. Bisannuelle.

Feuilles: Dentées

Feuillage: En rosette.

Juin à août — Ø 5 à 8 cm — **Couleur:** Jaune

***x* 'African Sun'**

Cette nouvelle variété d'Onagre a reçu la médaille d'argent au Plantarium de Boskoop (Hollande). Floraison abondante de mi-juin à novembre. Fleurs jaune clair au diamètre de 4 à 4,5 cm. Bon couvre-sol.

***x* 'Sunset Boulevard'**

45 cm/ 18 po — 30 cm/ 12 po — Juillet - Août

Fleurs orangé-bronze. Zone 4.

Omphalodes Navelwort

Famille: Boraginacées **Zone:** 5

Origine: Europe et Nord de l'Afrique et certaines régions de l'Asie

Compte 28 espèces d'annuelles, bisannuelles et vivaces. Petites plantes à fleurs bleues ou blanches ressemblant au Myosotis. Les feuilles sont simples, alternes, ovées à oblongues, très minutieusement velues. La floraison est habituellement une cyme terminale, quelquefois solitaire, axillaire. Elles vivent longtemps dans un sol humifère, jamais sec.

Sol: Frais - Humide

cappadocica

Utilisations: C - F - R - J - S

15 cm/ 6 po — 35 cm/ 14 po — ⊗ Couvre-sol - Rosette

Petite vivace formant un massif, à courts rhizomes rampants, dont la fleur rappelle la fleur du Myosotis. Protection hivernale si on la plante sur un site à découvert. Exposition à la mi-ombre à l'ombre totale. Zone 5.

Feuilles: Basales, ovées à cordées. Alternes - Accuminées

Feuillage: Rugueux et pubescent. Semi-persistant.
❀ Mai - Juin **Couleur:** Bleu à centre blanc

***cappadocica* 'Lilac Mist'**

Utilisations: C - F - R - J - S
⌂ 15 cm/ 6 po ◊ 35 cm/ 14 po ⊗ Couvre-sol - Colonie

Mêmes caractéristiques que pour l'espèce. Cultivar à fleurs lilas apportant une couleur plus rare dans le jardin d'ombre. Excellent pour le sous-bois. Zone 5.

Feuilles: Alternes ❀ Mai - Juin **Couleur:** Lilas

***cappadocica* 'Parisian Skies'** Navel-Seed

Utilisations: C - F - R - J - S
⌂ 15 cm/ 6 po ◊ 35 cm/ 14 po ⊗ Couvre-sol - Colonie

Une "nouvelle couleur" qui frappe lors de sa floraison printanière! Elle fleurit plus tôt que le Corydalis, et sa floraison est prolongée. Très tolérante à l'ombre. Zone 5.

Feuilles: Alternes ❀ Mai - Juin **Couleur:** Bleu azur

---

verna

Utilisations: R - J - N
⌂ 20 cm/ 8 po ◊ 40 cm/ 16 po ⊗ Couvre-sol - Colonie

Vivace stolonifère. Préfère la mi-ombre ou l'ombre. Demande un sol humide, au moins au printemps, tolère ensuite à peu près tous les sols, pouvant même se naturaliser si les conditions sont favorables. Peut devenir envahissante. Zone 5.

Feuilles: Alternes ❀ Mai **Couleur:** Bleu à centre blanc

Opuntia Cactus • Prickly Pear

Famille: Cactacées **Zone:** 4
Origine: Sud de l'Ontario,Saskatchewan et de l'Alberta
⊗ Étalé

Tige charnue et applatie en forme de raquette. Aiguilles minuscules, simples ou rarement doubles, ou plus de minuscules poils difficilement percevables à l'oeil nu et qui provoquent des irritations. Belles grandes fleurs solitaires, jaunes au coeur rouge et à fruits rouges. Nécessite le plein soleil pour la production de fleurs. Plusieurs croient que les cactus poussent dans le désert, mais non il y en a plusieurs en montagne en Amérique du Sud et ailleurs.

Sol: Sec

---

humifusa

Utilisations: R
⌂ 30 cm/ 12 po ◊ 40 cm/ 16 po ⊗ Couvre-sol

Tige charnue applatie. Fleur au coeur rouge. Se propage par division et boutures.

❀ Juin à septembre **Couleur:** Jaune

Origanum Orégano

Famille: Lamiacées **Zone:** 4
Origine: Europe et méditerranée

Feuillage arrondi, aromatique et ornemental avec de petites fleurs roses groupées en épis denses. Plante plus souvent utilisée en fines herbes.

laevigatum 'Herrenhausen'

60 cm/ 24 po — 45 cm/ 18 po — Arrondi - Buisson

Fleurs rose violacé attirant les oiseaux-mouches. Très belles en fleurs séchées. Zone 4b.

Feuillage: Persistant. — Juillet - Septembre

vulgare 'Aureum'

Utilisations: R - M — 25 cm/ 10 po — 30 cm/ 12 po

Petites fleurs, très décoratives. Son feuillage doré devient plus blanchâtre en étant trop exposé au soleil.

Feuillage: Persistant. Aromatique. — Juin à août

Osteospermum

Famille: Asteracées
Origine: Afrique
30 cm/ 12 po — 60 cm/ 24 po
Zone: 4b
Synonyme: Dimorphoteca
Buisson

Cultivée comme une annuelle, parfois vivace par ses semences. Floraison abondante, genre marguerite. Ses fleurs sont blanches passant à lavande. Feuillage aromatique. Demande un sol sablonneux et bien drainé, humide l'été et sec l'hiver. En général elle est offerte en mélange de couleurs, O. 'Lavender Mist', est offerte sur le marché.

Mai à septembre

Oxalis

Famille: Oxalidacées
Origine: Chili et Argentine
Arrondi - Buisson
Zone: 5

Feuille

Fleur

Plante à feuilles composées de 3 folioles semblables à celles d'un trèfle. Fleurs roses réunient en cymes. Souche bulbeuse. Peu cultivée mais superbe comme couvre-sol. Ses feuilles s'inclinent par temps sombre ou le soir.
Sol: Frais

acetosella

15 cm/ 6 po — 35 cm/ 14 po — Mai à juillet

Couvre-sol de croissance rapide. Fleurs blanches, veinées de lilas ou rose. Il existe une variété 'Rubra'. Zone 3.

adenophylla

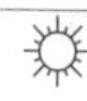

10 cm/ 4 po

Grandes fleurs roses au centre blanc qui ouvre au soleil et d'un diamètre de 2 cm. Son feuillage est très divisé, glauque et lustré. Exige une certaine protection. Zone 5.

articulata

Synonyme: O. floribunda — **Utilisations:** R - M - B
20 cm/ 8 po — 35 cm/ 14 po — Juin à septembre

Fleurs nombreuses, rose vif. Ses feuilles composées sont sur un long pétiole.

corniculata* var. *atropurpurea

⌂ 15 cm/ 6 po ◊ 25 cm/ 10 po

Variété très attrayante par son feuillage pourpre et ses fleurs jaunes. Sa croissance stolonifère est rapide. Zone 5.

Pachysandra Pachysandre • Japanese Spurge

Famille: Buxacées **Zone:** 4
Origine: Asie ⊗ Couvre-sol - Colonie

Plante tapissante à rhizome fort mais peu profond. Feuillage vert foncé, persistant, verticillé et lustré. Petits épis de fleurs blanches, peu intéressants. Un bon couvre-sol pour plusieurs années.

Sol: Humide - Acide

Compagnons: **Été:** Astilbe 'Deutschland' et Actaea rubra
Printemps: Ajuga 'Gaiety' et Polygonatum variegatum
Automne: Athyrium 'Pictum' et Hosta 'Gold Drop'

terminalis

Utilisations: C

⌂ 30 cm/ 12 po ◊ 25 cm/ 10 po ⊗ Couvre-sol

Petites fleurs blanches ponctuées de marron, sans intérêt au printemps suivies d'une fructification blanche dissimulée dans le feuillage. Les fleurs mâles sont au sommet et les femelles en dessous.

Feuilles: Ovales de 5 à 10 cm de long et dentées au sommet.
Feuillage: Vert foncé, épais et lustré. Persistant.
❀ Mai - Juin

***terminalis* 'Green Carpet'**

Utilisations: C ⌂ 15 cm/ 6 po ◊ 25 cm/ 10 po

Plante plus compacte, une variété améliorée.

Feuillage: Vert grisâtre, peu lustré. Persistant.
❀ Mai **Couleur:** Blanc

***terminalis* 'Green Sheen'**

De croissance lente, ses feuilles sont plus petites que l'espèce et plus lustrées.

***terminalis* 'Silveredge'**

⌂ 20 cm/ 8 po ◊ 15 cm/ 6 po

Similaire à P. terminalis 'Variegata, mais certaines personnes la considère comme différente. À observer.

***terminalis* 'Variegata'**

Utilisations: C ⌂ 20 cm/ 8 po ◊ 20 cm/ 8 po

Moins vigoureuse que l'espèce, marginée de crème de façon irrégulière.

Feuillage: Vert mât. Persistant.
❀ Mai **Couleur:** Blanc

Packera

Famille: Asteracées **Zone:** 3
Origine: Amérique et Asie

Genre regroupant 60 espèces. Les feuilles de la base sont pédonculées, celles prenant insertion sur la tige sont plus ou moins sessiles, souvent réduites à des bractées au sommet. Très petites fleurs de type marguerite, solitaires ou nombreuses, jaunes à orange ou rouges. Il existe une variété aurea à feuillage jaune.

Paeonia Pivoine • Peony ☺ ☼

Famille: Paeoniacées **Zone:** 2
Origine: Asie et Est de l'Amérique du Nord ⊗ Arrondi - Buisson

Plante cultivée depuis longtemps. Produit des grandes fleurs solitaires ou en petit nombre au bout des tiges. Feuillage large et composé. Grosse souche rhizomateuse. Elle nécessite peu de soins et continue à se développer pendant plusieurs dizaines d'années sans que l'on est besoin d'effectuer une division. Il faut éviter de la planter trop profondément car elle ne fleurira pas. Recouvrir les yeux d'environ 4 cm de terre. Division et transplantation au mois d'août. Il existe plusieurs espèces aux mêmes caractéristiques dont:

Lactiflora Pivoine de Chine. Nous cultivons de nombreux hybrides ou cultivars obtenus par croisements (chinoiseries) et qui sont classés selon quatre formes de fleur:
a) fleurs simples
b) fleurs doubles, comme l'espèce d'origine ou genre bombe ou grenade
c) fleurs d'anémones
d) fleurs japonaises, se retrouvent sous formes simples ou doubles
Elles sont toutes à floraison généralement mi-hâtive. Elles fleurissent plus longtemps ou plus tard que les pivoines de Chine. Leurs tiges sont très fortes.

Officinalis Pivoine européenne. Le choix par excellence de ceux qui désirent une floraison très hâtive. De 90 cm de haut. Ses fleurs sont très parfumées et mesurent 10 cm de diamètre, tandis que son feuillage est très divisé et décoratif. Aime les températures fraîches. Ses tiges sont colorées dès l'émergence au printemps. Nos grands-parents la nommaient Pew. Zone 4.

Peregrina Commercialisé sous la variété 'Otto Froebel'. Syn.: P. Lobata 'Sunshine'. Fleur simple en forme de coupe, rouge orange.
60 cm ❀ Mai

Suffruticosa Plante greffée formant des tiges ligneuses et produisant de très grandes fleurs habituellement semi-doubles, à coeur garni d'étamines dorées. Généralement de 100 à 150 cm de haut et sa floraison est assez hâtive, soit en juin. La gamme de couleurs est plus étendue que celle des pivoines herbacées. Taille annuelle nécessaire ainsi qu'une bonne fertilisation. Les cultivars offerts sur le marché ne peuvent passer l'hiver sans une protection sévère. La plante est vendue surtout à racines nues, comme les bulbes au printemps. Doit être exposée au soleil. Zone 5b.

Tenuifolia D'apparence particulière par son feuillage très finement découpé. De 60 cm de haut. Ses fleurs possèdent de 8 à 10 pétales et mesurent 7,5 à 10 cm de diamètre. Floraison hâtive en mai. Exige une exposition ensoleillée et une protection.

Nous voyons poindre une nouvelle génération d'hybrides par le croisement de pivoines herbacées et arbustives. Quelques variétés jaunes commencent à être commercialisées dont: 'Yellow Crown', 'Yellow Emperor' et 'Yellow Dream'; elles sont rares et très chères. À remarquer que les nouveaux cultivars (ceux créés après 1945) sont le résultat de croisements plus audacieux ou compliqués. C'est pourquoi il est difficile de préciser l'époque de floraison hâtive ou mi-hâtive, car ils proviennent de croisements de plusieurs espèces. De nombreux hybrides ont été créés au Collège de Hamilton à partir de 1914, sous la gouverne de M. Saunders. Celui-ci a effectué de l'hybridation de 1905 à 1953. Il a introduit une cinquantaine d'hybrides à floraison prolongée. Dommage que ces variétés ne soient pas autant commercialisées que les spécimens européens. Citons-en quelques-unes:

'Laura Magnuson' Introduite en 1941, de couleur rose corail.
'Red Charm' Introduite en 1944, fleurs doubles, rouges.
'Diana Parks' Hybride de grande taille (le plus spectaculaire), fleurs doubles, rouges,très hâtives.
'Auten's Red' Fleurs rouge sombre presque noires.
'Howard R. Watkins' Fleurs doubles, rouges, semblables à celles de la 'Diana Parks'.
'Ballerina' Fleurs jaune verdâtre devenant roses, en forme de bombe.

Quelques variétés à fleurs simples:

'Laura Magnuson' La plus remarquable.
'Clair de Lune' Fleurs jaunes.

Les fleurs simples ou semi-doubles de ces hybrides ont des anthères pétaloïdes qui arborent des teintes différentes des vrais pétales et dont l'extrémité est souvent d'une troisième couleur, ce qui produit un effet irrésistible.

'Shell Pink' Fleurs simples, rose pâle, à pétales gaufrés, couronnes d'étamines lavande à extrémité crème.
'Chocolate Soldier' Fleurs semi-doubles, rouge sang.
'Crusader' Fleurs semi-doubles, rouge écarlate, à anthères jaunes, ornées de filaments roses.

M. Saunders a aussi fait des études pour classer des pivoines selon quatre parfums:

1) **Parfum de rose:** 'Edulis Superba', typique aux pivoines chinoises, doubles 'Festiva Maxima'.
2) **Parfum citronné:** 'James Kelway' et 'Tulipe'.
3) **Parfum de miel:** 'Philomene' et 'Candidissima'.
4) **Parfum amer:** Qui s'estompe à la maturité. Variété non intéressante pour ses fleurs coupées (ex.:'Mikado').

Compagnons: **Été:** Delphinium et Lilium
Printemps: Digitalis et Dicentra
Automne: Heuchera 'Palace Purple'

Espèce 'Variété'	Description	cm/po	cm/po	cm	
hybride **'Adolphe Rousseau'**	Introduite par Dessert et Mechin en 1890. Fleurs doubles, pourprées, étamines jaunes apparentes. Tige raide.	80/32	65/26	6-7	
'Albert Crousse'	Introduite par A. Crousse en 1893. Fleurs roses, doubles en forme de boucle, reflet mauve. Pétales centrales roses, teintés de crème. Variété florifère.	80/32	65/26	7	•
'Alexander Fleming'	Grandes fleurs roses, doubles, en forme de boucle et à pétales dentelés. Variété florifère.	90/36	65/26	7	•
'Amabilis'	Introduite par Calot en 1856. Grosses fleurs rose vif, ébouriffées, très doubles, de bonne qualité pour les fleurs coupées.	70/28	60/24	6	•
'Antwerpen'	Très grandes fleurs rouge carmin, simples à deux rangées de pétales. Japonaise.	100/40	65/26	6	•
'Birket Foster'	Introduite par Kelway en 1909. Fleurs rouges, doubles.	90/36	65/26	6	
'Bouchela'	Fleurs doubles, roses.			6-7	•
'Bowl of Beauty' ♥	Introduite par Hoogendoom en 1949. Fleurs fuchsias à étamines blanches, simples à deux rangées de pétales au centre formé de nombreux pétaloïdes crèmes tournant au blanc. Variété florifère. Enregistrée comme fleur japonaise.	80/32	65/26	5-6	
'Bunker Hill'	Introduite par Hollis en 1906. Belles fleurs roses, doubles. Tige dressée et solide.	90/36	65/26	6	•
'Charlie's White'	Introduite par Klehm en 1951. Très grandes fleurs blanches, doubles, en forme de bombe s'utilisant en fleurs coupées.	100/40	65/26	5-6	•
'Claire de Lune'	Introduite par M.E.B. Weld en 1954. Fleurs jaune crème, simples avec la bordure des pétales déchiquetée.	100/40	65/26	6	•
'Crinkled White'	Introduite par Brand en 1928. Fleurs blanches, simples à pétales froissés et centre jaune.			6	
'Duchesse de Nemours' ♥	Introduite par Calot en 1856. Fleurs doubles en forme de coupe, blanches à reflet jaune verdâtre. Tige solide. Variété florifère.	70/28	65/26	6-7	•
'Edouard Doriat'	Introduite par Doriat en 1924. Fleurs doubles, pétales incurvés, blanc pur à l'extrémité rouge.	90/36	65/26	6	
'Edulis Superba'	Introduite par Lenon en 1824. Grandes fleurs doubles roses et satinées à reflets mauves.	90/36	65/26	5	•
'Emma'	Fleurs simples, roses à cœur d'étamine jaune. Japonaise.	100/40	65/26	5-6	•
'Félix Crousse' ♥	Introduite par Crousse en 1881. Grandes fleurs rouges, doubles à la forme d'une anémone, tige florale fine mais tout de même intéressante pour ses fleurs coupées. Variété florifère.	80/32	65/26	7	•

Espèce **'Variété'**	Description	⌂ cm/po	◊ cm/po	❀ cm	
'Festiva Maxima' ♥	Introduite par Miellez en 1851. Grandes fleurs blanches, doubles parfois tachetées de rouge à l'extrémité des pétales du centre. Tige solide. Variété florifère à gros boutons, intéressante en fleurs coupées.	90/36	65/26	5-6	•
'Flame'	Fleur simple, rose à étamines jaunes.	70/28	60/24	5	
'Fokker'	Introduite par Ruys en 1928. Fleurs doubles, rouge-violet.	90/36	65/26	6	
'General Macmahon' ♥	Introduite par Calot en 1867. Fleurs doubles, rouge carmin.	90/36	65/26	6	
'Hakodate'	Fleurs blanches, simples avec étamine et pistil roses. Japonaise.	100/40	65/26	6	•
'Henri Potin'	Introduite par Doriat en 1924. Fleurs à double couronne de pétales, pétaloïde jaune doré tournant au blanc. Japonaise. Fleur rose carmin.	70/28	65/26	6-7	
'Immaculée'	Grandes fleurs blanches, semi-doubles. Tige solide. Variété très uniforme et florifère.	90/36	65/26	6	
'Inspecteur Lavergne'	Introduite par Doriat en 1924. Fleurs doubles, globuleuses. La plus florifère des rouges. Bonne en fleurs coupées, longue durée de vie et tige solide.	80/32	65/26	5-6	
'Instituteur Doriat'	Introduite par Doriat en 1925. Fleurs rouges, simples, pointe des pétales argentés. Japonaise.	70/28	65/26	6	•
'Isabelle'	Fleurs roses au centre rose à blanc. Forme bombe.	90/36		5-6	•
'Isani-Gidui'	Double couronne de pétales ondulés, fleur blanche à cœur jaune. Plante vigoureuse. Japonaise.	100/40	65/26	6	•
'Jan Van Leeuwen'	Introduite en 1928. Petites fleurs semi-doubles blanches à cœur jaune crème. Japonaise.	100/40	65/26	6	•
'Kansas' ♥	Introduite par Bigger en 1940. Très grosses fleurs doubles et vigoureuses, rouge-pourpre.	90/36	65/26	6	
'Karl Rosenfield' ♥	Introduite par Rosenfield en 1908. Fleurs doubles, rouge-pourpre à reflet mauve, ses pétales extérieurs sont larges et ondulés tandis que ses pétales intérieurs sont incurvés. Tige solide et beau feuillage.	90/36	65/26	6	
'Katherine Fonteyn'	D'origine inconnue. Fleurs doubles, rose léger pâlissant selon la maturité de la fleur.	90/36	65/26	6-7	•
'Kelway's Glorious'	Introduite par Kelway en 1909. Fleurs doubles, blanc crème teintées de rose.	90/36	65/26	6	•
'l'Éclatante'	Fleurs doubles, rouges au centre jaune.	90/36		7-8	
'Lady Alexandra Duff'	Introduite par Kelway en 1902. Fleurs doubles à pétales larges presque blancs et un pétale central irrégulier, entremêlé d'étamines. Variété compacte. Fleur: Rose.	60/24	65/26	6	

(Paeonia)

Espèce **'Variété'**	Description	cm/po	cm/po	cm	
'Laura Dessert'	Fleurs semi-doubles en forme d'une anémone avec bouton rose changeant au crème à la maturité. Ses pétales intérieurs sont plus foncés. Parfum de citron.	80/32	65/26	5-6	•
'Le Cygne'	Introduite par Lemoine en 1900. Très grandes fleurs blanches, doubles pâlissant avec le temps. Odeur épicée.	85/34	65/26	5-6	•
'Lilacina Superba'	Introduite par Buick en 1842. Grandes fleurs doubles 2 tons, pétales extérieurs rose magenta et ses pétales intérieurs sont rose pâle.	90/36	65/26	6	
'Madame Bucquet'	Introduite par Dessert en 1888. Très belles fleurs doubles, pourpres et veloutées.	80/32	65/26	6	
'Marie Crousse'	Introduite par Crowse en 1982. Très grandes fleurs rose saumoné à centre blanc crème. Espèce florifère.	80/32	65/26	6	•
'Marie Lemoine'	Introduite par Calot et Lemoine en 1869. Très grandes fleurs doubles à pétales serrés de couleur blanc crème.	80/32	65/26	6-7	•
'Mikado'	Fleurs rouge foncé au cœur doré teinté de rose, odeur nauséabonde. Variété florifère et vigoureuse. Japonaise.	70/28	65/26	6	•
'Miss Eckhart'	Introduite par Roelof Vandermeer en 1928. Fleurs roses, doubles, pétales larges et laissant apparaître quelques étamines. Variété très florifère.	80/32	65/26	6-7	•
'Mme Claude Tain'	Introduite par Doriat en 1927. Grandes fleurs doubles, de couleur blanc crème, pétales extérieurs déployés, pétales intérieurs en forme de cône.	85/34	65/26	6	•
'Mons. Charles Leveque'	Syn.: Mlle Leonie Calot. Introduite par Calot en 1861. Fleurs doubles, rose saumon plus foncé au centre.	75/30	60/24	6	•
'Mons. Jules Elie' ❤	Fleurs rose satiné, doubles, globuleuses en forme de coupe à tiges fortes. Variété florifère. Pour la fleur coupée, ses pétales extérieurs sont plus grands et forment une collerette.	90/36	65/26	5-6	•
'Mons. Martin Cahuzac'	Introduite par Dessert en 1899. Double rouge foncé presque noir.			6	
'Mrs Edward Harding'	Introduite par Shaylor en 1918. Fleurs doubles, blanches.	90/36	65/26	6	•
'Mrs F. J. Hemerick'	Introduite par Van Leeuwen en 1930. Fleurs roses à cœur jaune. Japonaise.	100/40	65/26	6	•
'Noemie Femay'	Fleurs très grosses, doubles, rose pâle palissant avec l'âge. Bonne variété pour ses fleurs coupées.	60/24	65/26	6-7	•

Espèce **'Variété'**	Description	cm/po	cm/po	cm	
'Nymphe'	Introduite par Dessert en 1913. Fleurs roses, simples. Japonaise.	80/32	65/26	6	•
'Paula Fay'	Introduite par Fay en 1968. Fleurs roses, semi-doubles à pétales lustrés. Son feuillage est vert foncé avec tiges florales vigoureuses.	90/36	65/26	6	
'Pecher'	Fleurs blanches, larges, simples.	60/24		6-7	
'Peter Brand'	Introduite en 1937. Grandes fleurs doubles, rouge rubis. Ses fleurs coupées sont d'une qualité et d'une vigueur exceptionnelle.			6-7	
'Philippe Rivoire' ♥	Introduite par Rivière en 1911. Fleurs doubles, rouge cramoisi, de grandeur moyenne. Très florifère. Tige dressée.	90/36	65/26	5-6	•
'Primevère'	Introduite par Lemoine en 1907. Fleurs jaune crème, doubles à pétales extérieurs plus pâles.	90/36	65/26	5-6	•
'Raspberry Sundae'	Introduite par Klehm. Fleurs en forme de bombe, pétales vanilles avec l'extrémité rouge. Variété intéressante et recherchée. Elle ressemble à une boule de crème glacée à la vanille avec un léger coulis de framboise.	70/28	65/26	6	
'Red Charm'	Introduite par Glasscock en 1944 à Ottawa. Gagnante d'une médaille d'or. Ses fleurs rouge foncé sont doubles de 15 cm de diamètre avec des pétales ondulés au centre. Floraison prolongée. Excellente en fleurs coupées.			6	•
'Red Magic'	Fleurs rouges, impressionnantes.Style bombe.	90/36		6	
'Reine Hortense'	Introduite par Calot en 1857. Fleurs rose saumoné, doubles, beau feuillage. Intéressante pour ses fleurs coupées.	70/28	65/26	6	•
'Sarah Bernhardt' ♥	Introduite par Lemoine en 1906. Fleurs doubles, une des plus grosses fleurs de pivoines avec larges pétales argentés. Tige solide, florifère. Intéressante pour ses fleurs coupées. Fleur: Rose.	90/36	65/26	6-7	•
'Shirley Temple' ♥	Fleurs très doubles changeant du rose au blanc avec la maturité, reflet jaune au centre. De très bonne qualité pour ses fleurs coupées.	80/32	65/26	6	•
'Silver Flare'	Fleurs simples, rose foncé au centre jaune, la bordure de ses pétales sont blancs et ses extrémités sont échancrés.	90/36	65/26	5-6	
'Sorbet'	Fleurs crème, doubles à pétales centraux blancs légèrement rosés.	100/40	75/30	5-6	•
'Souvenir de Louis Bigot'	Introduite par Dessert en 1913. Fleurs rose corail, doubles et satinées.	80/32	65/26	6	•
'Surugu'	Fleurs simples, rouges à cœur jaune. Variété florifère. Japonaise.	80/32	65/26	6	•

Espèce **'Variété'**	Description	cm/po	cm/po	cm	
'Tamate-Boko'	D'origine inconnue. Fleurs roses, doubles à grands pétales en coupe, cœur rose mauve bordé de jaune. Variété très florifère. Japonaise.	80/32	65/26	7	
'Victoire de la Marne'	Introduite par Dessert en 1915. Fleurs rouge-pourpre doubles, bordure des pétales satinée. Plante florifère et très feuillée.	80/32	65/26	6	
'White Wings'	Introduite par Hoogerdoorn en 1949. Grandes fleurs simples, blanches à cœur jaune. Japonaise.	80/32	65/26	6	
'Whitleyi Major'	D'origine inconnue. Fleurs blanches, simples à cœur jaune. Japonaise.	80/32	65/26	5-6	
'Yokohama'	D'origine inconnue. Fleurs simples, roses à cœur jaune. Japonaise.	80/32	65/26	6	
officinalis					
'Alba Plena'	Fleurs blanches, doubles parfois striées de rose. Variété très hâtive.	75/30	60/24	5	
'Anemoniflora Rosea'	Fleurs rouges, simples à étamines orangées et son feuillage est bleuté.	50/20	40/16	5	
'Rosea Plena'	Fleurs roses, doubles palissant avec le temps, à pétales serrés.	80/32	60/24	5	•
'Rosea Superba'	Sélection de P. officinalis. Fleurs doubles, rouges.			5	
'Rosea Superba Plena'	Fleurs roses, doubles, très hâtives.	80/32	60/24	5	
'Rubra Plena'	Sélection de P. officinalis. Fleurs rouges, doubles, très grosses.	80/32	60/24	5	
tenuifolia					
'Latifolia' ♥	Fleurs rouges, simples. Variété très hâtive et rare. Zone 4.	50/20	60/24	5	
'Plena'	Fleurs rouges, doubles à étamines jaune doré avec un feuillage de fougère.	50/20	60/24	5	

Papaver Pavot • Poppy 

Famille: Papaveracées **Zone:** 3

Genre comprenant beaucoup d'espèces caractérisées par leur sève laiteuse blanche. Feuillage généralement disséqué. Fleurs à larges pétales voyants et solitaires. Capsule de fruits décoratifs chez certaines espèces. La majorité des pavots tolèrent mal la transplantation, s'il y a lieu de le faire, il existe qu'un seul temps soit au début de septembre mais tous adorent le bon fumier. Voici les différentes espèces:

Alpinum Fleurs de 3 à 5 cm de diamètre, de 25 cm de haut au feuillage vert bleuté, ses feuilles sont très divisées, floraison de mai à août. Utilisée en rocaille et auge. Vivace éphémère à semer périodiquement. Cette espèce regroupe plusieurs sous espèces, qui varient surtout par la couleur de leurs fleurs. Commercialement elles sont vendues en mélange et sont dans les teintes satinées de blanc, jaune, rose et orangé. Dont P. burseri, à fleurs blanches et au coeur jaune, portées sur un long pédicelle de 15 cm.

Atlanticum De 40 cm de haut. Fleurs orangées en coupole avec feuillage velu, vert argenté et ses feuilles sont dentées, basales, non divisées mais lancéolées. Floraison de juin à août. Connu sous le nom anglais de Atlas Poppy.

Miyabeanum De 15 cm de haut, fleurs jaunes, son feuillage est pubescent et glauque. Ses feuilles sont plusieurs fois lobées. Sa floraison est de juin à septembre.

Nudicaule Fleurs à pétales larges, lustrés et frippés à l'ouverture, parfumées, existant dans les teintes de blanc, rose, rouge et orangé. De 40 cm de haut. Son feuillage est vert clair à vert bleuté, fortement lobé avec des poils brunâtres. Demande un sol bien drainé. Excellent choix pour les régions froides ou sa floraison de juillet à septembre est appréciée. Par contre dans les régions chaudes, sa floraison est moins longue et sa rusticité douteuse, mais sa viabilité est assurée parce qu'elle se ressème.

Orientale Les anciens cultivars; papavers orientaux arboraient de majestueuses fleurs de plus de 30 cm de diamètre. Les nouvelles variétés sont inférieures, elles ont en général de 15 cm. Elles sont plus intéressantes par leur gamme de couleurs et leur apparence ondulée, frangée et à fleurs doubles ou semi-doubles de 4 à 6 pétales souvent tachetés de noir à la base, ses fleurs sont portées sur une longuo hampe florale velue et soyeuse, de 100 cm à 120 cm de haut. Ses racines sont longues et charnues. Se propage bien par semis et boutures de racines. Floraison en juin. Tolère un sol calcaire. Utilisé en fleurs coupées. Zone 3.

Depuis quelques années en Californie, des chercheurs ont hybridé des pavots orientaux afin de diminuer leur fructification et augmenter plutôt la durée et la quantité de fleurs. Ainsi est apparue la série 'Minicap', qui fleurit plus de 3 mois mais malheureusement elle n'est pas encore offerte sur le marché.

Oxalpinum De 20 cm de haut, ses fleurs varient de blanches à jaunes et du orangées au roses, son feuillage est glauque et ses feuilles sont profondément divisées. Sa floraison est de juin à juillet.

Sol: Bien drainé - Fertile

Compagnons:
Printemps: Aquilegia et Arabis
Été: Delphinium et Iris
Automne: Filipendula et Phlox

miyabeanum

Synonyme: P. faurei **Zone:** 3

Fleurs jaune verdâtre émeraude à floraison prolongée de juin à septembre. Son feuillage est bleuté. Plante de 8 à 20 cm de haut, facile de culture en tout lieu, demande une exposition ensoleillée et un sol drainé. Utulisée en rocaille ou massif.

***nudicaule* 'Champagne Bubbles'** Arctic Poppy

Utilisations: M - R

45 cm/ 18 po 30 cm/ 12 po ⊗ Rosette

Sélection de plante à grandes fleurs de couleur variée dans les tons de pastel. Bisannuelle.

❀ Juillet à septembre **Couleur:** Mélange de couleurs

***nudicaule* 'Matador'**

50 cm/ 20 po ❀ Juin à août

Variété à très grandes fleurs rouge écarlate.

***nudicaule* 'Popsicle'**

Variété qui possède une plus grande fleur que P. nudicaule 'Wonderland'.

❀ Juin à août **Couleur:** Mélange de couleurs

***nudicaule* 'Wonderland'**

Utilisations: M - R 25 cm/ 10 po 25 cm/ 10 po

Variété très florifère à grandes fleurs. Bisannuelle. Existe en différentes couleurs, mélangées ou individuelles dont blanc, jaune, orangé et rose.

❀ Juin à juillet **Couleur:** Blanc

***orientale* 'Allegro'** Oriental Poppy

Utilisations: M - F 60 cm/ 24 po 40 cm/ 16 po

Plante compacte à croissance dense. Grandes fleurs rouge clair, tachetées de noir.

Feuillage: Gris-vert, duveteux. ❀ Mai à juin

***orientale* 'Beauty of Livermere'**

Utilisations: M - F 90 cm/ 36 po 40 cm/ 16 po

Grandes fleurs rouge cramoisi, tachetées de noir. Plante vigoureuse à floraison hâtive. Probablement identique à la var. 'Goliath'.

❀ Mai à juin

***orientale* 'Brilliant'**

Utilisations: M - F 80 cm/ 32 po 40 cm/ 16 po

Grandes fleurs rouge vif, maculées de noir.

❀ Mai à juin

***orientale* 'Carneum'**

Fleurs roses au reflet saumoné, de 120 cm haut.

***orientale* 'Carousel'**

Utilisations: M - F 80 cm/ 32 po 40 cm/ 16 po

Grandes fleurs blanches à pétales bordés de rouge et au coeur noir.
❀ Mai à juin

---

orientale **'Chevalier'**
Grosses fleurs orange clair, de 60 cm de haut.

---

orientale **'China Boy'**
Fleurs larges et ondulées de couleur orange au centre blanc. De 60 à 80 cm de haut.
❀ Mai à juin

---

orientale **'Curlilocks'**
60 cm/ 24 po
Fleurs rouges légèrement penchées, l'extrémité de ses pétales sont échancrés et son coeur est noir.

---

orientale **'Doubloon'**
70 cm/ 28 po   40 cm/ 16 po   ❀ Mai à juin
Fleurs doubles, orangées.

---

orientale **'Glowing Rose'**
Utilisations: M - F   60 cm/ 24 po   40 cm/ 16 po
Larges fleurs rose foncé, brillantes. Variété à floraison hâtive.
❀ Mai à juin

---

orientale **'Haremstraum'**
Un mélange unique et spectaculaire des plus récents hybrides.

---

orientale **'Harvest Moon'**
Fleurs semi-doubles, orangées.

---

orientale **'Helen Elisabeth'**
Utilisations: M - F   60 cm/ 24 po   40 cm/ 16 po
Variété courte comme P. 'Allegro'.
❀ Mai à juin   **Couleur:** Rose saumoné

---

orientale **'Joyce'**
Fleurs doubles, rose foncé.

---

orientale **'Karine'**
50 cm/ 20 po   40 cm/ 16 po
Fleurs très ouvertes rose clair à centre foncé.

---

orientale **'Lavender Glory'**
Fleurs lavandes à centre noir.

---

orientale **'Maiden's Blush'**
Pétales ondulés de blanc et nuancés de rose. De 70 cm de haut .

***orientale* 'Marcus Perry'**

Utilisations: M - F ⌂ 50 cm/ 20 po ◊ 40 cm/ 16 po

Introduite par Amos Perry en 1942, un horticulteur anglais. Grandes fleurs orange écarlate.

❀ Mai à juin

***orientale* 'Mrs Perry'**

Utilisations: M - F ⌂ 70 cm/ 28 po ◊ 40 cm/ 16 po

Fleurs rose saumoné, à petites bractées maculées de noir.

❀ Mai à juin

***orientale* 'Perry's White'**

Utilisations: M - F ⌂ 80 cm/ 32 po ◊ 40 cm/ 16 po

Introduite par Amos Perry. Fleurs blanches, tachetées de marron.

❀ Mai à juin

***orientale* 'Pinnacle'**

Grandes fleurs larges, blanches à marge importante rouge.

***orientale* 'Pizzicato'** ♥

Utilisations: M - F ⌂ 50 cm/ 20 po ◊ 45 cm/ 18 po

Introduit depuis seulement quelques années et gagnant de nombreux prix. Les plants ont la particularité d'être compact. Sa floraison abondante est un mélange de couleurs variées.

❀ Juin ∅ 15 cm

***orientale* 'Princess Victoria Louise'** ♥

Synonyme: P. 'Prinzessin' **Utilisations:** M - F

⌂ 90 cm/ 36 po ◊ 40 cm/ 16 po ❀ Mai à juin

Très grandes fleurs rose pâle, fortement tachetées de noir.

***orientale* 'Queen Alexander'**

Fleurs rose saumon.

***orientale* 'Raspberry Queen'** ♥

Utilisations: M - F ⌂ 75 cm/ 30 po ◊ 40 cm/ 16 po

Fleurs très jolies, rose framboise mouchetées de noir au centre qui ne forme pas un cercle complètement noir.

❀ Mai à juin

***orientale* 'Royal Wedding'**

Fleurs blanches au centre noir. Variété souvent utilisée pour remplacer P. 'Perry's White'.

***orientale* 'Salmon Glow'**

Utilisations: M - F

⌂ 75 cm/ 30 po ◊ 40 cm/ 16 po

Fleurs doubles dans les teintes de saumon orangé.

❀ Mai à juin

***orientale* 'Springtime'**

Fleurs semi-doubles, blanc rosé au centre jaune maculé légèrement de pourpre.

***orientale* 'Turkenlouis'**

Synonyme: P. 'Turkish Delight'

Fleurs d'un flamboyant orange rouge au centre noir et à pétales frangés.

***orientale* 'Water Melon'**

Utilisations: M - F

75 cm/ 30 po — 40 cm/ 16 po

Grandes fleurs satinées, rose melon.

Mai à juin

Pardancanda

Famille: Iridacées — **Zone:** 4

Croisement entre Belamcanda chinensis et Pardanthopsis. Déploie un feuillage glabre en éventail, semblable à celui d'un Iris, duquel sort une inflorescence portant plusieurs petits lis tachetés de différentes couleurs. Les fruits sont aussi décoratifs par leurs semences noires et brillantes.

Sol: Bien drainé - Tous les sols

***x* 'Norrisii'**

Utilisations: M - F

90 cm/ 36 po — 30 cm/ 12 po

Petit lis à couleurs variées allant du blanc, jaune au violet en passant par le rouge. Vivace de courte durée de vie.

Juillet - Septembre

Paxistima

Famille: Célastracées — **Zone:** 2

Origine: Sud des États-Unis — ⊗ Couvre-sol - Colonie

Petit arbuste à feuillage vert foncé, lustré et denté. Fleurs minuscules plus ou moins intéressantes groupées en cymes axillaires. Se propage par stolons souterrains.

canbyi

Utilisations: M - C

30 cm/ 12 po — 30 cm/ 12 po — ⊗ Couvre-sol - Colonie

Sous-arbuisseau à nouvelle repousse printanière jaune doré très décorative. Plante méconnue mais très jolie et d'apparence forte.

Feuilles: Dentées

Mai

Penstemon Beard Tongue

Famille: Scrophulariacées **Zone:** 3-4

Genre comprennant 250 espèces, toutes indigènes à l'Amérique du Nord à l'exception d'une seule. Plante très populaire dans les jardins ou l'eau est plus rare. Les fleurs sont tubulaires, solitaires, en racèmes ou en panicules terminales; leurs différentes formes et couleurs attirant les colibris. Feuillage opposé parfois pourpre. Racines nauséabondes. L'une des meilleures plantes vivaces à introduire en aménagement. Sa floraison est remontante si l'on prend soin de couper les fleurs fanées au fur à mesure.

Sol: Bien drainé -Sec

Compagnons: Été: Salvia et Lychnis
Printemps: Saxifraga et Phlox subulata
Automne: Gaillardia et Phlox paniculata

alpinus

Synonyme: P. glaber ⌂ 30 cm/ 12 po

Inflorescence courte à nombreuses fleurs bleu clair à gorge blanche. La favorite des jardins de rocaille. Zone 3.

barbatus

⌂ 80 cm/ 32 po ❀ Juin à septembre

Fleurs rouges de 2,5 cm de long avec corolles à lèvres inférieures poilues et supérieures saillantes. Son feuillage est glauque et velu. Tiges bien ramifiées, portées sur des racines rampantes.

barbatus 'Coccineus'

Synonyme: P. barbatus ssp. Coccineus

⌂ 100 cm/ 40 po ◊ 90 cm/ 36 po ⊗ Étalé

Variété à tiges plus ramifiées que l'espèce et au feuillage moins glauque. Zone 3.

Feuillage: Persistant

barbatus 'Elfin Pink'

Utilisations: M - O

⌂ 60 cm/ 24 po ◊ 30 cm/ 12 po ⊗ Étalé

❀ Juin à juillet **Couleur:** Rose saumoné

barbatus 'Nana Rondo'

⌂ 45 cm/ 18 po ◊ 30 cm/ 12 po ❀ Juin à juillet

Fleurs de différents tons de rose. Plante qui ne se reproduit pas facilement par semis mais se bouture bien.

cardwellii

⌂ 20 cm/ 8 po ◊ 30 cm/ 12 po

Un des plus beaux et très intéressant dans les jardins alpins. Ses fleurs larges sont rose lilas, portées sur de courts épis. Zone 5.

***digitalis* 'Husker Red'**

Synonyme: P. laevigatus var. digitalis

Utilisations: M - O

85 cm/ 34 po | 30 cm/ 12 po | ⊗ Dressé

Introduit du Nebraska. Fleurs blanc rosé à boutons florales très décoratifs, semblables à des perles car il sont gonflés au milieu. Zone 4.

Feuillage: Rouge à tige glabre. Persistant.

❀ Juin à juillet

***fruticosus* 'Purple Haze'**

Utilisations: Al - O

20 cm/ 8 po | 60 cm/ 24 po

Plante enregistrée provenant de l'Université de la Colombie Britannique. Petit arbuste à fleurs tubulaires, à labelles blancs et très florifère. Floraison remontante. Nécessite un sol très bien drainé et légèrement acide, résiste à la sécheresse. Il n'est pas affecté par les maladies et les insectes. Zone 3.

Feuillage: Vert foncé. Semi-persistant.

❀ Juin | **Couleur:** Pourpre

hirsutus

Fleurs violettes, pendantes et presque fermées à tiges blanchâtres et pubescentes. Ses feuilles sont dentées et lancéolées. Se propage bien par semis.

Feuillage: Persistant.

hirsutus var. pygmaeus

Utilisations: M - Al

30 cm/ 12 po | 30 cm/ 12 po

⊗ Arrondi - Buisson

Plante compacte et florifère.

Feuillage: Rouge en dessous.

❀ Juillet à août | **Couleur:** Mauve et blanc

pinifolius

Origine: Mexique | **Utilisations:** M - O

25 cm/ 10 po | 30 cm/ 12 po | ⊗ Arrondi - Buisson

Espèce très ramifiée, ne tolérant aucune accumulation d'eau l'hiver, un sol très bien drainé est nécessaire. Zone 3.

Feuillage: Aiguillé, genre d'un conifère. Semi-persistant.

❀ Juillet à août | **Couleur:** Rouge orangé

smalli

Utilisations: M - O

80 cm/ 32 po | 40 cm/ 16 po

Fleurs tubulaires veinées de blanc à l'intérieur de la corolle.

❀ Juin à juillet | **Couleur:** Rose-mauve

utahensis

Utilisations: M - O 60 cm/ 24 po 40 cm/ 16 po

Fleurs tubulaires qui nécessitent un sol bien drainé et sablonneux.

Feuillage: Glauque.

Juin à juillet **Couleur:** Rouge carmin

venustus

45 cm/ 18 po Juin à août

Fleurs poupres qui couvrent bien les pentes. Plante n'exigeant aucun soin particulier. Zone 4.

***x* 'Firebird'**

Synonyme: P. 'Schönholzeri'

60 cm/ 24 po

Fleurs cramoisies éclatantes de la taille des digitalis. Feuilles vertes, luisantes et étroites.

Septembre à octobre

***x* 'Prairie Dusk'**

Utilisations: M - O

60 cm/ 24 po 30 cm/ 12 po ⊗ Étalé

Variété florifère et très rustique. Floraison remontante. Zone 3.

Juin à juillet **Couleur:** Pourpre

***x* 'Prairie Fire'**

Utilisations: M - O - F

50 cm/ 20 po 30 cm/ 12 po ⊗ Étalé

Floraison remontante. Ne tolère pas les sols humides. Zone 3.

Juin à août **Couleur:** Rouge écarlate

Perovskia Sauge de Russie • Russian Sage

Famille: Lamiacées **Zone:** 3-4

Origine: Iran et Nord-Ouest de l'Inde

Les Pérovskias sont caractérisés par un feuillage finement découpé et aromatique, d'une coloration gris argenté. Possèdent plusieurs petites fleurs groupées en racèmes ou panicules ramifiées, donnant un effet de légèreté. Éviter de tailler la plante à l'automne afin d'assurer une bonne reprise, attendre plutôt au printemps .

Sol: Bien drainé - Riche

Compagnons:
Été: Lychnis coronaria et Lysimachia punctata
Printemps: Geranium 'Biokova' et Aster 'Dark Beauty'
Automne: Gailladia 'Goblin' et Helenium

atriplicifolia

Utilisations: M - F - S

90 cm/ 36 po 75 cm/ 30 po ⊗ Étalé

Nombreuses petites fleurs bleu lavande et son feuillage est vert argenté. Ses feuilles sont ovales et entières de 4 cm de long. Plante qui se ramifie beaucoup. Se propage surtout par boutures même si la semence existe.

Feuillage: Aromatique. Août à octobre

***atriplicifolia* 'Lace'**

⌂ 60 cm/ 24 po ◊ 50 cm/ 20 po ⊗ Étalé

Sélection d'un semis de l'espèce, son feuillage est plus découpé. Ses fleurs sont bleu violet sur de longs épis, d'apparence délicate et légère.

❀ Août à septembre

***x* 'Blue Spire'**

⌂ 120 cm/ 48 po ❀ Juillet - Septembre

Variété bien drageonnante à fleurs bleu violacé, à tige blanchâtre et son feuillage est vert grisâtre sur le dessus et blanc en dessous. Ses feuilles sont ovales et découpées.

***x* 'Filigran'**

Utilisations: M - F

⌂ 100 cm/ 40 po ◊ 75 cm/ 30 po ⊗ Étalé

Introduite par Ernst Pagels. Son feuillage est plus finement découpé que l'espèce.

❀ Août à octobre **Couleur:** Bleu

***x* 'Longin'**

Utilisations: M - F

⌂ 120 cm/ 48 po ◊ 75 cm/ 30 po ⊗ Étalé

Introduite par M. Kurt Bluemel. Port dressé, plus érigé que l'espèce.

❀ Août à octobre **Couleur:** Bleu

Persicaria Voir Polygonum

affinis	Voir *Polygonum affine*
affinis 'Darjeeling Red'	Voir *Polygonum affine* 'Darjeeling Red'
affinis 'Dimity'	Voir *Polygonum affine* 'Dimity'
bistorta	Voir *Polygonum bistorta*
filiformis 'Variegata'	Voir *Polygonum filiforme* 'Variegatum'
polymorpha	Voir *Polygonum polymorphum*

Petasites japonicus

Famille: Asteracées **Zone:** 3-4

Origine: Asie

Vivace utilisée pour ses grandes feuilles donnant une touche tropicale à nos jardins nordiques. Sa fleur, quoique odorante, a peu de valeur ornementale. Son développement est extrêmement rapide, et ses stolons peuvent être difficiles à contrôler. La plus grande des vivaces cultivées au Québec. Plante indigène au Japon, ses feuilles servent de parapluie, et ses pousses printanières se consomment comme un légume (fuki).

Sol: Humide - Riche

***japonicus var.* 'Giganteus'**

Utilisations: M - C

⌂ 180 cm/ 72 po ◊ 100 cm/ 40 po ⊗ Couvre-sol - Colonie

Ses fleurs blanc crème apparaissent au printemps avant l'apparition de son feuillage qui est d'un vert foncé et luisant. Ses feuilles sont fortement dentées à marge ondulée. Rhizome vigoureux qui en sol meuble s'étend rapidement.

Feuilles: Géantes de 100 cm et réniformes. ❀ Mai à juin 

japonicus 'Variegatus'

Synonyme: P. japonicus var. giganteus 'Variegatus' **Utilisations:** M - C

120 cm/ 48 po 100 cm/ 40 po ❀ Mai à juin

Moins vigoureuse que l'espèce mais très jolie. Ses feuilles sont moustachées de blanc crème au printemps qui disparait parfois à l'été. Deux espèces courtes moins connues convennant à notre climat sont P. albus et P.x hybridus, à croissance vigoureuse.

Petrorhagia Tunic Flower

Famille: Caryophyllacées **Zone:** 2

Origine: Europe et Asie centrale **Synonyme:** Tunica

Petite plante au feuillage d'une graminée. Inflorescence lâche, ramifiée de fleurs rose pâle semblables à celles de la gypsophilla.

Sol: Calcaire - Sec ⊗ Coussin

saxifraga

Utilisations: Al - R - Au - B

20 cm/ 8 po 20 cm/ 8 po ⊗ Coussin

Inflorescence légère et bien ramifiée. Espèce exigeant peu de soin et de longue durée de vie. Zone 5.

Feuilles: Aciculées - Opposées

Feuillage: Vert sombre et lustré.

❀ Juin à août **Couleur:** Blanc rosé

saxifraga 'Lady Mary'

10 cm/ 4 po 20 cm/ 8 po ❀ Juin - Septembre

Minuscules petites fleurs rose tendre, doubles qui s'élèvent au-dessus de son feuillage délicat. Se ressème facilement et tolère les sols pauvres. Zone 4.

saxifraga 'Rosette'

20 cm/ 8 po 20 cm/ 8 po ❀ Juin - Septembre

Sa fleur est double et rose vif. Très florifère et se place bien en rocaille. Rusticité douteuse. Zone 5b.

Phlomis

Famille: Lamiacées **Zone:** 3

Origine: Asie

Fleurs tubulaires, bilabiées, densément groupées à la base des feuilles opposées, donnant l'aspect d'une couronne superposée. Feuillage large, simple et légèrement pubescent et opposé sur une tige carrée.

viscosa

Synonyme: P. russeliana

Utilisations: M - F

100 cm/ 40 po 80 cm/ 32 po

Plante vigoureuse à fleurs jaunes, verticillées, regroupées jusqu'à 20, décoratives tard à l'été. Son feuillage velu est retombant et ses feuilles ovales sont crenelées et cordées à la base.

Feuilles: Opposées. Persistant.

❀ Juillet à août

Phlox

Famille: Polemoniacées **Zone:** 3
Origine: Amérique du Nord

Très différente d'une espèce à l'autre. Selon le lieu de croissance, on retrouve des plantes tapissantes, des espèces de milieu humide ou des grandes plantes érigées, dans des tons de blanc à mauve ou magenta pourpre. Inflorescence en cyme ou en panicule terminale. Voici les différentes espèces:

Amoena Espèce tapissante à fleurs pourpres et blanches en petit groupe. Son feuillage est légèrement pubescent, vert foncé. Ses feuilles sont linéaires et lancéolées. Son synonyme est P. procumbens.

Carolina Espèce à petites fleurs. Les feuilles basales sont linéaires, les autres ovales à elliptiques.

Divaricata Espèce ayant un port couvre-sol et colonie.

Maculata De plus en plus populaire et moins sujet à la maladie. Floraison prolongée et parfumée. Espèce avec un port oval et érigé.

Ovata Originaire de l'Amérique du Nord dont certaines lignées portent de jolies fleurs rose pourpre à blanc. De 60 à 90 cm de haut. Ses feuilles sont ovales.

Paniculata Connue pour leur rusticité, leurs fleurs parfumées qui forment de gros panicules globulaires ainsi que sa variété de couleurs. Ses feuilles opposées, plus larges et duvêteuses que celles de la maculata. Ne pas arroser régulièrement et ne pas mouiller son feuillage afin d'éviter le mildiou. Rabattre la plante au sol à l'automne, ramasser les feuilles infectées. Son port est ovale et érigé.

Stolonifera Rampante, très différente des autres espèces à floraison printanière. Feuillage large presque rond, vert foncé. Ses fleurs sont dans les teintes de blanc, bleu et pourpre, réunies en cyme pubescente. Son port est étalé, couvre-sol et colonie.

Subulata Populaire, compacte et rampante à feuillage aiguillé, semblable au mousse. Floraison printanière qui retire l'attention car ses fleurs couvrent complétement le feuillage. Son port est tapissant et coussin. De culture facile, à tailler après la

Compagnons: **Été:** Iris sibirica et Campanula
Printemps: Aubrieta et Saxifraga
Automne: Chelone obliqua et Phlox paniculata

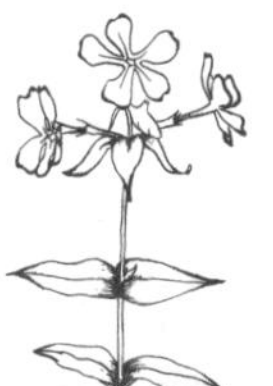

divaricata

maculata

stolonifera

subulata

Espèce 'Variété'	Description	cm/po	cm/po		
amoena **'Spring Delight'**	Syn.: P. procumbens Issue d'un croisement entre P. paniculata et P. stolonifera. Vigoureux, il préfère un endroit mi-ensoleillé. Fleur: Rose.	40/16	30/12	5-6	
'Variegata'	Semblable à l'espèce, mais son feuillage est panaché vert et blanc. Développement lent. Fleur: Pourpre.	25/10	35/14	5-6	
carolina **'Bill Baker'**	Feuilles larges et fortes. Fleurs roses à centre pâle.	45/18			
'Magnificence'	Grandes fleurs rose carmin, variété résistante au mildiou.	80/32	45/18	6-8	
divaricata **'Blue Perfume'**	Syn.: P. canadensis Très belles fleurs bleues.				•
'Fuller's White' ♥	Plant idéal pour les sous-bois. Fleurs portées sur des tiges érigées, rampantes et stériles. Un superbe cultivar à fleurs blanc pur.	30/12	35/14	5-6	
'Plum Perfect'	Tolère bien l'humidité et l'ombre, résiste au mildiou. Sa fleur est pourpre à œil plus foncé.	15/6			•
'Sweet Lilac'	Espèce très vigoureuse, nouvelle et intéressante à naturaliser. Fleur: Lilas.	15/6			•
ssp. laphamii ♥	Introduite en 1955. Tige érigée, rampante et stérile. Une sous-espèce au feuillage vert lustré et à fleurs bleu lavande.	40/16	35/14	5-6	•
'Chatterhoochee' ♥	Issu de P. laphamii et P. pilosa. Un cultivar présentant une touffe plutôt étalée et des fleurs bleu lavande à œil carmin.	25/10	35/14	5-6	
douglasii **'Lilac Queen'**	Un cultivar plus vigoureux que l'espèce botanique à fleurs blanc violacé. Plant compact à développement lent.	10/4	30/12	5-6	
'Red Admiral'	Plant compact et vigoureux à développement lent. Un superbe cultivar à fleurs rouges. Plus résistant que P. subulata.	10/4	30/12	5-6	
maculata **'Alpha'** ♥	Introduit en 1918. Fleurs groupées en cimes, paniculées, cylindriques. Moins susceptible au mildiou. Plant à tige dressée, d'Hor 1994. Espèce maculée de brun, vigoureuse, floraison abondante et continue. Fleur: Rose magenta.	100/40	50/20	6-8	•

Espèce 'Variété'	Description	cm/po	cm/po	❀	
'Delta'	Semblable à P. maculata 'Alpha'. De plus en plus difficile à trouver sur le marché. Fleur: Blanche à œil carminé.	90/36	45/18	6-8	
'Miss Lingard'	Un cultivar vigoureux à feuillage lustré. Fleur: Blanche à œil jaune.	90/36	50/20	6-8	
'Natascha'	Se distingue par ses grandes panicules étroites à pétales roses, bordées de blanc. Variété résistante au mildiou.	90/36	45/18	6-8	•
'Omega'	Introduit par A. Bloom. Fleurs à œil rose carmin.	90/36	45/18	6-8	
'Rosalinde' ♥	Introduit en 1918. Un cultivar présentant un feuillage vert foncé. Fleur: Rose carmin.	90/36	45/18	6-8	
'Schneelawine'	Introduite en 1918. Variété très jolie à fleurs blanches abondantes et résistante au mildiou.	100/40	60/24		
paniculata					
'Aida'	Introduite en 1933. Plante à tiges érigées portant un panicule de fleurs rouge carmin à œil pourpre.	75/30	55/22	7-8	•
'Albert Leo Schlageter'	Fleurs rouge foncé à œil noir.	90/36	50/20	7-9	
'Amethyst'	Très belle variété. Fleur: Bleu violacé.	80/32	55/22	8-9	•
'Aquarelle'	Fleurs bleu clair.	80/32	50/20	7-9	•
'Barnwell'	Fleurs roses.	80/32	50/20	7-9	•
'Betty Symons-Jeune'	Fleurs roses légèrement violacées à œil foncé, de haute taille.	110/44	55/22	7-9	•
'Blue Boy' ♥	Cultivar à fleurs d'un bleu véritable.	80/32	55/22	7-9	•
'Brigadier'	Un cultivar à fleurs saumon et à œil rouge.	80/32	55/22	7-9	
'Bright Eyes' ♥	Un cultivar à fleurs rose pâle et à œil rouge.	80/32	55/22	7-9	•
'Caroline Van Den Berg'	Fleurs rose violacé.	80/32			
'Cecil Hanbury'	Fleurs orange saumon à œil rouge foncé.	80/32	55/22	7-9	•
'Darwin's Joyce'	Fleurs blanches à centre rose. Plant décoratif, par son feuillage vert et blanc.	60/24	60/24	7-8	
'David'	Fleurs blanches à œil jaune. Plante résistante au mildiou. Croissance vigoureuse.	110/44			•
'Dodo Hanbury Forbes'	Fleurs rose clair à œil rouge.	80/32	50/20	7-9	•
'Elizabeth Arden' ♥	Fleurs rose clair à œil rose foncé.	80/32	55/22	7-9	•
'Europe' ♥	Fleurs blanches à œil rose.	80/32	50/20	7-9	•
'Fairy's Petticoat'	Un cultivar à fleurs roses et à œil rouge foncé.	100/40	55/22	7-9	

Espèce **'Variété'**	Description	⌂ cm/po	◊ cm/po	✿	—
'Fireglow'	Fleurs rose carmin.	80/32	45/18	7-9	•
'Flamingo' ♥	Fleurs rose saumon à œil foncé.	80/32	50/20	7-8	•
'Franz Schubert'	Introduit par Alan Bloom. Fleurs bleues, énormes au centre étoilé foncé. Un des plus beaux.	90/36			•
'Fujiyama'	Grandes fleurs blanc pur.	80/32	50/20	7-9	•
'Graf Zeppelin'	Fleurs blanches à œil rouge cerise.	80/32		6-8	
'Jules Sandeau' ♥	Introduite en 1919. Plant nain. Fleurs rose pur.	60/24	45/18	7-8	
'Kirchenfürst'	Introduit en 1956. Fleurs rouge carmin à œil rouge.	100/40	55/22	7-9	
'Kirenchenfurst'	Fleurs rose carmin à œil rouge.	100/40	45/18	7-9	
'Laura'	Nouvelle variété, très décorative et inusitée. Fleurs bleu foncé, tachetées de blanc donnant l'impression d'une étoile.	90/36			
'Lavendel Wolke'	Fleurs bleu clair à lilas.	80/32	55/22	7-9	•
'Lilac Time'	Fleurs lilas.	80/32	50/20	7-9	•
'Mies Copijn'	Fleurs rose tendre et œil plus foncé.	80/32	55/22	7-9	•
'Miss Pepper'	Fleurs roses, son feuillage est fort à nervure rougeâtre et sa tige est ferme. Très florifère.	75/30			
'Nora Leigh'	Provenant d'Angleterre, il est le premier Phlox à feuillage varié. Zone 4. Fleur: Rose lavande.	90/36	60/24	6-8	
'Orange Perfection'	Fleurs d'un coloris proche d'un véritable orange.	80/32	55/22	7-9	•
'Otley Ideal'	Fleurs rouges à reflet rose et feuillage pourpre.	80/32	50/20	7-9	•
'Pinafore Pink'	Fleurs roses à œil mauve, beau feuillage.	80/32	55/22	7-9	•
'Prime Minister'	Fleurs blanches à œil rouge.	90/36	55/22	7-9	•
'Rijnstroom'	Ancienne variété très vigoureuse et résistante au mildiou. Très grandes fleurs rose pâle.	90/36	55/22	7-9	•
'Sandra' ♥	Petites fleurs orangées, teintées de rouge.	60/24	45/18	7-9	
'Starfire' ♥	Introduit en 1959. Fleurs rouge écarlate, son feuillage est pourpre passant au vert pourpre à l'été.	90/36	55/22	7-9	•
'Tenor' ♥	Fleurs rouge rubis.	60/24	50/20	7-9	•
'The King'	Grandes fleurs pourpres.	70/28	50/20	7-9	•
'White Admiral'	Fleurs blanches.	90/36		7-9	
'Windsor'	Fleurs rouge carmin à œil mauve à blanc.	90/36	60/24		

Espèce 'Variété'	Description	cm/po	cm/po		
stolonifera **'Blue Ridge'**	Espèce formant un coussin plutôt rampant. Floraison printanière. Pétales en forme de cœur. Fleur: Bleu lavande.	20/8	35/14	5-6	
'Bruce's White'	Fleurs blanches à œil jaune.	20/8	35/14	5-6	
'Home Fire's'	Fleurs rose vif.	20/8	35/14	5-6	
'Pink Ridge'	Fleurs rose moyen. Variété compacte.	20/8	35/14	5-6	
'Sherwood Purple'	Sa fleur est bleu poudre.	20/8		5-6	
subulata **'Apple Blossom'**	Une variété de petite taille formant un coussin étalé. Fleurs lilas à œil foncé.	10/4	30/12	5-6	
'Atropurpurea'	Une espèce rampante à feuilles aciculaires et à floraison printanière. Fleurs rouge magenta à œil plus foncé.	8/3	40/16	5	
'Candy Stripe'	Cultivar à pétales roses, bordés de blanc d'un effet décoratif indéniable.	8/3	40/16	5	
'Crimson Beauty'	Fleurs rose foncé.	8/3	40/16	5	
'Emerald Blue'	Plant compact à fleurs lavande.	8/3	40/16	5	
'Emerald Pink'	Fleurs à pétales larges d'un rose pâle. Plant compact.	8/3	40/16	5	
'Red Wings'	Fleurs rose foncé à œil plus foncé.	8/3	40/16	5	
'Rosea'	Fleurs rose pâle à œil rouge.	8/3	40/16	5	
'Scarlet Flame'	Cultivar vigoureux à fleurs rouge carminé.	8/3	40/16	5	
'Temiskaming'	Cultivar à petites fleurs rouge carminé, très voyantes. Originaire du Québec mais plus connu en Europe.	8/3	40/16	5	
'White Delight'	Feuillage vert pâle et fleurs blanches.	15/6	40/16		

Physalis Lanterne chinoise • Chinese Lantern

Famille: Solanacées **Zone:** 3

Plante envahissante à feuillage large et à fleurs solitaires, axillaires, blanc crème, sans intérêt. Fruits orangés recouverts d'un calice de même couleur ressemblant à une lanterne. Stolons agressifs, profonds et vigoureux.

Sol: Tous les sols

Compagnons:
Été: Rudbeckia 'Goldsturm' et Glyceria 'Variegata'
Printemps: Lamium 'White Nancy' et Doronicum
Automne: Lilium tigrinum et Phlox 'White Admiral'

---

alkekengi var. franchetii ☺

Utilisations: Fs - M 75 cm/ 30 po 45 cm/ 18 po

Prevoir un endroit isolé ou la plante pourra s'étendre.

❀ Juillet à septembre

Physostegia Physostegie • Obedient Plant

Famille: Lamiacées **Zone:** 3
Origine: Amérique du Nord

Belle grande plante dressée produisant des fleurs voyantes en épis ou en racèmes ramifiés. Chacune des fleurs peuvent être positionnées selon l'angle qu'on lui a donné et demeurer ainsi. Elle pourrait devenir légèrement envahissante. Prendre soin de la planter isolément ou en massif.

Sol: Meuble - Humide

Compagnons:
Été: Centranthus et Achillea 'Moonshine'
Printemps: Euphorbia et Pulmonaria 'Roy Davidson'
Automne: Chrysanthemum 'Barbara Bush' et Miscanthus

---

virginiana

100 cm/ 40 po ⊗ Ovale - Érigé ❀ Juillet à septembre

Fleurs rose lilacé, bien placées sur quatre rangs. Nombreuses feuilles verticillées, lancéolées et dentées de 12,5 cm de long. Rhizome superficiel et vigoureux. Se propage par semis, boutures et division. Existe également en blanc.

---

virginiana 'Bouquet Rose'

Synonyme: P. 'Rose Bouquet' **Utilisations:** M - F
70 cm/ 28 po 40 cm/ 16 po

Plante vigoureuse à floraison hâtive.

❀ Août à septembre **Couleur:** Rose foncé

---

virginiana 'Crown of Snow'

Synonyme: P. 'Schneekrone' **Utilisations:** M - F
70 cm/ 28 po 40 cm/ 16 po ❀ Août à septembre

Plante robuste à fleurs blanches.

---

virginiana 'Variegata'

Utilisations: M - F 100 cm/ 40 po 40 cm/ 16 po

Beau feuillage décoratif, sensible aux variations de température.

Feuillage: Vert panaché de jaune crème.
❀ Août à septembre **Couleur:** Rose lilacé

***virginiana* 'Vivid'**

Utilisations: M - F ⌂ 60 cm/ 24 po ◊ 40 cm/ 16 po

Plante compacte à floraison tardive et abondante de couleur rose foncé.

❀ Août à septembre

Phyteuma Horned Rampion ●◑☼

Famille: Campanulacées **Zone:** 5
Origine: Nord de l'Europe et Asie

Fleurs terminales en long épis contrairement aux autres plantes de ce genre. Pétales étroits, linéaires et non soudés. Feuilles alternes, disposées en rosette. Intéressante pour la rocaille.

Sol: Bien drainé - Riche

---

nigrum

⌂ 25 cm/ 10 po  Juillet

Fleurs violacées, disposées en épis cylindrique dont les bractées sont un peu plus foncées. Ses feuilles possèdent de longs pétioles. Plante gracieuse, populaire en Europe et méconnue au Québec.

---

sibiricum

Utilisations: Au

Plante alpine à fleurs bleu foncé d'un espacement et d'une hauteur de 15 cm. Zone 3.

Phytolacca Pokeweed ☹ 

Famille: Phytolaccacées **Zone:** 3
Origine: Côte Est américaine ⊗ Retombant

Ces fruits pourpres tombent en cascade du sommet de ses tiges rouges, habillées d'un feuillage vert. Plante très décorative tard dans la saison estivale et belle coloration automnale. Malheureusement la beauté ornementale de cette plante est négligée parce qu'il s'agit d'une plante commune. Peu de référence horticole font mention de cette plante, mais la littérature homéophatique possède énormément d'informations sur cette dernière. Il y a beaucooup d'attrait au sujet de ses propriétés médicinales et toxiques. D'origine au large spectre, du Québec à la Floride, du Texas au Mexique et jusqu'au nord du Minnesota. Dans le Nord Ouest du Pacifique elle est considérée comme exotique.Idéale pour les bordures mixtes et en pot, sa floraison est très décorative. De petites fleurs blanchâtres passsant au pourpre poussent sur un racème de 20 cm de haut et deviennent pendantes à mesure que le fruit se développe. Son fruit d'un demi pouce de large tourne au rouge à pourpre-noir. Elle tolère la sécheresse, mais préfère une quantité moyenne d'humidité. Pousse bien dans un sol sablonneux et/ou argileux. Cette plante se ressème par elle-même. Elle n'a pas de maladie, ni de problème d'insecte. Essayez cette superbe plante vivace qui donnera une touche de beauté à votre aménagement paysager.

Sol: Sablonneux - Argileux

Compagnons:
Printemps: Centaurea et Nepeta
Été: Artemisia et Coreopsis
Automne: Solidago et Aster

americana

Synonyme: P. decandra **Utilisations:** S

⌂ 180 cm/ 72 po ◊ 200 cm/ 80 po ❀ Juin à septembre

Très grande plante, imposante, remplace facilement un arbuste. Tige rougeâtre, feuillage vert, fleurs d'un blanc rosé en racèmes sans pétales, produisant des grappes de fruits violets presque noirs. Très décorative. Toxique.

Plantago Plantain ☼

Famille: Plantaginacées **Zone:** 3

Origine: Cosmopolite

Regroupe environ 265 espèces cosmopolites de plantes annuelles, de vivaces parfois ligneuses à la base avec des tiges plus ou moins tendres. Les feuilles basales sont larges et en rosette. Fleurs tubulaires très petites, discrètes, vertes à violet-brun avec étamines blanches ou jaunes. Certaines espèces comme le plantain nous sont très familières puisque ce sont des mauvaises herbes que l'on voit partout. Seulement quelques-unes sont intéressantes à utiliser pour leur aspect ornemental.

Sol: Tous les sols - Bien drainé

major 'Variegata'

Synonyme: Pasiatica

Floraison à ne pas désirer car non décorative, c'est vraiment le feuillage panaché qui compte. Se propage par semences, à isoler ou conserver comme couvre-sol.

Platycodon Balloon Flower 

Famille: Campanulacées **Zone:** 3

Origine: Asie de l'est ⊗ Évasé

Grandes fleurs campanulées, étoilées, solitaires ou en petit groupe terminal. Boutons florales gonflés d'air, végétation tardive au printemps. Tige dressée portant des feuilles dentées dont le revers est gris-bleu. Les cultivars nains ont un port arrondi. Division peu fréquente. Préfère un sol profond. Longue espérance de vie.
Sa racine ressemble à un petit bulbe.

Sol: Riche - Bien drainé

Compagnons:
Été: Malva alba et Oenothera 'Fire Works'
Printemps: Phlox subulata et Myosotis
Automne: Artemisia 'Silver King' et Tricyrtis hirta

grandiflorus

⌂ 60 cm/ 24 po

La seule espèce connue. Fleurs étroites de 5 à 7,5 cm de diamètre, à pétales soudés ayant 5 lobes pointus. Son feuillage est glauque et ses feuilles sont ovales à lancéolées.

grandiflorus 'Albus'

Utilisations: M - F ⌂ 50 cm/ 20 po ◊ 35 cm/ 14 po

Fleurs blanches veinées de bleu.

❀ Juillet à août

grandiflorus 'Apoyama'

Fleurs bleu violacé de 4,5 cm de diamètre et de 20 cm de haut. Floraison de juillet à août.

***grandiflorus* 'Blue Bells'**

Utilisations: M - F ⌂ 55 cm/ 22 po ◊ 30 cm/ 12 po

Vigoureux.

❀ Juillet à août **Couleur:** Bleu moyen

***grandiflorus* 'Double Blue'**

⌂ 55 cm/ 22 po ◊ 30 cm/ 12 po ❀ Juillet à août

Fleurs doubles, bleues, veinées de violet.

***grandiflorus* 'Fuji White'**

Utilisations: M - F ⌂ 50 cm/ 20 po ◊ 40 cm/ 16 po

Sélection de semence. Moins vigoureuse. Variété qui existe aussi dans les teintes de bleu 'Fuji Blue' et de rose 'Fuji Pink'.

❀ Août à septembre **Couleur:** Blanc

***grandiflorus* 'Hakone'**

⌂ 50 cm/ 20 po

Fleurs doubles, bleu violacé de 6 cm de diamètre. Existe également en blanc.

***grandiflorus* 'Mariesii'**

Utilisations: M - F ⌂ 45 cm/ 18 po ◊ 40 cm/ 16 po

Variété plus florifère que l'espèce à fleurs pourpres voyantes sur une longue hampe florale.

❀ Août à septembre **Couleur:** Bleu violacé

***grandiflorus* 'Sentimental Blue'** ❤

Utilisations: M - F ⌂ 25 cm/ 10 po ◊ 40 cm/ 16 po

Plante naine à grande fleur simple, bleu intense, fleurissant souvent la première année du semis. Utilisée en potée fleurie. Existe en blanc 'Sentimental White'.

❀ Août à septembre

***grandiflorus* 'Shell Pink'**

Fleurs roses à large corolle.

Podophyllum Pomme de mai • May Apple

Famille: Berberidacées **Zone:** 4

Origine: Amérique du Nord et Asie

Plante à rhizome traçant formant de grandes colonies. Larges feuilles peltées, semblables à un parapluie, profondément lobées. Chaque tige fertile produit deux feuilles et une fleur blanche ou rosée à l'intersection de celles-ci. L'automne, un gros fruit pendant, jaune ou rouge, fait son apparition.

Sol: Humide - Riche

hexandrum

Synonyme: P. emodi **Utilisations:** M - C

⌂ 60 cm/ 24 po ◊ 30 cm/ 12 po ❀ Juin

(Podophyllum)

Fleurs d'un blanc rosé, solitaires, dressées, par leur couleur et forme rappellent les fleurs des pommiers mais en plus gros. Gros fruits rouges, cireux à l'automne d'environ 10 cm. Son feuillage est marbré de brun et ses feuilles sont incisées,12 à 25 cm de large, ayant 3 à 5 lobes.

peltatum

50 cm/ 20 po — ❀ Juin à juillet

Plante vigoureuse formant de grande colonie décorative avec fruits jaunes de 5 cm. Fleurs blanches de 5 cm de diamètre, solitaires, penchées et cachées sous son feuillage vert luisant. Ses feuilles circulaires son profondément lobées. Supporte le soleil en sol humide.

Polemonium Bâton de Jacob • Jacob's Ladder

Famille: Polemoniacées — **Zone:** 2-3

Origine: Europe et Asie — ⊗ Ovale - Dressé

Plante à feuilles composées, vert foncé, formant une touffe basse. Tige érigée portant de petites fleurs en corolle, blanches à bleues, groupées en cyme.

Sol: Humide - Riche

Compagnons: **Été:** Chrysanthemum maximum et Delphinium
Printemps: Primula et Arabis
Automne: Lysimachia punctata et Heuchera

caeruleum Valériane grecque • Greek Valerian

Utilisations: F - M - P - Pa

60 cm/ 24 po — 35 cm/ 14 po — ⊗ Étalé

Vivace formant une touffe dressée. Les hampes florales sont droites, peu feuillues, terminées par une cyme de fleurs campanulées, bleu lavande et parfumées. Aime un sol frais à modérément sec; convient bien en sol humide. Zone 3.

Feuilles: Parfois bipennées, composées de 17 à 27 folioles lancéolés, jusqu'à 40 cm de long. Oblongues - Pennées.

Feuillage: Aromatique

❀ Juin - Juillet — **Couleur:** Bleu lavande

caeruleum 'Album'

Utilisations: F - M - P - Pa

60 cm/ 24 po — 35 cm/ 14 po — ⊗ Étalé

Cultivar à fleurs blanches. Zone 3.

Feuilles: Pennées, parfois bipennées, composées de 17 à 27 folioles lancéolées, jusqu'à 40 cm de long. Oblongues.

❀ Juin - Juillet — **Couleur:** Blanc

caeruleum 'Brise d'Anjou'

Utilisations: F - M - P - Pa

60 cm/ 24 po — 45 cm/ 18 po — ⊗ Étalé

Variété récente qui possède un feuillage décoratif très original, vert et jaune bordé de crème. Les fleurs bleu violet foncé tranchent sur le feuillage. Aspect exotique indéniable. Plante de plein soleil. Zone 4.

Feuilles: Pennées, parfois bipennées, composées de 17 à 27 folioles lancéolés, jusqu'à 40 cm de long. Oblongues.

Feuillage: Aromatique

❀ Juin - Juillet — **Couleur:** Bleu violacé

caeruleum 'Cashmirianum'

Cultivar à grandes fleurs bleues, parfumées, en juin et juillet. De 60 cm de haut et de 30 cm de large. Pour les massifs. Plutôt rare.

caeruleum 'Lace Tower'

Utilisations: F - M - P - Pa

⌂ 110 cm/ 44 po ◊ 50 cm/ 20 po ⊗ Étalé

Nouvelle variété très haute, au feuillage très découpé et à fleurs bleu cobalt, très parfumées, de 2 cm. Préfère le plein soleil. Zone 4.

Feuilles: Parfois bipennées, composées de 17 à 27 folioles lancéolés, jusqu'à 40 cm de long. Oblongues - Pennées

Feuillage: Aromatique

❀ Juin - Juillet **Couleur:** Bleu cobalt

caeruleum 'Purple Rain'

Utilisations: F - M - P - Pa ⊗ Étalé

Un polemonium au feuillage pourpre! Sa floraison bleue est toujours aussi jolie. Pour conserver la coloration du feuillage, on lui choisira une exposition ensoleillée. Zone 4.

Feuilles: Parfois bipennées, composées de 17 à 27 folioles lancéolés, jusqu'à 40 cm de long. Oblongues - Pennées

Feuillage: Pourpre. Aromatique

❀ Juin - Juillet **Couleur:** Bleu

foliosissimum Leafy Jacob's Ladder

Synonyme: P. filicinum **Utilisations:** F - M - P - Pa

⌂ 90 cm/ 36 po ◊ 60 cm/ 24 po ⊗ Étalé

Quelques tiges pubescentes pouvant atteindre 1 mètre de haut, sur des souches touffues. Variété facile à cultiver en bonne terre à jardin. Son feuillage très découpé, rappelant la fougère, donne une texture intéressante. Zone 3.

Feuilles: Composées de 5 à 25 folioles, oblongues-ovales à elliptiques; jusqu'à 15 cm de long. Pennées - Lancéolées.

Feuillage: Aromatique

❀ Juillet **Couleur:** Bleu violet, crème ou blanc

pauciflorum 'Silver Leaf Form'

Décorative par son feuillage de fougère. Fleurs en trompette veinées de rouge délavé.

Couleur: Jaune

reptans 'Blue Pearl' Valériane grecque • Greek Valeran

Utilisations: B - C - F - M - P - S

⌂ 25 cm/ 10 po ◊ 45 cm/ 18 po ⊗ Étalé

Vivace lâche et étalée. A utiliser en sol humifère, frais à modérément sec, au soleil ou à la mi-ombre. Zone 3.

Feuilles: Composées de 7 à 19 folioles, elliptiques ou oblongues-lancéolés. Pennées.

❀ Mai - Juin **Couleur:** Bleu

Polygonatum Sceau de Salomon • Salomon's Seal  

Famille: Convallariacées **Zone:** 3
Origine: Amérique du Nord, Europe et Asie ⊗ Retombant

Plante rhizomateuse à longue tige arquée et gracieuse. Fleurs blanches à extrémité verdâtre, très parfumées, pendantes à l'axe de chacune des feuilles. Elle produit aussi des fruits bleuâtres, verdâtres ou noirs, décoratifs. Croissante lente. De bonne compagnie pour les fougères.

Sol: Sec - Acide

---

biflorum

70 cm/ 28 po 50 cm/ 20 po

Plante produisant des fruits bleu foncé à l'automne. Ses fleurs sont blanc verdâtre et utilisées en fleurs coupées.

---

commutatum Solomon's Seal

Synonyme: P. giganteum; P. canaliculatum **Utilisations:** M - C
100 cm/ 40 po 30 cm/ 12 po ❀ Mai à juin

Très grande tige arquée, fleurs vigoureuses groupées par 2 à 10, parfumées. Forme de grande colonie.

Feuilles: De 17 cm de long et de 10 cm de large. **Couleur:** Blanc

---

humile

Utilisations: M - F 30 cm/ 12 po 25 cm/ 10 po

Sault de Salomon nain, toutefois moins rustique que les autres espèces. Ses fleurs sont solitaires ou par deux. Son rhizome est fin et traçant. Zone 5.

Feuilles: De 4 à 7 cm de long.
Feuillage: Nervures poilues en dessous. ❀ Juin

---

multiflorum

Synonyme: P. x hybridum **Utilisations:** M - F
70 cm/ 28 po 30 cm/ 12 po

Fleurs blanches, pendantes, réunies par 2 à 6 sur un long pédoncule. Sa tige est ronde et arquée vers le bas. Rhizome court et robuste, qui se plaît en sol calcaire.

Feuilles: De 5 à 15 cm de long. Elliptiques
❀ Juin - Juillet

---

odoratum

Synonyme: P. officinale 60 cm/ 24 po ❀ Avril à mai

Fleurs blanches, très parfumées, solitaires ou groupées par 2 à 4. Rhizome vigoureux et traçant. Son feuillage est vert clair à tige arquée. Ses feuilles sont ovales et de 23 cm de long par 15 cm de large.

---

x hybridum 'Variegatum'

60 cm/ 24 po

Issu d'un croisement entre P. multiflorum et P. odoratum. Facile de culture, son rhizome est court et fort. Ses tiges sont arquées et ses fleurs blanches sont disposées par 4 à l'aisselle des feuilles. Zone 5.

Feuilles: 20 x 8 cm à veines prononcées.
Feuillage: Vert glauque marginé de blanc. ❀ Juin

Polygonum Renouée • Knotweed 

Famille: Polygonacées **Zone:** 3

Noeud

Ce genre a été subdivisé en plusieurs sections dont Fallopia et Persicaria. Très varié d'une espèce à l'autre. Les Fallopias et Persicarias ont comme caractéristique commune des feuilles alternes, avec spatules au point de rencontre entre la feuille et la tige. Les fleurs sont en petits groupes, en racèmes ou en épis. Le sarrasin fait partie de ce genre. La plante est retrouvée presque partout dans le monde.

Compagnons: Été: Astrantia rubra et Campanula persicifolia
Printemps: Alchemilla mollis et Bergenia 'Red Start'
Automne: Anemone 'Honorine Jobert' et Echinacea 'Magnus'

---

affine Himalayan Fleece Flower
Utilisations: R - D - M - Cu - T - G
⌂ 20 cm/ 8 po ◊ 30 cm/ 12 po ⊗ Couvre-sol - Colonie
Plante tapissante très intéressante à utiliser. Fleurs roses au feuillage vert glauque devenant rougeâtre à l'automne. Ses feuilles sont elliptiques de moins de 10 cm.
❀ Juin à octobre **Couleur:** Rose

***affine* 'Darjeeling Red'** Himalayan Knotweed
Utilisations: C - D - M - R - T - G - Cu
⌂ 20 cm/ 8 po ◊ 50 cm/ 20 po ⊗ Couvre-sol - Colonie
Épis de petites fleurs roses, à la maturité deviennent d'un rouge brunâtre.
Feuilles: Elliptiques ❀ Juin à octobre **Couleur:** Rose

***affine* 'Dimity'**
⌂ 20 cm/ 8 po ◊ 30 cm/ 12 po ⊗ Couvre-sol - Colonie
Petites fleurs changeant au rouge carmin. Variété très résistante à la sécheresse.
❀ Juillet à septembre

***affine* 'Superbum'**
⌂ 30 cm/ 12 po
Longue hampe florale, mais ses épis de fleurs sont plus courts que l'espèce. Très florifère.

***amplexicaule* 'Atropurpureum'**
⌂ 90 cm/ 36 po ◊ 60 cm/ 24 po ❀ Août à octobre
Fleurs rouges. Zone 5.

---

bistorta
⌂ 60 cm/ 24 po ◊ 50 cm/ 20 po ❀ Juin à août
Espèce à développement rapide mais non envahissante. Fleurs roses à épi dense. Son feuillage est vert foncé, lustré et glauque en dessous. Ses feuilles sont rubannées de 15 cm de long.

***bistorta* 'Superbum'**
⌂ 80 cm/ 32 po ◊ 60 cm/ 24 po ❀ Juin à août
Inflorescence gracieuse et bien fournie à fleurs roses. Ses feuilles sont ovales et lancéolées. Zone 4.

capitatum

△ 10 cm/ 4 po ◊ 25 cm/ 10 po ❀ Juillet à octobre

Couvre-sol à fleurs roses semblables au trèfle. Son feuillage est marqué d'une ligne en forme de V brunâtre, ses feuilles sont ovales. Se ressème abondamment. Vivace non rustique mais intéressante à utiliser.

cuspidatum

Synonyme: Fallopia japonica **Utilisations:** E - N
△ 150 cm/ 60 po ◊ 65 cm/ 26 po ⊗ Retombant - Érigé

Espèce très envahissante à croissance rapide. Ses racines sont profondes et sa tige est semblable à celle du bambou.

Feuilles: Ovées ❀ Juillet à août **Couleur:** Blanc rosé

cuspidatum 'Compactum'

Synonyme: Fallopia japonica 'Compacta' **Utilisations:** E - N
△ 80 cm/ 32 po ◊ 50 cm/ 20 po ⊗ Retombant - Érigé

Un cultivar moins envahissant que l'espèce botanique. Intéressant pour la naturalisation.

Feuilles: Ovées - Elliptiques
❀ Juillet à août **Couleur:** Blanc rosé

filiforme 'Painter's Palette'

Synonyme: Persicaria ❀ Juillet à août

De port et d'apparence similaire au P. 'Variegata' sauf que sa tige et son feuillage est encore plus décoratifs car son feuillage est de différents tons de crème, pourpre et vert. Inflorescence rouge sang, délicate. Se ressème facilement. Zone 5.

filiforme 'Variegatum'

Synonyme: Persicaria **Utilisations:** M
△ 100 cm/ 40 po ◊ 55 cm/ 22 po ⊗ Arrondi - Buisson

Différent et ornemental, décoratif par son feuillage panaché de blanc. Une espèce de grande taille à la limite de rusticité dans le sud-ouest du Québec. Zone 5.

Feuilles: Ovées ❀ Juillet à août **Couleur:** Rose

polymorphum

Ancienne variété, très vigoureuse. Grandes fleurs crèmes fleurissant de juillet à septembre. Zone 3.

weyrichii

△ 100 cm/ 40 po ◊ 90 cm/ 36 po

Fleurs crèmes fleurissant de juin à août. De croissance vigoureuse, à isoler. Zone 4.

Potentilla Potentille • Cinquefoil

Famille: Rosacées **Zone:** 3
Origine: Hémisphère Nord et région Arctique

Plante arbustive ou herbacée dont le genre est très varié. Caractérisée par des fleurs à 5 pétales disposées sur un réceptacle pubescent. Ses feuilles sont composées de 3 à 5 folioles ou plus. Il existe des cultivars rampants et érigés. Facile et peu exigeant. Quelques variétés se sèment mais en général, elles sont reproduites par boutures et division.

Sol: Pauvre - Sec

Compagnons:
Printemps: Iberis et Primula
Été: Hemerocallis et Lupinus
Automne: Malva et Sedum

---

alba

20 cm/ 8 po — Mai à juillet

Fleurs blanches, groupées par 3, disposées un peu plus hautes que son feuillage qui est vert sur le dessus et blanc en dessous. Ses feuilles possèdent 5 folioles elliptiques. Espèce non stolonifère, idéale pour lieu chaud. Zone 5.

---

anserina Silver-weed ☺

Plante stolonifère, indigène en bordure des rivières et qui de plus tolère le sel. Ses fleurs sont jaune doré, portées sur un long pédicelle de 3 à 10 cm. Ses feuilles blanches sont soyeuses en dessous, irrégulièrement pennées, allongées et possèdent de 9 à 31 folioles tomentueuses à la base. Plante médicinale; ses feuilles broyées calment les hémorroïdes et misent dans les chaussures elles absorbent la sueur des pieds.

Mai - Août — ∅ 1 à 2 cm

---

atrosanguinea Himalayan Cinquefoil

Utilisations: M - F — 40 cm/ 16 po — 30 cm/ 12 po

Au moment de l'ouverture des boutons florales, la fleur ressemble à une rose rouge miniature. Ses pétales sont en forme de coeur.

Feuilles: A trois folioles dentées de 2 à 5 cm de long.
Feuillage: Gris-vert, soyeux en dessous.
Juin à août — ∅ 2 à 4 cm — **Couleur:** Rouge

---

argyrophylla

Synonyme: P. leucochroa — **Utilisations:** M - F
35 cm/ 14 po — 30 cm/ 12 po — Juin à juillet

Semblable à P. atrosanguinea mais dans les tons de jaune orangé.

Feuilles: A trois folioles. — **Feuillage:** Pubescent.

---

aurea

10 cm/ 4 po

Inflorescence ramifiée et courte. Fleurs jaunes parfois à centre orangé de 2 cm de diamètre. Son feuillage possède des poils soyeux en marge. Variété résistante à la sécheresse et à l'acidité du sol. Couvre-sol.

***fruticosa* 'Yellow Gem'** 

30 cm/ 12 po — 100 cm/ 40 po

Introduction UBC en 1990. Croissance horinzontale, idéale en couvre-sol sous les arbustes. Ses fleurs larges apparaissent tout l'été. Zone 2.

Sol: Bien drainé

---

megalantha Woolly Cinquefoil

Synonyme: P. fragiformis — **Utilisations:** M
25 cm/ 10 po — 30 cm/ 12 po

Semblable au feuillage d'un fraisier. Floraison hâtive, de très grandes fleurs.

Feuilles: Folioles grossièrement dentées.
Feuillage: Large et épais à poils soyeux.
Mai à juin — **Couleur:** Jaune citron

***nepalensis* 'Miss Willmott'** Nepal Cinquefoil

Synonyme: P. willmottlae **Utilisations:** M - F

60 cm/ 24 po 30 cm/ 12 po

Touffe lâche à inflorescence souple et ramifiée. Se distingue de P. atropurpurea par la nombre de ses folioles et la dimension plus petite de ses fleurs d'un rouge cerise. A rabattre après la première floraison. Zone 2.

Feuilles: Ayant 5 folioles. ❀ Juin à août ∅ 1,5 à 2,5 cm

***nepalensis* 'Roxane'**

Fleurs rose vif au coeur rouge.

recta Sulphur Cinquefoil ☺

50 cm/ 20 po

Floraison abondante de fleurs lumineuses, jaune pâle. Ses feuilles possèdent de 5 à 8 folioles lancéolées à fortes dents sur une tige pubescente. Potentille dressée. Elle est considérée comme une mauvaise herbe par les agriculteurs. Se ressème abondamment. D'usage médicinale; bon traitement contre la bronchite.

reptans Creeping Cinquefoil ☺

Plante naturalisée. Fleurs jaune vif de 2 à 3 cm de diamètre. Ses feuilles possèdent 5 folioles et s'enracinent bien au niveau des noeuds. Rhizome noirâtre, vertical qui émet des rosettes de feuilles et qui a la propriété d'être astringent.

***reptans* 'Pleniflora'**

Utilisations: C

20 cm/ 8 po 30 cm/ 12 po ⊗ Couvre-sol - Tapissant

Fleurs doubles, production de stolons envahissants, croissance rapide.

Feuilles: Palmées ❀ Juin à septembre **Couleur:** Jaune

***thurberi* 'Monarch's Velvet'**

60 cm/ 24 po

Potentille herbacée au feuillage palmé qui se distingue par la coloration foncée de ses petites fleurs rouge framboise à coeur foncé et de 1 cm de diamètre. Zone 4.

tridentata Three-Too Thed Cinquefoil

Synonyme: Sibbaldiopsis tridentata

25 cm/ 10 po 30 cm/ 12 po

Inflorescence ramifiée à fleurs blanches. Son feuillage est persistant à 3 folioles dentées seulement au sommet. Souche ligneuse, rampante émettant des racines aux noeuds. Préfère un sol rocailleux ou sablonneux car elle est d'origine montagneuse, espèce caractéristique des terrains acides et froids.

Sol: Bien drainé - Acide

verna Alpine Cinquefoil

Synonyme: P. tabernaemontani ou P. crantzii

10 cm/ 4 po 20 cm/ 8 po ❀ Avril à juin

Très décorative mais à croissance lente. Elle est parfois distribuée sous le nom de P. aurea var. verna. Fleurs jaunes et feuilles à 5 folioles portées sur un long pétiole. Il existe la variété 'Nana' qui mesure 10 cm de haut avec un espacement de 20 cm et fleurit d'avril à juin.

x 'Gibson's Scarlet'

Utilisations: M - F   ⌂ 50 cm/ 20 po   ◊ 30 cm/ 12 po

Grandes fleurs, simples, disposées sur des tiges retombantes. Zone 5.

Feuillage: Vert.   ❀ Juin à août   **Couleur:** Rouge

x 'Monsieur Rouillard'

⌂ 40 cm/ 16 po   ❀ Juillet - Août

Grandes fleurs doubles, cramoisies, marginées de jaune doré.

x 'William Rollison'

Utilisations: M - F   ⌂ 40 cm/ 16 po   ◊ 30 cm/ 12 po

Fleurs semi-doubles, orangées à centre jaune.

❀ Juin à septembre

x 'Yellow Queen'

Fleurs semi-doubles, jaune doré à oeil rouge et son feuillage est grisâtre, très décoratif.

x russelliana

Hybride entre P. atrosanguinea et P. nepalensis. Ses feuilles inférieures ont de 3 à 5 folioles et sont plus étroites que P. atrosanguinea. Plusieurs cultivars sont classés sous l'espèce atrosanguinea mais ne devraient pas, ex.: 'Gibson Scarlet', 'Monsieur Rouillard' et 'Yellow Queen'.

x *tongueii* Staghorn Cinquefoid

⌂ 20 cm/ 8 po   ◊ 30 cm/ 12 po

Issue de P. anglica et P. napelensis. Inflorescence ramifiée et retombante. Ses fleurs sont apricot à centre rouge. Zone 5.

Feuilles: Ayant 5 folioles dentées. Palmées   **Feuillage:** Vert foncé, gris.

❀ Mai à juillet   ∅ 2,5 cm

Primula Primevère • Primrose

Famille: Primulacées   **Zone:** 2-5

Origine: Hémisphère Nord et Sud   ⊗ Rosette

Le mot Primula signifie printemps, donc pas étonnant que la plupart des espèces fleurissent à cette période.Plante très variée par ses couleurs de fleur et ses types d'inflorescences. Ses fleurs sont groupées en ombelle, en épis ou sont verticillées, parfois pendantes. Le feuillage est glabre ou pubescent, généralement en rosette et souvent permanent. Se divise en deux catégories d'espèces: a) dont la lumière tamisée est indispensable; b) qui nécessitent un sol humide et/ou une luminosité moins importante. Pour réussir la culture des Primulas, il est important de recréer les conditions idéales d'un sous-bois. Ne pas oublier que la chaleur leur est plus nuisible que le froid et qu'une couverture de neige ou de feuilles s'avère profitable. Notre flore est pauvre dans ce genre, car il y a seulement deux variétés peu décoratives à l'état sauvage au Québec.

Sol: Humide - Riche

Compagnons:

Printemps: Aubrieta et Iberis   Été: Iris sibirica et Hosta

Automne: Tricyrtis et Phlox

alpicola

⌂ 80 cm/ 32 po   ◊ 40 cm/ 16 po

Inflorescence à fleurs pendantes, de 3 cm de diamètre et réunies par 15 à 20 sur une tige farineuse. Il existe les variétés suivantes: 'Alba', de couleur blanche, 'Luna', jaune et 'Violacea', lavande, elles sont toutes parfumées et leurs feuilles elliptiques à oblonques sont d'environ 5 cm x 25 cm de long, arrondies à la base avec un long pétiole.

---

auricula P. Oreille d'ours

Origine: Alpes 20 cm/ 8 po 20 cm/ 8 po

Fleurs groupées de 4 à 12, en ombelle de jaune à mauve, en passant par le rouge, le rose ou le pourpre, toutes marquées d'un oeil jaune contrastant. Son feuillage est épais, ciré et sa tige ainsi que le dessous de ses feuilles sont farineuses. Préfère les sols calcaires. Voir à couvrir les racines gonflées qui ont tendance à sortir du sol au printemps. Eviter un sol sec. L'espèce auricula a donné lieu à de nombreux croisements, ex.: P. villosa et x P. viscosa = P. pubescent, des cultivars à fleurs de diverses couleurs. Zone 4b.

Feuilles: Larges, légèrement dentées et entières. Ovées
Feuillage: Vert pomme, glabre et d'apparence cireuse. Persistant.
❀ Mai - Juin ∅ 2 à 4 cm **Couleur:** Mélange de couleurs

---

auricula doubles

Similaire à l'espèce, mais à fleurs doubles. Plante offerte en mélange de couleurs ou individuelle.

---

bulleyana

Utilisations: M 60 cm/ 24 po 40 cm/ 16 po

Inflorescence disposée en verticille sur un long pédoncule de 5 à 7 fleurs jaunes, orangées ou cuivrées dont le bouton floral est rouge et à lobes très étroits et pointus légèrement retombants. Sa tige florale est glabre. Variété vigoureuse et rustique.

Feuilles: D'environ 18 cm de long x 5 à 10 cm de large à pétioles rouges.
❀ Juin - Août ∅ 2,5 cm **Couleur:** Mélange de couleurs

---

capitata

Origine: Himalaya
20 cm/ 8 po 20 cm/ 8 po ❀ Juillet - Septembre

Fleurs bleu foncé, inflorescence globuleuse, genre champignon sur un pédoncule poudreux. Ses feuilles de 13 cm de long et de 2 cm de large sont rugueuses, dentées et farineuses en dessous. Intéressante dans les jardins alpins.

---

denticulata Drumstick Primrose

Origine: Himalaya **Utilisations:** F - Al
30 cm/ 12 po 30 cm/ 12 po ❀ Mai

Nombreuses fleurs de lilas à rouge en passant par le blanc en forme de boule disposée à l'extrémité de la tige florale. Vigoureuse et moins exigeante sur la nature du sol. Commence à fleurir en mai même avant la feuillaison, pendant trois semaines. A noter que la tige florale continue de s'allonger pendant la floraison, fleurit presqu'en même temps que P.rosea. Il existe à présent des variétés de couleurs séparées. Zone 3.

Feuilles: Rugeuses, ovales à lancéolées.
Feuillage: Peu décoratif. **Couleur:** Mélange de couleurs

***denticulata* 'Bressingham Beauty'**

Introduite par Alan Bloom. Fleurs rose foncé remarquable. Il existe d'autres espèces toutes aussi belles qui méritent d'être mentionnées soit; P. 'Inshriach Carmine' et P. 'Robinson's Red'.

***denticulata* 'Ronsdorfer'**

Utilisations: F

Semblable à P. denticulata 'Rubin' mais rose.

***denticulata* 'Rubin'**

Utilisations: F

Semblable à l'espèce, mais à fleurs rose pourpre tirant sur le pourpre.

denticulata var. alba

Semblable à l'espèce, mais à fleurs blanches. Sa tige florale est plus haute que l'espèce.

elatior Oxslip

Origine: Nord de l'Europe

25 cm/ 10 po — 25 cm/ 10 po

De rusticité certaine pour un entretien minimal. Accepte les sols lourds, calcaires et même argileux mais humides en période chaude. Floraison non parfumée, hâtive et prolongée d'environ de 3 à 4 semaines. Son inflorescence en ombelle regroupe de plus de 20 fleurs qui ont tendance à pencher d'un côté.

Avril - Mai — ∅ 1,5 à 2,5 cm

farinosa

20 cm/ 8 po — 20 cm/ 8 po

Floraison hâtive, croît dans un milieu rocheux avec la gentiane verna. Ses fleurs rose lilas à oeil jaune en forme de colorette couvrent tout le feuillage. Celui-ci est lustré au dessus. Se reproduit par semences et sa durée de vie est brève. Zone 4.

florindae

Origine: Himalaya — **Utilisations:** M - F

80 cm/ 32 po — 40 cm/ 16 po — Juin - Août

Fleurs jaunes à orangées, tubulaires, pendantes, disposées en ombelle ayant jusqu'à 70 fleurs. Préfère les sols tourbeux, les abords de pièce d'eau.

Feuilles: Luisantes, cordées et dentées irrégulièrement.

Feuillage: A long pétiole soit de 20 à 30 cm. Aromatique.

frondosa

Origine: Balcan — **Utilisations:** Al

15 cm/ 6 po — 15 cm/ 6 po — Mai - Juin

Ses fleurs lilas sont raffinées, ses feuilles sont glauques au dessus et farineuses en dessous.

halleri

Origine: Alpes — **Synonyme:** P. longiflora

Utilisations: Al - Au — 20 cm/ 8 po — 15 cm/ 6 po

Fleurs rose pâle à foncé, très odorantes et fleurissant à la mi-avril. Ses feuilles sont recouvertes de poudre.

japonica Japanese Primrose

Origine: Japon — **Utilisations:** M - F - Al

60 cm/ 24 po — 30 cm/ 12 po

Inflorescence verticillée pouvant être de 2 à 6 niveaux différents portant chacun de 7 à 11 fleurs. Hampe florale robuste de plus de 50 cm, se présente dans les couleurs de rose à rouge passant par le blanc avec un centre foncé. Se ressème abondamment en lieu humide. Plante peu affectée par les insectes et les maladies. Facile de culture. Zone 4-5.

Feuilles: Oblongues à spatulées, irrégulièrement dentées.

Juin - Juillet — ∅ 3,5 cm

***japonica* 'Carminea'**

Utilisations: M - F

Fleurs pourpres à magentas.

***japonica* 'Miller's Crimson'**

Utilisations: M - F **Couleur:** Rouge cramoisi

juliae

Zone: 5 ⌂ 5 cm/ 2 po ◊ 25 cm/ 10 po

Floraison très hâtive qui donne grande satisfaction. Ses fleurs rouge violacé sont à la hauteur de son feuillage. Plante courte, tapissante de rocaille. Utile pour les plates-bandes acide. Tolère bien la sécheresse. Le croisement avec P. multiflore nous donne des couleurs de fleurs brillantes, en voici quelques variétés:

'Betty'	Cramoisi	**'Old Port'**	Rouge vin pourpré
'Dorothy'	Jaune pâle	**'Our Par'**	Fleurs doubles, pourpre foncé
'Gold Jewel'	Jaune brillant	**'Wanda'**	Rouge-pourpre

Feuilles: Dentées Crenelées - Réniformes

rosea

⌂ 20 cm/ 8 po ◊ 20 cm/ 8 po

Petites fleurs rose vif à oeil jaune, réunies en ombelle de 4 à 7 fleurs. Les feuilles et les fleurs pointent ensemble. Accepte une exposition ensoleillée si le sol demeure frais. Zone 4b.

***rosea* 'Delight'**

Fleurs rose foncé intense à floraison plus hâtive que l'espèce.

Feuilles: Étroites. Lancéolées

Feuillage: Au revers poudreux. ❀ Mai - Juin

***rosea* 'Grandiflora'**

Utilisations: M ⌂ 20 cm/ 8 po ◊ 20 cm/ 8 po

Petites fleurs rose carmin, très lumineuses.

❀ Mai - Juin

saxatilis Primula des murailles

Origine: Mandchourie

Utilisations: M - Al ⌂ 25 cm/ 10 po ◊ 20 cm/ 8 po

Petites fleurs rose violacé à oeil jaune, groupées en petit nombre et sa tige florale est grêle. Espèce peu exigeante, à découvrir, accepte une situation ensoleillée. Zone 3b.

Feuilles: Lobées et gaufrées. Dentées

Feuillage: Arrondi et pubescent. ❀ Mai - Juin

sieboldii

Origine: Japon

⌂ 20 cm/ 8 po ◊ 20 cm/ 8 po ❀ Avril - Mai

Espèce trop peu connue, très florifère et très jolie. Tolère mieux les écarts de température que les autres et sa longivité est certaine. Ses feuilles et ses fleurs apparaissent ensemble en avril et ses feuilles disparaissent à l'été. Ses fleurs sont blanches, roses, lilas ou violacées à oeil blanc avec l'extrémité des pétales entaillés, ce qui lui donnent une allure frangée. Inflorescence en ombelle ramifiée portant jusqu'à 20 fleurs de 2 à 3 cm. Zone 4.

Feuilles: Ovées, dentées, lobées, gauffrées.

***sieboldii* 'Snowflake'**

⌂ 15 cm/ 6 po ◊ 20 cm/ 8 po ❀ Avril - Mai

Variété très vigoureuse à fleurs larges et blanches. Il existe aussi d'autes variétés intéressantes dont: 'Mikado', de couleur rose foncé, et 'Geisha Girl', rose clair.

veris Cowslip

Origine: Nord de l'Europe

⌂ 25 cm/ 10 po ◊ 25 cm/ 10 po

Rustisque et peu exigeante, elle accepte les sols argileux, frais et alcalins. Ses fleurs jaune orangé à rougeâtre sont retombantes et très parfumées. Inflorescence en ombelle, penchée d'un côté. Son feuillage est semblable à P. x polyantha.

❀ Avril - Mai ∅ 1 à 1,5 cm

vialii

Origine: Chine **Synonyme:** P. littoniana

Utilisations: M - F ⌂ 30 cm/ 12 po ◊ 20 cm/ 8 po

Petites fleurs, très différentes, genre fuseau de couleur contrastante car la base (le calice) est rouge et ses fleurs sont lavandes. Celles-ci s'ouvrent de bas en haut sur un épis d'environ 8 cm de long. Se ressème librement, mais parfois a besoin de protection. Zone 5.

Feuilles: Étroites de 25 cm de long et de 5 cm de large, dentées et érigées.

Feuillage: Ayant des poils soyeux. ❀ Juillet - Août

vulgaris English Primrose

Synonyme: P. acaulis ∅ 2 à 4 cm

Se comporte comme la P. x polyantha, s'adapte bien à tous les sites à la condition d'être humide en période de chaleur. L'espèce sauvage, à des fleurs jaunes, le centre est plus foncé, solitaires et parfumées. Cette Primula des prés est l'ancêtre de plusieurs hybrides modernes. Se divise bien à l'automne. Depuis plusieurs années, il existe des variétés à fleurs doubles qui étaient populaires au moment de l'air Victorienne en Angleterre mais délaissées à cause d'un virus. Aujourd'hui par la reproduction en culture, de tissus de nombreuses variétés refont surface. Il existe des variétés de Primula vulgaris à fleurs doubles et de différentes couleurs toutes aussi belles les unes que les autres, telles que:

'Alan Robb' abricot
'Sue Jervis' rose
'Lilan Harvey' rose
'Quaker's Bonnet' violet
'Dawn Ansell' blanc ivoire
'April Rose' rose cerise
'Sunshine Susie' jaune doré au reflet orangé

***x* 'Tie Dye'**

⌂ 15 cm/ 6 po ◊ 30 cm/ 12 po

Introduite par Terra-Nova. Larges fleurs bleues, striées de bleu foncé avec un coeur jaune. Floraison hâtive. Se propage par culture de tissus. Zone 4.

x polyantha

Zone: 3-5 **Utilisations:** M

⌂ 25 cm/ 10 po ◊ 20 cm/ 8 po

Issue d'un croisement de P.veris et x P.vulgaris. Plante compacte à grandes fleurs de couleurs variées et à oeil jaune contrastant sur une tige courte. Ses feuilles sont rétrécies vers le centre pour former un court pétiole. Variété populaire. Utilisée en potée fleurie. Elle croît mieux en lieu frais avec une couverture de neige qu'en lieu chaud. Son cultivar P. 'Pacific Giant' semble le moins rustique. Il existe différentes variétés de P. x polyantha pacific giant, décorative par son feuillage et ses fleurs, offertes dans presque toutes les couleurs et à texture veloutée. Ses fleurs sont semblables à l'espèce mais plus petites et aussi à oeil jaune. En voici quelques unes: 'Camphire': Fleurs bleu magenta et feuilles panachées à marges dorées.'Cowichon': Feuillage cuivré mettant ses fleurs en valeur. 'Gold Laced': Marron 'Snow Cap': Fleurs bleu foncé et feuilles panachées de blanc.

Feuillage: Parfois pubescent en dessous.
❀ Mai - Juin ∅ 3 cm

x pruhonicensis

10 cm/ 4 po 20 cm/ 8 po ❀ Avril - Mai

Issue d'un croisement entre P. elatior, x P. juliae et x P. vulgaris. Grandes fleurs, compactes à oeil jaune.

Sol: Meuble **Feuilles:** Longues et ovales.
Feuillage: Teinté de poupre. **Couleur:** Mélange de couleurs

***x pruhonicensis* 'Roy Cope'**

Croissance vigoureuse, floraison remontante de fleurs doubles, rouge vif.

***x pruhonicensis* 'Wanda'**

Une lignée courte, populaire et ancienne ayant une vaste gamme de couleurs.
∅ 2 cm

Prunella Prunelle • Self-heal

Famille: Lamiacées **Zone:** 3
Origine: Europe, Asie, Amérique du Nord et Afrique
⊗ Arrondi - Buisson

Fleurs tubulaires groupées en épis et soutenues par des bractées. Dans les aménagements elles forment un tapis dense, exigeant peu de soin. Préfère les sols frais, calcaire et meuble.

grandiflora

Utilisations: M - R
20 cm/ 8 po 30 cm/ 12 po ⊗ Couvre-sol

Croissance couchée au sol, fleurs disposées sur un épis dense et trapu. Existe dans les teintes de blanc et violet.

Feuilles: Larges et entières.
Feuillage: Vert sombre et vigoureux. Persistant ❀ Juin à août

***grandiflora* 'Blue Loveliness'**

Utilisations: M 20 cm/ 8 po ❀ Juin - juillet

Fleurs violettes. Existe également les variétés 'Loveliness' à fleurs lilas, 'White Loveliness à larges fleurs blanches et 'Rose Loveliness' à larges fleurs roses.

Feuilles: Larges.
Feuillage: Persistant.

laciniata

Feuilles: Lobées
Feuillage: Semblable à celui d'un chêne. Persistant. **Couleur:** Rose

***vulgaris* 'Rubra'**

Synonyme: P. incisa ❀ Juillet à septembre

Fleurs rose carmin de 30 cm de haut. L'espèce d'origine est à fleurs pourpres. Tolère les sites humides ou secs.

x webbiana

Utilisations: M ⌂ 30 cm/ 12 po ◊ 30 cm/ 12 po

Issue de P. grandiflora et P. hastifolia. Existe à fleur violette, blanche ou rose. L'espèce la plus vigoureuse, à feuilles plus petites que P. grandiflora.

❀ Juin à août

Pulmonaria Pulmonaire • Lungwort ☺ ●☼

Famille: Boriginacées **Zone:** 3

Origine: Europe et Asie ⊗ Arrondi - Coussin

Surtout cultivée pour son feuillage très décoratif, souvent tacheté d'argent, pubescent et rugeux au toucher. Ses fleurs sont petites, intéressantes, puisqu'elles changent de couleur selon la maturité de la plante. Petite clochette groupée en cyme. Produit un joli couvre-sol, de croissance rapide et n'exigeant aucun soin particulier. Accepte toutes les conditions. Plante à découvrir.

Sol: Humide - Riche

Compagnons:

Printemps: Dicentra spectabilis et Tiarella

Été: Astilbe et Heuchera

Automne: Hosta et Anemone

Espèce 'Variété'	Description	⌂ cm/po	◊ cm/po	❀
angustifolia ssp. azurea				
♥	Fleurs bleu gentiane changeant au rose. La feuille est simple et entièrement verte.	30/12	35/14	5
hybrides				
'Berries and Cream'	Feuillage ondulé, chatoyant, argenté. Les fleurs sont rouge framboise tournant au pourpre. Plante enregistrée.	20/8	20/8	5
'British Sterling'	Des taches argentées remplissent presque entièrement la feuille sauf la marge qui est verte. Fleur magenta qui ouvre bleue.	30/12	35/14	5
'Coral Springs'	Feuillage lancéolé et tacheté. Charmantes fleurs corail à profusion.	25/10	45/18	5
'Excalibur'	Feuillage éblouissant argent marginé de vert foncé. Fleur bleu/rose. Spécimen très vigoureux résistant au mildiou. Plante enregistrée.	25/10	25/10	5
'Leopard'	Belle variété à fleurs de couleur corail et son feuillage est tacheté.			5
'Lewis Palmer'	De belles fleurs bleu-azur au printemps suivies de longues feuilles tachetées. Spécimen vigoureux.	30/12	30/12	5
'Little Star'	Feuillage lancéolé vert tacheté d'argent. Grandes fleurs bleu cobalt. Plante enregistrée.	15/6	15/6	5
'Pierre's Pure Pink'	Feuillage avec taches bien définies. Belles fleurs rose saumoné.	30/12	40/16	5-6
'Purple Haze'	Les feuilles à pétiole court forment un monticule serré de feuillage tacheté. Des fleurs pourpre pâle recouvrent littéralement le plant. Spécimen vigoureux.	20/8	20/8	5
'Rasberry Splash'	Feuillage érigé, les feuilles sont pointues et fortement marquées. Les fleurs framboise-corail émergent tôt le printemps. Plante enregistrée.	30/12	30/12	5
'Reginald Kaye'	Feuillage vert tacheté d'argent. Bourgeons rose-rouge qui s'ouvrent sur des fleurs violettes. Spécimen très vigoureux.	15/6	15/6	5
'Silver Streamers'	Feuillage argenté avec une ondulation fantastique le long de ces feuilles lancéolées. Fleur bleu-rose. Plante enregistrée.	20/8	20/8	5
'Spilled Milk'	Plant très compact, feuillage extrêmement argenté. Ses fleurs passent du bleu rosé au rose. Plante enregistrée.	15/6	15/6	5
'Victorian Brooch'	Feuillage vert tacheté d'argent. Fleurs époustouflantes, magenta au calice rouge-rubis. Plante enregistrée.	30/12	20/8	5
'White Wings'	Feuillage vert tacheté. Inflorescence blanc pur, spécimen vigoureux. Ses fleurs sont plus grosses et durables que P. saccharata 'Sissinghurst White'.	20/8	15/6	5

Espèce 'Variété'	Description	⌂ cm/po	▷ cm/po	❀
longifolia	Les feuilles sont étroites, rigides et tachetées d'argent. Inflorescence en cime serrée. Fleur: Bleu.	25/10	35/14	5
'Bertram Anderson' ♥	Les feuilles sont étroites, très foncées et tachetées de gris argenté. Les fleurs sont bleu foncé.	30/12	40/16	5-6
'Roy Davidson' ♥	Sa fleur rose pâle changeant au bleu pâle à maturité, les feuilles sont longues, tachetées de gris argenté.	30/12	40/16	5-6
cevennensis	Belles fleurs bleu foncé. Variété à très longues feuilles étroites, jusqu'à 70 cm de longues.	30/12	30/12	5
rubra **'David Ward'**	Feuillage vert menthe au rebord blanc et ondulé. Belles fleurs saumon.	30/12	15/6	5
'Redstart'	Floraison abondante à fleurs rouges. Son feuillage pubescent est vert clair sans tache.	20/8	40/16	4-5
saccharata **'Dora Bielefeld'**	Les feuilles sont larges, rugueuses à taches argentées bien distinctes. Les fleurs sont roses, légèrement pourprées.	30/12	30/12	5-6
'Janet Fisk'	Sa fleur est rose changeant au bleu à la maturité. Les feuilles sont tellement tachetées de gris qu'elles paraissent marbrées.	30/12	40/16	5-6
'Mrs Moon' ♥	Fleur rose changeant au bleu-mauve. Populaire. Les feuilles sont larges, tachetées d'argent.	30/12	35/14	5
'Sissinghurst White'	Les feuilles sont larges tachetées d'argent. Les fleurs sont blanches.	30/12	35/14	5

Pulsatilla Anemone pulsatille • Pasque Flower  

Famille: Renonculacées **Zone:** 3-4
⊗ Rosette

Petite plante longtemps classée parmi les anémones. Fleurs dans les tons de blanc, violet et rouge, à coeur jaune. Feuillage pubescent se déployant après la floraison. Les hampes florales s'allongent avec des températures de plus en plus clémentes. Fruits plumeux décoratifs.

Sol: Calcaire - Sec

alpina ssp. apiifolia

Synonyme: P. ssp sulphurea
30 cm/ 12 po 40 cm/ 16 po Avril - Mai

Variété rare et considerée comme une plante de rocaille. Floraison jaune soufre à fruits à aigrettes brun roux. Ses fleurs sont bien au dessus de son feuillage qui est très découpé. Zone 5.

vulgaris

25 cm/ 10 po 30 cm/ 12 po Avril à mai

La plus populaire à fleurs bleu violacé. Existe en blanc 'Alba et en rouge 'Rubra'.

vulgaris 'Papageno'

Introduite par Jelitto. Fleurs semi-doubles dans les teintes de blanc, rose, rouge et violet. Ses pétales sont découpés et son feuillage est moins velu que l'espèce. Zone 5.

Pyrethrum Voir Chrysanthemum coccineum.

Ranunculus Renoncule • Buttercup

Famille: Renonculacées **Zone:** 3

Son nom générique provient d'un dimunitif latin signifiant petite grenouille faisant allusion à son habitat. Fleurs jaunes à 5 pièces florales, blanches dans les espèces aquatiques et alpines. Feuillage alterne, simple ou composé. S'étend rapidement par ses stolons pour former un couvre-sol; réparti partout dans le monde. Il existe à présent des cultivars à fleurs doubles.

Sol: Tous les sols - Frais

aconitifolius 'Pleniflorus'

Synonyme: R. 'Pleniflorus' 60 cm/ 24 po

Plante connue dans les jardins depuis le XVIe siècle. Ses fleurs doubles, blanches sont portées sur un long pédicelle pubescent vers le sommet. Intéressante en fleurs coupées. Ses feuilles très foncés ont de 3 à 5 lobes. Très résistante à l'humidité.

Mai - Juin

acris 'Flore Pleno'

70 cm/ 28 po 80 cm/ 32 po ∅ 2 à 2,5 cm

Fleurs jaunes, doubles et abondantes. Moins envahissante que l'espèce sauvage, communément appelée bouton d'or. Les animaux n'y touche pas car elle a un suc âcre vénéneux.

acris 'Multiplex'

45 cm/ 18 po Mai à septembre

Fleurs jaunes, doubles, servant à la fleur coupée. Ses feuilles sont basales de 3 à 7 lobes. Zone 3.

***montanus* 'Molten Gold'**

△ 15 cm/ 6 po ◊ 30 cm/ 12 po ❀ Mai - Juin

Couvre-sol à croissance lente, non envahissant. Floraison abondante à fleurs jaunes, simples.

repens var. pleniflorus

Utilisations: C - F

△ 45 cm/ 18 po ◊ 40 cm/ 16 po ⊗ Colonie - Étalé

Plante rampante, envahissante mais utile comme couvre-sol. Ses fleurs sont doubles. À la propriété de s'enraciner au noeud de chaque feuille.

Feuilles: Trilobées

❀ Mai à juin ∅ 2 cm **Couleur:** Jaune

Ratibida columnaris pulcherrima ☼

Famille: Asteracées **Origine:** Amérique du Nord

Synonyme: Lepachys △ 30 cm/ 12 po

Ses fleurs sont pourpre-brun et ressemblent à un sombrero. Son capitule est prédominent (columnaire). Zone 3.

Sol: Bien drainé - Fertile ❀ Juillet à septembre

***columnaris* 'Button's and Bows'**

△ 90 cm/ 36 po

Fleurs doubles, orange brulé à ligules retombantes et à marge jaune. Floraison abondante et prolongée.

Rheum Rhubarbe d'ornement • Ornemental Rhubarb

Famille: Polygonacées **Zone:** 4

Origine: Asie ⊗ Dressé

Semblable à la rhubarbe comestible. La rhubarbe ornementale développe des feuilles dentées, teintées de pourpre au printemps. Les inflorescences colorées, voyantes et rugeuses sont méconnues et sous utilisées. Vivace exigeant peu d'entretien. Ne tolère pas les milieux trempés.

Sol: Frais - Riche

***palmatum* 'Atrosanguineum'**

Synonyme: R. 'Atropurpureum'

△ 120 cm/ 48 po ◊ 100 cm/ 40 po

Fleurs rouges au feuillage rouge pourpre. Il est à noter que l'espèce palmatum fleurit blanc crème et mesure 200 cm de haut.

❀ Juillet

palmatum var. tanguticum

Synonyme: R. var. dissectum **Utilisations:** M - S

△ 200 cm/ 80 po ◊ 100 cm/ 40 po

Grande inflorescence plumeuse, rouge. Considérée comme la plus ornementale lorsqu'elle est en fleurs.

Feuilles: Palmées - Dentées

Feuillage: Rouge à l'émergence passant au vert.

❀ Juin à juillet

Rhodiola 

Famille: Crassulacées **Zone:** 1
Origine: Hémisphère Nord, habitat rocailleux

On attribue généralement 50 espèces au genre Rhodiola, mais les opinions sur le nombre exact diffèrent beaucoup. Sept espèces seraient cultivées. Le genre Rhodiola est issu d'une division du genre Sedum, mais des botanistes considèrent encore certaines espèces de Rhodiola comme des Sedums, et on les retrouve souvent sous ce nom dans les catalogues. Vivaces à rhizome épais, charnu, d'où partent des feuilles basales brunes ayant l'aspect de stipules écailleuses, et des tiges raides, érigées, occasionnellement branchues, qui portent des feuilles alternes, ovales, triangulaires à lancéolées, charnues, vert grisâtre, souvent dentées. Les inflorescences sont denses, hémisphériques et terminales; petites fleurs étoilées blanc verdâtre, jaunes ou rosées. Ces plantes sont très intéressantes à utiliser en rocaille ou en jardin alpin.

Sol: Tous les sols

---

rhodantha

Synonyme: Sedum rhodanta
25 cm/ 10 po 35 cm/ 14 po

Fleurs roses fleurissant en juillet. Variété résistante à racine pivotante. Zone 4.

---

rosea ssp. integrifolia Roseroot

Synonyme: Sedum roseum **Utilisations:** M - R
25 cm/ 10 po 30 cm/ 12 po ⊗ Étalé

Fleurs jaunes, mais au Canada notre variété est rouge, regroupées à l'extrémité des tiges. Son feuillage est vert et glauque. Ses feuilles entières sont ovales. Ses racines sont parfumées à l'odeur de rose. Plante méconnue, très résistante, de régions alpines. Utilisée en fleurs coupées, séchées ou en rocaille. Un genre qui autrefois était rattaché à celui des sedums dont il lui ressemble beaucoup mais se distingue par ses feuilles moins charnues. Zone 1.

Juillet - Août

Rodgersia 

Famille: Saxifragacées **Zone:** 4
Origine: Asie de l'est ⊗ Arrondi - Buisson

Plante utilisée pour son feuillage composé, penné ou palmé, et d'aspect tropical. Les feuilles cuivrées au printemps, prennent parfois une coloration rouge à l'automne; elles brûlent dans les lieux secs et ensoleillés. Les Rodgersias produisent aussi de jolies inflorescences, de blanches à pourpres, en panicules ramifiées comparables à celles des astilbes.Genre comprennant 5 à 6 espèces de plantes herbacées, rustiques (zone 5b à 4b) et vivaces. L'espèce tabularis est maintenent détachée de ce genre et elle est connue sous le nom de Astilboïdes tabularis. Ces plantes de sous-bois ou de milieu mi-ombragé demandent un sol riche en humus, meuble et toujours frais. Ces plantes sont généralement exemptes de maladies et peu appréciés des ravageurs .

---

aesculifolia Shielleaf Rodgersia 

Utilisations: M - S - N 110 cm/ 44 po 40 cm/ 16 po

Une plante au rhizome traçant portant des feuilles composées, digitées, semblables à celles du marronnier d'Inde. L'inflorescence à large panicule de fleurs blanches qui se dressent au-dessus de son feuillage.

Feuilles: Grandes.
Feuillage: Vert teinté de pourpre, rugueux.
Juillet - Août

henrici

Utilisations: M - F   120 cm/ 48 po   40 cm/ 16 po

Tige pourpre.

Feuilles: Grandes. Palmées

Feuillage: Pourpre quand les feuilles sont jeunes.

Juin   **Couleur:** Rose

pinnata 

Utilisations: M - S - N   90 cm/ 36 po   60 cm/ 24 po

Plante rhizomateuse, à grandes feuilles rugueuses, composées, digitées, d'un vert foncé et teintées de pourpre portant une longue panicule ramifiée de petites fleurs blanches à blanc rosé. Préfère un sol humifère, acide et frais.

Juillet - Août   ∅ 3 à 7 cm

***pinnata* 'Superba'** Featherleaf Roses

Utilisations: M - S - N   90 cm/ 36 po   60 cm/ 24 po

Un cultivar à panicule ramifiée portant des fleurs d'un rose foncé.

Juillet - Août

podophylla

Utilisations: M - F - S   120 cm/ 48 po   40 cm/ 16 po

Grandes feuilles rugueuses, composées, palmées et digitées, à folioles dentées, d'un pourpre bronze à la feuillaison devenant d'un vert profond. Préfère un sol humifère, acide et frais.

Juillet - Août   **Couleur:** Blanc crème 

sambucifolia

Utilisations: M - F - S - N   60 cm/ 24 po   60 cm/ 24 po

Une espèce qui se distingue par ses feuilles composées, imparipennées, comptant de 7 à 11 folioles d'un vert moyen. Inflorescence à panicule ramifiée portant des fleurs blanches.

Juillet - Août   **Couleur:** Blanc crème

Rosa Rosier miniature 

Famille: Rosacées   **Zone:** 5

⊗ Arrondi - Buisson

Petit rosier à fleurs miniatures provenant d'un croisement entre le rosier chinensis 'Mirina' et d'autres hybrides. Plusieurs cultivars existent dans des couleurs très variées et ont un parfum exceptionnel; une couverture de neige est nécessaire à leur survie. Classés dans les arbustes, nous ne pouvons éviter de vous en parler car ils sont offerts en petits pots avec notre production de vivaces. Floraison de juin à septembre.Toutes les variétés incrites avec les lettres AC devant leur nom, proviennent d'Agriculture Canada. Celles-ci sont toutes très rustiques, jolies et résistantes au blanc et tolérant la tache noire.

Compagnons:
Été: Coreopsis 'Moonbeam' et Limonium
Printemps: Tiarella 'Rosalie' et Myosotis 'Victoria'
Automne: Aster 'Rose Serenade' et Hosta 'Royal Standard'

***AC* 'Alexander Mackenzie'**

200 cm/ 80 po   150 cm/ 60 po

Fleurs doubles, rouge foncé. Floraison continue. Zone 3.

***AC* 'Champlain'**

⌂ 100 cm/ 40 po ◊ 100 cm/ 40 po

Fleurs doubles, rouge foncé, veloutées légèrement parfumées. Floraison continue. Zone 3.

❀ Juin à octobre

***AC* 'George Vancouver'**

⌂ 90 cm/ 36 po ◊ 100 cm/ 40 po

Récente addition à la série 'Explorateur', à boutons florales rouge foncé, qui révèlent des fleurs doubles, rouge clair devenant roses après quelques jours. Floraison sporadique mais abondante. Zone 3.

***AC* 'Henry Kelsey'**

⌂ 250 cm/ 100 po

Rosier rampant ou grimpant. Fleurs rouges au parfum épicé. Zone 3.

***AC* 'Jens Munk'**

⌂ 200 cm/ 80 po ◊ 150 cm/ 60 po

Fleurs doubles, parfumées, rose moyen et abondante. Port évasé. Zone 2.

***AC* 'John Davis'**

Rosier rampant. Fleurs doubles, abondantes, rose moyen au parfum épicé. Ses tiges sont de 250 cm de long. Zone 3.

***AC* 'John Franklin'**

⌂ 120 cm/ 48 po ◊ 120 cm/ 48 po

Fleurs parfumées, rouge moyen, abondantes. Plante vigoureuse. Zone 3.

***AC* 'Lambert Closse'**

⌂ 85 cm/ 34 po

Tout nouveau rosier 'Explorateur' à boutons florales comme ceux des hybrides de thé. Superbes fleurs aux tons changeant de rose clair, parfaitement doubles. Floraison abondante. Zone 3.

***AC* 'Marie-Victorin'**

⌂ 150 cm/ 60 po ◊ 125 cm/ 50 po

Rosier grimpant. Fleurs rose pêche devenant rose pâle par la suite. Floraison continue, fruits orangés, abondants à l'automne. Zone 3.

***AC* 'Martin Frobisher'**

⌂ 175 cm/ 70 po ◊ 150 cm/ 60 po

Fleurs rose tendre, très parfumées. Floraison abondante et continue. Zone 2.

***AC* 'William Baffin'**

⌂ 300 cm/ 120 po

Rosier grimpant. Fleurs rouges, légèrement parfumées. Floraison continue. Très rustique. Zone 2.

***AC* 'William Booth'**

⌂ 150 cm/ 60 po ◊ 200 cm/ 80 po

Fleurs rouge foncé changeant au rouge moyen. Zone 3-4.

x 'Apricot Dou'

Utilisations: M 40 cm/ 16 po 35 cm/ 14 po

Fleurs abricot parfois délavées de jaune à la maturité. Miniature.

❀ Juin à octobre

x 'Blanc double de Coubert (greffé)'

150 cm/ 60 po

Un des meilleurs rosiers de type Rugosa. Grandes fleurs d'un blanc pur, semi-doubles et parfumées. Facile à cultiver et à floraison remontante. Zone 3.

x 'Cinderella'

Utilisations: M - F 30 cm/ 12 po 40 cm/ 16 po

Plante très compacte, boutons roses, qui une fois ouverts nous donnent une fleur blanche. Miniature.

❀ Juin à octobre

x 'Estralita'

Utilisations: M - F 50 cm/ 20 po 40 cm/ 16 po

Fleurs doubles, roses. Variété vigoureuse. Miniature.

❀ Juin à octobre

x 'Frontenac'

100 cm/ 40 po

Nouveau rosier 'Exploreur' très florifère. Très résistant aux maladies. Zone 3.

x 'Hansa'

150 cm/ 60 po

Fleurs doubles, pourpres, très parfumées. Arbuste vigoureux et très rustique. Presque exempt de maladies. Floraison continue. Zone 2.

x 'Hunter'

120 cm/ 48 po

Nouvelle variété de type Rugosa au port dressé et à croisement vigoureux. Fleurs doubles, parfumées, rouge cramoisi tout l'été. Zone 4.

x 'Lilianne'

Utilisations: M - F 30 cm/ 12 po 40 cm/ 16 po

Plante compacte à fleurs doubles, rouges dont la base de ses pétales est blanche. Miniature.

❀ Juin à octobre

x 'Louis Jolliet'

120 cm/ 48 po

Rosier grimpant. Fleurs parfumées, rose moyen. Zone 3.

x 'Ocarina'

Utilisations: M - F 50 cm/ 20 po 40 cm/ 16 po

Fleurs doubles, rose saumoné. Miniature.

❀ Juin à octobre

x 'Pink Parade'

Utilisations: M　　△ 40 cm/ 16 po　　◊ 35 cm/ 14 po

Fleurs roses, miniatures, même forme de pétale qu'un hybride de thé. Miniature.

❀ Juin à octobre

x 'Simon Fraser'

△ 60 cm/ 24 po

Fleurs rose moyen. Zone 3.

x 'Victory Parade'

Utilisations: M　　△ 40 cm/ 16 po　　◊ 35 cm/ 14 po

Fleurs rouges, miniatures, même forme de pétale qu'un hybride de thé. Miniature.

❀ Juin à octobre

x 'Yellow Dole'

Utilisations: M - F　　△ 40 cm/ 16 po　　◊ 40 cm/ 16 po

Fleurs doubles jaune vif changeant au crème lorsqu'elles sont pleinement épanouies. Variété vigoureuse. Miniature.

❀ Juin à octobre

x 'Yellow Pygmea'

Utilisations: M - F　　△ 40 cm/ 16 po　　◊ 40 cm/ 16 po

Fleurs doubles, jaune doré. Espèce à croissance lente. Miniature.

❀ Juin à octobre

Rubus

Famille: Rosacées　　**Zone:** 2

Origine: Hémisphère Nord　　⊗ Couvre-sol - Colonie

Arbuste introduit au même titre que les rosiers dans ce document. Famille regroupant les framboisiers à feuilles composées et à fleurs solitaires ou groupées.

Sol: Bien drainé

arcticus

Utilisations: C　　△ 20 cm/ 8 po　　◊ 30 cm/ 12 po

Petite plante ligneuse, tapissante à tige souterraine. Fleur solitaire et fruit rouge comestible semblable à une framboise.

Feuilles: Trois folioles.

Feuillage: Vert tendre.

❀ Mai à juin　　**Couleur:** Rose

Rudbeckia Rudbeckie • Coneflower

Famille: Asteracées　　**Zone:** 3

Origine: Amérique du Nord

De culture facile, la Rudbeckia est caractérisée par des fleurs groupées en capitule. Les fleurs ligulées sont généralement jaunes (pétales) et leur coeur est brun ou vert. Le port de la plante est très différent d'une espèce à l'autre. Longévité prolongée.

Sol: Bien drainé

Compagnons: **Été:** Lavandula et Achillea
Printemps: Nepeta mussinii et Trollius
Automne: Hemeracollis 'Anzac' et Miscanthus

---

fulgida var. deamii Golden Coneflower

Utilisations: M - Pa - F

⌂ 70 cm/ 28 po ◊ 50 cm/ 20 po ⊗ Arrondi - Buisson

Fleus jaune doré, ligulées au coeur brun foncé. Variété florifère et très ramifiée.

Feuilles: Grossièrement dentées.

Feuillage: Vert grisâtre à poils courts.

❀ Juillet à septembre

---

fulgida var. speciosa

Synonyme: R. 'Newmannii' **Utilisations:** M - Pa

⌂ 90 cm/ 36 po ◊ 35 cm/ 14 po ⊗ Arrondi - Buisson

Fleurs jaune orangé, ligulées au coeur brun foncé. Floraison uniforme et prolongée. Variété très rustique.

Feuilles: Dentées à long pétiole. Basales - Ovées

❀ Juillet à septembre

***fulgida var. sullivantii* 'Goldstrum'** ♥

Utilisations: M - Pa

⌂ 70 cm/ 28 po ◊ 50 cm/ 20 po ⊗ Arrondi - Buisson

Grandes fleurs jaunes ligulées au coeur brun foncé. Florifère et populaire, de croissance uniforme.

Feuillage: Vert foncé et rugueux.

❀ Juillet à septembre

***fulgida var. sullivantii* 'Pot of Gold'** ♥

Utilisations: H

⌂ 60 cm/ 24 po ◊ 60 cm/ 24 po ⊗ Arrondi - Buisson

Plante enregistrée. Une sélection de semis de R. var. sillivantii 'Goldsturm', qui est plus compacte et de couleur plus riche que celle-ci. Zone 3.

❀ Juillet à septembre ∅ 10 cm

---

hirta

Origine: Amérique du Nord

⌂ 100 cm/ 40 po ◊ 80 cm/ 32 po

Toutes les variétés de cette espèce sont bisannuelles et se ressèment à profusion. Fleurs jaune orangé de 5 à 8 cm de diamètre. Ses feuilles sont grossièrement dentées.

❀ Juillet à octobre

***hirta* 'Double Gloriosa'** Black-Eyed-Susan

Utilisations: M - Pa ⌂ 70 cm/ 28 po ◊ 35 cm/ 14 po

Plusieurs rangées de fleurs jaunes ligulées au coeur brun foncé. Il arrive parfois que les fleurs sont semi-doubles.

❀ Juillet à septembre

***hirta* 'Irish Eyes'**

Utilisations: M - Pa

⌂ 70 cm/ 28 po ◊ 30 cm/ 12 po ⊗ Étalé

Plusieurs rangées de fleurs jaunes, simples, ligulées au coeur vert clair, idéale en fleurs coupées. Ses tiges sont très fortes. Zone 4.

Feuillage: Pubescent. ❀ Juillet à octobre

***hirta* 'Rustic Colors'**

Utilisations: M - Pa

⌂ 70 cm/ 28 po ◊ 35 cm/ 14 po ⊗ Étalé

Plusieurs rangées de fleurs ligulées, dégradées de jaune à rouille au coeur brun foncé.

Feuillage: Pubescent. ❀ Juillet à septembre

laciniata

⌂ 150 cm/ 60 po ◊ 75 cm/ 30 po

Fleurs jaunes à ligules légèrement retombantes, centre vert. Son feuillage est vert clair à glauque et lisse. Ses feuilles possèdent 3 ou 5 lobes. Préfère les sols humides.

❀ Juillet à septembre

maxima

Utilisations: M - F

⌂ 190 cm/ 76 po ◊ 5 cm/ 2 po ⊗ Dressé

Imposante plante produisant de longues tiges solides au bout desquelles de grandes marguerites retombantes à gros coeur sont produites. Zone 5.

Feuilles: Larges. **Feuillage:** Glauque.

❀ Juillet à septembre **Couleur:** Jaune

***nitita* 'Herbstsonne'** ♥

Utilisations: M - K

⌂ 150 cm/ 60 po ◊ 80 cm/ 32 po ⊗ Dressé

Plante imposante à fleur ligulée, retombante et au coeur vert, conique.

Feuilles: Entières. **Feuillage:** Glauque.

❀ Juillet à septembre **Couleur:** Jaune citron

triloba Three-lobed Coneflower

⌂ 120 cm/ 48 po ◊ 90 cm/ 36 po ⊗ Ovale - Érigé

Fleurs jaunes à feuilles inférieures ovales à 3 lobes. Son centre est large.

❀ Août à septembre

***x* 'Goldilocks'**

Utilisations: M - Pa

⌂ 70 cm/ 28 po ◊ 35 cm/ 14 po ⊗ Étalé

Bisannuelle qui se ressème à profusion. Plusieurs rangées de fleurs ligulées, courtes au coeur brun foncé et d'apparence double.

Feuillage: Pubescent, vert clair.

❀ Juillet à septembre **Couleur:** Jaune doré

x 'Goldquelle'

Utilisations: M - S

90 cm/ 36 po — 50 cm/ 20 po — ⊗ Dressé

Presque entièrement composée de fleurs doubles à ligules retombantes et au centre vert clair. Ressemble à une fleur d'héliopsis.

Feuilles: De 3 à 5 lobes.
Feuillage: Vert foncé et glabre.
❀ Juillet à septembre
Couleur: Jaune

x 'Viette's Little Suzy'

40 cm/ 16 po — ❀ Juin à septembre

Variété très florifère à fleurs jaunes et au coeur brunâtre.

Rumex Oseille vierge • Sorrel

Famille: Polygonacées

Plante ornementale, intéressante pour la couleur inhabituelle de ses feuilles.

Sol: Léger - Bien drainé

***montanum* 'Rubrifolia'** Red-Veined Dock

Synonyme: R. alpestris 'Ruber' — 30 cm/ 12 po
30 cm/ 12 po — ⊗ Rosette — ❀ Juin à juillet

Feuillage brun rougeâtre, luisant. Floraison sans intérêt.

sanguineus

80 cm/ 32 po — 50 cm/ 20 po

Plante au feuillage décoratif. Exige un sol humide. Zone 4.

Ruta Rue• Herb of Grace

Famille: Rutacées
Zone: 4
Origine: Méditerranée
⊗ Arrondi - Buisson

Plante utilisée depuis l'Antiquité où elle servait à fabriquer des couronnes. Plus tard, on l'employait dans les maisons pour éloignor les sorcières et comme outil pour asperger d'eau bénite les gens ou les objets. Son beau feuillage glauque et lobé en fait un bon sujet pour les plates-bandes. Attention au contact du feuillage, certaines personnes peuvent développer des allergies. Les petites fleurs jaunes sont plus ou moins intéressantes. Utilisée aussi comme fines herbes. Se propage par semences ou boutures. Il existe une variété 'Variegata' qui est marginée de blanc crème.

Sol: Sec et pauvre

***graveolens* 'Jackman's Blue'**

Utilisations: M — 50 cm/ 20 po
⊗ Couvre-sol - Coussin

Populaire en Europe. Son feuillage bleu luisant est plus intense que l'espèce et plus touffu. Ses fleurs jaunes sont plus ou moins intéressantes. Il existe la variété 'Bleu Beauty' au feuillage bleu acier et de 45 cm de haut. Toxique.

Feuilles: Composées. Lobées
Feuillage: Persistant. Aromatique.
❀ Juillet à août

Sagina Voir Arenaria

Salvia Sauge • Sage 

Famille: Lamiacées **Zone:** 3
Origine: Cosmopolite: régions tempérées et tropicales

Genre très varié regroupant 800 à 900 espèces retrouvées un peu comme des annuelles ou des vivaces. Pour la plupart se sont des vivaces herbacées et parfois vivaces à base ligneuse et à tiges tendres. Les feuilles opposées de forme variable sont simples ou pinnatiséquées. Ses fleurs blanches à violet foncé, souvent entourées de bractées colorées sont très attrayantes, tubulaires, disposées en verticilles denses à inflorescences en épis. Plante aromatique. Tailler les fleurs fanées afin d'inciter une deuxième floraison. Certaines espèces sont cultivées pour leur feuillage décoratif.

Sol: Pauvre - Sec
Compagnons: **Été:** Echinacea et Matricaria aurea
Printemps: Myosotis et Phlox laphamii
Automne: Sedum spectabilis et Rudbeckia 'Goldsturm'

---

argentea Silver Sage

Utilisations: P - Pa - M - F - Fs - K - L
65 cm/ 26 po ◊ 60 cm/ 24 po ⊗ Rosette

Plante au très beau feuillage argenté, très attrayant. Vivace de courte durée, vivant de 2 à 3 ans. Tolère la sécheresse.

Feuilles: De 20 cm de long. Oblongues - Dentées **Feuillage:** Aromatique.
❀ Juillet à août **Couleur:** Blanc rosé

***nipponica* 'Fuji Snow'**

Cultivar unique! Longues feuilles sagittées, panachées vers l'extrémité. Longs et gracieux épis de fleurs blanc jaunâtre pâle. Idéal à la mi-ombre. De 40 à 55 cm de haut. Zone 5-6.
Feuillage: Aromatique.

---

officinalis Common Sage

Utilisations: B - F - Fs - K - L - M - P
55 cm/ 22 po ◊ 45 cm/ 18 po ⊗ Arrondi - Buisson

Plante à utilisation culinaire, médicinale ou ornementale. Les cultivars suivants sont décoratifs pour leur feuillage: 'Purpurascens': rouge pourpre; 'Tricolor': crème, rose pourpré, vert gris; 'Variegata': panaché jaune et vert. Vivace tendre, plus ou moins rustique.

Feuilles: Marges finement crénelées, de 3 à 7 cm de long. Oblongues - Elliptiques
Feuillage: Pubescent. Persistant. Aromatique.
❀ Juin à août **Couleur:** Blanc

---

pratensis Meadow Sage

Utilisations: N - Pa - F - Fs - M - P
60 cm/ 24 po ◊ 35 cm/ 14 po ⊗ Étalé

Vivace à la base ligneuse, formée de feuilles en rosette lâche et de quelques autres tiges feuillues, moins nombreuses.Ses feuilles sont larges, rugueuses, vert foncé, pubescentes de 7,5 cm à 15 cm de long. La tige portant l'inflorescence est pubescente et collante. Demande un très bon drainage, tolère un sol alcalin. Fleur bilabiée semblable à un petit crochet. Beaucoup de variation d'un semis à l'autre. Zone 4.

Feuilles: Ovées - Lancéolées
Feuillage: Aromatique.
❀ Juillet à août
Couleur: Bleu violacé

---

sclarea Clary

Utilisations: M - O - F - Fs - P

⌂ 100 cm/ 40 po ◊ 30 cm/ 12 po ⊗ Étalé

Bisannuelle à vivace de courte durée. Produit une rosette de feuilles la première année, puis les panicules de fleurs la deuxième. Les bractées sont très apparentes, lilas pâle. Espèce très décorative, qui se ressème facilement. Originant de la région méditérannéenne, cette espèce fut utilisée dans les vins de Muscatel pour l'arôme qu'elle ajoutait à ce vin. Les fleurs disposée en étages sur la tige, sont entourées de grande bractée rose à mauve très décorative. Vivace qui est consédérée comme bisannuelle. Zone 5.

Feuilles: De 23 cm long et pétioles de 9 cm. Ovées - Oblongues
Feuillage: Vert moyen et pubescent. Aromatique.
❀ Juillet à août
Couleur: Rose

---

transsylvanica Meadow Clary

Synonyme: S. pratensis 'Baumgartenii'
Utilisations: M - Pa - F - Fs - N - P

⌂ 80 cm/ 32 po ◊ 45 cm/ 18 po ⊗ Rosette

Vivace à la base ligneuse, formée de feuilles en rosette à la base et de quelques autres tiges feuillues, moins nombreuses. Requiert un très bon drainage. Zone 4.

Feuilles: De 7,5 cm à 15 cm de long. Ovées - Lancéolées
Feuillage: Vert foncé et pubescent. Aromatique.
❀ Juillet à août
Couleur: Bleu

***verticillata* 'Alba'** Lilac Salvia

Utilisations: M - Pa - F - Fs - N - P

⌂ 60 cm/ 24 po ◊ 45 cm/ 18 po ⊗ Étalé

Vivace à tiges érigées et pubescentes. Les fleurs sont petites, verticillées, en racème pouvant atteindre 30 cm de long.Longue floraison.

Feuilles: Cordées
Feuillage: Aromatique.
❀ Juillet à août
Couleur: Blanc

***verticillata* 'Purple Rain'** Lilac Salvia ♥

Utilisations: M - F - Fs - N - P

⌂ 60 cm/ 24 po ◊ 45 cm/ 18 po ⊗ Étalé

Petites fleurs verticillées en racème ou en épis lâche. Très florifère. Zone 5.

Feuilles: Cordées - Ovées
Feuillage: Aromatique.
❀ Juillet à août
Couleur: Violet

---

x superba

Synonyme: S. nemerosa
Utilisations: F - Fs - M - P

⌂ 75 cm/ 30 po ◊ 50 cm/ 20 po ⊗ Arrondi - Buisson

Cet hybride serait issu du croisement entre S. x sylvestris et S. villicaulis, mais les opinions sur l'origine de cet hybride varient selon les différents auteurs consultés. Zone 4.

Feuilles: Crénelées, rugueuses à court pétiole. Lancéolées - Oblongues
Feuillage: Vert et sombre. Aromatique.
❀ Juillet à septembre
Couleur: Violet

x *sylvestris* 'Blue Hill'

Synonyme: S. 'Blauhügel' **Utilisations:** B - F - Fs - M - P
30 cm/ 12 po 45 cm/ 18 po ⊗ Arrondi - Buisson
Variété naine, floraison abondante. Introduction de Pagel Nursery, Allemagne. Zone 4.
Feuilles: Basales, pétiolées. Ses feuilles supérieures sont sessiles.
Lancéolées - Oblongues
Feuillage: Pubescent. Aromatique
❀ Juin à août **Couleur:** Bleu clair

x *sylvestris* 'Blue Queen'

Synonyme: S. 'Blaukönigin' **Utilisations:** M - O - B - F - Fs - P
40 cm/ 16 po 45 cm/ 18 po ⊗ Arrondi - Buisson
Belle vivace à croissance compacte. Se ressème facilement. Zone 4.
Feuilles: Pétiolées et sessiles. Lancéolées - Oblongues
Feuillage: Aromatique. ❀ Juin à août **Couleur:** Bleu violacé

x *sylvestris* 'East Friesland'

Synonyme: S. 'Ostfriesland' **Utilisations:** M - O - B - F - Fs - P
45 cm/ 18 po 45 cm/ 18 po ⊗ Arrondi - Buisson
Variété compacte à tige solide, très belle floraison. Zone 4.
Feuilles: Pétiolées et celles des tiges sont sessiles. Lancéolées - Oblongues
Feuillage: Aromatique. ❀ Juin à août **Couleur:** Violet

x *sylvestris* 'Lubeca'

Utilisations: F - Fs - M - P
80 cm/ 32 po 45 cm/ 18 po ⊗ Ovale - Érigé
D'origine incertaine, 'Lubeca' pourrait être un cultivar de S. nemorosa. Belle floraison bleu violet, longues inflorescences. Bractées rondes, teintées de violet. Très florifère, très rustique et demande peu de soins supporte même la sécheresse.
Feuilles: Lancéolées - Oblongues **Feuillage:** Aromatique.
❀ Juillet à septembre **Couleur:** Bleu violacé

x *sylvestris* 'May Night'

Synonyme: S. 'Mainacht' **Utilisations:** M - O - B - F - Fs - P
50 cm/ 20 po 45 cm/ 18 po ⊗ Arrondi - Buisson
Introduction de Karl Foerster, horticulteur allemand, 1956. Belle et longue floraison. Plante très compact, à grande fleur et à tige solide. Zone 4
Feuilles: Lancéolées - Oblongues **Feuillage:** Aromatique.
❀ Juin à août **Couleur:** Violet (presque noir)

x *sylvestris* 'Rose Queen'

Synonyme: S. 'Rosakönigin' **Utilisations:** M - Pa - F - Fs - B - P
60 cm/ 24 po 45 cm/ 18 po ⊗ Arrondi - Buisson
Plante compacte. Zone 4.
Feuilles: Lancéolées - Oblongues **Feuillage:** Gris. Aromatique.
❀ Juin à août **Couleur:** Rose pâle

***x sylvestris* 'Snow Hill'**

Synonyme: S. 'Schneehugel'

⌂ 45 cm/ 18 po ◊ 45 cm/ 18 po

Variété naine, longue floraison. Zone 4.

Feuilles: Lancéolées - Oblongues

❀ Juin à août

Utilisations: B - F - Fs - M - L

⊗ Arrondi - Buisson

Feuillage: Aromatique.

Couleur: Blanc pur

Sanguinaria Sanguinaire • Blooroot

Famille: Papaveracées **Zone:** 3

Plante retrouvée dans les sous-bois d'érablières. Fleurs solitaires à 8 pétales blancs, ouverts seulement lorsque le soleil est présent. Feuillage profondément lobé et différent. La sève contenue dans la plante est rouge vif, d'où lui vient le nom de sanguinaire. Servait autrefois à la coloration de la peinture.

Sol: Humifère - Riche

canadensis

Utilisations: M

⌂ 30 cm/ 12 po ◊ 30 cm/ 12 po ⊗ Étalé - Dressé

Fleurs solitaires de 8 à 16 pétales ressemblant à celles des Anémones. La fleur est protégée par une grande feuille avant son épanouissement, par la suite la feuille se déploie. Racine à rhizome traçant qui entre en repos à l'été. Ses feuilles très veinées sont portées sur un long pétiole.

Feuilles: Réniformes de 15 à 30 cm de diamètre. Lobées

Feuillage: Glauque au dessus et vert pâle en dessous.

❀ Avril à mai ∅ 2 cm

Couleur: Blanc

canadensis 'Flore Pleno'

Synonyme: S. 'Multiplex'

Variété à fleurs très doubles mais stériles. Se propage seulement par division. Zone 4.

Sanguisorba Burnet

Famille: Rosacées **Zone:** 3

Origine: Amérique du Nord et Asie

Fleurs sans pétales, réunies en épis denses. Les étamines et les pistils sont responsables de la couleur de l'inflorescence. Feuillage composé, denté et glauque en plus d'être décoratif.

Sol: Riche - Frais

canadensis

Synonyme: Poterium canadense **Utilisations:** M

⌂ 110 cm/ 44 po ◊ 60 cm/ 24 po

Plante indigène, intéressante à utiliser pour naturaliser. Inflorescence pouvant atteindre 15 cm de long. De culture facile dans un sol humide. Zone 4.

Feuilles: Composées, de 7 à 15 folioles ovales à oblongues dressées sur un long pétiole. Dentées

Feuillage: Vert foncé.

❀ Juillet à août **Couleur:** Blanc crème

obtusa

Utilisations: M - F

⌂ 90 cm/ 36 po ◊ 70 cm/ 28 po ⊗ Étalé - Retombant

Hampe florale d'aspect cylindrique et retombant de 4 à 7 cm de long lui donnant un air léger. Existe aussi en blanc. Zone 4.

Feuilles: Composées, de 13 à 17 folioles ovales, presque sessiles, de 40 cm de long. Dentées

Feuillage: Glauque en dessous.

❀ Juillet à août **Couleur:** Rose

tenuifolia

⌂ 150 cm/ 60 po ◊ 75 cm/ 30 po ❀ Août à septembre

Floraison abondante en épi de fleurs rouges de 2 à 7 cm de long, portées sur une hampe florale ramifiée. Feuillage décoratif. Ses feuilles possèdent de 11 à 15 folioles très étroites. Existe également en blanc 'Alba'. Zone 4.

Santolina Santoline • Lavander Cotton 

Famille: Asteracées **Zone:** 5

Origine: Méditerranée ⊗ Arrondi - Buisson

Petite vivace en forme de buisson, ligneuse à la base, au feuillage composé et argenté. Fleurs jaune doré, groupées sur un capitule sans fleurs ligulées (pétales). Souvent utilisée comme plante de mosaïque. Très bonne couverture hivernale nécessaire ou comme certaines personnes, entrer le pied mère à l'automne afin de la bouturer à l'intérieur.

Sol: Sec

chamaecyparissus

Utilisations: M ⌂ 40 cm/ 16 po ◊ 20 cm/ 8 po

Inflorescence plutôt rare sous nos climats. Se propage par boutures. La plus robuste des espèces.

Feuillage: Finement découpé et denté. Persistant. Aromatique.

❀ Juin à août **Couleur:** Jaune

rosmarinifolia

Synonyme: S. viridis **Utilisations:** M

⌂ 40 cm/ 16 po ◊ 20 cm/ 8 po ⊗ Buisson

Certain l'appelle S. virens mais ses fleurs sont différentes. Zone 5b.

Feuilles: Ses lobes sont courts.

Feuillage: Vert foncé, lustré. Persistant. Aromatique.

❀ Juillet à septembre **Couleur:** Jaune

Saponaria Saponaire • Soapwort  

Famille: Caryophyllacées **Zone:** 3

Origine: Eurasie et méditerranée

Certaines plantes sont érigées, d'autres sont tapissantes. Comme caractéristique commune, leurs feuilles sont opposées et leurs fleurs, blanches ou roses, groupées en cyme ou en panicule.

Sol: Léger

Compagnons:
Été: Iris germanica et Paeonia 'Karl Rosenfield'
Printemps: Arabis et Stachys byzantina
Automne: Echinops 'Blue Globe' et Filipendula 'Venusta'

x lempergii 'Max Frei'

⌂ 30 cm/ 12 po ◊ 50 cm/ 20 po ⊗ Buisson

Variété très ramifiée à tige semi-couchée. Floraison abondante et prolongée.

Feuilles: Lancéolées **Feuillage:** Vert sombre.

❀ Juillet à septembre **Couleur:** Rose

ocymoides Rock Soapwort

Utilisations: M - C

⌂ 15 cm/ 6 po ◊ 30 cm/ 12 po ⊗ Couvre-sol - Colonie

Semblable à la Gypsophyla rampante, tout aussi résistante et florifère. Rabattre après la floraison.

Feuilles: Ovées - Spatulées

Feuillage: Vert foncé veiné de pourpre.

❀ Mai à juillet **Couleur:** Rose

officinalis 'Rosea Plena' Bouncing Bet

Utilisations: M

⌂ 70 cm/ 28 po ◊ 35 cm/ 14 po ⊗ Ovale - Érigé

L'espèce à fleur simple est naturalisée au Québec. Floraison imposante et prolongée. Elle porte le surnom de plant à savon car anciennement avec les racines séchées ont préparaient de la poudre pour se laver. De plus cette poudre mélangée à la soude servait à blanchir le linge. Elle a aussi des vertus médicinales. Existe aussi une variété de couleur blanche.

❀ Juin à août **Couleur:** Rose 

Saxifraga Saxifrage • Rockfoil

Famille: Saxifragacées **Zone:** 2-7

Origine: Europe, Asie, Amérique du Nord et du Sud (les Andes)

⊗ Rosette - Rampant

Genre comprenant environ 370 espèces de plantes annuelles ou vivaces surtout originaires des montagnes de l'hémisphère nord. A feuilles persistantes ou non. Les espèces varient énormément quant à leurs feuilles, ports et inflorescences.

Compagnons: Été: Sedum 'Cape Blanco' et Campanula carpatica
Printemps: Saponaria ocymoides et Aubrieta
Automne: Sempervivum et Sedum lidakense

exarata ssp. moshata 'Cloth of Gold'

Synonyme: S. moshata **Utilisations:** Al - R - D - G

⌂ 15 cm/ 6 po ◊ 30 cm/ 12 po ⊗ Coussin

Tapis de rosettes bronze jaunâtre d'aspect mousseux se couvrant de fleurs jaunes dès la fin du printemps, se prolongeant parfois jusqu'à l'automne. Exposition à la mi-ombre. Sol riche en humus, humide mais bien drainé, pH neutre à alcalin. Zone 5.

Feuilles: Entières ou trilobées, de 4 à 20 cm.

Feuillage: Couleur bronze doré. Persistant.

❀ Mai à juillet **Couleur:** Jaune citron

hostii ☼

Utilisations: R - Al - D - C - G

20 à 60 cm/ 8 à 24 po — 45 cm/ 18 po

Peu commune, cette plante peut couvrir rapidement de grands espaces car ses rosettes de 15 cm, envoient des stolons de toute part, et d'autres rosettes se développent à partir des pointes des étoiles, formant un tapis dense. Inflorescence en corymbes paniculés, aplatis et tiges florales rigides, hautes et passablement feuillées. Ses fleurs sont blanc crémeux parfois tachées de pourpre. Zone 6.

Feuilles: Oblongues, dentées, de , 10 cm de long par 1 cm de large.

Feuillage: Vert foncé marqué de dépôts calcaires. Persistant.

hypnoides Moss Rockfoil

Utilisations: R - Al - D - G - S

15 cm/ 6 po — 35 cm/ 14 po — ⊗ Évasé

Espèce formant un tapis plus ou moins dense de feuillage rappelant le gazon. Jolie plante de jardin. Soleil (sans excès de chaleur) et mi-ombre. Sol léger et graveleux, humidité constante avec beaucoup d'humus. Inflorescence par petits groupes (cymes), tiges florales de 5 à 20 cm, branchées. Zone 5b.

Feuilles: Parfois trilobées à long pétiole. Lancéolées

Feuillage: Vert pâle. Persistant.

❀ Mai - Juin — **Couleur:** Blanc

paniculata Saxifrage aizoon • Lifelong Saxifrage

Synonyme: S. paniculata aizoon — **Utilisations:** Al - R - G - D

20 à 30 cm/ 8 à 12 po — 25 cm/ 10 po

Plante indigène des rochers calcaires de l'est du Québec, ainsi que des régions arctiques. Elle n'a pas peur du froid mais craint la chaleur excessive. Rapidement elle forme un bon tapis de rosettes bien serrées. Plein soleil et mi-ombre. Sol alcalin.

Feuilles: Oblongues à lancéolées avec bordure enroulée.

Feuillage: Vert grisâtre. Persistant.

❀ Mai - Juin — **Couleur:** Blanc

***paniculata* 'Rosea'**

Synonyme: S. paniculata var.minutifolia 'Rosea' — **Utilisations:** Al - R - G - D

15 cm/ 6 po — 25 cm/ 10 po

Originaire de Bulgarie, cette variante porte de minuscules fleurs rose lumineux. Plein soleil ou mi-ombre; sol alcalin à neutre, caillouteux, très bien drainé et modérément fertile. Zone 2.

Feuillage: Persistant.

❀ Mai - Juin — **Couleur:** Rose clair

***stolonifera* 'Harvest Moon'** Barbe de Juif • Strawberry Geranium

Utilisations: B - S - R - Al - Cu - C

30 à 40 cm/ 12 à 16 po — 20 cm/ 8 po

Plante rampante plutôt petite mais de croissance vigoureuse, ce petit bijou sera utile dans le jardin mais aussi comme plante d'intérieur. Mi-ombre ou ombre. Sol riche en humus, humide mais bien drainé. Zone 5. Enregistré C.O.P.F.

Feuilles: Réniformes à rondes, très découpées et bord ondulé.

Feuillage: Jaune doré intense à pétiole pubescent. Persistant.

Couleur: Rose et blanc

umbrosa Désespoir des peintres • Porcelain Flower

Utilisations: B - P - S - R - Al - G

10 à 30 cm/ 4 à 12 po   30 cm/ 12 po   ⊗ Coussin

Souvent confondu avec le S. x urbium auquel il ressemble beaucoup. Le vrai S. umbrosa se distingue surtout par des feuille oblongues, plus coriaces, et des pétioles plus courts et plus velus que ceux du S. x urbium. Mi-ombre ou ombre. Sol riche en humidité. Fleurs blanches ponctuées de rouge. Zone 5.

Feuilles: Obovées et dentures larges et arrondies.

Feuillage: Vert moyen lustré, veines plus pâles, revers rougeâtre. Persistant.

❀ Mai - Juin

virginiensis Saxifrage de Virginie • Early Saxifrage

Synonyme: Micranthes virginiensis   **Utilisations:** Al - S - R - G - N

5 à 15 cm/ 2 à 6 po   30 cm/ 12 po

Plante indigène du Québec en général, on la retrouve plus spécifiquement sur les rochers acides en Montérégie. Ses feuilles sont ovées ou oblongues, sinuées dentées, jusqu'à 8 cm, ne sécrètent pas de dépôts calcaires. Mi-ombre ou soleil (éviter les excès de chaleur). Sol acide, riche en humus, humide, bien drainé et caillouteux. Zone 4.

Feuillage: Vert souvent rougeâtre inférieurement. Persistant.

Couleur: Blanc

x arendsii Saxifrage de Arend • Mossy Saxifrage

Utilisations: R - Al - D - G - S

15 cm/ 6 po   30 cm/ 12 po   ⊗ Coussin

Très jolie plante formant un tapis de mousse se couvrant de délicates fleurs étoilées groupées sur des hampes fines, très nombreuses. Ses feuilles sont trilobées parfois linéaires, dentées; sans dépôts calcaires. Préfère le soleil ou la mi-ombre. Sol léger et graveleux, humidité constante avec beaucoup d'humus. Zone 5.

Feuillage: Vert tendre, fin. Persistant.

❀ Mai - Juin   **Couleur:** Rose

***x arendsii* 'Mossy Species Mix'**

Floraison à coloris variés, en juin. De 10 cm de haut et d'un espacement de 20 à 30 cm. Zone 5.

Feuillage: Persistant.

***x arendsii* 'Purple Robe'**

Synonyme: S. x arendsii 'Purpurmantel'   **Utilisations:** R - Al - D - G - S

15 cm/ 6 po   40 cm/ 16 po   ⊗ Coussin

Cultivar vigoureux s'étendant bien et fleurissant généreusement. Belle coloration. Zone 5.

Feuillage: Vert teinté de pourpre. Persistant.

❀ Mai - Juin   **Couleur:** Rose carmin

***x arendsii* 'Spring Snow'**

Utilisations: R - Al - D - G - S

20 cm/ 8 po   35 cm/ 14 po   ⊗ Coussin

Cultivar à fleurs blanc pur. Zone 5.

Feuillage: Persistant.   **Couleur:** Blanc pur

x geum

Utilisations: B - P - S - R - Al

△ 20 à 40 cm/ 8 à 16 po ◊ 35 cm/ 14 po

Plante issue d'un croisement entre S.hirsuta et S.umbrosa formant avec ses rosettes de feuilles vert foncé un tapis très dense. Inflorescence en corymbes, tiges florales longues, rougeâtres et cassantes. Ses fleurs sont blanches avec de petites taches jaune rougeâtre. Exposition à la mi-ombre ou ombre. Zone 5.

Feuilles: Spatulées à longs pétioles. Rondes - Dentées
Feuillage: Vert foncé. Persistant.

***x urbium* 'Aureo Punctata'** London pride

Utilisations: Al - B - P - S - R - G

△ 20 à 30 cm/ 8 à 12 po ◊ 35 cm/ 14 po ⊗ Coussin

Ressemblant fort au S. umbrosa en ce qui a trait à la culture et au type de croissance, cet hybride se distingue par son feuillage rousselé de jaune et sa croissance vigoureuse. Préfère la mi-ombre ou l'ombre. Zone 6.

Feuilles: Obovées à spatulées, pétioles ailés et courts.
Feuillage: Vert maculé de jaune crème. Persistant.
Couleur: Rouge

x zimmeteri

Utilisations: Al - M △ 15 cm/ 6 po ◊ 15 cm/ 6 po

Plante qui serait issue d'un croisement entre S.paniculata et S.cuneifolia. Floraison blanche en mai et juin.

Feuillage: En rosette, glauque à bordure argentée. Persistant.
❀ Mai - Juin **Couleur:** Blanc

Scabiosa Scabieuse • Scabious ☺

Famille: Dipsacacées **Zone:** 3
Origine: Europe, Asie et Afrique ⊗ Étalé

Genre comprenant une centaine d'espèces de plantes annuelles, bisannuelles et vivaces. Les espèces caucasicas et columbarias et les cultivars, issus de celles-ci sont très appréciés pour leurs capitules colorés. Elles demandent un sol meuble et bien drainé; une exposition ensoleillée est exigée. Fleurs en capitule solitaire; elles sont très belles et différentes en fleurs coupées. Feuillage vert, découpé.

Sol: Humide - Riche

Compagnons:
Été: Gypsophila 'Snow Flake' et Achillea 'Moonshine'
Printemps: Iberis gibraltarica et Myosotis 'Victoria Pink'
Automne: Anemone et Filipendula ulmaria 'Plena'

caucasica Scabieuse de Caucase ♥

Utilisations: M - Pa

△ 60 cm/ 24 po ◊ 30 cm/ 12 po ⊗ Ovale - Dressé

Elle forme une touffe de feuilles lancéolées d'où s'élèvent des hampes florales feuillées portant une capitule coloré. Floraison prolongée.

❀ Juillet à août ∅ 6 à 8 cm **Couleur:** Bleu lilas

***caucasica* 'Blue Perfection'**

Utilisations: M - F - P

⌂ 55 cm/ 22 po ◊ 35 cm/ 14 po ⊗ Ovale - Dressé

Un cultivar à capitules bleu pâle. Ses feuilles sont lancéolées.

❀ Juillet à août ∅ 6 à 8 cm

***caucasica* 'Compliment'**

Utilisations: M - Pa ⌂ 50 cm/ 20 po ◊ 30 cm/ 12 po

Variété à larges fleurs et au port compact.

❀ Juillet à août ∅ 6 à 8 cm **Couleur:** Bleu

***caucasica* 'Fama'**

Utilisations: M - Pa ⌂ 50 cm/ 20 po ◊ 30 cm/ 12 po

Ancienne variété à larges fleurs et au port compact.

❀ Juillet à août ∅ 6 à 8 cm **Couleur:** Bleu

***caucasica* 'Isaac House'**

⌂ 55 cm/ 22 po ◊ 35 cm/ 14 po ⊗ Ovale - Dressé

Un cultivar à larges capitules bleutés. Ses feuilles sont entières à la base et lancéolées.

❀ Juillet à août ∅ 6 à 10 cm

***caucasica* 'Miss Willmott'**

Utilisations: M - F - P

⌂ 70 cm/ 28 po ◊ 35 cm/ 14 po ⊗ Ovale - Dressé

Un superbe cultivar à capitules blanc pur.

❀ Juillet à août ∅ 6 à 8 cm

***caucasica* 'Perfecta Alba'**

⌂ 40 cm/ 16 po ◊ 35 cm/ 14 po ⊗ Ovale - Dressé

Un cultivar portant une hampe florale assez rigide et des capitules blanc pur.

❀ Juillet à août ∅ 6 à 8 cm

***columbaria* 'Butterfly Blue'** Small Scabious

Utilisations: M - Pa - P - F

⌂ 45 cm/ 18 po ◊ 30 cm/ 12 po ⊗ Ovale - Dressé

Variété très florifère et très prisée. Ses feuilles simples sont très découpées, ovales à lancéolées. L'espèce botanique est peu utilisée, on lui préfère les cultivars issus de celle-ci. Zone 5.

Feuillage: Persistant. ❀ Juillet à septembre

∅ 3 à 4 cm **Couleur:** Bleu lavande

***columbaria* 'Pink Mist'** ♥

Utilisations: M ⌂ 45 cm/ 18 po ◊ 30 cm/ 12 po

Un cultivar très florifère, mais de durée de vie plutôt courte (2 à 3 ans). Propagation commerciale nécessitant un permis puisque la plante est brevetée. Zone 5.

Feuilles: Entières. Ovées - Lancéolées

❀ Juillet à septembre ∅ 3 à 4 cm **Couleur:** Rose pâle

columbaria var. ochroleuca

Utilisations: M - Pa ⌂ 60 cm/ 24 po ◊ 45 cm/ 18 po

Fleurs bien au dessus du feuillage. Durée de vie plutôt courte (2 à 3 ans). Florifère. Zone 5.

❀ Juin à septembre **Couleur:** Jaune crème

graminifolia

⌂ 30 cm/ 12 po ◊ 45 cm/ 18 po ❀ Juillet à septembre

Fleurs lavandes et feuillage argenté. Zone 4.

japonica var. alpina

Utilisations: Al **Zone:** 3-8

⌂ 25 cm/ 10 po ◊ 20 cm/ 8 po

La plus satisfaisante des sacbieuses. Idéale pour les lieux ensoleillés et restreints. Fleurs bleu violet à floraison abondante, de juillet à octobre. Son feuillage est très découpé. De culture facile. Utilisée en rocaille, massif et dallage.

Sol: Tous les sols

Schivereckia

Famille: Brassicacées **Zone:** 5

Origine: Europe

De la même famille que la Draba ou l'Alyssum. Tout aussi florifère et facile de culture. Se comporte bien dans les rocailles. Se propage par semis, boutures ou division.

Sol: Bien drainé

doerfleri

Utilisations: Al - Cu

⌂ 15 cm/ 6 po ◊ 15 cm/ 6 po ⊗ Rosette

Floraison abondante, jusqu`à 15 fleurs sur une panicule solide.

Feuillage: Gris et pubescent.

❀ Mai à juin **Couleur:** Blanc

Scrophularia Figwort

Famille: Scrophulariacées **Zone:** 5

Origine: Eurasie: régions tempérées, Amérique: nord et régions tropicales

Environ 200 espèces. Plante rugueuse, fétide, à tige quadrangulaire. Feuilles entières ou composées (bipinnatiséquées), opposées ou alternes. Fleurs discrètes regroupées en cymes ou racèmes terminaux, jaune verdâtre, pourpres ou rouges. Les cultivars à feuillage panaché jaune et blanc sont les plus intéressants au point de vue ornemental. Il est d'ailleurs suggéré d'enlever les pousses florales pour encourager le développement du feuillage.

Sol: Riche - Bien drainé

auriculata 'Variegata'

⌂ 100 cm/ 40 po ◊ 75 cm/ 30 po ⊗ Érigé

Fleurs brunâtres. Joli feuillage décoratif, marginé de blanc crème, préfère les lieux humides. Ses feuilles opposées, dentées sont de 7 à 15 cm de long. Zone 5.

Scutellaria ☺

Famille: Lamiacées
Zone: 3
⊗ Rosette
❀ Juin à septembre

Plante se développant rapidement. Fleurs à labelles regroupées en racèmes. Feuillage gris-vert. Plante peu connue, à développement rapide mais non envahissante. Intéressante pour les rocailles et les lieux secs. A découvrir.

Sol: Calcaire - Sec

alpina

Utilisations: Al - M   20 cm/ 8 po   30 cm/ 12 po

Sa fleur est pourpre portant une lèvre jaune.

Feuilles: De 1,5 à 3 cm de long.   **Feuillage:** Vert et épais.
❀ Juin à août

alpina 'Arcobaleno'

25 cm/ 10 po   ❀ Mai à juillet

Vivace méconnue, formant un tapis dense au feuillage vert lustré. Ses fleurs violettes à bleu clair, parfois roses ou jaunes à lèvres inférieures crèmes fleurissent de mai à juillet.

Sedum Stonecrop

Famille: Crassulacées   **Zone:** 3

Plante succulente à fleurs étoilées groupées en cymes terminales. Feuilles alternes, jusqu'à spatulées, souvent petites et écailleuses, de teintes variées. Très résistante à la sécheresse.

Compagnons:
Été: Lavandula et Tradescantia
Printemps: Arabis et Saxifraga
Automne: Carex glauca et Helictotrichon

acre Goldmoss Stonecrop ☺

Utilisations: C - Cu - Al - D - G
10 cm/ 4 po   35 cm/ 14 po   ⊗ Rampant - Tapissant

Petite plante vigoureuse, pouvant devenir envahissante, tolérant mal une période de longue sécheresse. Zone 4.

Feuilles: De 3 à 6 cm, chevauchantes, triangulaires, trapues, épaisses. Alternes - Ovées
Feuillage: Vert moyen. Persistant.
❀ Juin - Juillet   **Couleur:** Jaune

album 'Murale' White stonecrop

Synonyme: S. album f. murale   **Utilisations:** C - Cu - E - A - R - Al - G
10 cm/ 4 po   55 cm/ 22 po   ⊗ Rampant - Tapissant

Une espèce au feuillage rouge brunâtre teinté de rouille. Ses anthères sont roses. Attention car trop d'arrosage ferait perdre la couleur marron des feuilles. Zone 4.

Feuilles: De 4 à 20 cm, linéaires à oblongues et trapues. Alternes - Linéaires
Feuillage: Persistant.   ❀ Juin - Juillet   **Couleur:** Blanc

atropurpurea 'Straroberis cream'

60 cm/ 24 po   ❀ Août - Septembre

Variété préférant croître au soleil.

Feuillage: Pourpre.   **Couleur:** Blanc

cauticola 'Lidakense'

Synonyme: S. cauticolum 'Lidakense' **Utilisations:** C - A - D - R - G - L - Al - Cu
15 cm/ 6 po 30 cm/ 12 po ⊗ Rampant

Indispensable pour le jardin alpin où il profitera du plein soleil et d'un sol caillouteux bien drainé ou en contenant et rocaille.

Feuilles: Succulentes. Opposées - Ovées
Feuillage: Gris-vert bleuté et teinté de pourpre.
❀ Septembre - Octobre **Couleur:** Rose magenta

cauticola 'Robustum'

Synonyme: S. cauticolum 'Robustum' **Utilisations:** R - Cu - C - A - D - G - L - Al
25 cm/ 10 po 40 cm/ 16 po ⊗ Rampant

Cultivar plus vigoureux que l'espèce, formant un coussin arrondi vert bleuté et à tiges pourpres. Zone 4.

Feuilles: Opposées, ovales, légèrement dentées et de 2 à 4 cm.
❀ Septembre - Octobre **Couleur:** Rose carmin

ellacombianum

Synonyme: S. kamtschaticum var. ellacombianum **Utilisations:** C - Cu - A - R - G - Al
10 cm/ 4 po 50 cm/ 20 po ⊗ Rampant - Tapissant

De croissance rapide, cette jolie plante tapissante saura illuminer le jardin par son feuillage dense et brillant et ses fruits orange vif. Zone 4.

Feuilles: Alternes Elliptiques - Dentées
Feuillage: Vert brillant au soleil, vert jaunâtre à l'ombre.
❀ Juin - Juillet **Couleur:** Jaune clair

erythrostictum f. variegatum Benkei-so

Synonyme: S. alboroseum f.foliis medio-variegatis; S.alboroseum 'Medio variegatum'
Utilisations: B - Pa - P - R - L
35 cm/ 14 po 40 cm/ 16 po ⊗ Évasé - Buisson

Un cultivar à feuillage panaché de blanc crème dont il faut éliminer les tiges entièrement vertes. A caractère plus prononcé si exposé à la mi-ombre. Zone 4.

Feuilles: Opposées, ovales, parfois dentées. Alternes
Feuillage: Vert glauque, tache ivoire.
❀ Août - Septembre **Couleur:** Blanc verdâtre à rosé

ewersii

Synonyme: Hylotelephium ewersii **Utilisations:** Cu - Ps - R - Al
10 cm/ 4 po 60 cm/ 24 po ⊗ Rampant - Tapissant

Couvre-sol rampant vigoureux, à tiges minces, tortueuses portant difficilement ses lourdes feuilles, ce qui en fait une plante idéale pour les paniers suspendus. Zone 4.

Feuilles: Opposées-verticillées à tiges brun lustré plutôt rondes.
Feuillage: Vert bleuté.
❀ Juin - Juillet **Couleur:** Rose magenta

hispanicum Glaucous Stonecrop

Utilisations: A - G - D - R - C

⌂ 15 cm/ 6 po ◊ 30 cm/ 12 po ⊗ Couvre-sol - Tapissant

Croissance rapide, se comporte parfois comme une bisannuelle. Zone 5.

Feuilles: Linéaires, acuminées, de 12 à 25 mm. Oblongues

Feuillage: Ver bleuté souvent teinté de pourpre. Persistant.

❀ Juin - Juillet **Couleur:** Blanc

hispanicum var. minus

Synonyme: S. bithynicum **Utilisations:** C - A - G - D - R

⌂ 10 cm/ 4 po ◊ 30 cm/ 12 po ⊗ Couvre-sol - Tapissant

Une espèce appréciée pour son feuillage bleuté. Elle se propage rapidement, ses feuilles s'enracinant au contact du sol. Zone 5.

Feuilles: Linéaires, acuminées, de 12 à 25 mm. **Feuillage:** Persistant.

❀ Juin - Juillet **Couleur:** Blanc rosé

integrifolium var. atropurpureum Entire-leaved Rosewort ♥

Synonyme: S. atropurpureum; Rhodiola atropurpureum; Rhodiola integrifolia

Utilisations: B - Pa - Al - R

⌂ 35 cm/ 14 po ◊ 30 cm/ 12 po ⊗ Ovale - Buisson

Une plante très populaire pouvant résister à une sécheresse passagère. Préfère un sol fertile et frais. Zone 2.

Feuilles: Oblongues-lancéolées à elliptiques, partie supérieure dentée.

Feuillage: Vert glauque pointes rougeâtres, rougissant en automne.

❀ Juillet - Août ∅ 5 à 7 cm **Couleur:** Rouge-pourpre

kamtschaticum

Synonyme: S. Kurilense **Utilisations:** C - R - G - A - Al - Au

⌂ 15 cm/ 6 po ◊ 40 cm/ 16 po ⊗ Arrondi - Coussin

Plante décidue formant rapidement un dense tapis de feuilles vertes rougissant à l'automne. S'accomode mal de terrains trop secs.

Feuilles: Lancéolées-spatulées, dentées, 2-4 cm. **Feuillage:** Vert foncé.

❀ Juillet - Août **Couleur:** Jaune orangé

***kamtschaticum var. floriferum* 'Weihenstephaner Gold'**

Synonyme: S. kamtschaticum 'Weihenstephaner Gold'

Utilisations: C - D - R - S - G - Cu

⌂ 10 cm/ 4 po ◊ 20 cm/ 8 po ⊗ Rampant - Coussin

Très beau cultivar dense et compact formant un tapis parfait même après la floraison. Tolère les sols humides.

Feuilles: Spatulées à lancéolées, bout arrondi et denté.

Feuillage: Vert brillant, devenant pourpre en automne. Semi-persistant.

❀ Juillet - Août **Couleur:** Jaune

***kamtschaticum* 'Variegatum'** ♥

Synonyme: S. kamtschaticum f. variegatum **Utilisations:** C - R - G - A

⌂ 15 cm/ 6 po ◊ 20 cm/ 8 po ⊗ Arrondi - Coussin

Une espèce décorative au feuillage marginé de blanc crème de façon irrégulière. Requiert le soleil.

Feuilles: Lancéolées-spatulées, de 2 à 4 cm. Alternes
Feuillage: Vert bordé de blanc crème se teintant d'orange ou rose au soleil.
❀ Juillet - Août **Couleur:** Orangé

---

oreganum Oregon Stonecrop

Synonyme: Breitungia oregana, Cotyledon oregana
Utilisations: R - Cu - B - G - D - Al - Au
10 cm/ 4 po 30 cm/ 12 po ⊗ Étalé - Coussin

Originaire de la Côte nord ouest américaine, elle aime la fraîcheur et l'humidité dans des sols rocailleux et bien drainés. Zone 4.

Feuilles: Très épaisses. Verticillées - Spatulées
Feuillage: Vert brillant se teintant d'un rouge cerise au soleil. Persistant.
❀ Juillet - Août ∅ 3 cm **Couleur:** Jaune

---

populifolium

Synonyme: Hylotelephium populifolium **Utilisations:** B - Cu - A - R - P
30 cm/ 12 po 45 cm/ 18 po ⊗ Évasé - Buisson

Un feuillage particulier rappelant celui du peuplier caractérise cette plante, facile à cultiver et d'aspect charmant. Zone 4.

Feuilles: De 4 cm. Ovées - Dentées
Feuillage: Vert clair brillant, glabre. Persistant.
❀ Juillet - Septembre **Couleur:** Blanc rosé

---

rupestre Stone Orpine

Synonyme: S. reflexum; S. albescens **Utilisations:** B - R - Cu - G - C
20 cm/ 8 po 60 cm/ 24 po ⊗ Couvre-sol - Colonie

D'allure robuste avec ses inflorescences érigées, ce sedum rampant n'en est pas moins facile à contrôler et à cultiver. Se ressème souvent.

Feuilles: Charnues, aciculées, cylindriques et de 1 à 2 cm.
Feuillage: Vert grisâtre. Persistant.
❀ Juillet - Août **Couleur:** Jaune

---

sexangulare Tasteless Stonecrop

Synonyme: S. boloniense; S. mite; S. montenegrinum
Utilisations: C - G - Cu - Al - S - L - Au
10 cm/ 4 po 60 cm/ 24 po ⊗ Rampant - Tapissant

Plante succulente rampante poussant aussi bien à l'ombre, où elle sera verte, qu'au soleil, où elle prendra une teinte bronze et sera plus compacte. Très vigoureuse. Zone 6.

Feuilles: Charnues, cylindriques et de 4 mm. Oblongues
Feuillage: Vert et lustré, tiges tortueuses. Persistant.
❀ Juillet - Août **Couleur:** Jaune

---

sieboldii October Daphne

Synonyme: Hylotelephium sieboldii **Utilisations:** Cu - Ps - R - G
10 cm/ 4 po 25 cm/ 10 po ⊗ Arrondi - Retombant

Une espèce à feuilles rondes et d'un coloris bleuté parfois agrémenté d'une marge rose. Demande un sol bien drainé et caillouteux pour éviter les attaques de limaces. Zone 5.

Feuilles: Simples et rondes, dentées dans la demie supérieure, de 1 à 2 cm. Verticillées
❀ Septembre - Octobre **Couleur:** Rose pâle

sieboldii* f. *variegatum

Synonyme: S. sieboldii 'Mediovariegatum'; Sedum sieboldii 'Variegatum'
Utilisations: Cu - Ps - R - G
⌂ 10 cm/ 4 po ◊ 25 cm/ 10 po ⊗ Rampant

Variation à feuillage vert bleuté, glauque, marbré ivoire et bordé de rouge. Zone 5.

Feuillage: Persistant.
❀ Septembre - Octobre **Couleur:** Rose foncé

***spathulifolium* 'Cape Blanco'** ♥

Synonyme: S. spathulifolium 'Cappa Blanca' **Utilisations:** C - Al - G - R - D
⌂ 10 cm/ 4 po ◊ 60 cm/ 24 po ⊗ Couvre-sol - Coussin

Très décorative pour son feuillage gris verdâtre recouvert d'un duvet blanc. Tolère l'ombre légère.

Feuilles: Tiges charnues. Spatulées **Feuillage:** Persistant.
❀ Juin - Juillet **Couleur:** Jaune

***spectabile* 'Autumn Fire'** Everlasting ♥

Synonyme: Hylotelephium 'Autumn Fire' **Utilisations:** B - Pa
⌂ 50 cm/ 20 po ◊ 35 cm/ 14 po ⊗ Évasé - Buisson

Un cultivar au feuillage gris-vert et à fleurs rose rouge. Plus uniforme, compact et couleur plus intense. Serait probablement un S. telephium. Enregistré C.O.P.F.

Feuilles: Ovales-elliptiques à obovées, dentures éparses, 8 cm. Alternes
Feuillage: Vert clair.
❀ Août - Octobre **Couleur:** Rose-pourpre

***spectabile* 'Brilliant'**

Synonyme: Hylotelephium spectabile 'Brilliant' **Utilisations:** B - Pa - R - P
⌂ 50 cm/ 20 po ◊ 35 cm/ 14 po ⊗ Arrondi - Buisson

Cultivar datant de la première guerre mondiale, à fleurs rose brillant attirant les papillons et abeilles. Ne pas confondre avec S.telephium 'Autumn Joy' dont les feuilles sont plus grandes, plus foncées et plus dentées.

Feuilles: Ovales-elliptiques à obovées, dentures éparses, 8 cm. Opposées
Feuillage: Vert tendre grisâtre. Dormant.
❀ Août - Octobre ∅ 25 cm **Couleur:** Rose cramoisi

***spectabile* 'Carmen'** ♥

Synonyme: Hylotelephium spectabile 'Carmen' **Utilisations:** B - Pa - R - P
⌂ 50 cm/ 20 po ◊ 35 cm/ 14 po ⊗ Arrondi - Buisson

Très belle variété à la fleurs foncées.

Feuilles: Opposées - Ovées **Feuillage:** Dormant.
❀ Août - Octobre **Couleur:** Rose carmin

***spectabile* 'Iceberg'**

Synonyme: Hylotelephium spectabile 'Iceberg' **Utilisations:** B - Pa - R - P
⌂ 35 cm/ 14 po ◊ 35 cm/ 14 po ⊗ Ovale

Feuillage plus pâle que l'espèce. Comme son nom l'indique, sa floraison blanche rappelle la poussière blanche d'étoile!

Feuilles: Linéaires **Feuillage:** Persistant.
❀ Juillet - Août **Couleur:** Blanc pur

***spectabile* 'Stardust'**

Synonyme: Hypotelephium spectabile 'Stardust' **Utilisations:** B - Pa - R - P
50 cm/ 20 po 40 cm/ 16 po ⊗ Arrondi - Buisson

Très belle variété à fleurs blanches.

Feuilles: Opposées ❀ Août - Octobre **Couleur:** Blanc crème

***spurium* 'Coccineum'** Two-row Stonecrop

Synonyme: S. spurium 'Splendens'; S. oppositifolium **Utilisations:** C - E - R - G
10 cm/ 4 po 60 cm/ 24 po ⊗ Arrondi - Buisson

Couvre-sol persistant à croissance vigoureuse, utile dans les grands espaces à couvrir où on espère que rien d'autre ne pousse.

Feuilles: Opposées, obovées, dentées à tiges rougeâtres.
Feuillage: Vert moyen teinté de rouge. Persistant.
❀ Juillet - Août

***spurium* 'John Creech'**

Synonyme: S. oppositifolium **Utilisations:** C - E - R - G
5 cm/ 2 po 50 cm/ 20 po ⊗ Couvre-sol - Rampant

Cultivar très court fleurissant plus tôt en saison que l'espèce.

Feuilles: Oblongues à obovées et dentées. **Feuillage:** Vert moyen.
❀ Juin - Juillet **Couleur:** Rose

***spurium* 'Red Carpet'**

Synonyme: S. oppositifolium **Utilisations:** C - E - G - R
10 cm/ 4 po 60 cm/ 24 po ⊗ Couvre-sol - Colonie

Un cultivar intéressant pour son feuillage, ses tiges et ses fleurs rouges!

Feuilles: Opposées - Ovées
Feuillage: Persistant.
❀ Juin - Août **Couleur:** Rouge

***spurium* 'Schorbuser Blut'**

Synonyme: S. spurium 'Dragon's blood'; S. oppositifolium
Utilisations: B - G - C - R
10 cm/ 4 po 35 cm/ 14 po ⊗ Couvre-sol - Colonie

Une variété à tiges rougeâtres, traçantes formant un tapis plutôt dense. Tolère l'ombre partielle. Moyennement vigoureux. Fleurs groupées par 5.

Feuilles: Opposées - Ovées
Feuillage: Vert marginé de rouge, passant au rouge foncé à l'automne. Persistant.
❀ Juillet - Août **Couleur:** Rouge carmin

***spurium* 'Tricolor'**

Synonyme: S. spurium 'Variegatum'; S. spurium var. variegatum
Utilisations: B - G - C - R
10 cm/ 4 po 45 cm/ 18 po ⊗ Couvre-sol - Rampant

Son feuillage vert est marginé de blanc crème et de rose. Il perd parfois son caractère si on n'enlève pas immédiatement ses pousses vertes. Meilleure coloration au soleil.

Feuilles: Ovées **Feuillage:** Persistant.
❀ Juin - Août **Couleur:** Rose pâle

stoloniferum

Synonyme: S. hybridum **Utilisations:** C - S

⌂ 10 cm/ 4 po ◊ 45 cm/ 18 po ⊗ Couvre-sol - Colonie

Souvent confondu avec le S.spurium et le S.stoloniferum, beaucoup plus rare, se distingue par ses feuilles minuscules en comparaison et sa fleur plus ouverte. Difficile de culture, il requiert un endroit ombragé et beaucoup d'espace. Ne tolère pas les endroits très enneigés, le soleil brûlant et la sécheresse. Zone 6.

Feuilles: Petites, obovées et aplaties. Dentées
Feuillage: Vert tendre à tiges rouges.
❀ Juillet - Août

telephium 'Autumn Joy' Orpin • Orpine

Synonyme: S. 'Herbstfreude'; S. 'Indian Chief' **Utilisations:** B - Fs - M - Pa

⌂ 60 cm/ 24 po ◊ 30 cm/ 12 po ⊗ Buisson

Fleurs petites, nombreuses et aplaties. Les feuilles ne sont pas opposées comme chez le S.spectabile, mais alternes. Variété qui se distingue plus présisément du S.spectabile par ses grosses feuilles vert bleuté, très dentées et ses étamines très longues de ses fleurs.

Feuilles: Elliptiques - Dentées
Feuillage: Dormant.
❀ Septembre - Octobre ∅ 12 cm
Couleur: Rose foncé tournant au bronze

telephium 'Ruby Glow'

Synonyme: S. 'Ruby Glow' **Utilisations:** A - C - D - R - Cu - Al - Au

⌂ 25 cm/ 10 po ◊ 45 cm/ 18 po ⊗ Colonie - Coussin

Plante au feuillage vert devenant pourpre au plein soleil et à tiges rouges. Floraison abondante. Zone 4.

Feuilles: Opposées, elliptiques et dentées.
Feuillage: Vert pourpre.
❀ Juillet - Septembre **Couleur:** Rouge rubis

telephium 'Vera Jameson' ♥

Utilisations: B - R - A - G - Cu - D

⌂ 30 cm/ 12 po ◊ 45 cm/ 18 po ⊗ Étalé - Retombant

Croisement entre S. telephium atropurpureum x S. 'Ruby Glow'. Son inflorescence est plus élancée que S. 'Ruby Glow'. Zone 4.

Feuilles: Opposées, ovales, dentées.
Feuillage: Rose pourpre bleuté presque rose à la floraison. Persistant.
❀ Août - Septembre **Couleur:** Rouge carmin

telephium ssp. maximum 'Atropurpureum'

Synonyme: S. maximum 'Atropurpureum'; Hylotelephium jullianum 'Atropurpureum'
Utilisations: B - Pa - P

⌂ 50 cm/ 20 po ◊ 35 cm/ 14 po ⊗ Étalé

De multiples variations sont présentes dûes à la reproduction par semences qui n'est pas identique au plant-mère.

Feuilles: Oblongues à ovées-oblongues, dentées. Alternes
Feuillage: Variant du rouge foncé au violet.
❀ Août - Septembre **Couleur:** Rouge-pourpre

telephium ssp. telephium

Synonyme: S. purpureum; S. purpurascens **Utilisations:** B - M - Pa - Fs
60 cm/ 24 po 30 cm/ 12 po ⊗ Évasé - Buisson

Plante vivace dressée, très robuste. Cultivée autrefois et naturalisée au bord des chemins en fortes colonies qui se propagent surtout végétativement. Zone 4.

Feuilles: De 3 à 8 cm, très charnues, largement ovales et obtuses. Dentées
Feuillage: Vert grisâtre.
❀ Septembre - Octobre ∅ 5 à 7 cm
Couleur: Pourpre

***x* 'Frosty Morn'**

Ce nouveau sedum excitant nous vient du Japon. Sa croissance est érigée, il atteint 30 cm. Son feuillage est bordé d'une large bande blanche. La floraison, en fin d'été, sera blanche dans un climat chaud, et rose très léger, dans un climat plus frais. Zone 3.

***x* 'Matrona'**

Sa floraison arrive avant celle du S.'Autumn Joy', soit en août ou en septembre. Tige et nervure rouge-rose. Peut atteindre 45 cm. Feuilles gris-vert à contour rose foncé.

***x* 'Mohrchen'**

50 cm/ 20 po 45 cm/ 18 po

Fleurs rose foncé, feuilles rondes, bourgognes ainsi que la tige. Zone 3.

❀ Août - Septembre

Semiaquilegia False columbine

Famille: Renonculacées **Zone:** 4
Origine: Chine **Utilisations:** R - Au

Genre ressemblant aux Ancolies, mais plus divisé et délicat. Ses fleurs sont pendantes. Se propage par semis.

Sol: Humifère
Compagnons: Été: Delphinium grandiflorum et Helianthemum
Printemps: Anemone pulsatilla et Dicentra
Automne: Anemone et Aster

ecalcarata

Synonyme: S. simulatrix
20 cm/ 8 po 25 cm/ 10 po

Une ancolie miniature. Fleur délicate rose foncé tachetée de pourpre. Feuillage pubescent, gris vert. Zone 5.

❀ Mai à juin ∅ 2,5 cm

Sempervivum Joubarbe • Hens and Chiks 

Famille: Crassulacées **Zone:** 2-3
Origine: Région arctique et montagneuse
Utilisations: A - R - G - Cu - Al - Au ⊗ Rosette

Genre comprenant un très grand nombre d'espèces ou de cultivars et d'hybrides, tous avec des feuilles écailleuses disposées en rosette. Le plant se reproduit végétativement par le développement des bourgeons axillaires encerclant le plant mère. Inflorescence en cymes variant du blanc jusqu'au rose ou rouge, ayant de 8 à 16 pétales, jamais à fleurs jaunes comme les Jovibardas (6 à 7 pétales). Peu de sol est nécessaire. Il est à mentionner que les variétés suivantes se retrouvent facilement sous l'appellation de S. x varié: 'Compte de Congae': Rosette rouge et verte. 'Nigrum': Feuillage vert pomme à pointe rouge.'Red Beauty': Variété populaire à rosette rouge. 'Tectorum': Rosette verte et large. Variété populaire.

Compagnons: **Été:** Geranium et Delphinium grandiflorum
Printemps: Anemone 'Rubra' et Bergenia cordifolia
Automne: Helictrotrichon et Heuchera 'Palace Purple'

---

arachnoideum

Petite plante à feuillage charnu, disposé en rosette de 5 cm et formant un tapis dense sur un sol bien drainé.

Feuillage: Vert grisâtre, avec soie blanche et applatie au-dessus. Persistant.
Couleur: Rose

---

calcareum

Utilisations: A - R - G - Cu

Une espèce formant des rosettes ouvertes. Croissance lente, floraison rare. Similaire à S. tectorum.

Feuilles: Marquées de brun au sommet.
Feuillage: Persistant. **Couleur:** Blanc rosé

---

caucasicum

Plusieurs espèces et hybrides reçoivent cette appellation. Feuilles en rosette ouvertes de 3 à 5 cm d'un vert glauque à pointes brunes. Ses fleurs sont rose carmin.

Feuilles: Pointues de 2 à 5 cm. **Feuillage:** Persistant.

---

giuseppii

Introduite en 1941. Une espèce recommandée pour sa croissance dense. Ses fleurs possèdent des pétales roses, étroits et marginés de blanc.

Feuillage: Vert et pubescent à pointe rouge. Persistant.

---

montanum

Synonyme: S. braunii

Rosettes denses de 3 à 4 cm de diamètre à fleurs violettes.

Feuilles: Allongées et légèrement pointues de 1 cm.
Feuillage: Vert et pubescent. Persistant.

---

wulfenii

Synonyme: S. globiferum

Une espèce formant de grandes rosettes de 10 cm de diamètre, plutôt ouvertes. S'accroît lentement et réclame un sol non calcaire. Les feuilles du centre sont réunies en gros bourgeon.

Feuilles: Souvent rougeâtre à la base. **Feuillage:** Vert grisâtre. Persistant.
Couleur: Rose-pourpre

x 'Gamma'

Introduit en 1929. Un hybride intéressant à rosettes de feuilles vert pâle et blanc et à fleurs roses.

Feuillage: Persistant.

x 'Grunspecht'

Variété produisant de grosses rosettes vertes à pointe rouge.

Feuillage: Persistant.

x 'Pilosum'

Jolies petites rosettes d'un vert grisâtre.

Feuillage: Persistant.

x 'Purdys'

Rosettes de 2 cm de diamètre au feuillage vert légèrement poilu et à pointes rouges.

Feuillage: Persistant. **Couleur:** Jaune, bleu pourpre à la base

x 'Purple Beauty'

Plusieurs rosettes pourpres et à fleurs roses. Plante très utilisée en aménagement.

Feuillage: Persistant.

x 'Sandford'

Rosettes larges, rouge à fleurs roses.

Feuillage: Persistant.

x 'Silver Thaw'

Petites rosettes à filament argenté.

Feuillage: Persistant.

x 'Silverine'

Un cultivar formant une rosette d'un vert bleuté à fleurs rose foncé.

Feuillage: Persistant.

Sidalcea Fausse mauve • Prairie Mallow

Famille: Malvacées **Zone:** 3-4

Origine: Ouest de l'Amérique du Nord ⊗ Dressé

Semblable à une rose trémière miniature. Fleurs blanches à rouges en racèmes étroits. Feuilles palmées profondément lobées dans le haut du plant, mais rondes à la base. Tolère mal les sols calcaires.Genre comprenant 25 espèces de plantes vivaces, rustiques dont deux sont plus souvent offertes S. candida et S. malviflora. Ces deux espèces furent croisées entre elles pour nous donner un certain nombre d'hybrides florifères qui sont rustiques en zone 5 mais demandent une protection hivernale.

Sol: Bien drainé - Riche en matière organique

Compagnons:
Été: Iris germanica 'Alba' et Delphinium
Printemps: Aster 'Happy End' et Dicentra spectabilis 'Alba'
Automne: Dianthus 'Charm' et Echinacea 'Magnus'

candida

Utilisations: M - F - P

65 cm/ 26 po | 40 cm/ 16 po | Ovale

Vivace vigoureuse, hizomateuse ayant une touffe basilaire de feuilles arrondies et lobées d'où s'érige des hampes florales portant des fleurs satinées semblables à celles de la mauve musquée.

Sol: Bien drainé | Juillet à août | **Couleur:** Blanc

***candida* 'Bianca'**

Utilisations: M - F | 100 cm/ 40 po | 40 cm/ 16 po

Couverture hivernale nécessaire.

Juillet | **Couleur:** Blanc

malviflora Checkerbloom

100 cm/ 40 po | 50 cm/ 20 po | Ovale - Érigé

Une vivace assez proche de genre Malva. Ses feuilles sont basilaires, rondes à réniformes, peu profondément lobées d'où émergent une hampe florale feuillée portant un épis de fleurs ouvertes dans les tons de rose, d'environ 5 cm et fleurissant de juillet à la mi-août.

Feuillage: Semi-persistant.

***x* 'Croftway Red'**

Utilisations: M - P

85 cm/ 34 po | 45 cm/ 18 po | Ovale - Érigé

Issu d'un croisement entre S. candida et S. malviflora. Un cultivar florifère à fleurs rose rougeâtre.

Juillet à août | ∅ 5 cm

***x* 'Elsie Heugh'**

Utilisations: M - F - P

90 cm/ 36 po | 40 cm/ 16 po | Ovale - Érigé

Issue d'un croisement entre S. candida et S. malviflora. Un cultivar à larges fleurs satinées et à pétales frangés.

Juillet à août | ∅ 6 cm | **Couleur:** Rose

***x* 'Loveliness'**

Utilisations: M - P - F

70 cm/ 28 po | 35 cm/ 14 po | Ovale - Érigé

Issue d'un croisement entre S. candida et S. malviflora. Plante compacte et florifère à fleurs rose pâle.

Juillet à août | ∅ 5 cm

***x* 'Party Girl'**

Utilisations: M - F - P

75 cm/ 30 po | 40 cm/ 16 po | Ovale - Érigé

Un cultivar au feuillage vert grisâtre portant un grand nombre d'épis de fleurs d'un rose lumineux.

Juillet à août | ∅ 4 cm | **Couleur:** Rose

x 'Rose Queen'

Utilisations: M - P - F

⌂ 65 cm/ 26 po ◊ 40 cm/ 16 po ⊗ Ovale - Érigé

Un vieux cultivar toujours populaire à fleurs d'un rose moyen à rose pâle.

❀ Juillet à août ∅ 5 cm

x 'Sussex Beauty'

Utilisations: M - F - P

⌂ 70 cm/ 28 po ◊ 40 cm/ 16 po ⊗ Ovale - Érigé

Fleurs satinées d'un vieux rose pâle.

❀ Juillet à août **Couleur:** Rose

x cultorum

Utilisations: M - F ⌂ 80 cm/ 32 po ◊ 40 cm/ 16 po

Différente teinte de rose, longue hampe florale dressée. Sa fleur est semblable à celle de la Malva.

❀ Juillet à août **Couleur:** Rose

Silene Campion Catchfly ☼

Famille: Caryophyllacées **Zone:** 4

Origine: Hémisphère Nord

Cousines des dianthus, les silènes produisent des feuilles opposées et des fleurs tubulaires, en cymes ou panicules. Ces dernières ont des pétales roses ou blancs entourés par un calice tubulaire parfois gonflé. Facile de culture. Genre comprenant plusieurs centaines de plantes herbacées surtout des annuelles et des vivaces. Certaines espèces de petite taille conviennent bien à une rocaille ou à un jardin alpin. La plupart des silènes demandent un sol modérément fertile, bien drainé, au pH neutre à légèrement alcalin. Toutes les espèces alpines sont rustiques.

acaulis Moss Campion

Utilisations: Al - Cu - B - R - G

⌂ 15 cm/ 6 po ◊ 25 cm/ 10 po ⊗ Arrondi

Originaire des régions arctiques et des sommets montagneux de l'Hémispère Nord. Cette petite plante compacte forme un coussin de feuilles très étroites, serrées sur une courte tige. Le petites fleurs émergent tôt au printemps de ce coussinet. Floraison difficile lorsque cultivée. Zone 2.

Sol: Bien drainé **Feuilles:** Filiformes.

Feuillage: Semblable à Arenaria verna (mousse). Persistant.

❀ Mai ∅ 1 cm **Couleur:** Rose

***pusilla* 'Plena'**

Utilisations: Al - Cu ⌂ 15 cm/ 6 po ◊ 15 cm/ 6 po

Fleurs doubles.

Feuillage: Vert foncé, tapissant. Persistant.

❀ Juin - Juillet **Couleur:** Blanc

schafta ◐

Origine: Caucase **Utilisations:** M - Al - R

⌂ 15 cm/ 6 po ◊ 30 cm/ 12 po ⊗ Étalé

Espèce très jolie et florifère, de culture facile. Zone 5.

Feuilles: Petites. Lancéolées
❀ Juillet à septembre
Feuillage: Vert foncé.
Couleur: Rose magenta

***schafta* 'Robusta'**
Utilisations: R - B - G
⌂ 15 cm/ 6 po ◊ 30 cm/ 12 po ⊗ Étalé
Semblable à l'espèce mais plus vigoureux, fleurit sans discontinuer de juillet à la fin septembre et arbore des fleurs plus grosses que l'espèce. Zone 5.
Couleur: Rose magenta

***schafta* 'Superba'**
Utilisations: Al - Cu ⌂ 15 cm/ 6 po ◊ 30 cm/ 12 po
Sa fleur est très voyante.
❀ Juin - Août
Couleur: Rose magenta

***uniflora* 'Druett's Variegated'** Maiden's Tears
Utilisations: Al ⌂ 10 cm/ 4 po
Feuillage: Tapissant panaché vert et crème. Persistant.
❀ Juin - Août
Couleur: Blanc

virginica
⌂ 45 cm/ 18 po ◊ 30 cm/ 12 po ❀ Juin - juillet
Fleurs d'un rouge éclatant. Zone 4.

***vulgaris ssp. maritima* 'Flore Pleno'**
Utilisations: M - Al - R - B
⌂ 15 cm/ 6 po ◊ 30 cm/ 12 po ⊗ Étalé
Cette espèce est maintenant connue sous le nom scientifique de Silene uniflora 'Flore Pleno'. Fleurs doubles, blanches au feuillage vert argenté. Ses feuilles sont ovales à lancéolées.
❀ Juillet à septembre

Sisyrinchium Bermudienne • Blue Eyed Grass

Famille: Iridacées
Origine: Nouveau monde
Zone: 3
⊗ Évasé
Feuillage semblable à celui d'un Iris, mais beaucoup plus fin.
Fleurs bleu-violet, jaunes ou blanches, solitaires ou groupées.
Se ressème facilement.
Sol: Bien drainé - Caillouteux

Fruit

angustifolium
Utilisations: M - R - A
⌂ 25 cm/ 10 po ◊ 25 cm/ 10 po ⊗ Évasé
Plante indigène. Fleurs bleu violacé à oeil jaune, groupées par 6 à 8. Son feuillage est légèrement glauque. Zone 3.
Feuilles: Étroites. **Feuillage:** En petite touffe. ❀ Juin à juillet

striatum
⌂ 60 cm/ 24 po ◊ 40 cm/ 16 po

(Sisyrinchium)

La plus grande des espèces. Ses fleurs sont blanc crème veinées de brun, elles ressemblent à un glaïeul et sont regroupées par 9 à 12. Son feuillage est glauque. Hiverne mal en sol lourd. Zone 5.

Feuilles: De 35 cm de long par 3 cm de large. ❀ Juin - Juillet

Smilacina Faux sceau de Salomon • False Salomon's seal 

Famille: Convallariacées **Zone:** 3
Origine: Amérique du Nord

Plante rhizomateuse à tige arquée portant des feuilles larges et alternes. Inflorescence en racèmes ou panicules terminales, généralement blanche ou crème. Croît dans les sous-bois en compagnie des fougères. Forme des colonies grâce à ses rhizomes vigoureux.

Sol: Humifère - Frais

racemosa

Synonyme: Maïenthemum racemosum
Utilisations: M △ 80 cm/ 32 po
◊ 30 cm/ 12 po ⊗ Retombant

Plante indigène à gros rhizome horizontal. Ses fleurs d'aspect plumeuses sont disposées au sommet de la tige feuillée. Fruits rouge clair tachetés de violet à l'automne.

Feuilles: Sessiles de 15 cm de long par 7 cm de large. Alternes
Feuillage: Vert lustré dessus et pubescent en dessous.
❀ Mai à juin **Couleur:** Blanc crème

Soldanella alpina Soldanelle des Alpes 

Famille: Primulacées
Utilisations: R - Au - Al △ 10 cm/ 4 po ◊ 15 cm/ 6 po

Cette élégante primulacée habite dans les Alpes et les Pyrénées. Ses fleurs bleu amethyste parfois blanches, inclinées, penchées et frangées. Son feuillage est vert foncé, lustré, épais et persistant. Ses feuilles toutes radicales pétiolées et épaisses, à limbe arrondi. Zone 4.

Sol: Humide ❀ Avril - Mai

Solidago Verge d'or • Goldenrod 

Famille: Asteracées **Zone:** 2
Origine: Amérique du Nord

Petits capitules de fleurs jaunes groupés en panicules, racèmes ou corymbes, de forme très variée d'une espèce à l'autre. Feuilles alternes, elliptiques et vert foncé. Très belle vivace en compagnie d'un Aster d'automne. Beaucoup utilisée en Europe, mais rarement dans nos jardins en raison de sa réputation de plante sauvage (mauvaise herbe), mais elle gagne à être connue. Cause des allergies à certaines personnes. À utiliser aussi en fleurs séchées.

Sol: Tous les sols

canadensis

Utilisations: M - Pa △ 110 cm/ 44 po
◊ 40 cm/ 16 po ⊗ Ovale - Érigé

Utilisé pour naturaliser, car s'étend rapidement grâce à ses racines traçantes.

Feuilles: Étroites. Lancéolées
❀ Juillet à septembre **Couleur:** Jaune

***flexicaulis* 'Variegata'**

Plante rare au feuillage panaché de doré. Ses fleurs sont jaunes, de 100 cm de haut et fleurissent d'août à septembre. Zone 3.

***x* 'Cloth of Gold'**

Ancienne variété, toujours populaire. Fleurs jaune foncé d'une hauteur et d'un espacement de 50 cm. Toxique.

***x* 'Golden Thumb'**

Synonyme: S. 'Queeni'

Excellente comme haie basse. Fleurs jaune clair d'une hauteur et d'un espacement de 30 cm.

***x* 'Goldenmosa'**

80 cm/ 32 po — Août à octobre

Feuillage vert clair. Floraison décorative, jaune brillant.

***x* 'Goldzuwerg'**

Synonyme: S. x 'Golden Dwarf' — **Utilisations:** M - Pa

80 cm/ 12 po — 30 cm/ 12 po

Touffe naine et compacte, à floraison mi-hâtive.

Juillet à septembre — **Couleur:** Jaune

***x* 'Laurin'**

40 cm/ 16 po — Septembre à novembre

Feuillage dense, fleur jaune vif, très fournie et compacte.

***x* 'Strahlenkrone'**

Synonyme: S. 'Crown of Rays' — **Utilisations:** M - Pa

60 cm/ 24 po — 30 cm/ 12 po — Juillet à septembre

Variété non envahissante et vigoureuse. Panicule de fleurs larges, jaune brillant.

Solidaster

Famille: Asteracées — **Zone:** 4

Ovale - Érigé

Introduite dans les années 1900. Provient d'un croisement entre Solidago et Aster. Produit des hampes florales plumeuses semblables à celles du Solidago, mais ses fleurs individuelles sont étoilées et plus grandes. Se propage par boutures et division.

Sol: Ordinaire - Frais

luteus

Utilisations: M - F — 60 cm/ 24 po — 40 cm/ 16 po

Très prisé des fleuristes pour ses fleurs coupées. Non envahissante comme le Solidago.

Feuilles: Étroites, dentées, 15 cm de long.

Feuillage: Vert moyen.

Août à septembre — **Couleur:** Jaune

Sphaeralcea False Mallow 

Famille: Malvacées **Zone:** 4
Origine: Amérique du Nord, Amérique du Sud: régions arides

De 50 à 60 espèces composent ce genre. Vivaces herbacées ou à base ligneuse avec tiges plus ou moins tendres, pubescentes. Feuilles simples à lobées à profondément palmées, légèrement dentées ou linéaires-lancéolées à orbiculaires. Inflorescence en petites grappes axillaires, racèmes ou panicules. Corolle en forme de coupe. Longue floraison de juillet à septembre, rose ou lavande chez certaines espèces, jaune, orange ou rouge (rarement blanche). À cultiver dans un sol graveleux.

Sol: Bien drainé

coccinea Prairie Mallow

Synonyme: Malvastrum coccineum **Utilisations:** M
30 cm/ 12 po 50 cm/ 20 po

Fleurs orangées à rouges qui se présentent par deux. Son feuillage est glauque, pubescent et postré. Ses feuilles entières, très divisées, alternes et ovales à oblongues. Plante de montagnes rocheuses. Zone 2.

❀ Juin à juillet ∅ 1 à 2,5 cm

Stachys Oreille d'ours • Betony ☺ 

Famille: Lamiacées **Zone:** 3-4

Certaines espèces sont cultivées pour leur feuillage laineux, alors que d'autres le sont pour leurs fleurs groupées en inflorescence serrée semblable à un épi.

Sol: Bien drainé - Sec
Compagnons:
Été: Paeonia et Trollius 'Golden Queen'
Printemps: Lysimachia et Armeria splendens
Automne: Echinops 'Blue Globe' et Filipendula venusta

byzantina Lamb's Ear

Synonyme: S. lanata ou S. olympica **Utilisations:** M
40 cm/ 16 po 40 cm/ 16 po ⊗ Étalé
Feuilles: Ovées et épaisses. Spatulées
Feuillage: Laineux. Persistant.
❀ Juillet - Août **Couleur:** Rose

byzantina 'Helenevon Stein'

Synonyme: S. 'Big Ears' **Utilisations:** M - F
60 cm/ 24 po 30 cm/ 12 po ⊗ Étalé

Plante cultivée pour ses très grandes fleurs et ses feuilles deux fois plus grandes que l'espèce. Fleurs enfoncées dans des inflorescences laineuses.

Feuillage: Laineux. Persistant.
❀ Mai à juin **Couleur:** Rose

byzantina 'Silver Carpet'

Utilisations: M
25 cm/ 10 po 40 cm/ 16 po ⊗ Étalé

Plante compacte à floraison rare, mais elle forme des tapis denses.

Feuillage: Laineux. Persistant. ❀ Juillet - Août

***macrantha* 'Robusta'**

Synonyme: S. grandiflora
50 cm/ 20 po | 50 cm/ 20 po | ⊗ Arrondi - Buisson

Fleurs larges, rose-pourpre sur un long pédoncule au feuillage vert foncé. Ses feuilles sont ovales et dentées. Plante utilsée en fleurs coupées et en bordure.

❀ Juillet à août

monnieri

Synonyme: S. densiflora
50 cm/ 20 po
Feuilles: De 5 à 7 cm de long.
❀ Juillet - Août

Utilisations: M - F
30 cm/ 12 po
Feuillage: Vert foncé et rugueux.
Couleur: Rose-mauve

officinalis

Synonyme: S. betonica
50 cm/ 20 po | 30 cm/ 12 po

Utilisations: M - F
⊗ Arrondi - Buisson

Utilisé surtout pour sa floraison abondante. Résiste bien à la sécheresse.

❀ Juillet - Août

Couleur: Rose

Stokesia Stoke's Aster

Famille: Asteracées
Origine: Amérique du Nord

Zone: 5
⊗ Rosette - Étalé

Genre ne comprenant qu'une seule espèce de plante vivace. Grand capitule de fleurs variant du blanc au bleu-mauve, semblable à celui d'une centaurée. Feuilles vert foncé et luisantes. De culture facile, il demande un sol meuble, plutôt léger et bien drrainé. Généralement exempt de maladies ou de rongeurs.

Compagnons:
Été: Gypsophila et Geranium 'Walter Ingwersen's'
Printemps: Antennaria rosea et Iris pumila 'Alba'
Automne: Physostegia et Sedum 'Carmen'

laevis

Utilisations: M - P
40 cm/ 16 po | 40 cm/ 16 po | ⊗ Rosette - Étalé

Plante formant une rosette de feuilles basilaires d'où s'élèvent des hampes florales ramifiées au sommet et portant des capitules colorés de 8 à 10 cm de diamètre. Couverture hivernale est recommendée. On retrouve également les variétés; 'Klaus Jellito' à fleurs bleu pâle de 10 à 12 cm de diamètre et de 50 cm de haut, 'Mary Gregory' fleurs jaune crème, 'Omega Skyroket' fleurs lilas de 40 cm de haut et 'Purple Parasol' fleurs bleu pâle passant au violet de 40 cm de haut.

Feuilles: Lancéolées
❀ Juillet à août | ∅ 8 à 10 cm

Feuillage: Persistant
Couleur: Bleu lilas

***laevis* 'Bleu Danube'**

Utilisations: M - P
40 cm/ 16 po | 40 cm/ 16 po | ⊗ Rosette

Cultivar florifère, à larges capitules d'un bleu moyen sur un plant plus compact. Couverture hivernale recommandée.

Feuillage: Persistant | ❀ Juillet à août | ∅ 9 à 11 cm

***laevis* 'Blue Star'**

Utilisations: M - P △ 40 cm/ 16 po ◊ 40 cm/ 16 po

Larges capitules d'un bleu pâle à blanc au centre de l'inflorescence. Ses feuilles sont lancéolées.

Feuillage: Persistant ❀ Juillet - Août ∅ 9 à 11 cm

***laevis* 'Silvermoon'**

Utilisations: M - P

△ 40 cm/ 16 po ◊ 40 cm/ 16 po ⊗ Rosette

Plante à capitules blanchâtres. Ses feuilles sont lancéolées.

Feuillage: Persistant ❀ Juillet - Août ∅ 8 à 10 cm

Streptopus amplexifolius Twisted-Stalk

Famille: Liliacées

Plante produisant des fruits décoratifs, vert rouge. Ses fleurs pendantes sont blanc verdâtre, de 90 cm de haut, l'espacement est de 60 cm. Sa floraison est de mai à juin. Zone 3.

roseus

Semblable à un petit sceau de Salomon, poussant dans les mêmes lieux. Produisant des fruits rouges, mous à l'automne. Ses fleurs sont rose pourpre, de 60 cm de haut. Sa floraison est de mai à juin. Zone 4.

Stylophorum Pavot chélidoine • Celandine Poppy

Famille: Papaveracées **Zone:** 4

Origine: États-Unis ⊗ Arrondi - Buisson

Vivace de sous-bois à feuilles pennées profondément lobées. Fleurs à larges pétales jaunes. Sève jaunâtre. La plante se ressème facilement sans être envahissante, donnant ainsi une touche naturelle dans une plate-bande. Se propage par semis et division.

Sol: Humide - Riche

diphyllum

Utilisations: M △ 45 cm/ 18 po

◊ 70 cm/ 28 po ⊗ Arrondi - Buisson

Grandes fleurs en groupe de deux ou quatre. Fruit piquant et pendant. Tiges peu nombreuses et fines.

Feuilles: Irrégulièrement lobées sur un long pétiole.

Feuillage: Vert clair, découpé et pubescent en dessous.

❀ Mai à juin ∅ 5 cm **Couleur:** Jaune

Symphyandra Bellflower

Famille: Campanulacées **Zone:** 3-4

Origine: Méditerranée

Très proche des campanules; a pour seule différence des anthères soudées autour de chaque pistil. Fleurs gonflées en forme de clochette retombante. Feuilles allongées en rosette. Tolère mal la division. Demande un sol meuble, riche et frais.

armena

△ 25 cm/ 10 po ◊ 25 cm/ 10 po

Fleurs bleues en clochettes de juillet à août. Zone 4.

hofmannii

Utilisations: M - F

⌂ 40 cm/ 16 po ◊ 45 cm/ 18 po ⊗ Érigé

Clochettes gonflées retombantes, hampe florale dressée, bleue presque blanche. Feuillage à tige pubescente. Ses feuilles sont dentées. Se ressème facilement. Zone 5b.

❀ Juillet à septembre

wanneri

Utilisations: M - O

⌂ 25 cm/ 10 po ◊ 30 cm/ 12 po ⊗ Rosette

Clochettes retombantes bleu lilas. Zone 5.

Feuilles: Sessiles ou presque. Dentées - Lancéolées

Feuillage: Vert foncé et lustré.

❀ Juin à juillet **Couleur:** Vert

Symphytum Consoude • Comfrey

Famille: Boraginacées

Zone: 5

Origine: Caucase ⊗ Arrondi - Buisson

Vivace à feuillage abondant et à fleurs pendantes aux couleurs changeantes.

Compagnons: Été: Omphalodes et Physostegia 'Variegata'
Printemps: Brunnera et Dicentra eximia
Automne: Sedum spectabilis et Solidago

grandiflorum

Synonyme: S. ibericum **Utilisations:** C - E - N - S

⌂ 30 cm/ 12 po ◊ 50 cm/ 20 po ⊗ Arrondi - Buisson

Vivace rhizomateuse, intéressante à utiliser sur de grandes surfaces, entre les arbustes, sous les arbres; à la mi-ombre ou à l'ombre. Ses feuilles sont simples, ovées à lancéolées, pétiolées et sa base est ronde. Elle a une croissance très dense, donc étouffe littéralement les mauvaises herbes! Elle peut devenir envahissante. Zone 4.

❀ Mai - Juin **Couleur:** Jaune pâle

x 'Goldsmith'

Synonyme: S. 'Jubilee'; S. ibericum 'Jubilee' **Utilisations:** B - C - M - E - L - De

⌂ 30 cm/ 12 po ◊ 30 cm/ 12 po ⊗ Arrondi - Buisson

Plante rhizomateuse, qui se répand assez bien. Feuillage pubescent. Zone 5.

Feuilles: Ovées-lancéolées, 25 cm.

Feuillage: Vert foncé avec taches dorées et crèmes.

❀ Mai - Juin **Couleur:** Bleu, blanc ou rose

x *uplandicum* 'Denford Variegatum'

Synonyme: S. peregrinum

Cultivar absolument renversant! Cette ravissante plante brille littéralement et est visible de tous les coins du jardin. Ses feuilles sont jaune doré, mouchetées et tachetées de vert plus ou moins foncé.

***x uplandicum* 'Variegatum'** Russian Comfrey

Synonyme: S. peregrinum **Utilisations:** M - E - L - N

⌂ 90 cm/ 36 po ◊ 60 cm/ 24 po ⊗ Ovale - Évasé

Cultivar issu du croisement S.asperum x S.officinale. Belle variété, intéressante pour son feuillage panaché. Attention, il peut perdre son "panaché" et redevenir vert foncé dans un sol pauvre. Zone 5.

Feuilles: Oblongues à elliptiques, pubescentes, 35-50 cm. Basales

Feuillage: Gris vert avec une large bordure crème irrégulière.

❀ Juin - Août **Couleur:** Rose lilas

Tanacetum Tanaisie • Tansy ☺ ☼

Famille: Asteracées **Zone:** 2-7

Origine: Région tempérée de l'hémisphère Nord **Synonyme:** Chrysanthemum

Genre regroupant environ 70 espèces, la plupart au feuillage aromatique et elles sont annuelles ou vivaces. Les feuilles sont simples ou composées, pennées à tripennées, très divisées, particulièrement les feuilles basales, qui sont aussi légèrement ou très velues, avec un duvet parfois argent. Les feuilles caulinaires sont plus petites et moins divisées. Les fleurs sont soit solitaires ou en corymbes, elles sont de type marguerite ou en bouton, avec le coeur jaune et les ligules blancs, jaunes ou rouges. Elles préfèrent un sol bien drainé, sablonneux; tous les types de sol peuvent s'appliquer à condition qu'ils ne soient pas trop lourds. Certaines espèces seront utilisées pour le jardin de rocaille, la plate-bande d'herbes fines, d'autres auront un usage médicinal, ou éloigneront les papillons de nuit et certains insectes au jardin.

Sol: Bien drainé

corymbosum

Utilisations: F - N - P

⌂ 90 cm/ 36 po ◊ 45 cm/ 18 po ⊗ Ovale - Érigé

Feuillage vert moyen et pubescent. Feuille de 10 à 30 cm, composées de 6 à10 paires de segments. Fleurs blanches.

Feuilles: Basales **Feuillage:** Aromatique.

huronense Tanaisie du Lac Huron • Lake Huron Tansy

Utilisations: F - N - P ⊗ Ovale - Érigé

Ses feuilles ont de 10-30 cm, elliptiques ou ovales, composées de 2 à 6 segments oblongs, lobés. Zone 3.

Feuilles: Basales **Feuillage:** Pubescent. Aromatique.

Couleur: Jaune

macrophyllum Tanaisie

Utilisations: N - M - Fs ⌂ 100 à 120 cm/ 40 à 48 po

◊ 100 cm/ 40 po ⊗ Étalé

Vivace dont le feuillage rappelle la fougère, à floraison blanche en denses corymbes, en milieu d'été. Peut refleurir en automne. Zone 4.

Feuilles: De 15-20 cm, composées de segments en 5 à 6 paires lancéolés. Alternes

Feuillage: Dessous à peine pubescent. **Couleur:** Blanc

vulgare Tanaisie vulgaire • Common Tansy ☺

Utilisations: M - N - Fs - P ⌂ 60 à 90 cm/ 24 à 36 po

◊ 45 cm/ 18 po ⊗ Ovale - Érigé

Grande vivace vigoureuse, fortement aromatique, à peine pubesente, aimant pousser en grandes colonies, naturalisée au Québec. Fleurs réunies en corymbes denses, aplatis sur le dessus, de 14 cm de diamètre. Zone 3.

Feuilles: De 5-15 cm, composées de segments en 7 à 10 paires Alternes
Feuillage: Aromatique.
❀ Juillet - Septembre **Couleur:** Jaune doré

---

vulgare var. crispum Tanaisie découpée • Curly Tansy 

Utilisations: M - Fs - N - P
⌂ 90 cm/ 36 po ◊ 45 cm/ 18 po ⊗ Étalé

Cultivar au feuillage plus large, plus finement découpé, à odeur de camphre. Légèrement moins florifère que l'espèce. Zone 3.

Feuilles: Alternes **Feuillage:** Aromatique.
❀ Juillet - Août **Couleur:** Jaune

Tellima False Allumroot

Famille: Saxifragacées **Zone:** 4
Origine: Ouest de l'Amérique du Nord

Semblable aux Heuchères et Tiarelles pour ses feuilles palmées et son inflorescence délicate en racèmes ou panicules

Sol: Frais

***grandiflora* 'Purpurea'**

Synonyme: T. 'Rubra' **Utilisations:** M
⌂ 55 cm/ 22 po ◊ 30 cm/ 12 po

Petites fleurs.

Feuilles: Palmées à long pétiole.
Feuillage: Bronzé et veiné de rouge à l'automne. Persistant.
❀ Juin **Couleur:** Rose

Teucrium Germandrée • Germander

Famille: Lamiacées **Zone:** 4
Origine: Méditerranée ⊗ Arrondi - Buisson

Petit arbuste à feuilles souvent dentées, aromatiques. Fleurs tubulaires groupées en racèmes ou épis terminaux. La plante a longtemps été utilisée pour ses vertus médicinales; on la cultive maintenant surtout pour ses fleurs. Le genre est désormais retrouvé un peu partout.

Sol: Bien drainé - Pauvre

---

chamaedrys

Utilisations: M ⌂ 40 cm/ 16 po ◊ 30 cm/ 12 po
Feuilles: Arrondies - Dentées
Feuillage: Vert foncé à texture épaisse. Persistant.
❀ Juillet - Septembre **Couleur:** Rose 

***chamaedrys* 'Prostratum'**

Utilisations: M
⌂ 15 cm/ 6 po ◊ 30 cm/ 12 po ⊗ Arrondi - Buisson

Semblable à l'espèce, mais tapissante et à floraison abondante.

Feuillage: Persistant. ❀ Juillet - Septembre 

chamaedrys 'Variegata'

Synonyme: T. x lucidrys 'Variegatum'

25 cm/ 10 po — 25 cm/ 10 po — ⊗ Arrondi - Buisson

Couvre-sol intéressant qui émet des stolons. Fleurs délicates, pourpres et regroupées par 6 à 14. Zone 5.

Feuillage: Persistant. — ❀ Juillet à août

Thalictrum Pigamon • Meadow Rue

Famille: Renonculacées — **Zone:** 4-8

Origine: Zone tempérée et Amérique du Sud — ⊗ Ovale - Érigé

Regroupe environ 130 espèces vivaces, rustiques pour la plupart (sauf celles d'origine tropicale), rhizomateuses ou tubéreuses. Les feuilles sont basales ou prennent insertion sur la tige, elles sont composées, 2 à 4 pennées; les folioles sont lobées ou dentées. Le feuillage est parfois glauque. Les fleurs sont terminales ou axillaires, réunies en panicules, racèmes ou corymbes. Elles sont habituellement petites, 4 à 5 sépales pétaloïdes, sans pétales, mais étamines et pistils nombreux, souvent colorés, très apparents, verdâtres, jaunes, roses, rose-lilas, violets ou blancs. Plante cultivée pour le feuillage et sa floraison attrayante. Les exigences en terme d'exposition et de sol peuvent varier selon les espèces.

Sol: Meuble - Profond

Compagnons: Été: Paeonia 'Immaculée' et Delphinium
Printemps: Dicentra et Iris 'Cherry Garden'
Automne: Aster 'Harrington's Pink' et Rudbeckia

alpinum Alpine Meadow Rue

Utilisations: R - B - Al - Au

15 cm/ 6 po — 30 cm/ 12 po

Petite plante alpine, quelque peu stolonifère, idéale pour les jardins de rocaille ensoleillés. Zone 3.

Feuillage: Glabre. — **Couleur:** Violet

aquilegifolium

Utilisations: M - F - S - N - P

100 à 120 cm/ 40 à 48 po — 50 cm/ 20 po

Plant dressé, dont les fleurs telles de petites huppes ont une apparence plumeuse. Elles sont surtout constituées de petits bouquets d'étamines (qui excèdent les sépales), de quelques sépales et sans pétales. Sa fleur est lilas violacé à lilas-rose. Son feuillage rappelle vraiment celui de l'ancolie, gracieux et léger. Préfère le soleil ou la mi-ombre en sol modérément acide. Sera plus susceptible aux attaques d'insectes sur un site ombragé ou très sec. Zone 4.

Feuilles: De 2 à 3 ternées, composées de folioles obovées.

Feuillage: Glabre et retombant. — ❀ Juin à juillet

dasycarpum

150 cm/ 60 po

Espèce indigène. Ses fleurs sont pourpres et son feuillage est profondément découpé. Préfère les sols meubles et humides. Zone 3.

delavayi

Synonyme: T. dipterocapum — **Utilisations:** M - F - L - P

100 à 120 cm/ 40 à 48 po — 60 cm/ 24 po

Plante dressée, tiges minces et souples, nécessitant parfois un tuteurage. Son feuillage est très gracieux, glauque. Ses fleurs sont mauves, lilas, rarement blanches avec de larges sépales et de petits groupes d'étamines blanc-jaune. Pour situations mi-ombragées, en sol léger et riche. Zone 5.

Feuilles: De 35 cm de long, 2 à 3 pennées ou ternées.
Feuillage: Glauque. ❀ Juillet à août

***delavayi* 'Hewitt's Double'**

Utilisations: M - F - L - P
⌂ 100 à 120 cm/ 40 à 48 po ◊ 60 cm/ 24 po

Cultivar à fleurs doubles mauve-violet, à sépales nombreuses, mais sans étamines. Zone 5.

Feuillage: Glauque. ❀ Juillet à août

---

flavum ssp. glaucum Pigamon • Dusty Meadow Rue

Synonyme: T. speciosissimum **Utilisations:** M - F - Fs - L - N - P - S
⌂ 100 à 150 cm/ 40 à 60 po ◊ 50 cm/ 20 po

Plante vigoureuse, dressée, à tiges et feuilles glauques. Ses fleurs, jaune soufre, sont en panicule plus large que celle qu'on retrouve chez l'espèce. Préfère les sols riches et frais, mais tolère des sols plus secs. Exposition au soleil ou à la mi-ombre. Zone 5.

Feuilles: Composées de 3 à 4 folioles lobées, avec nervures prononcées.
Feuillage: Glauque, habituellement glabre.
❀ Juillet à août

---

kiusianum

Utilisations: B - R - C - S ⌂ 10 cm/ 4 po ◊ 30 cm/ 12 po

Charmante petite plante miniature, idéale pour jardin de rocaille ombragé, ou en bordure de plant de hosta nain; dans un sol léger, humifère. Zone 5b.

Feuilles: De 10 à 13 cm, biternées, composées de folioles ovées. Lobées - Dentées
Feuillage: Bleu-vert foncé légèrement teinté de pourpre.
❀ Juillet à septembre **Couleur:** Mauve-rose

---

minus var. adiantifolium

Utilisations: M - Fs - B - R - L - P
⌂ 30 à 50 cm/ 12 à 20 po ◊ 35 cm/ 14 po

Ce cultivar a un feuillage légèrement glauque, finement découpé, rappelant celui de l'Adiantum. Sa floraison étant plus ou moins intéressante, on utilisera cette variété particulièrement pour la beauté de son feuillage, qu'on pourra si on le désire, ajouter aux bouquets de fleurs sauvages. Zone 3.

Feuillage: Vert moyen.
❀ Septembre **Couleur:** Jaune verdâtre

---

rochebruneanum Lavender Mist

Utilisations: M - F - S - N - P
⌂ 150 à 200 cm/ 60 à 80 po ◊ 50 cm/ 20 po

Plante érigée, rhizomateuse, glabre. Ce cultivar est particulièrement vigoureux et rustique. Ses fleurs, lavande foncé à violet, contrastant avec des étamines jaunes, se présentent au bout de hampes florales violet-pourpre très légèrement saupoudrées de jaune. Préfère un sol humide, humifère et riche. Exposition à la mi-ombre. Zone 4.

Feuilles: Jusqu'à 45 cm de long, composées de folioles de 2 à 3 cm.
Feuillage: Glauque. ❀ Août à septembre

Thermopsis False Lupine

Famille: Fabacées **Zone:** 3
Origine: Amérique du Nord, Sibérie, Asie: nord et est, Inde: nord.

Semblable aux Lupins par ses inflorescences généralement jaunes et en racèmes, leur feuillage composé à trois folioles ressemble à celui des Baptisias. De 20 à 30 espèces composent le genre Thermopsis. Elles présentent une certaine ressemblance avec les lupins. Chez certaines espèces, les souches sont rhizomateuses. Vivaces érigées dont les feuilles, parfois avec un duvet argenté, sont trifoliées et palmées. Des stipules persistantes prennent l'apparence de feuilles. Inflorescences érigées, terminales ou axillaires. Fleurs de légumineuse, jaunes ou violettes. Espèce se propageant facilement, elle peut devenir envahissante. Intéressante à utiliser pour la naturalisation ou en champs de fleurs sauvages. Préfère un sol meuble et pas trop fertile.

Sol: Riche - Bien drainé

---

caroliniana

Utilisations: M - F
120 cm/ 48 po 50 cm/ 20 po ⊗ Arrondi - Buisson
Sa fleur est semblalbe à celle des Lupins.
❀ Juin à juillet **Couleur:** Jaune

---

lanceolata

Synonyme: T. lupinoides **Utilisations:** M - F
60 cm/ 24 po 40 cm/ 16 po ⊗ Ovale - Érigé
Feuilles: Composées et ovées. Trifoliées - Lancéolées
❀ Juin à juillet **Couleur:** Jaune

---

rhombifolia Mountain Salse Lupine

Utilisations: M - p - f
90 cm/ 36 po 40 cm/ 16 po ⊗ Ovale - Érigé
Cette espèce est connue sous le nom scientifique de Thermopsis montana.
Feuilles: Composées et ovées. Trifoliées - Lancéolées
❀ Juin **Couleur:** Jaune pâle

---

villosa

120 cm/ 48 po 40 cm/ 16 po ⊗ Ovale - Érigé
Cette espèce est également connue sous le nom scientifique de Thermopsis caroliniana. Exige une excellente protection.
Feuilles: Composées et ovées. Trifoliées - Lancéolées
Feuillage: Glauque. ❀ Juin à juillet **Couleur:** Jaune

Thymus Thym • Thyme

Famille: Lamiacées **Zone:** 3
Origine: Europe **Utilisations:** Al - Au

Plante excellente en couvre-sol qui supporte bien le piétinement. Reconnue dans l'histoire comme condimentaire, elle était aussi utilisée par les Égyptiens en guise de parfum ou de produit d'embaumement. Au Moyen Âge, elle était appréciée pour ses propriétés médicinales. Souvent arbustive ou tapissante; ses petites fleurs tubulaires et groupées varient de blanches à rouges. Feuilles entières, arrondies et aromatiques.

Sol: Pauvre - Sec
Compagnons: **Été:** Astilbe et Lavandula
Printemps: Anemone et Antennaria tomentosa
Automne: Dactylis et Linum 'Album'

***doerfleri* 'Bressingham Pink'**

Utilisations: B - M
⌂ 10 cm/ 4 po ◊ 35 cm/ 14 po ⊗ Couvre-sol
Introduite par A. Bloom. Une espèce vigoureuse.
Feuilles: Ovées - Arrondies
Feuillage: Pubescent et argenté.
❀ Juin **Couleur:** Rose

---

leucotrichus

Utilisations: B - G
⌂ 15 cm/ 6 po ◊ 20 cm/ 8 po ⊗ Couvre-sol
Une espèce au feuillage vert grisâtre.
Feuilles: Linéaires - Lancéolées **Feuillage:** Persistant.
Couleur: Rose

---

praecox ssp. arcticus

Synonyme: T. drucei ⌂ 5 cm/ 2 po ◊ 15 cm/ 6 po
Variété qui aurait avantage à être plus commercialisée, car elle est vraiment différente.
Feuilles: Charnues, très délicates. **Feuillage:** Vert luisant. Persistant.
Couleur: Rose

***praecox ssp. arcticus* 'Albus'**

⌂ 5 cm/ 2 po ◊ 15 cm/ 6 po ⊗ Coussin
Établissement lent. Variété à fleurs blanches, très florifère.
Feuillage: Vert clair. Persistant. ❀ Juillet à août

***praecox ssp. arcticus* 'Minus'**

⌂ 3 cm/ 1 po ⊗ Coussin
Feuillage vert sombre et glacé. Peu florifère, très résistant pour le dallage.
Feuillage: Persistant. ❀ Juillet à août

---

pseudolanuginosus

Synonyme: T. lanuginosus **Utilisations:** B - G
⌂ 8 cm/ 3 po ◊ 40 cm/ 16 po ⊗ Couvre-sol - Tapissant
Une espèce formant un couvre-sol dense et tapissant au feuillage vert grisâtre et pubescent.
Feuilles: Elliptiques **Feuillage:** Persistant.
❀ Juin - Juillet **Couleur:** Rose

***serpyllum* 'Albus'**

⌂ 10 cm/ 4 po ◊ 40 cm/ 16 po ⊗ Couvre-sol - Tapissant
Un hybride à fleur blanche moins vigoureux que l'espèce botanique.
Feuillage: Vert. Persistant.

***serpyllum* 'Aureus'** Creeping Thyme ❤

Utilisations: B - M

⌂ 12 cm/ 4 po ◊ 35 cm/ 14 po ⊗ Couvre-sol - Tapissant

Un cultivar à feuillage jaune, semi-persistant.

Feuillage: Persistant. ❀ Juin - Juillet **Couleur:** Rose foncé

***serpyllum* 'Coccineus'** ❤

Utilisations: B - M

⌂ 15 cm/ 6 po ◊ 35 cm/ 14 po ⊗ Couvre-sol - Tapissant

Un cultivar à fleurs rouge carmin.

Feuillage: Vert. Persistant. ❀ Juin - Août

***serpyllum* 'Elfin'**

⌂ 15 cm/ 6 po ◊ 40 cm/ 16 po ⊗ Couvre-sol - Tapissant

Un cultivar plutôt compact au feuillage vert foncé.

Feuillage: Persistant. ❀ Juin - Août **Couleur:** Rose

***serpyllum* 'Lime'**

⌂ 15 cm/ 6 po ◊ 40 cm/ 16 po ⊗ Couvre-sol - Tapissant

Un cultivar à feuillage vert lime à jaune.

Feuillage: Persistant. ❀ Juin - Août **Couleur:** Rose

***serpyllum* 'Pink Chintz'**

⌂ 15 cm/ 6 po ◊ 35 cm/ 14 po ⊗ Couvre-sol - Tapissant

Feuillage: Vert. Persistant.

❀ Juin - Août **Couleur:** Rose pâle

***serpyllum* 'Roseus'** ❤

⊗ Couvre-sol - Tapissant

Cultivar à croissance rapide, ses fleurs sont roses et son feuillage vert.

Feuillage: Persistant.

***x* 'Doone Valley'** ❤

Utilisations: B - G

⌂ 15 cm/ 6 po ◊ 35 cm/ 14 po ⊗ Arrondi - Buisson

Un intéressant cultivar formant un coussin dense et étalé au feuillage vert sombre, composé de nouvelles pousses jaune vif.

Feuillage: Passant au rouge à l'automne.

❀ Juillet - Août **Couleur:** Rose lilas

***x* 'Doreta Klaber'**

⌂ 5 cm/ 2 po ◊ 30 cm/ 12 po ⊗ Arrondi - Buisson

Fleurs roses et feuillage vert foncé.

***x* 'Silver Posie'**

Synonyme: T. citriodorus 'Variegatus'

⌂ 15 cm/ 6 po ◊ 25 cm/ 10 po ⊗ Couvre-sol

Un cultivar au feuillage vert bordé de blanc.

Feuillage: Persistant. Aromatique.

❀ Juillet - Août **Couleur:** Rose-mauve

---

x citriodorus Lemon Thyme

Utilisations: B - M

20 cm/ 8 po 40 cm/ 16 po ⊗ Arrondi - Buisson

Un hybride naturel entre T. pulegioides x T. vulgaris dont le feuillage dégage un parfum citronné. Zone 3b.

Feuillage: Vert. Semi-persistant. Aromatique

❀ Juin - Août **Couleur:** Lilas

***x citriodorus* 'Argenteus'**

Synonyme: T. 'Silver Posie'

15 cm/ 6 po 25 cm/ 10 po ⊗ Arrondi - Buisson

Un cultivar au feuillage vert bordé de blanc et à fleurs rose-mauve.

Feuillage: Semi-persistant. Aromatique ❀ Juillet - Août

***x citriodorus* 'Aureus'**

Utilisations: B - M

20 cm/ 8 po 25 cm/ 10 po ⊗ Arrondi - Buisson

Feuillage marginé de jaune vif à odeur de citron.

❀ Juillet - Août **Couleur:** Rose

***x citriodorus* 'Bertram Anderson'**

Synonyme: T. 'Anderson's Gold'

15 cm/ 6 po 25 cm/ 10 po ⊗ Arrondi - Buisson

Un cultivar à feuillage doré et son port est compact.

Feuillage: Semi-persistant. Aromatique

❀ Juillet - Août **Couleur:** Rose

***x citriodorus* 'Golden King'**

20 cm/ 8 po 25 cm/ 10 po ⊗ Arrondi - Buisson

Tiges érigées et ses feuilles sont vertes, marginées de jaune.

❀ Juillet - Août **Couleur:** Lilas

Tiarella Tiarelle • Foamflower

Famille: Saxifragacées **Zone:** 3

Origine: Amérique du Nord et Asie

Belle plante de sous-bois à feuilles d'érable parfois tachetées de rouge. Petites fleurs blanches parfois rosées, en racème donnant un aspect rugeux. Se propage par stolons. Plante indigène à feuillage persistant.

Compagnons:

Été: Tradescantia et Astilbe 'Erica'

Printemps: Viola odorata et Sanguinaria canadensis

Automne: Asarum canadense et Hosta 'Wide Brim'

cordifolia

Utilisations: M - Cu
⌂ 30 cm/ 12 po
◊ 30 cm/ 12 po
Petite fleur d'aspect léger. Se propage par stolon. Ses feuilles ressemblent à celle de l'érable. Inflorescence en racème.
Feuillage: Persistant.
❀ Mai - Juin **Couleur:** Blanc

***cordifolia* 'Oakleaf'**

Utilisations: M ⌂ 30 cm/ 12 po ◊ 30 cm/ 12 po
Fleur légère, touffe serrée. Ses feuilles ressemblent à celles du chêne.
Feuilles: Palmées - Lobées **Feuillage:** Persistant.
❀ Mai - Juin **Couleur:** Blanc rosé

***cordifolia* 'Rosalie'**

Utilisations: M - R - S - P ⌂ 30 cm/ 12 po ◊ 20 cm/ 8 po
Beau feuillage lobé, maculé de pourpre le long des nervures principales, formant une rosette compacte. Floraison légère et délicate de petites fleurs roses portées par de fines tiges bien audessus du feuillage. Plante enregistrée. Zone 3.
Sol: Humide **Feuilles:** Dentées
Feuillage: Persistant. ❀ Mai - Juin **Couleur:** Rose

wherryi

Synonyme: T. cordifolia ssp.collina **Utilisations:** M
⌂ 30 cm/ 12 po ◊ 30 cm/ 12 po
Fleurs à étamines roses formant des touffes serrées. Ses feuilles d'érable ont une belle coloration automnale souvent veinées de pourpre.
Feuillage: Persistant. ❀ Juin - Juillet **Couleur:** Blanc

***x* 'Cygnet'**

Utilisations: F
⌂ 35 à 40 cm/ 14 à 16 po ◊ 50 cm/ 20 po
Nouvelle introduction, forme une touffe compacte. Feuilles pronfondement découpées. Très belles fleurs roses parfumées. Plante enregistrée.
Feuillage: Persistant. ❀ Mai à juin

***x* 'Dark Eyes'**

Utilisations: M ⌂ 30 cm/ 12 po ◊ 30 cm/ 12 po
Les feuilles sont marquées de noir et passent au bronze à l'automne. Fleurs blanc rosé et à profusion. Plante enregistrée.
Feuilles: Palmées **Feuillage:** Persistant. ❀ Mai - Juin

***x* 'Dark Filligree Lace'**

Utilisations: M ⌂ 25 cm/ 10 po ◊ 20 cm/ 8 po
Un croisement entre T. cordifolia et T. trifoliata var. laciniata. Feuillage très fin, semblable à la dentelle.
Feuillage: Persistant. **Couleur:** Blanche

x 'Dark Star'

Utilisations: M - F - R - Cu

20 à 30 cm/ 8 à 12 po — 20 cm/ 8 po

Feuille en forme d'étoile, marqué au centre par une étoile plus foncé. Très florifère et parfumée, elle tolère le soleil.

Feuillage: Persistant. **Couleur:** Blanc crème

x 'Freckles'

Utilisations: M — 30 cm/ 12 po — 30 cm/ 12 po

Les feuilles sont à sinus profond, tachetées de pourpre. Possède de grandes fleurs rose-pourpre.

Feuilles: Palmées **Feuillage:** Persistant.

Mai - Juin **Couleur:** Rose

x 'Inkblot'

Utilisations: F — 25 cm/ 10 po — 35 cm/ 14 po

Port compact, qui ne s'étale pas. Feuillage aux immenses taches noires. Grande quantité de fleurs parfumées, blanches teintées de rose. Plante enregistrée.

Feuillage: Persistant.

x 'Lace Oliver'

Petit feuillage légèrement ondulé.

Feuillage: Persistant. **Couleur:** Blanche

x 'Lacquer Leaf'

Utilisations: F — 20 cm/ 8 po — 40 cm/ 16 po

Un feuillage plus que lustré, laqué. Très belles fleurs blanc rosé.

Feuillage: Persistant.

x 'Mint Chocolate'

Utilisations: F — 20 à 30 cm/ 8 à 12 po — 30 cm/ 12 po

Nouvelle introduction. La feuillo est vert menthe, chocolatée au centre et profondement lobée. Plante enregistrée.

Feuillage: Persistant. Mai - Juin **Couleur:** Marron

x 'Ninja'

Utilisations: F — 20 à 30 cm/ 8 à 12 po — 30 cm/ 12 po

Feuillage palmé, serré et très découpé. Les feuilles sont vertes à centre brun et tournent au pourpre-noir à l'automne. Florifère. Plante enregistrée.

Feuillage: Persistant. Juin **Couleur:** Corail

x 'Pink Bouquet'

Utilisations: M - F

15 à 30 cm/ 6 à 12 po — 25 cm/ 10 po — ⊗ Arrondi

Feuillage à sinus profond. Les feuilles sont vertes tachées de marron au centre. Très florifère, les fleurs sont parfumées et remontantes. Plante enregistrée. La plus belle à tous les points de vue.

Feuilles: Palmées - Sinuées **Feuillage:** Persistant.

Mai à juin **Couleur:** Rose

x 'Skeleton Key'

30 cm/ 12 po — 30 cm/ 12 po — ⊗ Arrondi

Les feuilles sont profondément découpées et légèrement marquées de pourpre. Plante enregistrée.

Feuilles: Palmées
❀ Mai - Juin
Feuillage: Persistant.
Couleur: Blanc rosé

x 'Snow Flake'

Utilisations: M
30 cm/ 12 po — 30 cm/ 12 po — ⊗ Arrondi

Fleur parfumée. Feuillage à grandes feuilles.

Feuilles: Palmées
❀ Mai - Juin — **Couleur:** Blanc
Feuillage: Persistant.

x 'Spanish Cross'

Utilisations: F — 20 cm/ 8 po — 35 cm/ 14 po

Feuillage curieux en forme de croix baroque. Fleurs blanches teintées de rose. Plante enregistrée.

Feuillage: Persistant

x 'Tiger Stripe'

Utilisations: F

25 cm/ 10 po — 35 cm/ 14 po — ⊗ Arrondi

Feuillage luisant tacheté de pourpre. Fleurs roses parfumées. Plante enregistrée.

Feuillage: Persistant.

Tolmiea

Famille: Saxifragacées — **Zone:** 4

Couvre-sol à feuillage persistant utilisé aussi comme plante d'intérieur. Floraison sans intérêt, croissance rapide. À remarquer, cette vivace produit des plantules sur ses feuilles. Commercialisée sous le nom de T. menziesii.

Tovara Voir Polygonum

Tradescantia Ephémère • Spiderwort

Famille: Commelinacées — **Zone:** 3-4
⊗ Évasé

Vivace facile de culture et d'entretien. Ses racines sont charnues, à croissance en forme d'échasse. Ses fleurs à 3 pétales sont ornées d'étamines généralement jaunes aux poils colorés. Chaque fleur est de courte durée, mais elle se renouvelle continuellement. Afin d'assurer cette floraison continue jusqu'à la période du gel, il faut prendre soin de couper les fleurs fanées. Se propage facilement par boutures et division. Seulement l'espèce x andersoniana (Syn.T.virginiana) est cultivée au Québec.

Fleur

Compagnons:
Printemps: Phlox subulata et Polemonium
Été: Lupinus et Campanula glomerata
Automne: Aster et Solidago

x *andersoniana* 'Blue Stone'
Fleurs bleu-lavande.

x *andersoniana* 'Innocence'
Utilisations: M - Tu ⌂ 60 cm/ 24 po ◊ 45 cm/ 18 po
Feuillage: Étroit et effillé.
❀ Juillet à septembre - Mi-hâtive **Couleur:** Blanc pur

x *andersoniana* 'Leonora'
Fleurs violettes.

x *andersoniana* 'Osprey' ♥
Utilisations: M - F ⌂ 60 cm/ 24 po ◊ 45 cm/ 18 po
Fleurs blanches à étamines bleues. Une variété à floraison hâtive et d'aspect spécial.
❀ Juillet à septembre

x *andersoniana* 'Pauline'
Utilisations: M - F ⌂ 60 cm/ 24 po ◊ 45 cm/ 18 po
Variété depuis longtemps utilisée. Fleurs rose carmin et son feuillage est étroit parfois faible.
❀ Juillet à septembre

x *andersoniana* 'Purple Profusion'
Floraison abondante et prolongée de fleurs mauves, d'un espacement et d'une hauteur de 45 cm. Sélection de semis avec des feuilles à rayures mauves. Port nain. Zone 4.

x *andersoniana* 'Red Cloud'
Utilisations: M - F ⌂ 50 cm/ 20 po ◊ 45 cm/ 18 po
Plante plus compacte que T. 'Rubra' et au feuillage rigide.
❀ Juillet à septembre **Couleur:** Rose magenta

x *andersoniana* 'Rubra'
⌂ 60 cm/ 24 po ◊ 45 cm/ 18 po
❀ Juillet à septembre **Couleur:** Rose magenta

x *andersoniana* 'Snow Cap'
Larges fleurs d'un blanc pur.

x *andersoniana* 'Valour'
⌂ 60 cm/ 24 po ◊ 45 cm/ 18 po ❀ Juillet à septembre
Une belle variété de couleur violet-pourpre.

x *andersoniana* 'Zwanenburg Blue' ♥
⌂ 60 cm/ 24 po ◊ 45 cm/ 18 po ❀ Juillet à septembre
Une des plus belles à fleurs larges, bleu-violet soutenues par des tiges solides.

Tricyrtis Tricyrtis • Toad Lily 

Famille: Liliacées **Zone:** 4-5
Origine: Himalaya, Japon et Taïwan ⊗ Évasé - Retombant

Compte entre 16 et 18 espèces, vivaces, à minces et courts rhizomes rampants, dont les tiges velues sont érigées ou arquées. Les feuilles sont vert pâle ou vert foncé, parfois tachetées de brun ou d'un vert plus foncé, souvent lustrées, avec des nervures proéminentes. Elles sont ovées à lancéolées, caulinaires, embrassant la tige, presque sessiles. L'inflorescence est terminale ou axillaire; les fleurs sont solitaires ou en cymes. La plupart des espèces apprécieront avoir à leur base, un paillis de feuilles compostées ou d'aiguilles de pins. Généralement rustiques, elle bénéficieront tout de même d'un bon paillis sec dans les régions très froides et où il y a peu d'accumulation de neige l'hiver. Espèce vraiment intéressante pour la beauté et la particularité de ses fleurs. Récemment introduite sur le marché horticole, on observe parfois une certaine confusion au niveau de l'identification et de la nomenclature. A noter qu'il y a des espèces à floraison estivale et d'autres à floraison automnale.

Sol: Riche - Humide

---

formosa 'Variegata'

Son feuillage est vert avec une légère bordure jaune doré.

---

hirta Japanese Toad Lily

Synonyme: T. japonica **Utilisations:** F - N - P - S
60 à 80 cm/ 24 à 32 po 60 cm/ 24 po

Vivace intéressante à utiliser pour sa floraison en automne mais surtout pour son feuillage "différent" et le caractère de ses fleurs blanches maculées de petits points violets qui donnent une touche d'originalité.

Feuilles: Sessiles, de 15 cm. Alternes - Lancéolées
Feuillage: Vert pâle, pubescent.
Septembre à octobre **Couleur:** Blanc 

---

hirta 'Miyazaki'

Utilisations: F - N - S - P 90 cm/ 36 po 45 cm/ 18 po

Cultivar ayant les mêmes caractères que l'espèce, à tiges arquées. La fleur est blanche maculée de petits points lilas.

Feuilles: Alternes Septembre - Octobre 

---

hirta 'Miyazaki Gold'

Utilisations: F - N - S - P 90 cm/ 36 po 45 cm/ 18 po

Ressemble en tous points au 'Miazaki' mais sa feuille est jaune doré. La fleur est blanche maculée de petits points lilas.

Feuilles: Alternes **Feuillage:** Jaune doré.
Septembre - Octobre

---

x 'Tojen'

90 cm/ 36 po 60 cm/ 24 po

Hybride très vigoureux avec les plus grosses et grandes feuilles de tous les cultivars de Tricyrtis. Grande fleur parfumée, lavande violacé, avec centre blanc. Fait vraiment penser à l'orchidée Dendrobium. Pour l'ombre en zone 5.

Trifolium Trèfle • Clover

Famille: Fabacées **Zone:** 4

⊗ Couvre-sol - Colonie

La majorité de ces vivaces sont utilisées comme plantes fouragères; d'autres sont considérées comme des mauvaises herbes. Seulement un petit groupe présente un intérêt ornemental. Feuilles à 3 folioles souvent marquées de pourpre ou de gris argenté. Fleurs groupées en inflorescence globulaire.

---

repens 'Purpurascens

Utilisations: C ⌂ 20 cm/ 8 po ◊ 30 cm/ 12 po

Feuilles: Souvent à quatre ou cinq folioles. **Feuillage:** Pourpre.

❀ Juin - Septembre **Couleur:** Blanc

---

rubens

⌂ 60 cm/ 24 po ◊ 30 cm/ 12 po

Larges fleurs rose-pourpre, très décoratives, fleurissant de juin à août et intéressantes en fleurs coupées.

Trillium Trille

Famille: Trilliacées **Zone:** 3

Plante rhizomateuse produisant une tige à 3 feuilles verticillées et une seule fleur à 3 pétales verts, jaunes, blancs, roses ou pourpres selon les espèces. La plus connue demeure la trille à grandes fleurs qui couvre nos sous-bois de blanc au printemps.

Sol: Profond - Riche

---

erectum Red Trillium

Utilisations: M ⌂ 35 cm/ 14 po ◊ 25 cm/ 10 po

Plante indigène des bois riches. Sa fleur décorative est nauséabonde, ses sépales sont verts et ont une ligne rouge.

Feuilles: Cordées

❀ Mai **Couleur:** Rouge vin

---

grandiflorum White Trillium

Utilisations: M ⌂ 40 cm/ 16 po ◊ 25 cm/ 10 po

Plante indigène dans les bois feuillus. Elle représente l'emblème floral de l'Ontario. Grandes fleurs blanches tournant au rose en fin de saison. Il existe une variété à fleurs doubles.

Feuilles: Ovales, accuminées de 10 à 30 cm de long. Verticillées

❀ Mai **Couleur:** Blanc

---

undulatum

Synonyme: T. erythrocarpum

Fleurs blanches à rouges avec bordure ondulée possédant des baies rouges à l'automne. Une des plus belles fleurs vivaces.

Tritoma Voir Kniphofia

Trollius Trolle • Globe Flower

Famille: Renonculacées **Zone:** 3
Origine: Milieu humide des régions tempérées du Nord

Fleurs globulaires jaunes, terminale et solitaire. Feuillage palmé, vert foncé et luisant. Se cultive pas semis ou division. La plupart des hybrides sont améliorés et fleurissent plus longtemps.

Sol: Frais - Riche

Compagnons:
Été: Iris pumila et Penstemon 'Husker Red'
Printemps: Tiarella 'Rosalie' et Myosotis
Automne: Phlox paniculata 'Flamingo' et Physostegia 'Variegata'

---

chinensis

Utilisations: B - J
90 cm/ 36 po — 45 cm/ 18 po — Érigé

Une espèce botanique de grande taille.

Feuilles: Palmées
Juin — ∅ 5 cm — **Couleur:** Jaune orangé

---

europaeus

60 cm/ 24 po

Plante forte et vigoureuse qui forme de grosses touffes à floraison prolongée. Son cultivar le plus connu T.'Orange Queen'. Zone 4.

Mai à juin — **Couleur:** Jaune clair

---

ledebourii 'Golden Queen'

Utilisations: B - J
75 cm/ 30 po — 40 cm/ 16 po — Érigé

Proche des renoncules, cette espèce fleurit au début de l'été. Le plus beau de tous, ses fleurs orangées s'ouvrent plus que les autres et sont semi-doubles. Originaire de l'Angleterre, T. europaeus fleurit une semaine après.

Feuilles: Dissequées — Juin — ∅ 5 cm

---

x 'T. Smith'

Utilisations: M - F
60 cm/ 24 po — 45 cm/ 18 po — Ovale - Érigé

Feuillage: Vert foncé.
Mai - Juin — ∅ 5 à 6 cm — **Couleur:** Jaune citron

---

x *cultorum* 'Albaster'

Utilisations: B - J
60 cm/ 24 po — 45 cm/ 18 po — Ovale - Érigé

Un cultivar à fleurs doubles aux doux coloris.

Juin — ∅ 3 à 5 cm — **Couleur:** Blanc crème

---

x *cultorum* 'Canary Bird'

Utilisations: B - J
50 cm/ 20 po — 45 cm/ 18 po — Ovale - Érigé

Un cultivar à floraison prolongée provenant de T. europaeus.
❀ Mai à juin ∅ 3 à 5 cm **Couleur:** Jaune citron pâle

***x cultorum* 'Cheddar'**
⌂ 60 cm/ 24 po ◊ 45 cm/ 18 po ❀ Mai - Juillet
Nouvelle variété à floraison abondante, jaune pâle à crème.

***x cultorum* 'Earliest of All'**
Utilisations: B - J
⌂ 60 cm/ 24 po ◊ 45 cm/ 18 po ⊗ Ovale - Érigé
Un cultivar à la floraison hâtive, provenant du T. europaeus.
❀ Mai ∅ 5 à 8 cm **Couleur:** Jaune clair

***x cultorum* 'Etna'**
Utilisations: B - J
⌂ 50 cm/ 20 po ◊ 45 cm/ 18 po ⊗ Érigé
❀ Mai - Juin ∅ 3 à 6 cm **Couleur:** Orangé

***x cultorum* 'Fire Globe'**
Utilisations: B - J
⌂ 65 cm/ 26 po ◊ 45 cm/ 18 po ⊗ Ovale - Érigé
Également connu sous le nom de T. 'Feuertroll'.
❀ Mai - Juin ∅ 4 à 7 cm
Couleur: Jaune orangé avec des étamines orangées

***x cultorum* 'Goldquelle'**
Utilisations: B - J
⌂ 70 cm/ 28 po ◊ 45 cm/ 18 po ⊗ Ovale - Érigé
Variété à floraison tardive.
❀ Juin à juillet ∅ 5 à 8 cm **Couleur:** Jaune

***x cultorum* 'Lemon Queen'**
Utilisations: B - J
⌂ 60 cm/ 24 po ◊ 45 cm/ 18 po ⊗ Ovale - Érigé
Un cultivar fleurissant à la fin du printemps.
❀ Mai - Juin ∅ 5 à 8 cm **Couleur:** Jaune pâle

***x cultorum* 'Orange Princess'**
Utilisations: B - J
⌂ 60 cm/ 24 po ◊ 45 cm/ 18 po ⊗ Ovale - Érigé
❀ Juin ∅ 5 à 8 cm **Couleur:** Orange doré

***x cultorum* 'Prichard's Giant'**
Utilisations: B - J
⌂ 100 cm/ 40 po ◊ 50 cm/ 20 po ⊗ Ovale - Érigé
Variété offrant de grosses fleurs sur de longues tiges.
❀ Juin ∅ 5 à 6 cm **Couleur:** Jaune orangé

Uvularia Uvulaire

Famille: Convallariacées **Zone:** 4
Origine: Amérique du Nord

Plante rhizomateuse produisant des fleurs solitaires jaunes, pendantes et élégantes. Feuillage porté sur des tiges arquées et délicates.

Sol: Profond - Humifère

grandiflora

Utilisations: M ⌂ 30 cm/ 12 po ◊ 30 cm/ 12 po
⊗ Buisson - Retombant ❀ Mai - Juin

Jolie plante de sous-bois à fleurs retombantes, disposées sur des tiges feuillées.

Feuillage: Pubescent sous la feuille. **Couleur:** Jaune

Verbascum Molène • Mullein

Famille: Scrophulariacées **Zone:** 3-4
Origine: Europe et Asie

Généralement bisannuelle, cette plante forme des rosettes de feuillage large duquel sort une hampe florale dressée portant des fleurs groupées en épis, racèmes ou panicules selon les espèces. Peu connue. Une panoplie de couleurs et de différents feuillages sont offerts.

Sol: Tous les sols
Compagnons:
Été: Astilbe 'Europa' et Lamium 'Beacon Silver'
Printemps: Saponaria ocymoides et Phlox divaricata
Automne: Coreopsis 'Moonbeam' et Delphinium 'Bleu Butterfly'

blattaria 'Pink Form'

Utilisations: K - F ⌂ 180 cm/ 72 po ◊ 40 cm/ 16 po

Bisannuelle. Ses fleurs portant des étamines et pistils pourpres sur une longue hampe florale.

Feuilles: Pennées à lobes arrondis.
❀ Juillet - Août **Couleur:** Rose

bombyciferum 'Polarsommer' Turkish Mullein ☺

Synonyme: V. 'Arctic Summer' **Utilisations:** M - K - Fs
⌂ 180 cm/ 72 po ◊ 45 cm/ 18 po ⊗ Dressé

Bisannuelle formant une longue inflorescence très pubescente portant des fleurs tachetées de pourpre.

Feuilles: Très grandes. **Feuillage:** Extrèmement laineux.
❀ Juin - Juillet **Couleur:** Jaune

chaixi 'Album' Nettle-leaved Mullein

Utilisations: M - F ⌂ 100 cm/ 40 po ◊ 35 cm/ 14 po

Fleurs blanches à pistil rose magenta. Bisannuelle.

Feuillage: Vert en rosette. ❀ Juillet à août

olympicum

Utilisations: M - F ⌂ 180 cm/ 72 po ◊ 40 cm/ 16 po

Inflorescence ramifiée, argentée et dispoée en verticille. Bisannuelle. Excellente pour les lieux secs et chauds.

Feuilles: Grandes et feutrées.
❀ Juillet - Août **Couleur:** Jaune

phoeniceum Purple Mullein
Utilisations: M - F ⌂ 75 cm/ 30 po
◊ 30 cm/ 12 po ⊗ Dressé
Fleurs blanches, rouges ou violettes en tons variés sur une inflorescence ramifiée. Jolie plante peu exigeante. Il existe la variété 'Pink Domino' à fleurs rose foncé et mesurant 100 cm de haut.
Feuillage: Vert foncé, large et en rosette.
❀ Juin à août

Verbena Verveine • Vervain

Famille: Verbenacées **Zone:** 3
Origine: Amérique
Peu de verveines ornementales sont rustiques pour le Québec. La majorité d'entre elles produisent des petites fleurs tubulaires regroupées en épis. Leurs feuilles lancéolées sont souvent verticillées.

bonariensis
⌂ 150 cm/ 60 po ◊ 100 cm/ 40 po ❀ Mai - Septembre
Fleurs pourpres, odorantes, remontantes et utilisées en fleurs coupées. Zone 5.
Feuillage: Persistant.

hastata
Utilisations: M - K ⌂ 150 cm/ 60 po ◊ 40 cm/ 16 po
Petites fleurs portées sur de longue tige dressée. Plante se retrouvant à l'état sauvage le long des cours d'eau ou des fosses.
❀ Juillet - Septembre **Couleur:** Mauve

virginicum Voir Veronicastrum virginicum

Vernonia Ironweed

Famille: Asteracées **Zone:** 4
Origine: Amérique du Nord et du Sud
De 500 à 1000 espèces provenant des régions tropicales et chaudes composent ce genre. Les espèces originaires des régions un peu plus nordiques sont habituellement des vivaces herbacées ou des annuelles. Celles des régions tropicales sont principalement ligneuses. Les espèces vivaces ont une croissance érigée; leurs feuilles sont simples, entières ou dentées, sessiles et, surtout, alternes, ce qui les distinguent des Eupatoires auxquelles elles ressemblent. L'inflorescence est une cyme, plus ou moins comme un corymbe aplati. Les fleurs sont très petites, tubulaires, violet pourpré, rarement blanches. Plantes vigoureuses et fortes, à utiliser pour leur jolie floraison de fin d'été.
Sol: Tous les sols - Humide

crinita
Utilisations: F ⌂ 150 cm/ 60 po ◊ 80 cm/ 32 po
Nombreuses fleurs rose-pourpre de 2,5 cm de diamètre. Son feuillage est vert foncé. Facile de culture et peu exigeante. Zone 4b.
❀ Août à septembre

noveboracensis New York Ironweed

⌂ 120 cm/ 48 po ◊ 80 cm/ 32 po ❀ Août à septembre

Jolie plante, d'intérêt à découvrir, ses tiges pourpres au printemps passent au vert pourpre en saison. Ses fleurs pourpres attirent les papillons et ses feuilles vertes sont alternes et lancéolées. Il existe la variété 'Albiflora', généralement de couleur blanche mais parfois pourpre, de 200 cm de haut et se propage par semis.

Veronica Véronique • Speedweell

Famille: Scrophulariacées **Zone:** 3

Origine: Région tempérée de l'hémisphère Nord

Plante érigée à tapissante portant de petites fleurs blanches à violettes, en épis axillaires ou terminaux, en racèmes ou en corymbes.

Sol: Humide

Compagnons:

Été: Delphinium et Filipendula

Printemps: Bergenia et Iberis

Automne: Chrysanthemum et Tradescantia

***Espèce* 'Variété'**	Description	⌂ cm/po	◊ cm/po	❀ cm
allionii	Plante alpine tapissante, au feuillage persistant vert portant de court épis violet foncé. Préfère un sol humide.	5/2	30/12	6-8
alpina **'Alba'**	Une bonne plante alpine. Fleur: blanche. Zone 4.	25/10	20/8	6-8
armena ❤	Une jolie espèce tapissante pour situation ensoleillée. Fleurs plus ou moins veinées. Nécessite un sol bien drainé. Fleur: bleu.	10/4	30/12	5-7
austriaca ssp. teucrium **'Crater Lake Blue'**	Plante basse et tapissante, excellente en devanture ou dans une rocaille, porte une multitude de racèmes à fleurs bleu de chine. Syn.:V. teucrium.	30/12	30/12	6-7
chamaedrys **'Miffy Brute'**	Vivace couvre-sol au feuillage persistant, panaché de blanc. Fleurs bleu ciel et abondantes. Préfère un sol riche et humide. Zone 4.			6
fasciculata	Fleurs violet-pourpre. Zone 3.	90/36		8-9

Espèce 'Variété'	Description	cm/po	cm/po	cm
filiformis	Plante tapissante à petites feuilles arrondies pouvant couvrir rapidement un espace légèrement ombragé. Feuillage persistant. Fleur: bleu ciel. Zone 5.	10/4	35/14	5-7
gentianoides	Plante tapissante au feuillage disposé en rosette rosette d'un vert foncé et luisant. Elle porte des racèmes bleu pâle à bleu foncé. Tolère le soleil et la mi-ombre. Il existe une variété 'Nana', de 20 cm de haut. Zone 5.	50/20	35/14	5-6
'Variegata' ♥	Un cultivar à feuilles panachées. Préfère un sol légèrement humide. Variété non envahissante. Fleur: bleu. Zone 4.	50/20	35/14	6-7
grandis **'Blue Charm'** ♥	Un cultivar de grande taille souvent classé avec l'espèce V. spicata. Feuillage vert foncé et lustré. Variété uniforme à floraison imposante. Fleur: bleu.	60/24	35/14	7-8
hybride **'Blue Streak'**	Variété différente des autres, ses fleurs sont rondes dans les tons de bleu-lavande striées de violet.	30/12	30/12	
'Burgens Blue'	Fleurs bleues à gorge blanche.	20/8	15/6	5-6
'Sunny Border Blue' ♥	Un beau cultivar à longue floraison. Résiste bien au mildiou. Gagnant du Perennial plant of the year en 1993. Fleur: bleu violacé.	55/22	30/12	6-8
longifolia **'Blue Giant'**	Plante résistante, croît naturellement à proximité des cours d'eau. Fleur: bleu moyen.	80/32	40/16	7-8
pectinata **'Rosea'**	Une plante tapissante à petites feuilles velues d'un vert grisâtre. Elle ressemble à V. 'Whitleyi'. Fleur: rose.	10/4	30/12	6-7
prostrata **'Heavenly Blue'**	Plante intéressante pour couvrir un sol infertile au drainage excessif. Fleur: bleu foncé.	15/6	30/12	6
'Mrs Holt'	Grappe de fleurs rose lilas très abondantes donnant l'impression d'être doubles. Tolère les lieux secs. La variété 'Blue Sheen' est de couleur bleu pâle et très florifère.	10/4		6-7

Espèce 'Variété'	Description	⇧ cm/po	⇨ cm/po	❀ cm
repens				
	Plante originaire des prairies alpines de l'Espagne. On retrouve de 2 à 3 fleurs par racème. Croissance rapide. Fleur: blanc bleuté. Feuillage persistant et glabre.	5/2	30/12	6
spicata				
	Plante formant une petite touffe et convenant à un sol bien drainé. Il existe une variété couvre-sol 'Nana', très florifère à fleurs bleues et de 10 cm de haut.	40/16	40/16	6-8
'Blaufuchs' ♥	Variété très populaire à floraison uniforme et abondante. Syn.:V. 'Blue Fox'. Fleur: bleu foncé.	30/12	30/12	6-8
'Blue Peter'	Un cultivar à fleurs bleu foncé. Tolère un site ensoleillé.	45/18	30/12	6-8
'Giles Van Hees'	Ressemble à la variété V. 'Minuet', introduite par Carroll Gardens, cette véronique courte fleurit rose.	15/6		7-8
'Goodness Grows'	Un cultivar qui fleurit très longtemps, mais à croissance lente. Fleur: bleu foncé.	30/12	30/12	6-8
'Heidekind'	Un cultivar plus compact et très florifère. Fleur: rouge foncé.	20/8	30/12	6-8
'Icicle'	Semblable à l'espèce, mais à fleurs blanches.	50/20	30/12	6-8
'Minuet'	Un cultivar intéressant à fleurs roses et son feuillage est pubescent.	40/16	30/12	6-8
'Noah Williams' ♥	Feuilles fortes, épaisses, dentées, tachetées de crème et blanc. Fleurs blanches. Tolère le soleil et la mi-ombre. Une sélection de V. 'Icicle'. Zone 2.	55/22	30/12	7-9
'Red Fox'	Variété superbe, très florifère et à tige érigée et fuselée. Sa floraison est remontante et très uniforme. Fleur: rose.	30/12	30/12	6-8
'Rosea'	Un cultivar à fleurs roses. Syn.: V. 'Erica'.	40/16	30/12	6-8
ssp. incana				
	Une sous-espèce qui se distingue par son feuillage argenté et son port compact. Nécessite un sol sec et neutre. Fleur: bleu violacé.	40/16	30/12	6-7
subsessilis				
'Blue Pyramid'	Introduite par Jelitto. Plante vigoureuse, se ramifie bien pour offrir une abondante floraison de couleur de bleu foncé. Son feuillage vert est lustré et épais. Zone 4-5.	50/20	40/16	6-8
whitleyi ♥				
	Jolie et facile d'entretien. Feuillage persistant et laineux. Espèce qui doit être située au soleil ou à la mi-ombre. Fleur: bleu. Zone 3.	10/4		5-6

Veronicastrum Culver's Root  

Famille: Scrophulariacées
Origine: Amérique du Nord

Zone: 3
⊗ Ovale - Érigé

Vivace vigoureuse. Plante très semblable aux Véroniques, mais ayant comme caractéristique différente; de 3 à 9 feuilles verticillées. De port élancé. Son inflorescence est composée de minuscules fleurs regroupées en racèmes terminaux nombreux, qui donnent à votre aménagement un effet luxuriant sans trop d'entretien. Son nom anglais provient du Docteur Culver qui prescrivait les racines jaunes comme médicament.

Sol: Riche - Humide

Compagnons:
Printemps: Actaea et Arabis
Été: Monarda et Aconitum
Automne: Eupatorium et Gaura.

---

virginicum

⌂ 150 cm/ 60 po ◊ 100 cm/ 40 po ⊗ Couvre-sol - Érigé

Croît le long des routes et chemins de fer. Inflorescence à panicule très ramifiée. Ses feuilles sont disposées en verticille par 3 à 9 ayant 15 cm de long, lancéolées, dentées et lustrée à petiole court. Utilisation; en fleurs coupées, isolée et bord de pièces d'eau. Il existe la variété 'Alba', à fleurs blanches.

Feuilles: Verticillées ❀ Juin à septembre **Couleur:** Bleu clair

Vinca Pervenche • Myrtle Periwinkle 

Famille: Apocynacées
Origine: Ancien monde

Zone: 4
⊗ Couvre-sol - Colonie

Souvent utilisée comme plante couvre-sol, les Vincas vivaces produisent des fleurs solitaires axillaires, le long de ses tiges rampantes. Les feuilles sont entières et opposées. Préfère un sol léger et frais.

Feuillage: Persistant. ❀ Mai - Juin

Compagnons:
Été: Hosta 'Royal Standard' et Tradescantia
Printemps: Arabis 'Rosea' et Convallaria majalis
Automne: Lugularia 'Othello' et Lysimachia clethroides

---

herbacea

Plante très rustique mais méconnue. Couvre-sol très court au feuillage caduc. Fleurs bleu violacé fleurissant de mai à juin.

---

minor

⌂ 20 cm/ 8 po ◊ 30 cm/ 12 po

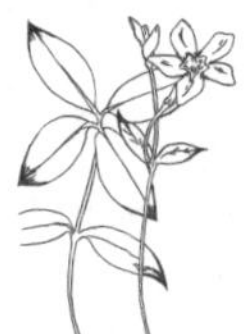

La plus connue, croissance assez lente à fleurs bleu-mauve plus petites que celles des nouveaux cultivars. Son feuillage est vert. Existe aussi à fleur blanche 'Alba'.

Feuillage: Persistant.

---

minor 'Albo Variegata'

Fleurs bleu pâle et son feuillage est marginé de blanc.

Feuillage: Persistant.

---

minor 'Argenteovariegata'

Fleurs bleu lilas et son feuillage est vert, panaché de blanc argenté.

Feuillage: Persistant.

***minor* 'Atropurpurea'**

20 cm/ 8 po 30 cm/ 12 po **Couleur:** Violet

Variété vigoureuse à fleurs pourpres et au feuillage vert foncé.

Feuillage: Persistant.

***minor* 'Aureovariegata'**

Fleurs bleu pâle et feuillage vert bordé de jaune.

Feuillage: Persistant.

***minor* 'Bowles Variété'**

Synonyme: V. 'La Grave'

Grandes fleurs bleu foncé et son feuillage est vert très lustré.

Feuillage: Persistant.

***minor* 'Dart's Blue'**

Cultivar très vigoureux et supérieur à V. 'Bowles'.

***minor* 'Emily joy'**

20 cm/ 8 po

Floraison abondante à grandes fleurs blanches.

***minor* 'Gertrude Jekyll'**

De croissance lente, ce cultivar est très florifère, à petites fleurs d'un blanc pur. Plante nommée en l'honneur de Mlle Jekyll qui a beaucoup oeuvrée en horticulture.

Feuillage: Persistant.

***minor* 'Ralph Shugert'**

Utilisations: C 30 cm/ 12 po 30 cm/ 12 po

Fleurs bleues. Plante enregistrée.

Feuillage: Large, vert foncé marginé de blanc. Persistant.

minor f. alba

Utilisations: C 10 cm/ 4 po 30 cm/ 12 po

Feuillage: Petit, vert foncé. Persistant.

Mai - Juin **Couleur:** Blanc

Viola Violette • Violet

Famille: Violacées **Zone:** 4

Utilisations: M - F - B - R - Al - Au

20 cm/ 8 po 20 cm/ 8 po

Genre très varié regroupant plus de 500 espèces, incluant les petites violettes de sous-bois ainsi que les pensées vivaces. On retrouvent ces plantes partout dans les zones tempérées du globe. En voici quelques-unes:

Altaica Fleurs bleu foncé, tachées de jaune, de 5 à 15 cm de haut. Son feuillage est foncé et persistant. Zone 2.

Canadensis Espèce indigène des bois riches. Petites fleurs blanches à oeil jaune, veinées de violet au revers, parfumées et d'un diamètre de 2,5 cm. Tolère une exposition à la mi-ombre. Floraison remontante.

Cornuta Espèce à plusieurs variétés obtenues par hybridation. Ce sont des V. tricolor améliorées; fleurs plus grosses de 4 cm de diamètre et de 15 cm de haut. Variation de couleur dans toutes les gammes. Floraison de mai à juin. Exposition ensoleillée.

Corsica Floraison en juin, grandes fleurs bleu-violet foncé, tachetées de jaune, de 15 cm de haut. Son feuillage est vert foncé et compact. De culture facile, en tout sol et non envahissante. Zone 5.

Labradorica Fleurs bleu violet, de 15 cm de haut. Ses feuilles pourpres sont en forme de coeur. Se propage par semis, division ou boutures. Floraison remontante apparaissant d'avril à septembre. Exposition ensoleillée ou mi-ombragée. Zone 3.

Odorata Violette européenne, parfumée, à fleurs simples ou doubles se retrouvant dans les teintes de blanc, bleu, violet rose et de 2 à 2,5 cm de diamètre. Floraison d'avril à mai. De 15 cm de haut. Se ressème facilement et se divise bien. Zone 4.

Sororia Ressemble à V. odorata, mais sa fleur est tachetée de picots. Tolère toutes les expositions. Zone 3.

Tricolor Fleurs à trois couleurs; bleues, jaunes et blanches. Espèce qui se ressème facilement et ajoute une note naturelle au paysage. Exposition ensoleillée ou mi-ombragée. Zone 3.

Compagnons: **Printemps:** Arabis 'Variegata' et Cerastium
Été: Dicentra 'Luxuriant' et Salvia 'Blue Queen'
Automne: Hemerocallis 'Stella De Oro' et Tradescantia

---

coreana **'Syletta'**

15 cm/ 6 po   15 cm/ 6 po

Fleurs rose violacé. Son feuillage est marbré de gris.

---

cornuta **'Perfection Blue'**

⊗ Arrondi - Buisson   ❀ Mai à septembre   **Couleur:** Bleu

Variété à larges fleurs bleues. Cette espèce existe également dans les teintes de blanc 'White Perfection' et de jaune 'Yellow Perfection'.

---

cornuta **'Pretty'**

⊗ Arrondi - Buisson   ❀ Mai à septembre

Fleurs jaunes à oeil pourpre, créant un joli contraste.

---

cornuta **'Princess'**

⊗ Arrondi - Buisson

Floraison abondante de petites fleurs de différentes couleurs; jaunes, bleues et pourpres.

---

cornuta **'Scottish Yellow'**

⊗ Arrondi - Buisson

Variété populaire à grandes fleurs jaunes parfumées.

---

labradorica **'Purpurea'** Labrador Violet

Synonyme: V. riviniana 'Purpurea'

10 cm/ 4 po   20 cm/ 8 po   ⊗ Rosette

Espèce très décorative par son feuillage pourpre et sa floraison abondante bleu foncé, d'un diamètre de 2 cm. S'étend rapidement grâce à ses petits stolons fins et courts. Tolère toutes les expositions. Zone 3.

Feuilles: Arrondies ou cordées.

❀ Mai à octobre   **Couleur:** Violet

***mandshurica* 'Grandiflora'**

⌂ 10 cm/ 4 po ◊ 20 cm/ 8 po ⊗ Rosette

Belle variété à fleurs larges et violettes.

Feuilles: Triangulaires. Palmées - Lobées

❀ Mai - Juin **Couleur:** Violet

***odorata* 'Queen Charlotte'**

Synonyme: V. 'Konigin Charlotte'

⌂ 20 cm/ 8 po ◊ 20 cm/ 8 po ⊗ Rosette

Fleurs bleu violacé, odorantes.

Feuilles: Cordées **Feuillage:** Persistant. ❀ Mai à juin

***odorata* 'Royal Robe'**

⌂ 20 cm/ 8 po ◊ 20 cm/ 8 po ⊗ Rosette

Fleurs violettes à oeil blanc. Odorante et merveilleuse pour naturaliser.

Feuillage: Persistant. ❀ Mai à juin

***odorata* 'White Czar'**

⌂ 20 cm/ 8 po ◊ 20 cm/ 8 po ⊗ Rosette

Fleurs blanches, veinées de pourpre à oeil jaune.

Feuillage: Persistant. ❀ Mai à juin

***sororia* 'Freckles'** ♥

⌂ 15 cm/ 6 po ◊ 25 cm/ 10 po ⊗ Rosette

Fleurs bleu pâle, picotées de violet, originale comme fleur. Variété très vigoureuse qui se multiplie bien.

Feuillage: Persistant. ❀ Mai

***tricolor* 'Blue Elf'**

Synonyme: V. 'King Henry'

⌂ 20 cm/ 8 po ◊ 20 cm/ 8 po

⊗ Rosette

Petites fleurs violettes au centre jaune.

❀ Mai - Septembre

***x* 'Admiration'**

⌂ 20 cm/ 8 po ◊ 30 cm/ 12 po ⊗ Rosette

Petite pensée à fleurs bleu violacé à oeil jaune. Variété populaire.

❀ Mai à septembre

***x* 'Arkwright's Ruby'**

⌂ 20 cm/ 8 po ◊ 30 cm/ 12 po ⊗ Rosette

Fleurs rouge vin à oeil marron et parfumées.

❀ Mai à septembre

x 'Black Magic'

⌂ 15 cm/ 6 po ◊ 30 cm/ 12 po ⊗ Rosette

Fleurs noires à oeil jaune. Variété florifère et très différente car elle préfère les températures fraîches. Plante enregistrée.

❀ Mai à septembre

x 'Chantryland'

⌂ 20 cm/ 8 po ◊ 30 cm/ 12 po ⊗ Rosette

Grandes fleurs dans les tons d'abricot.

❀ Mai à septembre

x 'Dancing Geisha'

⌂ 15 cm/ 6 po ◊ 20 cm/ 8 po 

Feuillage strié d'argent, fleurs bleues ou blanches.

x 'Helen Mount'

⌂ 20 cm/ 8 po ◊ 25 cm/ 10 po ⊗ Rosette

Fleurs violettes, jaunes et lilas.

❀ Mai à septembre

x 'Jersy Gem'

⌂ 20 cm/ 8 po ◊ 25 cm/ 10 po ⊗ Rosette

Fleurs violettes à oeil jaune, disposées sur un long pédoncule.

❀ Mai à septembre

x 'Johny Jump-Up'

⌂ 20 cm/ 8 po ◊ 25cm/ 10 po ⊗ Rosette

Variété populaire, très florifère qui se ressème à profusion. Ses fleurs sont violettes, jaunes et blanches.

❀ Mai à septembre

x 'Moonbeam'

⌂ 8 cm/ 3 po ◊ 10 cm/ 4 po ⊗ Rosette

Fleurs bleu clair de 2 cm de diamètre et fleurissant en mai. Idéale pour la rocaille et la culture en contenant.

Waldsteinia Barren-Strawberry

Famille: Rosacées **Zone:** 4

Semblable à un plant de fraises ou à une Potentille herbacée, la Waldsteinia possède de belles feuilles à 3 folioles et des fleurs jaunes réunies en petits groupes. Un rhizome rampant près de la surface du sol produit l'émergence de grandes colonies tapissantes, genre tout de même facile d'entretien et non envahissant.

Sol: Frais

ternata

Utilisations: C

15 cm/ 6 po ◊ 25 cm/ 10 po ⊗ Couvre-sol - Colonie

Fleurs à cinq pétales.

Feuilles: Trifoliées

Feuillage: Vert foncé et lustré. Persistant.

❀ Mai à juin **Couleur:** Jaune

Yucca filamentosa Spanish Bayonet

Famille: Liliacées

120 cm/ 48 po ◊ 90 cm/ 36 po

Fleurs blanc crème, feuillage persistant et ses feuilles sont bordées de filaments blancs. Division au printemps. Précaution à prendre; attacher les feuilles ensemble à l'automne. Floraison de juillet à août.

Sol: Bien drainé - Pauvre

Feuillage: Persistant.

glauca Adam's Needle

75 cm/ 30 po ◊ 50 cm/ 20 po

Plante indigène au Manitoba. Sa fleur est blanc verdâtre avec une hampe florale de 90 à 150 cm. Floraison de juillet à août. Son feuillage est persistant. Ses feuilles plus étroites que Y. filamentosa, portent peu de filaments mais elles sont bordées d'une fine ligne blanchâtre et d'une tige courte et forte.

FOUGÈRES

FOUGÈRES

Pour apprécier toute la splendeur de vos fougères, retenez que la plupart d'entre elles nécessitent un emplacement ombragé ou mi-ombragé de même qu'un sol meuble, riche en matière organique et frais. Leur allure légère et gracieuse en font des plantes recherchées pour adoucir le décor et créer un lien naturel dans un aménagement paysager. Depuis quelques années, bon nombre de fougères sont sélectionnées et offertes sur le marché. Alors n'hésitez pas à les cultiver avec passion!

Les fougères ne sont pas sans apparat. Au contraire, leurs magnifiques frondes se déclinent en différents tons de vert et prennent des formes variées: parfois pennées, triangulaires ou lancéolées, parfois simples ou ramifiées en une, deux ou trois parties, parfois peu ou très découpées comme de la dentelle. Ces plantes, dont plusieurs sont médicinales, se reproduisent par des spores qui se trouvent soit au revers des feuilles soit sur des tiges autonomes. Les frondes à spores sont dites fertiles; les autres stériles.

Adiantum pedatum Capillaire du Canada • Maidenhair Fern

Famille: Adiantacées **Zone:** 2
Origine: Amérique du Nord, indigène.

Le feuillage est caduc, délicat, divisé et déployé en éventail à l'horizontale. La tige a des pétioles fins et colorés de pourpre. Inhabituelle et différente, cette fougère se propage bien par semis. Se distingue par ses frondes réniformes. Le rhizome a besoin d'être recouvert de feuilles mortes. De culture facile. Propriétés médicinales: affections pulmonaires.

Sol: Acide. 45 cm/ 18 po

Asplenium ebenoides Dragon's Tail Fern

Famille: Aspleniacées **Zone:** 5
Origine: Hybride d'origine naturelle.

Le feuillage vert et lustré est persistant. La feuille triangulaire est pennée à la base et sa partie supérieure, soit un tiers, est linéaire. Les sores sont bruns, ronds et disposés de chaque côté de la nervure centrale. Délicate et capricieuse, elle demande beaucoup de soins; seulement pour consommateurs avertis. Aussi appelée Scotts spleenwort. Idéale pour les rocailles. Hybride naturel de A. playneuron X A. rhyzophyllum.

Sol: Alcalin, riche et humide. 15 à 30 cm/ 6 à 12 po

Asplenium scolopendrium Hart's Tongue Fern

Famille: Aspleniacées **Zone:** 5
Origine: Europe, Asie. **Synonyme:** Phyllitis scolopendrium

Croissance en rosette. Le feuillage épais et vert foncé lustré est semi-persistant. La feuille (4 à 8 cm de large) est lancéolée, non divisée et souvent ondulée. Les sores sont linéaires et passent du jaune-vert au brun. De culture facile. Rustique 3 hivers sur 4 dans la région de Montréal; exige une protection. Rhizome court et pivotant.

Sol: Alcalin, s'accommode d'un sol argileux. 30 à 60 cm/ 12 à 24 po

Asplenium scolopendrium 'Laceratum Kaye' 

Famille: Aspleniacées **Zone:** 5
Origine: Horticole.
Synonyme: Phyllitis scolopendrium 'Kaye's Lacerata'

Le feuillage épais et vert forêt est persistant. Les frondes en lanières sont courbées, crispées et arquées, avec des bouts fourchus. Ressemble à une pomme de laitue. De culture facile.

Sol: Bien drainé et alcalin. 30 à 40 cm/ 12 à 16 po

Athyrium filix-femina Fougère femelle • Lady Fern 

Famille: Woodsiacées **Zone:** 3-4
Origine: Mississippi, indigène. **Synonyme:** Asplenium filix-femina

Le feuillage est vert pâle à poils blancs sur les nervures. Les frondes sont divisées 2 fois et positionnées en rosette. Les sores allongés, en forme de virgule, passent du beige au brun. Les crosses sont recouvertes d'écailles brun foncé presque noires et pointent quelques jours avant la D. spinulosa. Les frondes se renversent sur le dos avant de se redresser. Rhizome court.

Sol: Généralement acide, supporte mal les sols secs.
60 cm/ 24 po

Athyrium filix-femina 'Vernonia Cristata' Crested Lady Fern 

Famille: Woodsiacées **Zone:** 4
Origine: Horticole.

Le feuillage vert foncé est caduc. La feuille est divisée 4 ou 5 fois, a un bout fourchu et un rachis rouge. Forme semblable à filix-femina dont le bout des frondes est divisé plusieurs fois de façon asymétrique, donnant une apparence ondulée.

Sol: Riche et humide. 50 à 75 cm/ 20 à 30 po

Athyrium nipponicum 'Pictum' Fougère peinte japonaise 

Famille: Woodsiacées **Zone:** 4b
Synonyme: Athyrium goeringianum 'Pictum' **Origine:** Chine, Corée.

Le feuillage caduc est vert clair et argenté, divisé 3 fois et marginé de bourgogne. Les veines et les pétioles sont rougeâtres. Très décorative. En plein soleil, les frondes prennent une teinte gris argenté. Lente à pointer au printemps. Moins jolie et croît plus lentement sous les arbres. Utilisation: massifs. Rhizome traçant. Parfaitement rustique.

Sol: Humide et riche en matière organique. 50 à 60 cm/ 20 à 24 po

Athyrium nipponicum 'Ursula's Red' 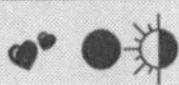

Famille: Woodsiacées **Zone:** 4
Origine: Horticole.

Les pétioles sont longs, minces et rougeâtres. Les larges frondes sont argentées et veinées de rouge au printemps. Apparemment plus riche en reflets rougeâtres que A. 'Pictum', mais non évident. Brevetée; sélection de Mme Ursula Herz (É.-U.). Propagation par clonage. Préfère l'ombre, mais tolère le soleil du matin.

Sol: Léger et humide. 40 cm/ 16 po

Athyrium otophorum Auriculate Lady Fern 

Famille: Woodsiacées **Zone:** 5

Le feuillage est vert-gris à argenté et glacé, passant au vert foncé lustré au milieu de l'été. Le rachis est rouge, ce qui en fait une fougère des plus ornementales. La protéger si la couverture de neige est déficiente. Rhizome court et érigé. De culture facile.

Sol: Profond, riche et humide; ne tolère pas un sol sec et pauvre.

45 à 60 cm/ 18 à 24 po

Athyrium thelypteroides Athyrie fausse-thélyptère 

Famille: Woodsiacées

Origine: Indigène. **Synonyme:** Asplenium thelypteroides

Pousse en couronne. Les frondes élancées sont arquées au sommet; découpées à 2 reprises, elles ressemblent aux petites frondes stériles de l'Osmonde cannelle. Mais cette fougère en est différente par ses gros sores allongés au revers des feuilles. Le revers du feuillage est pubescent. Les frondes sont en touffes espacées. Les crosses prennent la forme d'un hippocampe en se dépliant. Utilisations: sous-bois, érablières, bord des pièces d'eau. Rhizome grêle et traçant.

Sol: Riche et acide. 100 cm/ 40 po

Blechnum spicant Deer Fern 

Famille: Blechnacées **Zone:** 5

Origine: Indigène.

Port coussiné. Le feuillage vert pâle et lustré est penné une fois. Les frondes stériles (25 à 40 cm de long) sont persistantes, épaisses et couchées; les frondes fertiles (75 cm de long) sont minces, dressées et à panicule très étroit. Tolère la sécheresse et demande peu d'entretien. Croît au bord des pièces d'eau. Superbe dans les espaces ouverts, sous les arbres ou dans les rocailles. Rhizome épais, court et rampant.

Sol: Humide et frais légèrement acide. 75 cm/ 30 po

Cystopteris bulbifera Cystopteride bulbifère • Bulblet Bladder Fern 

Famille: Woodsiacées **Zone:** 3b

Origine: Atlantique, indigène.

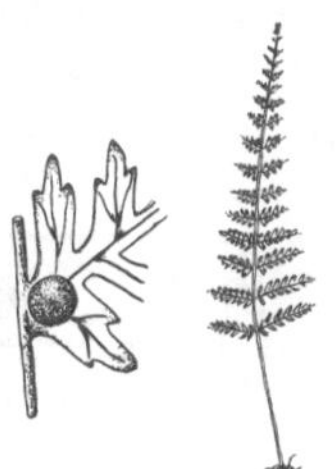

Port étalé et retombant. Frondes délicates, lancéolées, découpées 2 fois, élargies à la base et finissant en pointes prononcées; elles portent des bulbilles de la grosseur d'un pois pouvant reproduire la plante à l'automne. Les pétioles sont rouges. De culture facile. Utilisations: comme couvre-sol et pour retenir les pentes.

Sol: Légèrement alcalin.

30 à 40 cm/ 12 à 16 po

Dennstaedtia punctilobula Dennstaedtie à lobules ponctués 

Famille: Dennstaediacées **Zone:** 3b
Origine: Indigène.

Le feuillage caduc vert pâle à jaunâtre passe au rouille à l'automne. Les frondes (30 à 100 cm de long) sont étroites, pubescentes, divisées 3 fois et légèrement arquées. Spécimen très vigoureux et envahissant. Dégage une odeur de foin au froissement des feuilles. Les sores sont en relief. Couvre-sol en colonies; ne supporte pas l'ombre trop dense. Rhizome pubescent et peu profond. Les feuilles peuvent être coupées pour des arrangements floraux.

Sol: Meuble et bien drainé. 60 cm/ 24 po

Dryopteris affinis Fougère-mâle écailleuse • Crisp Male Fern 

Famille: Dryopteridacées **Zone:** 4-5
Origine: Europe.

Le feuillage est vert foncé et dressé en touffe évasée. Les frondes sont bipennées; les jeunes frondes ont des écailles et des poils brun doré. Cette fougère ressemble à D. filix-mas, mais à feuilles plus épaisses. Panicule de 20 cm. Étalement: 60 à 80 cm. Cultivars intéressants: Dryopteris affinis 'Cristata', syn. The King, et Dryopteris affinis 'Stableri'.

Sol: Bonne terre à jardin, humide. 90 à 120 cm/ 36 à 48 po

Dryopteris cristata Dryoptéride accréatée • Crested Wood Fern 

Famille: Dryopteridacées **Zone:** 3
Origine: Terre-Neuve. **Synonyme:** Thelypteris cristata

Le feuillage vert légèrement glauque est persistant. Les frondes fertiles sont plus courtes que les stériles et elles se déroulent plus rapidement au printemps. Les frondes stériles mesurent 30 cm de long et se tiennent à la base du plant. Il y a des écailles brunes à la base des stipes. Gros rhizome oblique portant 2 sortes de frondes. Plante palustre; croissance en tourbières à sphaigne, forêts de cèdres ou d'érables rouges.

50 à 75 cm/ 20 à 30 po

Dryopteris dilatata recurvata Recurve Broad Buckler  

Famille: Dryopteridacées **Zone:** 4b
Origine: Europe. **Synonyme:** Dryopteris austriaca

Le feuillage est vert foncé et caduc. Les frondes sont délicates, finement découpées, triangulaires et recourbées au sommet, ce qui leur donne un aspect de dentelle. De culture facile.

Sol: Meuble et humide. 60 à 90 cm/ 24 à 36 po

Dryopteris disjuncta Fougère-du-chêne • Oak Fern

Famille: Dryopteridacées **Zone:** 2a
Origine: Amérique du Nord, indigène.
Synonyme: Gymnocarpium dryopteris, thelypteris dryopteris

Le feuillage est vert tendre et caduc. Les frondes sont ramifiées et divisées en 3 petits triangles disposés horizontalement. Ressemble à une copie miniature de 'Pteridium aquilinum'. Son rachis est jaunâtre avec des écailles beiges à la base. Rhizome noir, grêle et rampant. Fougère de forêts de conifères très décorative. Malgré son nom, son habitat privilégié n'est pas près du chêne mais plutôt dans les bois rocheux. Cultivar 'Plumosum' à segments finement découpés ne tolérant pas les sols détrempés.

Sol: Lieu frais et acide.
20 à 45 cm/ 8 à 18 po

Dryopteris erythrosora Autumn Fern

Famille: Dryopteridacées **Zone:** 5
Origine: Japon - Chine.

Le feuillage vert foncé et lustré est persistant. Les frondes sont larges, bipennées à contour triangulaire et portent des spores rouges. Les jeunes frondes passent du cuivré au brun rosé. Les crosses sont vertes à écailles brunes tout l'hiver. Rusticité douteuse pour le Québec. Couvre-sol en colonies. Utilisation: sous-bois.

Sol: Humide et frais. 20 à 45 cm/ 8 à 18 po

Dryopteris erythrosora 'Prolifica' Crested Autumn Fern

Famille: Dryopteridacées **Zone:** 5
Origine: Horticole.

Le feuillage persistant a des segments très étroits, ce qui lui confère une allure plus découpée. Les frondes sont délicates, frisées et d'apparence plumeuse. Voir Dryopteris erythrosora.

Sol: Humide. 30 à 60 cm/ 12 à 24 po

Dryopteris filix-mas Fougère-mâle • Male Fern

Famille: Dryopteridacées **Zone:** 3
Origine: Horticole.

Le feuillage vert foncé est semi-persistant; coloration jaune à l'automne. Les frondes bipennées mesurent environ 20 cm de large. Les pétioles et le rachis sont garnis d'écailles brunes. Tolère le soleil en sol humide. Plus luxuriante en sous-bois humide; capable de résister à la sécheresse. Les sores sont gros, disposés sur la marge et couvrent presque toute la surface du limbe. Vermifuge. Rhizome court et fort.

Sol: Accepte tous les sols.
90 à 130 cm/ 36 à 52 po

Dryopteris filix-mas 'Linearis Polydactyla' Many Fingered Fern

Famille: Dryopteridacées
Zone: 4
Origine: Horticole.

Fougère vigoureuse ayant une texture en dentelle. Le feuillage vert pomme est semi-persistant. Les frondes finement arquées sont si découpées qu'on dirait qu'il ne reste que les nervures. De culture facile.

Sol: Acide, humide.
60 à 90 cm/ 24 à 36 po

Dryopteris filix-mas 'Undulata Robusta' Robust Male Fern

Famille: Dryopteridacées
Zone: 4
Origine: Horticole.

Le feuillage est caduc. Les frondes sont larges et très vigoureuses. De culture facile.

Sol: Acide, riche et humide.
60 à 90 cm/ 24 à 36 po

Dryopteris goldiana Dryopteride de goldie • Goldie's Fern

Famille: Dryopteridacées
Zone: 3
Origine: Indigène.
Synonyme: Thelypteris goldiana

Le feuillage en forme de couronne est glauque à l'ombre, vert éclatant à la mi-ombre. Les frondes ovées sont très grandes avec des nervures apparentes et foncées, surtout au revers des feuilles; elles sont bordées de petites dents terminées d'épines retroussées. Écailles à la base du plant. Les folioles (15 à 20 cm de long) sont élargies au milieu; elles comptent environ 20 lobes dentés. Les sores, plus larges que longs, sont près de la nervure centrale. Pousse dans les érablières. Rhizome dressé. Nommée en l'honneur de John Goldie.

Sol: Préfère les sols humides.
80 à 150 cm/ 32 à 60 po

Dryopteris marginalis

Dryoptéride à sores marginaux
Leather Wood Fern

Famille: Dryopteridacées
Zone: 2
Origine: Amérique du Nord, Écosse.

Le feuillage glauque est glabre, persistant et en forme de couronne. Le revers de la feuille est pâle, presque gris. Les frondes coriaces sont très larges, divisées 2 fois en profondeur et crénelées. À remarquer: les écailles brun cannelle sur le stipe. Croissance lente. Espèce vigoureuse et très élégante. Son nom marginalis provient des soies décoratives bordant les feuilles. Croît sur les pentes raides et rocheuses, près des chênes et caryers. Rhizome gros, court, ligneux, dressé et en surface.

Sol: Humide.
60 à 70 cm/ 24 à 28 po

Dryopteris phegopteris Fougère-du-hêtre • Long Beech Fern 

Famille: Dryopteridacées **Zone:** 3
Origine: Indigène.
Synonyme: Thelypteris phegopteris, Phegopteris connectilis

Le feuillage est arqué, peu découpé; le rachis, écailleux. Les frondes ont un limbe triangulaire et sont plus longues que larges; elles sont minces et molles, d'aspect fragile et effilées au sommet. Au printemps, les jeunes crosses se déroulent en laissant tomber leurs écailles brunes. Malgré son nom, cette espèce n'a aucune préférence pour le hêtre. On la retrouve dans les bois rocheux et particulièrement dans les forêts de conifères où pousse aussi le bouleau jaune. Rhizome grêle et rampant.

Sol: Humide.
⌂ 30 cm/ 12 po

Dryopteris remota Rare Wood Fern 

Famille: Dryopteridacées **Zone:** 5

Hybride de la fougère-mâle Dryopteris filix-mas. Le feuillage est semi-persistant. Les frondes sont minces, triangulaires, divisées 2 ou 3 fois et en dentelle. Fougère rare. De culture facile. Hybride de D. filix-mas X D. dilatata.

Sol: Humide ⌂ 100 cm/ 40 po

Dryopteris spinulosa 

Dryoptéride spinuleuse Spinulose Shield Fern
Famille: Dryopteridacées **Zone:** 2
Origine: Labrador, indigène. **Synonyme:** Dryopteris carthusiana

Pousse en couronne. Le feuillage persistant et lustré est vert foncé, plus jaune au soleil. Les frondes sont larges, minces, divisées 3 fois, arquées et à dents épineuses retroussées. Les sores sont petits, ronds et disposés sur 2 rangs. Rhizome rampant et écailleux. De culture facile. Les feuilles peuvent être coupées pour des arrangements floraux.

Sol: Meuble et riche en matière organique. ⌂ 60 à 90 cm/ 24 à 36 po

Matteucia struthiopteris Fougère-à-l'autruche • Ostrich Fern

Famille: Woodsiacées **Zone:** 2
Origine: Amérique du Nord, indigène. **Synonyme:** Tête de violon

Les frondes sont divisées 2 fois. Frondes fertiles: 50 cm de long, persistantes, brun foncé et en forme de S allongé; frondes stériles: 100 à 200 cm de long, vert olive à brun foncé, arquées, à sommet tronqué et à poils blancs sur les nervures au revers des feuilles. Se distingue par un sillon prononcé sur le rachis. Port érigé en couronne. Frondes plumeuses à tiges écailleuses. Rhizome court à long, stolons souterrains. Ne tolère pas la sécheresse. Connue sous le nom populaire de "tête-de-violon". Les jeunes frondes sont comestibles au printemps.

Sol: Humide et frais, riche en calcium. ⌂ 120 à 200 cm/ 48 à 80 po

Onoclea sensibilis Fougère sensitive • Sensitive Fern 

Famille: Woodsiacées **Zone:** 3b

Origine: Amérique du Nord, indigène.

Frondes fertiles: 20 à 50 cm de long, persistantes, divisées une seule fois, avec des sores ronds et alignés; frondes stériles: 90 cm de long, minces, bordées de grosses dents rondes, dressées et arquées, avec des nervures saillantes au revers des feuilles. Fruits en épi de perles, verts devenant bruns. Écailles brunes plus délicates que celles de la Matteucia. Rhizome rampant portant 2 sortes de frondes. Préfère les sols mouillés. Plante vigoureuse et envahissante; colonise les berges des cours d'eau en croissant alignée sur le rhizome. Coloration automnale intéressante.

Sol: Humide.

⌂ 30 à 90 cm/ 12 à 36 po

Osmunda cinnamomea Osmonde cannelle • Cinnamon Fern

Famille: Osmundacées 

Origine: Amérique du Nord, indigène.

Port évasé. Grande fougère à frondes solides, semblables à celles de la Matteucia mais divisées 2 fois. Les frondes stériles (50 à 150 cm de long) sont vert tendre, très velues et disposées en couronne; les fertiles (30 à 60 cm de long) sont de couleur brun cannelle et disposées au centre du plant. Fougère populaire. Rhizome très gros. Les parties reproductrices ressemblent à des bâtons de cannelle. La base des jeunes feuilles est succulente et sucrée au mois de mai. Utilisations: massifs, bord des pièces d'eau ou isolée. Propriétés médicinales: adoucissante et astringente.

Sol: Acide (marais, tourbières). ⌂ 60 à 150 cm/ 24 à 60 po

Osmunda claytoniana Osmonde de Clayton • Interrupted Fern 

Famille: Osmundacées **Zone:** 2-3

Origine: Amérique du Nord. **Synonyme:** Osmunda interrupta

Le feuillage est caduc. Les frondes sont vertes devenant brunes à mi-hauteur, où se situe la partie fertile de la plante. Certaines sont entièrement stériles et ressemblent aux frondes stériles de l'Osmonde cannelle. De culture difficile en sol ordinaire. Rhizome très gros, rampant, enfoui dans l'humus et portant une seule fronde (appelée "rond de sorcière"). Fréquente dans les forêts humides. Utilisation: près des pièces d'eau.

Sol: Acide (marais, tourbières). ⌂ 60 à 150 cm/ 24 à 60 po

Osmunda regalis Osmonde Royale • Royal Fern 

Famille: Osmundacées **Zone:** 3-4

Origine: Amérique du Nord.

Port évasé. Croissance en couronne. Les frondes (60 à 300 cm de long) sont dressées, découpées, arrondies et divisées 2 fois au sommet de la plante. Les frondes fertiles sont brun doré et situées au sommet; les stériles sont vert cendré et présentes à la base. La viabilité des spores est brève. Rhizome très gros. Au printemps, les crosses sont à tige rouge et surplombent d'anciens stipes. Utilisations: massifs, bord des pièces d'eau ou isolée. Propriétés médicinales: astringente et tonique. Coloration automnale intéressante.

Sol: Acide et humide; tolère le soleil en sol mouillé.

⌂ 60 à 150 cm/ 24 à 60 po

Polypodium virginianum Polypode de Virginie • Rock Fern

Famille: Polypodiacées **Zone:** 2
Origine: Indigène.
Synonyme: Polypodium vulgare var.

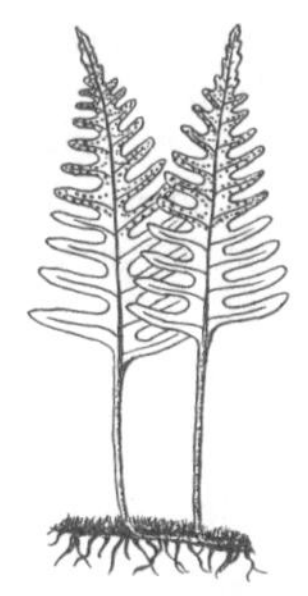

Feuillage persistant, épais, rigide et peu découpé. Les frondes mesurent 5 à 30 cm de long x 2 à 7 cm de large et sont alignées sur le rhizome. Le dessus de la feuille est vert foncé et le dessous, plus clair. À remarquer: les nervures sont libres. Les sores sont alignés sur 2 rangs. Croissance lente. Parvient à pousser sur les rochers couverts de mousse. Rhizome mou, spongieux et rampant. Elle partage l'habitat de la Dryopteris marginalis.

Sol: Non calcaire.
25 à 30 cm/ 10 à 12 po

Polystichum acrostichoides Fougère de Noël

Famille: Dryopteridacées **Zone:** 2-3
Origine: Indigène.

Le port est évasé. Le feuillage vert foncé et lustré est persistant. Les frondes sont longues, divisées une seule fois, ont des dents épineuses et des pétioles écailleux; elles poussent en couronne parfaite. Semblable à la fougère de Boston, mais à texture plus épaisse. Remarques: Tolère bien l'ombre dense. Très résistante aux maladies et aux insectes.

Sol: Bien drainé. 30 à 60 cm/ 12 à 24 po

Polystichum braunii Fougère-à-faucilles • Braun's Holly Fern

Famille: Dryopteridacées **Zone:** 3
Origine: Indigène.

Le feuillage vert éclatant est persistant. Les frondes dentelées (15 à 20 cm de large) ont des poils bruns sur les deux faces et des pétioles écailleux. Les sores sont disposés sur plusieurs rangs près de la nervure médiane. Remarques: Une des plus belles fougères. De culture facile.

Sol: Riche et humide. 30 à 60 cm/ 12 à 24 po

Polystichum polyblepharum Tassel Fern

Famille: Dryopteridacées **Zone:** 5-6
Origine: Japon - Corée.

Le port est évasé. Le feuillage vert foncé et lustré est persistant. Les frondes sont pubescentes, bipennées, érigées et ramifiées en grappes. Les sores sont petits et disposés sur 2 rangs. Le rachis, très écailleux, mesure 15 à 20 cm. Remarques: Rusticité incertaine pour le Québec. Sensible au gel printanier.

Sol: Humide, frais et non calcaire. 50 à 70 cm/ 20 à 28 po

Polystichum tsus-simense Korean Rock Fern

Famille: Dryopteridacées **Zone:** 5-6

Plant compact. Rusticité incertaine pour le Québec. Le feuillage vert foncé est semi-persistant. Les frondes sont triangulaires et mesurent 8 cm de large. La nervure centrale est très prononcée. Les jeunes pousses ont une teinte pourpre. Remarques: La favorite des pépinières. Demande une protection hivernale. Tolère la chaleur. Ressemble à P. rigens, mais est plus élégante.

Sol: Acide, humide. 20 à 50 cm/ 8 à 20 po

Pteridium aquilinum Fougère-aigle • Bracken Fern

Famille: Dennstaediacées **Zone:** 2-3
Origine: Amérique du Nord.

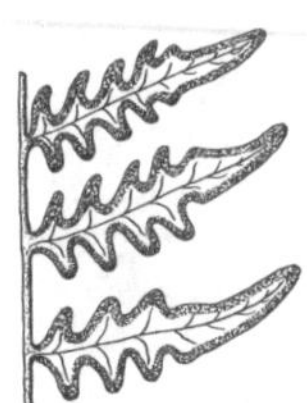

Les frondes luisantes sont vert foncé teinté bleu, ramifiées, bordées de cils blancs, même le long de la nervure centrale, et à marge enroulée; le revers est pubescent. Les pétioles sont robustes. Croissance en colonies. Le rhizome se partage en 2 systèmes: 1) superficiel; 2) souterrain, ligneux et très traçant. Habitat sec et à découvert ou en bordure des cours d'eau. Son principal ennemi est l'eau stagnante. Les racines dégagent une odeur qui freine la croissance des plantes environnantes. Éloigne les insectes.

Sol: Sablonneux et acide.
60 à 100 cm/ 12 à 40 po

Thelypteris decursive-pinnata Japanese Beech Fern

Famille: Thelypteridacées **Zone:** 5
Origine: Japon - Corée.

Le feuillage vert lime est mince et non persistant. Les frondes sont longues, peu disséquées et aux extrémités retombantes; elles mesurent 6 à 12 cm de large. Les nouvelles frondes sont érigées. Les tiges sont recouvertes d'écailles brunes. Remarques: Protection hivernale nécessaire. Croissance lente. Rhizome court et rampant.

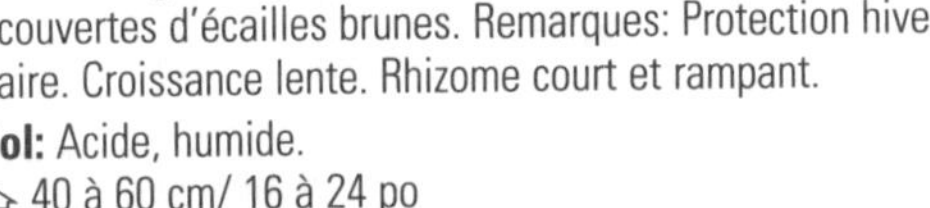

Sol: Acide, humide.
40 à 60 cm/ 16 à 24 po

Thelypteris noveboracensis Thélyptère de New-York

Famille: Thelypteridacées **Zone:** 4
Origine: Amérique du Nord, indigène.
Synonyme: Dryopteris noveborenscensis

Pousse en touffes de 1 à 4 frondes, en colonies serrées. Les feuilles ont un limbe vert pâle et un pétiole court. Elles sont pubescentes sur les 2 faces et le long de la nervure principale. À remarquer: les feuilles inférieures sont lancéolées. Rhizome grêle et rampant. Feuilles odorantes en séchant. Utilisation: couvre-sol. Croissance vigoureuse.

Sol: Humide au soleil, tolère un sol sec à l'ombre.
30 à 60 cm/ 12 à 24 po

Thelypteris palustris Théliptère des marais • Marsh Fern

Famille: Thelypteridacées **Zone:** 2-4
Synonyme: Dryopteris thelipteris

Feuillage vert fluo intense, pubescent au revers. La feuille est lancéolée et arquée. Possède 2 types de frondes: les fertiles sont découpées en dents de scie; les stériles sont moins découpées, plates et disposées en touffes espacées sur le rhizome. Rhizome noir et traçant. Le rachis est grêle, noir rougeâtre à la base et vert clair dans le haut. Espèce commune des tourbières. Envahissante, elle s'accommode bien des sols détrempés.

Sol: Humide.
⌂ 90 cm/ 36 po

GRAMINÉES

Incluant des Acorus, des Carex et des Luzules

***Acorus gramineus* 'Ogon'** Golden Variegated Sweet Flag 

Origine: Horticole. **Zone:** 4-5

Le port est évasé, le feuillage semi-persistant est vert strié de vert pâle et de blanc-crème. Plante aquatique. Spadice sans intérêt. Remarques: Plus rustique que A.calamus.

Sol: Humide. **Feuillage:** vert/blanc

20 cm/ 8 po ☒ 15 cm/ 6 po **Hampe florale:** 35 cm/ 14 po

***Acorus gramineus* 'Variegatus'** Sweet Flag 

Origine: Japon et Asie de l'Est. **Zone:** 4

Le port est évasé, le feuillage est disposé en éventail. La feuille est vert strié de crème et jaune, semi-persistante. Spadice sans intérêt. Il existe une variété indigène A. calamus. Remarques: Croissance lente, protection hivernale, s'adapte bien en aquarium.

Sol: Humide. **Feuillage:** vert/jaune

30 cm/ 12 po ☒ 15 cm/ 6 po

***Alopecorus pratensis* 'Aureus'** Yellow Foxtail Grass

Origine: Asie mineure. **Zone:** 4

Le port est étalé, le feuillage caduc. La feuille linéaire est verte finement striée de jaune et largement marginée de doré. Épis compact 70 cm de haut. Nécessite une protection hivernale. Syn.: 'Aureo-variegatus'. Remarques: Rabattre les chaumes au printemps, plante envahissante. Culture facile.

Sol: Ordinaire, humide, fertile et frais. **Feuillage:** vert/jaune

70 cm/ 28 po ☒ 40 cm/ 16 po ❀ Fin mai - début juin

Andropogon gerardii Big Blue Stem 

Origine: Amérique du nord, indigène. **Zone:** 4

Le port est érigé, le feuillage linéaire. La feuille caduque est glauque et a une belle coloration automnale rouge. Panicule d'épis pourpre, dense et peu divisé. Remarques: Robuste et rustique, tolère la sécheresse.

Sol: Bien drainé. **Feuillage:** bleu-vert

160 cm/ 64 po ❀ Août - septembre **Hampe florale:** 200 cm/ 80 po

Andropogon scoparius Little Blue Stem 

Origine: Horticole. **Zone:** 4

Le feuillage est bleu-vert puis en séchant tout le feuillage acquiert une coloration ocre à sable. Panicule de petites fleurs glauques. Utilisation comme couvre-sol. Remarques: Commun dans le Maryland.

Sol: Tous les sols, bien drainé. **Feuillage:** bleu-vert

40 cm/ 16 po ❀ Août - septembre **Hampe florale:** 100 cm/ 40 po

***Arrhenatherum bulbosum* 'Variegatum'** Bulbous Oat Grass 

Origine: Horticole. **Zone:** 4

Le port est arrondi, le feuillage caduc est gris-vert marginé de blanc crème en petite touffe. La feuille est linéaire. Inflorescence: Panicule étroit, vert argenté ressemblant à des épis d'avoine. Produit de petits tubercules à la base de la plante. Remarques: Préfère les températures fraîches, à diviser fréquemment.

Sol: Acide, bien drainé et humide.
50 cm/ 20 po
Hampe florale: 50 cm/ 20 po

Feuillage: vert/blanc
☒ 60 cm/ 24 po
❀ Juin à sept

Arundinaria 'Pygmaea'

Zone: 5

Les tiges sont vertes brillantes. Excellent bambou couvre-sol à feuillage vert et délicat.
Feuillage: vert   30 cm/ 12 po   ☒ 60 cm/ 24 po

Arundinaria murielae Umbrella Bamboo

Zone: 4b

Le port est érigé-arqué. Ce spécimen forme des tiges verdâtres, épaisses, en touffes denses surmontées d'un fin feuillage vert, retombant en cascade. Remarques: Rustique.

Sol: Léger, frais et bien drainé.
250 cm/ 100 po

Feuillage: vert
☒ 100cm/ 40 po

Bouteloua gracilis Mosquito Grass

Origine: Amérique du Nord (prairie). **Zone:** 3b

Le port est dressé en forme de touffe, le feuillage caduc est vert cuivré. La feuille simple est fine et linéaire. Inflorescence ressemblant à des petits peignes disposés horizontalement, épis bruns, très décoratifs. Coloration pourpre après le premier gel. Remarques: Sutout utilisé pour ses inflorescences. Rhizome court. Tolère très bien la sécheresse.

Sol: Bien drainé.
60 cm/ 24 po
Hampe florale: 60 cm/ 24 po

Feuillage: vert
☒ 30 cm/ 12 po
❀ Juin

Briza media Perennial Quaking Grass

Origine: Eurasie. **Zone:** 4

Le port est dressé, le feuillage caduc est bleu-vert en touffes serrées. La feuille est simple et linéaire. Inflorescence: Épillet délicat en forme de coeur, vert mauve tournant au doré, environ 50 par tige. Remarques: Très utilisé en fleurs séchées.

Sol: Humide et fertile.
35 cm/ 14 po
Hampe florale: 60 cm/ 24 po

Feuillage: bleu-vert
☒ 35 cm/ 14 po
❀ Avril à juin

Bromus inermis 'Skinners gold' Brome Grass

Origine: Zone tempérée de l'hémisphère nord. **Zone:** 3

Le port est étalé, le feuillage caduc est jaune or panaché de vert. La feuille est simple et linéaire. Inflorescence en épillets. Remarques: Se propage par stolons, perd son caractère.

Sol: Calcaire, humide et riche.
50 cm/ 20 po   ☒ 40 cm/ 16 po

Feuillage: vert/jaune
❀ Juin à août

Calamagrostis brachytricha Reed Grass

Origine: Europe. **Zone:** 4a

Pousse en forme de touffe, Le feuillage est gris-vert tournant au jaune vif l'automne. Inflorescence: produit des panicules de fleurs rose pourpre. Syn. Achnatherum brachytricha ou Stipa calamagrostis.
Feuillage: vert-gris   75 cm/ 30 po   ❀ Septembre

Calamagrostis x acutiflora 'Karl Foerster'

Origine: Europe. **Zone:** 4a

Le port est compact et érigé, le feuillage est vert et tourne au jaune pâle à l'automne. Inflorescence dorée très belle sur de hautes hampes florales. Ressemble à du blé.

Sol: Tous les sols
Feuillage: vert
180 cm/ 72 po
50 cm/ 20 po
Hampe florale: 200 cm/ 80 po
Juin - juillet

Calamagrostis x acutiflora 'Overdam'

Origine: Horticole. **Zone:** 4

Le port est érigé, le feuillage caduc est blanc argenté, satiné, tournant au rose en vieillissant. La feuille est simple et linéaire. Inflorescence: Grande hampe florale érigée, panicule étroite et rose en plumeaux. Remarques: Compact.

Sol: Tous les sols bien drainés.
Feuillage: blanc argenté
120 cm/ 48 po
40 cm/ 16 po
Hampe florale: 150 cm/ 60 po
Mai - juin

Calamagrostis x acutiflora 'Stricta' Stiff Feather Reed Grass

Origine: Eurasie. **Zone:** 4a

Le port est érigé, le feuillage caduc est vert foncé luisant et retombant. La feuille est simple et linéaire. Inflorescence: Grande hampe florale érigée, panicule étroite, fleur verdâtre avec des tons de rouge et de bronze. Remarques: Coloration rouge-orange à l'automne, décoratif l'hiver.

Sol: Tous les sols.
Feuillage: vert
100 cm/ 40 po
Juin - juillet
Hampe florale: 175 cm/ 70 po

Carex glauca Blue Sedge

Origine: Europe. **Zone:** 4b

Le port est retombant, le feuillage persistant ou semi-persistant est glauque et retombant. La feuille bleu-grisâtre est longue et linéaire en rosette. Inflorescence:Épillets sans intérêt. Remarques: Tolère les racines des arbres et des conditions plus difficiles grâce à ses stolons.

Sol: Tous les sols, humides et fertiles.
Feuillage: bleu-vert
20 cm/ 8 po
Juin - juillet

Carex grayi Morning Star Sedge

Origine: Est de l'Amérique du Nord, indigène. **Zone:** 4a

Le port est évasé, le feuillage semi-persistant est vert-lime. La feuille est simple et linéaire. Inflorescence: Longue hampe florale portant des fruits, en forme d'étoile, décoratifs et piquants, épis femelle. Remarques: Fleurs coupées.

Sol: Humide.
Feuillage: vert-lime
60 cm/ 24 po
30 cm/ 12 po
Hampe florale: 45 cm/ 18 po
Juillet - août

***Carex morrowii* 'Variegata'** Japanese Sedge 

Origine: Japon. **Zone:** 5b

Le port est érigé-retombant, le feuillage persistant est blanc crème marginé d'une fine ligne verte et drue. La feuille simple est linéaire en rosette. Inflorescence: Épillets en panicules lâches. Nécessite une protection hivernale. Remarques: Son véritable nom scientifique est: Carex oshimensis 'Evergold'.

Sol: Frais, acide et humide. **Feuillage:** vert/jaune
⌂ 25 cm/ 10 po ⊠ 30 cm/ 12 po **Hampe florale:** 30 cm/ 12 po

Carex muskinguemensis Palm Sedge 

Origine: Europe. **Zone:** 4a

Le port est dressé, le feuillage caduc est vert clair, grandes tiges portant des feuilles s'étalant en rosettes semblables à un papyrus ou à un palmier. La feuille est simple et linéaire. Inflorescence: Épillets retombants bruns. Ressemble à un palmier. Remarques: Une plante à introduire au bord d'un ruisseau ou d'un bassin d'eau.

Sol: Humide et riche en matière organique. **Feuillage:** vert
⌂ 60 cm/ 24 po ⊠ 60 cm/ 24 po
Hampe florale: 90 cm/ 36 po ❀ Août - septembre

***Carex ornithopoda* 'Variegata'** Birds Foot Sedge 

Origine: Europe de l'Est. **Zone:** 5b

Le port est cousiné (couvre-sol), le feuillage persistant est vert lime strié de blanc au centre, longues feuilles disposées en rosettes. La feuille est simple et linéaire. Inflorescence: Épillets regroupés pour former une palme de 5 à 15 cm. Remarques: Très décoratif, bon compagnon pour les Ericas.

Sol: Calcaire et riche. **Feuillage:** vert/blanc
⌂ 25 cm/ 10 po ⊠ 20 cm/ 8 po ❀ Rarement sous notre latitude.

Carex plantaginea Plantain Leaved Sedge 

Origine: Amérique du Nord, indigène (sous-bois) **Zone:** 4

Le port est coussiné, le feuillage persistant est vert foncé, en forme de rosette. La feuille est simple, linéaire mais large et rubannée. Inflorescence: Épillets jusqu'à 20 cm de long regroupés en panicule sur une petite hampe florale rougeâtre. Remarques: Couvre-sol, floraison très hâtive.

Sol: Humide, bien drainé et riche. **Feuillage:** vert
⌂ 20 cm/ 8 po ⊠ 45 cm/ 18 po
Hampe florale: 40 cm/ 16 po ❀ Mai

***Carex siderosticha* 'Island Brocade'** 

Zone: 4

Vigoureuse, ressemble à un hosta à bordure jaune Breveté.

Feuillage: vert/jaune ⌂ 25 cm/ 10 po **Hampe florale:** 30 cm/ 12 po

***Carex siderosticha* 'Spring Snow'** 

Zone: 4

Un centre très blanc rend ce cultivar totalement différent.

Feuillage: blanc ⌂ 20 cm/ 8 po **Hampe florale:** 30 cm/ 12 po

Carex siderosticha 'Variegata' Creeping Broad Leaved Sedge

Origine: Japon-Chine. **Zone:** 4

Le port est coussiné, le feuillage caduc est vert strié de blanc sur la marge. La feuille est large. Belles pousses roses au printemps.Inflorescence en panicules lâches, très attirantes. Remarques: Rampant.

Sol: Humide. **Feuillage:** vert/blanc

⌂ 35 cm/ 14 po ☒ 30 cm/ 12 po ❀ Juin

Carex x 'Gold Fountains' 

Origine: Japon **Zone:** 4

Nouvelle sélection, spécimen très élégant. Le port est érigé, le feuillage gazonné est vert-émeraude subtilement marginé de jaune. La feuille est étroite. Utilisations: Sous-bois

Feuillage: vert/jaune

⌂ 35 cm/ 14 po ☒ 30 cm/ 12 po **Hampe florale:** 40 cm/ 16 po

Carex x bucchananii Leather Leaf Sedge 

Origine: Nouvelle Zélande. **Zone:** 4b

Forme une touffe érigée, évasée au sommet, très retombante. Le feuillage semi-persistant est rouge-brun cuivré et très voyant. La feuille est simple et filiforme. Inflorescence: Épillet spiralé brun rosé de 12 cm. Remarques: Courte espérance de vie, protection hivernale nécessaire.

Sol: Humide, riche et acide. **Feuillage:** rouge-brun

⌂ 50 cm/ 20 po ☒ 30 cm/ 12 po

Hampe florale: 60 cm/ 24 po ❀ Juillet

Chasmanthium latifolium Northern Sea Oats, Wildoats 

Origine: États-Unis **Zone:** 4

Le port est évasé, le feuillage caduc est vert foncé tournant jaune à l'automne. La feuille est simple, lancéolée et archée. Inflorescence: Épillets aplatis qui ressemblent à des écailles de poisson, retombant en panicule, belle coloration automnale passant du vert au cuivré. Remarques: Une inflorescence très décorative.

Sol: Riche en humus et frais. **Feuillage:** vert

⌂ 150 cm/ 60 po ☒ 60 cm/ 24 po

Hampe florale: 180 cm/ 72 po ❀ Juin - juillet

Cortederia selloana Pampas Grass 

Origine: Argentine. Zone: 6

Port érigé-retombant. Larges touffes de feuilles vertes, belles inflorescences blanc-argenté en plumeaux. Non rustique, blanc ou rose. Certaines personnes arrivent à les consever sous un couvert de neige même dans la région de Québec. Remarques: Tolère la sécheresse.

Feuillage: vert

⌂ 150 cm/ 60 po ☒ 100 cm/ 40 po ❀ Août

Dactylis glomerata 'Variegata' Orchard Grass, Cocks Foot 

Origine: Horticole. **Zone:** 4b

Le port est en touffe érigée, le feuillage caduc est vert, fin, panaché de blanc formant de petites touffes s'étendant par stolons. La feuille est simple et linéaire. Inflorescence: Panicule rare et peu intéressant. Remarques: Préfère une situation partiellement ensoleillée.

Sol: Frais, bien drainé et fertile.
△ 35 cm/ 14 po
Hampe florale: 60 cm/ 24 po

Feuillage: vert/blanc
☒ 60 cm/ 24 po
❀ Fleurit très rarement.

Deschampsia caespitosa 'Bronzeschleier' Hair Grass 

Origine: Europe. **Zone:** 4a

Le port est érigé, le feuillage caduc est vert foncé luisant et pousse en touffes serrées et hérissées. La feuille est simple et linéaire. Inflorescence: Intéressante, très légère, panicules lâches, très ramifiées, nombreuses, jaune-bronze.

Sol: Tous les sols.
△ 70 cm/ 28 po
Hampe florale: 90 cm/ 36 po

Feuillage: vert
❀ Juillet à septembre

Deschampsia caespitosa 'Goldgehänge' 

Origine: Horticole. **Zone:** 4a

Le port est étalé, le feuillage en touffes serrées et hérissées est vert. La feuille est simple et linéaire.Inflorescence: Hâtive, dorée et retombante, semblable à D.'Bronzeschleier, d'aspect léger.

Sol: Riche et frais.
△ 70 cm/ 28 po
❀ Juin à août

Feuillage: vert
Hampe florale: 90 cm/ 36 po

Deschampsia caespitosa 'Scottland' Scottish Tufted Hair Grass

Origine: Horticole. **Zone:** 4a

Le feuillage est érigé en touffes serrées. La feuille est simple et linéaire. Inflorescence: Semblable à D. 'Bronzeschleier' mais plus vigoureuse et hampe florale plus haute.

Sol: Riche et frais.
△ 90 cm/ 36 po
Hampe florale: 180 cm/ 72 po

Feuillage: vert
❀ Juin à août

Deschampsia caespitosa 'Tardiflora'

Origine: Horticole. **Zone:** 4b

Le feuillage vert est érigé en touffes serrées. La feuille est simple et linéaire. Inflorescence: Semblable aux autres cultivars mais à floraison tardive, longue et dorée, panicule très longue, variété la plus imposante. Remarques: Vigoureuse.

Sol: Riche et frais.
△ 70 cm/ 28 po
Hampe florale: 90 cm/ 36 po

Feuillage: vert
❀ Juillet à septembre

Deschampsia caespitosa 'Tautraeger' 

Origine: Horticole. **Zone:** 4b

Le feuillage est persistant. La feuille verte est très fine. Inflorescence: Plumeuse, verte pâle, tardive, plante compacte, portant de nouvelles hampes florales bleutées qui changeront au doré avec l'âge. Remarques: Trapu.

Sol: Riche et frais.
△ 50 cm/ 20 po
Hampe florale: 60 cm/ 24 po

Feuillage: vert
❀ Juillet à septembre

***Elymus arenarius* 'Glaucus'** Blue Lyme Grass

Origine: Indigène. **Zone:** 4

Le port est étalé, le feuillage caduc est glauque, large et retombant à marge tranchante ou coupante. La feuille simple est linéaire et arquée aux extrémités. Inflorescence: Panicule compacte et dressée. Remarques: Se propage par stolons, envahissant mais peut être limité en le plantant dans un grand pot qu'on enfonce dans le sol pour le camoufler, résistant au sel.

Sol: Tous les sols bien drainés. **Feuillage:** bleu-gris

60 cm/ 24 po ❀ Juin à août **Hampe florale:** 90 cm/ 36 po

Erianthus ravennae Ravenna Grass

Zone: 4

Feuille argentée et luxuriante, belle coloration automnale. Inflorescence: Argenté-bronze qui tourne argent. Résistant, hampes florales très hautes. Ressemble à Bampas Grass. Remarques: Souvent confondu avec cortaderia mais plus rustique. Syn.: Saccharum ravennae

Feuillage: argenté 120 cm/ 48 po ❀ Août - septembre

***Festuca glauca* 'Blaufink'** Bluefinch Fescue

Origine: France. **Zone:** 3b

Le port est coussiné, le feuillage persistant est glauque, bleu-argent et hérissé, plant compact. La feuille est simple et linéaire. Inflorescence: Panicule compacte et dressée. Remarques: Préfère les températures fraîches.

Sol: Tous les sols, frais mais bien drainés. **Feuillage:** bleu argenté

10 cm/ 4 po ❀ Juin - juillet **Hampe florale:** 15 cm/ 6 po

***Festuca glauca* 'Elijah Blue'** Elijah Blue Fescue

Origine: Horticole. **Zone:** 4

Le port est coussiné, le feuillage persistant est bleu poudre. La feuille est linéaire. Inflorescence: Panicule compacte et dressée. Très populaire, teintes de bleu-vert.

Sol: Tous les sols frais, bien drainés et fertiles. **Feuillage:** bleu argenté

20 cm/ 8 po ☒ 10 cm/ 4 po

Hampe florale: 45 cm/ 18 po ❀ Juin - juillet

***Festuca glauca* 'Meerblau'** Ocean Blue Fescue

Origine: Horticole. **Zone:** 3b

Le port est coussiné, le feuillage est hérissé, face antérieure glauque, face postérieure verte, texture fine. La feuille est simple et linéaire-aiguillée. Inflorescence: Panicule compacte et dressée. Remarques: La plus vigoureuse des fétuques. Étalement 25 cm.

Sol: Frais mais bien drainé. **Feuillage:** bleu-vert

15 cm/ 6 po ❀ Juin - juillet **Hampe florale:** 20 cm/ 8 po

***Festuca glauca* 'Seeigel'** Sea Urchin Blue Fescue

Origine: Horticole. **Zone:** 3b

Le port est coussiné, le feuillage dru et hérissé est bleu argenté. La feuille est linéaire. Inflorescence: Panicule compacte et dressée. Remarques: Petite plante très belle.

Sol: Frais, fertile et bien drainé. **Feuillage:** bleu argenté

15 cm/ 6 po | ☒ 30 cm/ 12 po
Hampe florale: 20 cm/ 8 po | ❀ Juin - juillet

Festuca glauca 'Solling' Solling Fescue

Origine: Horticole. **Zone:** 3b

Le port est coussiné, le feuillage est bleu-gris. La feuille est linéaire. Inflorescence: Aucune. Remarques: Le feuillage prend une coloration brun-rougeâtre à l'automne.

Sol: Frais, fertile et bien drainé. **Feuillage:** bleu-gris
15 cm/ 6 po ❀ Mai à juillet **Hampe florale:** 20 cm/ 8 po

Festuca glauca 'Superba' Blue Sheep's Fescue

Origine: Horticole. **Zone:** 3b

Le port est coussiné, le feuillage bleu-gris est retombant. La feuille est linéaire. Inflorescence: Tige pourpre cuivrée, décorative et différente.

Sol: Frais, fertile et bien drainé. **Feuillage:** bleu
15 cm/ 6 po ❀ Août - septembre **Hampe florale:** 20 cm/ 8 po

Festuca rubra 'Blue Spike'

Zone: 2

Le port est arrondi. Son feuillage est rigide et filliforme, formant de jolies touffes très denses de feuilles bleutées. Plante enregistrée. Remarques: Meilleure coloration en plein soleil.

Sol: Bien drainé. **Feuillage:** bleu
20 cm/ 8 po ☒ 30 cm/ 12 po ❀ Mai - juin

Festuca scoparia 'Pic Carlit' Dwarf Bear Skin Fescue

Origine: Horticole. **Zone:** 4

Le port est coussiné, le feuillage persistant est vert pâle à texture fin, compact et en petites touffes hérisées. La feuille est raide et piquante. Inflorescence: Panicule compacte et dressée. Remarques: Utilisé pour rocailles.

Sol: Bien drainé. **Feuillage:** vert
10 cm/ 4 po ❀ Juillet - août

Festuca tenuifolia Fine Leaved Fescue

Origine: Europe continentale. **Zone:** 4a

Le port est coussiné, le feuillage persistant est fin, vert lime et plus haut que le Festuca sco. 'Pic Carlit'. La feuille est linéaire. Inflorescence: Panicule compacte et dressée.

Sol: Frais, fertile et bien drainé. Feuillage: vert
15 cm/ 6 po ❀ Juillet **Hampe florale:** 30 cm/ 12 po

Glyceria maxima 'Variegata' Variegated Manna Grass

Origine: Europe et Asie. **Zone:** 4

Le port est tapissant, le feuillage caduc est vert-lime strié de blanc-crème panaché, rosé au printemps. La feuille est simple, linéaire, retombante et rubanée (2 cm de large). Inflorescence: Panicule compacte, peu intéressante. Remarques: Se propage rapidement par stolons, envahissante.

Sol: Tous les sols, humides ou secs. **Feuillage:** vert/blanc
30 cm/ 12 po ❀ Août **Hampe florale:** 50 cm/ 20 po

***Hakonechloa macra* 'Aureola'** Golden Variegated Hakone 

Origine: Horticole. **Zone:** 4

Touffe érigée et retombante. Le feuillage caduc est jaune-or ligné de vert. La feuille est rubanée-linéaire. Inflorescence: Panicule ouverte. Remarques: Une graminée pour l'ombre d'un sous-bois clair, croissance lente.

Sol: Frais, fertile et bien drainé. **Feuillage:** jaune/vert
⌂ 45 cm/ 18 po ❀ Août - septembre

***Hakonechlora macra* 'Alba Striata'** 

Zone: 4a

Nouvelle sélection, feuillage vert luisant. Remarques: Excellent couvre-sol.

Feuillage: vert ⌂ 15 cm/ 6 po

***Hakonechlora macra* 'Albo-variegata'** 

Zone: 4b

Petit spécimen. Les feuilles ont des rainures blanches qui dominent, et un peu de vert. Très peu vigoureux. Remarques: Se propage par stolons.

Feuillage: vert/blanc

Helictotrichon sempervirens Blue Oat Grass 

Origine: Europe. **Zone:** 4a

Le port est évasé, le feuillage persistant est glauque, bleuté, en touffes dressées et serrées. La feuille est simple, linéaire et rubanée. Inflorescence: Jaune beaucoup plus haute que le feuillage et d'aspect délicat. Ressemble à Festuca glauca mais ses feuilles sont plus larges. Remarques: Dans des conditions défavorables elle est sensible à la rouille. Syn.: Avena.

Sol: Bien drainé et riche. **Feuillage:** bleu-vert
⌂ 40 cm/ 16 po
Hampe florale: 90 cm/ 36 po ❀ Mai - juin

***Helictotrichon sempervirens* 'Saphir Prudel'** Oat Grass Sapphire 

Origine: Eurasie. **Zone:** 4

Similaire mais plus bleu, sélection vigoureuse

Sol: Tous les sols, fertiles. **Feuillage:** bleu
⌂ 60 cm/ 24 po

***Holcus lanatus* 'Variegatus'** Variegated Velvet Grass 

Origine: Europe. **Zone:** 4-5

Le port est prostré, le feuillage caduc est vert strié de blanc et velouté. La feuille est simple et linéaire. Inflorescence: Panicule peu intéressante. Remarques: Se propage bien par stolons, bon couvre-sol, endroit sec.

Sol: Bien drainé, légèrement humide et fertile. **Feuillage:** vert/blanc
⌂ 50 cm/ 20 po ⊠ 40 cm/ 16 po
❀ Juin à août

Hystrix patula Bottle Brush Grass

Zone: 4a

Le feuillage est vert foncé. Inflorescence: Épis clairsemé et décoratif. Remarques: Demande une certaine protection hivernale.

Sol: Sablonneux très bien drainé.
⌂ 30 cm/ 12 po
Hampe florale: 120 cm/ 48 po

Feuillage: vert
☒ 35 cm/ 14 po
❀ Juillet

Imperata cylindrica 'Red Baron' Japanese Blood Grass

Origine: Japon.
Zone: 5b

Le port est érigé, le feuillage caduc est vert tendre à la base et rouge vif au sommet, rougissant avec les hautes températures d'été. La feuille est simple et linéaire. Inflorescence: Blanc argenté, panicule étroite. Remarques: Nécessite une protection hivernale.

Sol: Bien drainé, tolère un peu d'humidité.
⌂ 45 cm/ 18 po

Feuillage: vert/rouge
❀ Septembre - octobre

Koeleria glauca Large Blue Hair Grass

Origine: Europe et Sibérie.
Zone: 4

Le port est coussiné, le feuillage persistant est rigide et bleu-vert. La feuille est simple et linéaire. Inflorescence: Plumes délicates vert-pâle ou jaunâtre en juin. Remarques: Pousse bien au pied des conifères.

Sol: Calcaire et bien drainé.
⌂ 15 cm/ 6 po
Hampe florale: 30 cm/ 12 po

Feuillage: bleu-vert
☒ 30 cm/ 12 po
❀ Juin

Luzula nivea Snowy Wood Rush

Origine: France et Yougoslavie.
Zone: 2

Le port est coussiné en forme de rosettes, le feuillage persistant est gris-vert (olive) et pubescent. La feuille est simple, linéaire et ciliée. Inflorescence: Épillets en groupes de 6 à 20, blancs et floconneux, nombreux corymbes denses, très ornementale, hauteur 40 cm. Remarques: Fleurs coupées.

Sol: Riche en humus, humide.
⌂ 25 cm/ 10 po
Hampe florale: 40 cm/ 16 po

Feuillage: vert-gris
☒ 45 cm/ 18 po
❀ Mai

Luzula sylvatica Greater Wood Rush

Zone: 4

Forme une touffe lâche, le feuillage très épais est vert foncé et persistant. La feuille est linéaire, érigée puis retombante. Inflorescence: Porte des panicules de fleurs blanches groupées en corymbes denses.

Feuillage: vert
⌂ 30 cm/ 12 po
Hampe florale: 60 cm/ 24 po

☒ 45 cm/ 18 po
❀ Juin

Luzula sylvatica 'Marginata' Golden-Edged Wood Rush 

Origine: Horticole. **Zone:** 4

Le port est coussiné en forme de rosette, le feuillage persistant est vert avec une marge dorée. La feuille est rubanée-linéaire.

Sol: Préférablement acide, humide et riche.
Feuillage: vert/jaune
⌂ 20 cm/ 8 po
☒ 45 cm/ 18 po
Hampe florale: 60 cm/ 24 po
❀ Mai

Miscanthus sacchariflorus Silver Banner Grass 

Origine: Asie de l'Est. **Zone:** 4b

Le port est évasé et tapissant. Le feuillage caduc est vert, longues tiges au feuillage retombant surmonté d'un épis plumeux argenté. La feuille est simple et linéaire (10 à 12 mm de large). Inflorescence: Dorée, plumeuse, très ornementale. Remarques: Envahissante, plante imposante qui se propage rapidement par stolons, réservée au grands espaces.

Sol: Humide.
Feuillage: bleu-vert
⌂ 175 cm/ 70 po
☒ 140 cm/ 56 po
Hampe florale: 200 cm/ 80 po
❀ Août à octobre

Miscanthus sacchariflorus 'Robustus' Giant Silver Banner Grass 

Origine: Horticole. **Zone:** 4b

Un cultivar vigoureux et rustique qui fleurit sous des climats frais.

Sol: Frais, riche et bien drainé.
Feuillage: vert
⌂ 120 cm/ 48 po
☒ 80 cm/ 32 po
Hampe florale: 200 cm/ 80 po
❀ Août

Miscanthus sinensis 'Adagio' Adagio Japanese Silver Grass 

Origine: Horticole. **Zone:** 4

Le port est évasé, le feuillage gris-argenté, ressemble à M. sin. 'Gracillimus' mais compact formant des touffes naines. La feuille est linéaire-rubanée. Inflorescence: En plumeaux roses, coloration automnale rouge. Remarques: Selection Kurt Bluemel, plus performant M. 'Yaku Jima'.

Sol: Tous les sols, préfère une terre riche et bien drainée.
Feuillage: argenté ⌂ 110 cm/ 44 po ❀ Juillet à septembre

Miscanthus sinensis 'Arabesque' 

Zone: 4

Le feuillage élégant et compact est vert et les veines sont argentées. La feuille est mince et lancéolée. Très belle inflorescence légère et plumeuse. Spécimen très vigoureux Remarques: Selection de Kurt Bluemel.

Sol: Meuble.
Feuillage: vert
⌂ 80 cm/ 32 po
☒ 60 cm/ 24 po
Hampe florale: 100 cm/ 40 po
❀ Août

Miscanthus sinensis 'Autumn Light' Japanese Silver Grass 

Zone: 4

Très robuste et rustique. Le feuillage est très vert et attirant. Inflorescence: Produit de belles plumes. Coloration automnale superbe. Remarques: Introduit par Kurt Bluemel.

Sol: Argileux.
△ 150 cm/ 60 po ❀ Août
Feuillage: vert
Hampe florale: 200 cm/ 80 po

Miscanthus sinensis 'Berlin'

Origine: Horticole. **Zone:** 4

Le port est évasé, le feuillage retombant est vert foncé lustré, dont la nervure centrale argentée produit de grands plumeaux pourpres qui tourneront argentés lorsque matures. La feuille est linéaire-rubanée. Panicule plumeuse à reflets dorés. Remarques: Grande plante poussant en touffe.

Sol: Tous les sols.
△ 175 cm/ 70 po
Hampe florale: 200 cm/ 80 po
Feuillage: vert
❀ Septembre à novembre

Miscanthus sinensis 'Blondo'

△ 240 cm/ 96 po **Zone:** 4

Feuillage épais et très résistant. Fleur blanc-crème Remarques: Nouveauté.

Miscanthus sinensis 'Cabaret' Cabaret Japanese Silver Grass

Origine: Horticole. **Zone:** 4

Le port est évasé, le feuillage est crème au centre bordé de vert . La feuille est linéaire-rubanée. Inflorescence: Plumeaux pourpres.

Sol: Tous les sols bien drainés.
△ 150 cm/ 60 po
Feuillage: vert/crème
❀ Juillet à octobre

Miscanthus sinensis 'Cosmopolitan'

Zone: 4

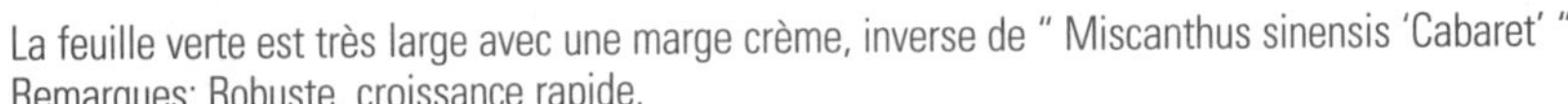

La feuille verte est très large avec une marge crème, inverse de " Miscanthus sinensis 'Cabaret' " Remarques: Robuste, croissance rapide.

Feuillage: vert △ 150 cm/ 60 po

Miscanthus sinensis 'Gracillimus' Maiden Grass

Origine: Horticole. **Zone:** 4

Le port est évasé, le feuillage caduc retombant est vert foncé, mince et gracieux avec la nervure centrale argentée. La feuille est linéaire-rubanée. Inforescence: Fleurit et produit des plumeaux beiges une année sur cinq sur des hampes érigées. Remarques: Coloration automnale d'un beau bronze doré.

Sol: Tous les sols, préfère une terre riche et bien drainée.
Feuillage: vert/argenté
Hampe florale: 250 cm/ 100 po
△ 200 cm/ 80 po
❀ Octobre - novembre

Miscanthus sinensis 'Graziella' Graziella Japanese Silver Grass

Origine: Horticole. **Zone:** 4

Le port est évasé au sommet, le feuillage vert est fin et gracieux. La feuille est linéaire. Inflorescence: Grandes fleurs blanches.

Sol: Tous les sols bien drainés.
△ 180 cm/ 72 po
Feuillage: vert
❀ Août

Miscanthus sinensis 'Kleine Fontaine'

Origine: Horticole. **Zone:** 4

Le port est évasé, a l'apparence d'une fontaine. Le feuillage retombant est vert moyen à nervures argentées. La feuille est linéaire-rubanée. Inflorescence: Panicules plumeuses. Remarques: Un cultivar à floraison hâtive.

Sol: Tous les sols bien drainés. **Feuillage:** vert/argenté
100 cm/ 40 po ❀ Août à octobre

Miscanthus sinensis 'Malepartus' Flame Grass, Purple Silver Grass

Origine: Horticole. **Zone:** 4

Le port est évasé au sommet, le feuillage ressemble à M. sacchariflorus mais non envahissant, touffes serrées produisant des plumeaux argentés, belle coloration automnale orange-cuivré. La feuille est linéaire-rubanée. Inflorescence: Rose pourpre puis argenté.

Sol: Tous les sols bien drainés. **Feuillage:** bleu-vert
150 cm/ 60 po ❀ Septembre **Hampe florale:** 175 cm/ 70 po

Miscanthus sinensis 'Morning light' Miaden Variegated Grass

Zone: 4

Glauque, panaché de bleu-vert. Inflorescence argentée à l'automne.

Feuillage: bleu-vert 120 cm/ 48 po ❀ Octobre

Miscanthus sinensis 'Sarabande'

Zone: 4

Feuillage fin et argenté, inflorescence dorée. Un des plus beau de l'espèce. Remarques: Sélection de Kurt Bluemel.

Sol: Bien drainé. **Feuillage:** argenté
200 cm/ 80 po ❀ Septembre à novembre

Miscanthus sinensis 'Silberfeder' Silver Feather Maiden Grass

Origine: Horticole. **Zone:** 4

Le port est évasé au sommet, le feuillage est vert foncé lustré avec une nervure centrale argentée. La feuille est linéaire-rubanée. Inflorescence: Décorative, plumeaux ramifiés larges bien au dessus du feuillage Remarques: Se détériore en sol humide.

Sol: Tous les sols bien drainés. **Feuillage:** vert/argenté
150 cm/ 60 po
Hampe florale: 200 cm/ 120 po ❀ Septembre à novembre

Miscanthus sinensis 'Strictus' Porcupine Grass

Zone: 4b

Le port est érigé, le feuillage est vert strié horizontalement de jaune. Ressemble à 'Zebrinus' en plus rigide et vigoureux.

Feuillage: vert/jaune 200 cm/ 80 po
Hampe florale: 250 cm/ 100 po ❀ Septembre

Miscanthus sinensis 'Variegatus'

Origine: Horticole. **Zone:** 5b

Le port est érigé-retombant, le feuillage vert largement panaché de crème est très décoratif. La feuille est linéaire-rubanée. Inflorescence: Rare sous nos climats. Remarques: Belle plante.

Sol: Tous les sols bien drainés. **Feuillage:** vert/crème

175 cm/ 70 po ❀ Octobre - novembre **Hampe florale:** 200 cm/ 80 po

Miscanthus sinensis 'Yaku Jima'

Origine: île de Yaku Jima. **Zone:** 4

Plant compact. Feuillage fin, inflorescence argentée, très florifère. Floraison hâtive et très au dessus du feuillage. Une forme améliorée voir le Miscanthus 'Adagio'.

95 cm/ 38 po ❀ Août - septembre

Miscanthus sinensis 'Zebrinus' Zebra Grass

Origine: Horticole. **Zone:** 5

Le port est évasé, le feuillage arqué est vert tacheté de bande horizontale jaune-crème inhabituelle. La feuille est linéaire-rubanée, Inflorescence: Pourpre, rare sous nos climats. Remarques: Ne pas confondre avec M.sin.'Strictus' qui a un port bien érigé non retombant.

Sol: Tous les sols bien drainés. **Feuillage:** vert/jaune

150 cm/ 60 po ☒ 100 cm/ 40 po

Hampe florale: 200 cm/ 80 po ❀ Octobre - novembre

Miscanthus sinensis var. condensatus

Origine: Asie. **Zone:** 4

Le port est évasé, le feuillage retombant est vert. La feuille est linéaire-rubanée. Inflorescence: Fleur magenta puis dorée. Remarques: Plus vigoureux que l'espèce.

Sol: Tous les sols bien drainés. **Feuillage:** vert

180 cm/ 72 po ❀ Septembre - octobre

Molinea caerulea Purple Moor Grass

Zone: 4

Le feuillage est d'abord érigé puis retombant. Inflorescence: Longues tiges florales, panicules plutôt lâches d'une texture vaporeuse. Couleur automnale jaunâtre puis brun-orangé. Remarques: Plant compact.

Sol: Humide, acide et riche **Feuillage:** vert

40 cm/ 16 po ❀ Juillet à septembre

Molinea caerulea 'Moorhexe' Moor Witch, Moor Grass

Origine: Horticole. **Zone:** 4

Le port est érigé-retombant, le fin feuillage caduc est vert lime, puis jaune à l'automne, touffes dressées hérissées. La feuille est simple et linéaire. Inflorescence: Panicule de 12 à 25 cm, pourpre bien au dessus du feuillage.Coloration automnale jaune.

Sol: Acide, riche et humide. **Feuillage:** vert

30 cm/ 12 po

Hampe florale: 90 cm/ 36 po ❀ Juillet à octobre

***Molinea caerulea* 'Variegata'** Variegated Purple Moor Grass 

Origine: Horticole. **Zone:** 4

Le port est érigé-retombant, le feuillage caduc est vert panaché de jaune-crème, en petites touffes hérissées. La feuille est linéaire-rubanée. Inflorescence: Pourpre. Remarques: Utilisé comme haie ou bordure. Très décoratif, croissance lente.

Sol: Frais et fertile. **Feuillage:** vert/jaune

60 cm/ 24 po ❀ Juillet à octobre **Hampe florale:** 80 cm/ 32 po

***Molinia caerulea* ssp. arundinacea** Skyracer Tall Moor Grass 

Origine: Horticole. **Zone:** 4b

Le port est érigé, feuillage en touffes hérissées surmonté de longues tiges verticales portant des panicules ramifiées. La feuille est dorée pendant l'été et jaune à l'automne. Inflorescence: Jaune. Remarques: Plante architecturale. Sélection de Kurt Bluemel.

Sol: Frais et fertile. **Feuillage:** jaune

100 cm/ 40 po ❀ Août **Hampe florale:** 150 cm/ 60 po

***Molinia caerulea* ssp. arundinacea** Windplay Tall Moor Grass 

Origine: Horticole. **Zone:** 4b

Le port est érigé, la feuille est linéaire, inflorescence en panicules. Le feuillage en touffes hérissées est plus large que M. caerulea, hampe florale bien au dessus du feuillage, très vertical, plumeaux ramifiés jaune-doré tôt à l'automne. Remarques: Très vigoureuse.

Sol: Humide et acide.

100 cm/ 40 po ❀ Août - septembre **Hampe florale:** 150 cm/ 60 po

Panicum clandestinum Deer Tongue Grass 

Zone: 4

Le port est en touffes plus ou moins érigées. Le feuillage est vert clair et a l'apparence du bambou. La feuille est lancéolée-entière. Inflorescence: Panicule pourpre à brunâtre bien au dessus du feuillage.

Sol: Riche et humide. **Feuillage:** vert

120 cm/ 48 po ❀ Juillet à septembre

***Panicum virgatum* 'Hänse'** Red Switch Grass 

Origine: Horticole. **Zone:** 4

Le port est érigé, le feuillage caduc est vert, dressé et compact. La feuille est simple et linéaire. Inflorescence: Panicule lâche très ramifiée et délicate (60 cm). Feuillage rouge à l'automne

Sol: Bien drainé, humide et fertile. **Feuillage:** vert

90 cm/ 36 po ❀ Août - septembre **Hampe florale:** 120 cm/ 48 po

***Panicum virgatum* 'Heavy Metal'** Heavy Metal Switch Grass 

Origine: Horticole. **Zone:** 4

Le port est érigé et étroit, le feuillage bleu-métalique est rigide. La feuille est linéaire. Inflorescence: Plumeau rosé tournant au doré à l'automne. Remarques: Sélection de Kurt Bluemel.

Sol: Frais et bien drainé. **Feuillage:** bleu

90 cm/ 36 po ❀ Août - septembre

Panicum virgatum 'Rotstrahlbusch' Red Switch Grass 

Origine: Horticole. **Zone:** 4

Touffes vigoureuses de feuilles rubanées d'abord érigées puis retombantes d'un vert foncé à la base et rougeâtre au sommet Inflorescence: Épi aérien. Le feuillage est très intéressant, coloration automnale rouge vin.

Sol: Frais et riche.
Feuillage: vert/rouge
110 cm/ 44 po
60 cm/ 24 po
Hampe florale: 100 cm/ 40 po
Août à octobre

Panicum virgatum 'Warrior' Switch Grass 

Zone: 3

Le port est dressé, le feuillage est vert et les fleurs pourpres. Remarques: Sélection de Kurt Bluemel. Feuillage rouge à l'automne.

Sol: Frais et fertile.
Feuillage: vert
110 cm/ 44 po
Juillet - août

Pennisetum alopecuroides Fountain Grass 

Origine: Asie- Australie. **Zone:** 5b

Le port est évasé, le feuillage caduc est vert foncé lustré, fin, retombant en fontaine. La feuille est linéaire. Inflorescence: Semblable à une queue de renard beige à brun à bout blanc. Remarques: Utilisé en bac et massif, non envahissant. Très décoratif l'automne.

Sol: Frais et bien drainé.
Feuillage: vert
100 cm/ 40 po
Août à octobre
Hampe florale: 120 cm/ 48 po

Pennisetum alopecuroides 'Hameln' Dwarf fountain Grass 

Origine: Horticole. **Zone:** 5

Le port est évasé, le feuillage vert foncé, très fin est en touffes compactes. La feuille est linéaire. Inflorescence: Plus trapue que l'espèce, touffue brun clair sans bout blanc. Un spécimen très populaire. Remarques: Ne se propage pas par semis.

Sol: Riche et bien drainé.
Feuillage: vert
30 cm/ 12 po
Août à octobre
Hampe florale: 60 cm/ 30 po

Pennisetum alopecuroides 'Little Bunny' 

Zone: 4

Un des plus petits de l'espèce. Le feuillage est vert. Inflorescence: Petite blanche et très duveteuse.

Sol: Frais bien drainé.
Feuillage: vert
25 cm/ 10 po
Août à octobre

Pennisetum alopecuroides 'Moudry' Late Blooming Fountain Grass 

Zone: 4

Le feuillage est vert foncé et l'inflorescence brun foncé presque noir, très contrastant. Remarques: Excellent pour les fleurs coupées.

Sol: Frais bien drainé.
Feuillage: vert
75 cm/ 30 po
Octobre - novembre

Pennisetum orientale Oriental Fountain Grass 

Zone: 5

Le feuillage est vert et les fleurs roses très pâles, très douces et très nombreuses. Remarques: Tolère les conditions arides.

Sol: Frais bien drainé.
Feuillage: vert
45 cm/ 18 po
❀ Juillet à octobre

***Pennisetum setaceum* 'Rubrum'** Purple Fountain Grass 

Zone: 5

Le feuillage pourpre est en cascade. La floraison hâtive est riche et retombante, et formée de longs épillets rouge-pourpre. Remarques: Se comporte comme une annuelle.

Sol: Frais bien drainé.
Feuillage: pourpre
75 cm/ 30 po
❀ Août à octobre

***Phalaris arundinacea* var. picta** Gardener's Garters 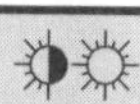

Zone: 3

Feuille verte striée de blanc dans le sens de la longueur, un coté de la feuille étant plus blanc et l'autre plus vert. Très populaire comme couvre-sol. Très vigoureux et très envahissant. Remarques: Peu pousser dans l'eau peu profonde.

Sol: Idéal pour un sol mal aéré.
Feuillage: vert/blanc
80 cm/ 32 po
Hampe florale: 100 cm/ 40 po
❀ Mai - juin

***Phalaris arundinacea* var. picta 'Feesey'** Ribbon Grass 

Origine: Amérique du Nord et Europe.
Zone: 3-4

Le port est tapissant, le feuillage caduc est strié vert et blanc délavé de rose au printemps. La feuille est simple et linéaire. Inflorescence: Panicule plus ou moins intéressante.

Sol: Tous les sols.
Feuillage: vert/blanc
100 cm/ 40 po
Hampe florale: 120 cm/ 48 po
❀ Juillet

***Spartina pectinata* 'Aureomarginata'** Variegated Prairie Cord Grass 

Origine: Horticole.
Zone: 4

Le port est évasé, le feuillage caduc est vert finement marginé de doré, retombant, tige robuste. La feuille est simple et linéaire. Inflorescence: Épis groupés en racèmes verts à étamines pourpres. Remarques: Envahissante, se propage par stolons.

Sol: Tous les sols.
Feuillage: vert/jaune
150 cm/ 60 po
Hampe florale: 190 cm/ 76 po
❀ Septembre - octobre

HOSTAS

HOSTAS

Contrairement à la plupart des vivaces, les hostas doivent avant tout leur popularité à leur feuillage ornemental, quoique leur floraison puisse aussi s'avérer intéressante. Les amateurs en apprécient les multiples espèces et cultivars qui s'intègrent magnifiquement à tout aménagement paysager. Originaires du Japon, de la Chine et de la Corée, ils tolèrent bien notre climat et plusieurs d'entre eux s'épanouissent autant dans un emplacement ensoleillé qu'ombragé. Leurs feuilles, caduques, présentent différentes formes, dimensions, couleurs et textures. De plus, ils demandent peu d'entretien, ce qui est un atout fort appréciable lorsque le temps consacré au jardinage nous manque.

Les hostas gagnent en ampleur et en beauté avec les années: les marges des formes panachées deviennent plus larges, les textures des feuilles plus démarquées et les couleurs plus vives. Ainsi, du plant miniature au hosta gigantesque, les feuillages se diversifient dans une palette de tons allant du bleu sombre au jaune doré. Les hostas sont robustes, et quelques spécimens ont des fleurs délicieuses et odorantes, blanches ou colorées.

Les nombreuses qualités des hostas en font des plantes très prisées dans les expositions et concours. Chaque année, le American Hosta Society sélectionne les 100 meilleures variétés. De ce nombre, 97 figurent dans nos pages.

Enfin, s'il fallait améliorer un aspect relatif à la culture des hostas, ne serait-ce pas celui de développer des variétés à feuillage persistant et ainsi profiter de leur beauté plus longtemps?

LÉGENDE

Il est à noter que les observations sont faites à partir de plant mature, soit des plants de 4 à 5 ans.

LA FEUILLE

DESCRIPTION DE LA FORME DE LA FEUILLE

Linéaire

Lancéolée

Ovées

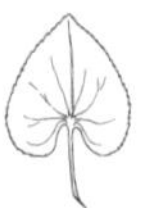

Cordée

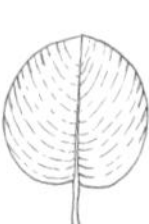

Ronde

SURFACE DE LA FEUILLE

Lisse

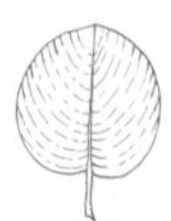

Bosselée

Bosselée en forme de coupe

Ondulée

Ondulée-vaguée

Sillonnée

LE FEUILLAGE

DESCRIPTION DU FEUILLAGE

Code de couleur de la feuille: limbe/ marge
Le feuillage est vert marginé de blanc: vert / blanc. Exemple: H. 'Brim Cup'.
☒: Étalement du feuillage

CHANGEMENT DE COULEUR

Viridescent: Blanc ou jaune passant au vert. Exemple: H. 'Gold Edger'.
Lutescent: Vert ou chartreux passant au jaune ou jaune crème. Exemple: H. 'August Moon'.
Albescent: Jaune ou vert passant au blanc. Exemple: H. 'Richland Gold'.

LA FLEUR

FLEUR

Fertile: Par défaut
Stérile: Ne se reproduit pas

FORME

Entonnoir (par défaut)

Cloche

Étoilée

LA HAMPE FLORALE

POSTURE (angle)

Droite (par défaut)

Oblique

Prostrée

DESCRIPTION

Sans feuilles: Par défaut
Avec feuilles: F, avec la hauteur de la hampe florale
Ramifiée: Tige florale à plusieurs branches

AUTRES

Mesure de la feuille: (longueur X largeur)

Nombre de nervures: (demi-feuille) 5 nervures = 10 en tout. Exemple H.'Chionea'.

Par défaut: non mentionné dans la description mais réel. Exemple: Quand la forme de la fleur n'est pas mentionnée, elle est en forme d'entonnoir. Et on mentionne seulement lorsque la fleur est stérile dans tous les autres cas elle est fertile.

'Abba Dabba Do'

Feuillage: vert/jaune
60 cm/ 24 po
Zone: 2
⊠ 45 cm/ 18 po

Le feuillage est vert foncé et légèrement marginé de doré. La feuille est longue, lancéolée et un peu contorsionnée. Remarques: Cultivar provenant de H. 'Sun Power'.

Hampe florale: 75 cm/ 30 po
Couleur: Lavande
∅ 2,5 à 7,5 cm
Floraison: Juillet

'Abiqua Drinking Gourd'

Feuillage: bleu-vert
35 cm/ 14 po
Zone: 2
⊠ 40 cm/ 16 po

Le feuillage est bleu-vert, bosselé et en forme de coupe. La feuille ronde à cordée mesure 28 x 20 cm et possède 15 nervures. La fleur est en forme de cloche. Remarques: Croisement entre H. 'Tokudama' X H. sieboldiana.

Hampe florale: 55 cm/ 22 po
Couleur: Blanche **F**
∅ 2,5 à 7,5 cm
Floraison: Juillet

'Antioch'

Feuillage: vert/blanc
50 cm/ 20 po
Zone: 3
⊠ 90 cm/ 36 po

Le feuillage lisse est vert avec une bordure crème irrégulière qui blanchit. La feuille ovée mesure 25 x 20 cm et possède 7 nervures. La tige florale est oblique; la fleur, stérile. Remarques: Le grand hosta est plus performant à la mi-octobre; croissance rapide. Ce cultivar a été plusieurs fois primé. Syn. Moerheimii.

Hampe florale: 80 cm/ 32 po
Couleur: Lavande
∅ 2,5 à 7,5 cm
Floraison: Juillet

'Aristocrate'

Feuillage: bleu/jaune
35 cm/ 14 po
Zone: 3
⊠ 45 cm/ 18 po

Le feuillage est bleu poudre avec une large marge jaune crème qui pâlit au blanc crème ou au blanc (albescent). Très belles feuilles ovées. Remarques: Introduit par Walters Garden, dérivé de H. 'Hadspen Blue'.

Hampe florale: 50 cm/ 20 po
Couleur: Lavande
Floraison: Août

'Aurora Borealis'

Feuillage: bleu-vert/jaune
60 cm/ 24 po
Zone: 3
⊠ 110 cm/ 44 po

Le feuillage bosselé est bleu-vert avec une marge jaune. La feuille cordée mesure 33 x 38 cm et possède 16 nervures. La fleur est en forme de cloche. Remarques: Version plus robuste et améliorée de H. 'Frances Williams'; marge jaune plus large.

Hampe florale: 75 cm/ 30 po
Couleur: Blanche
∅ 2,5 à 7,5 cm
Floraison: Juillet

'Austin Dickinson'

Feuillage: bleu-vert/blanc
45 cm/ 18 po
Zone: 3
⊠ 45 cm/ 18 po

Le feuillage est bleu-vert avec une large bordure blanc crème. La feuille est arrondie, épaisse, bosselée et lustrée.

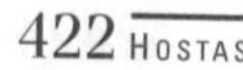

∅ Plus de 7,5 cm
Couleur: Blanche & mauve  **Floraison:** Août

---

bella

Feuillage: vert
40 cm/ 16 po
Zone: 3
☒ 40 cm/ 16 po

Le feuillage est vert foncé, mat et légèrement bosselé. La feuille est ovée à cordée avec des nervures apparentes. Le dessous de la feuille est gris-bleu. Remarques: Également connu sous le synonyme H. fortunei 'Obscura'.

Hampe florale: 90 cm/ 36 po
Couleur: Lavande
∅ Moins de 2,5 cm
Floraison: Août

'Big Daddy'

Feuillage: bleu-vert
60 cm/ 24 po
Zone: 3
☒ 90 cm/ 36 po

Le port du plant est dressé. Le feuillage épais est bleu-vert, bosselé et en forme de coupe. La feuille ovée-cordée mesure 28 x 23 cm et possède 16 nervures. La fleur est en forme de cloche. Remarques: Dérivé de H. sieboldiana.

Hampe florale: 90 cm/ 36 po
Couleur: Blanche
∅ 2,5 à 7,5 cm
Floraison: Juillet

'Big Mama'

Feuillage: bleu-vert
90 cm/ 36 po
Zone: 3
☒ 120 cm/ 48 po

Le feuillage est bleu-vert, bosselé et épais. La feuille cordée mesure 33 x 31 cm et possède 16 nervures apparentes. La fleur est en forme de cloche. Remarques: Croisement entre H. 'Blue Tiers' X H. sieboldiana 'Blue Angel'.

Hampe florale: 120 cm/ 48 po
Couleur: Lavande
∅ 2,5 à 7,5 cm
Floraison: Juillet

'Birchwood Gold'

Feuillage: jaune
45 cm/ 18 po
Zone: 3
☒ 75 cm/ 30 po

Le port du plant est dressé. Le feuillage lisse est jaune lutescent. La feuille cordée mesure 13 x 10 cm et possède 8 nervures. La fleur est en forme de cloche. Remarques: Tolère le soleil.

Hampe florale: 95 cm/ 38 po
Couleur: Lavande
∅ 2,5 à 7,5 cm
Floraison: Juillet

'Blue Angel'

Feuillage: bleu
90 cm/ 36 po
Zone: 3
☒ 120 cm/ 48 po

Le feuillage épais est bleu et fortement bosselé. La feuille cordée mesure 40 x 33 cm, compte 13 nervures et a la forme d'une aile d'ange. Possède jusqu'à 10 fleurs par tige, qui sont en forme de cloche. Remarques: Variété résistante aux limaces; spécimen très interessant.

Hampe florale: 120 cm/ 48 po
Couleur: Blanche
∅ 2,5 à 7,5 cm
Floraison: Juillet

'Blue Blaze'

Feuillage: bleu-vert
75 cm/ 30 po
Zone: 3
☒ 90 cm/ 36 po

('Blue Blaze')

Le feuillage est bleu-vert, bosselé et en forme de coupe. La feuille ronde à cordée mesure 33 x 28 cm et possède 12 nervures. La fleur est en forme de cloche. Remarques: Croisement entre H. 'Polly Bishop' X H. 'Blue Boy'. Bon rythme de croissance.

Hampe florale: 95 cm/ 38 po — ∅ 2,5 à 7,5 cm
Couleur: Lavande — **Floraison:** Juillet

'Blue Cadet'

Feuillage: bleu-vert — **Zone:** 4
△ 40 cm/ 16 po — ⊠ 70 cm/ 28 po

Le feuillage lisse et épais est bleu-vert. La feuille cordée mesure 13 x 10 cm et possède 10 nervures. La floraison est abondante.

Hampe florale: 65 cm/ 26 po — ∅ 2,5 à 7,5 cm
Couleur: Lavande — **Floraison:** Juillet

'Blue Moon'

Feuillage: bleu-vert — **Zone:** 3
△ 20 cm/ 8 po — ⊠ 25 cm/ 10 po

Le feuillage lisse et épais est bleu-vert. La feuille cordée mesure 7,5 x 5 cm et possède 9 nervures. La fleur est en forme de cloche. Remarques: Bon couvre-sol compact, à croissance lente.

Hampe florale: 30 cm/ 12 po — ∅ Moins de 2,5 cm
Couleur: Blanche — **Floraison:** Août

'Blue Shadows'

Feuillage: autre — **Zone:** 3
△ 35 cm/ 14 po — ⊠ 60 cm/ 24 po

Le feuillage est bleu-vert strié de jaune, bosselé et en forme de coupe. La feuille cordée mesure 18 x 15 cm et possède 13 nervures. La fleur est en forme de cloche. Remarques: Sélection de H. 'Tokudama Aureonebulosa'; croissance lente.

Hampe florale: 45 cm/ 18 po — ∅ 2,5 à 7,5 cm
Couleur: Blanche — **Floraison:** Juillet

'Blue Umbrellas'

Feuillage: bleu-vert — **Zone:** 3
△ 90 cm/ 36 po — ⊠ 120 cm/ 48 po

Le feuillage bosselé est bleu verdâtre au printemps, devenant vert foncé; les feuilles sont grandes et disposées en ombelles. La feuille cordée, épaisse et en forme de coupe inversée mesure 33 x 23 cm et possède 13 nervures. Remarques: Croisement entre H. 'Tokudama' X H. sieboldiana 'Elegans'; croissance rapide.

Hampe florale: 105 cm/ 42 po — ∅ 2,5 à 7,5 cm
Couleur: Blanche/lavande — **Floraison:** Juillet

'Blue Wedgwood'

Feuillage: bleu-vert — **Zone:** 3
△ 35 cm/ 14 po — ⊠ 60 cm/ 24 po

Le feuillage épais et cireux est bleu-vert argenté avec un sillon central profond. La feuille ronde à cordée mesure 15 x 13 cm et possède 12 nervures. La fleur est en forme de cloche. Remarques: Très florifère et à croissance rapide; résistant aux limaces.

Hampe florale: 40 cm/ 16 po — ∅ 2,5 à 7,5 cm
Couleur: Lavande pâle — **Floraison:** Juillet

'Bressingham Blue' ●☼

Feuillage: bleu — **Zone:** 3
⌂ 50 cm/ 20 po — ☒ 60 cm/ 24 po

Le feuillage est bleu et bosselé. La feuille cordée mesure 15 x 10 cm et possède 13 nervures. La fleur est en forme de cloche. Remarques: Croisement entre H. sieboldiana X H. 'Tukodoma'.

Hampe florale: 70 cm/ 28 po — Ø 2,5 à 7,5 cm
Couleur: Blanche — **Floraison:** Juillet

'Brim Cup' ●☼

Feuillage: vert/blanc — **Zone:** 3
⌂ 30 cm/ 12 po — ☒ 40 cm/ 16 po

Le feuillage est vert avec une large marge irrégulière blanche; il est bosselé et en forme de coupe. La feuille ronde à cordée mesure 15 x 13 cm et possède 10 nervures. La fleur est en forme de cloche. Remarques: Croissance rapide.

Hampe florale: 45 cm/ 18 po — Ø 2,5 à 7,5 cm
Couleur: Blanche/Lavande — **Floraison:** Juillet

'Canadian Blue' ●☼

Feuillage: bleu — **Zone:** 4
⌂ 60 cm/ 24 po

Le feuillage est bleu pâle. Plant très fort. Longue floraison.

Couleur: Lavande-blanche — **Floraison:** Juillet

'Canadian Shield' ●☼

Feuillage: vert — **Zone:** 2
⌂ 45 cm/ 18 po — ☒ 50 cm/ 20 po

Le feuillage est vert forêt et lustré. Remarques: Breveté; dérivé de H. 'Halcyon'. Résistant aux limaces.

Couleur: Lavande — **Floraison:** Août

'Candy Hearts' ●☼

Feuillage: bleu-vert — **Zone:** 3
⌂ 40 cm/ 16 po — ☒ 70 cm/ 28 po

Le feuillage lisse est bleu-vert. La feuille cordée mesure 15 x 13 cm et possède 12 nervures. La fleur est en forme de cloche. Remarques: Hybride de H. nakaiana.

Hampe florale: 65 cm/ 26 po — Ø 2,5 à 7,5 cm
Couleur: Blanche — **Floraison:** Juillet

'Carousel' ●☼

Feuillage: vert/jaune — **Zone:** 3
⌂ 25 cm/ 10 po — ☒ 30 cm/ 12 po

Le port du plant est dressé. Le feuillage lisse est vert foncé marginé de jaune. La feuille cordée mesure 13 x 7,5 cm et possède 6 nervures.

Hampe florale: 40 cm/ 16 po — Ø 2,5 à 7,5 cm
Couleur: Lavande — **Floraison:** Août

'Celebration'

Feuillage: blanc/vert
Zone: 3
25 cm/ 10 po
☒ 35 cm/ 14 po

Le port du plant est dressé. Le feuillage lisse est blanc albescent avec une marge verte bien définie. La feuille est lancéolée et mesure 13 x 4 cm. Remarques: Exige un emplacement idéal.

Hampe florale: 45 cm/ 18 po
∅ 2,5 à 7,5 cm
Couleur: Pourpre rayé
Floraison: Juillet

'Cherry Berry'

Feuillage: blanc/vert
Zone: 3
45 cm/ 18 po
Couleur: Pourpre

Le feuillage est blanc crème marginé de vert foncé. La feuille est lancéolée, avec un pétiole rouge. La tige florale est rouge. La fleur est en forme de cloche. Remarques: Hybride de Bill & Eleanor Lachman; variété attirante et voyante.

'Christmas Tree'

Feuillage: vert/blanc
Zone: 3
50 cm/ 20 po
☒ 90 cm/ 36 po

Le feuillage est vert foncé marginé de blanc crème et fortement bosselé. La feuille cordée mesure 20 x 13 cm et possède 8 nervures. Remarques: Spécimen à grand développement.

Hampe florale: 80 cm/ 32 po
∅ 2,5 à 7,5 cm
Couleur: Blanche/Lavande
Floraison: Juillet

'Color Glory'

Feuillage: jaune/bleu-vert
Zone: 3
75 cm/ 30 po
☒ 100 cm/ 40 po

Le feuillage est doré avec une large marge bleu-vert; il est bosselé et en forme de coupe. La feuille ronde à cordée mesure 23 x 20 cm. La fleur est en forme de cloche. Remarques: Variété très prometteuse; mutation de H. sieboldiana 'Elegans', un cultivar stable.

Hampe florale: 80 cm/ 32 po
∅ 2,5 à 7,5 cm
Couleur: Blanche **F**
Floraison: Juillet

'Crowned Imperial'

Feuillage: vert/blanc
Zone: 3
65 cm/ 26 po
☒ 80 cm/ 32 po

Le feuillage lisse est vert foncé marginé de blanc. La feuille cordée mesure 23 x 15 cm et possède 9 nervures. La fleur est stérile. Remarques: Croissance rapide; il tolère bien le soleil.

Hampe florale: 120 cm/ 48 po
∅ 2,5 à 7,5 cm
Couleur: Lavande **F**
Floraison: Juillet

'Diamond Tiara'

Feuillage: vert/blanc
Zone: 3
35 cm/ 14 po
☒ 65 cm/ 26 po

Le feuillage est vert marginé de blanc crème et vagué-ondulé. La feuille cordée mesure 10 x 7,5 cm et possède 6 nervures. Bonne croissance. La fleur est en forme de cloche. Remarques: Mutation de H. 'Golden Tiara', et tout aussi prolifique.

Hampe florale: 70 cm/ 28 po
∅ 2,5 à 7,5 cm
Couleur: Pourpre
Floraison: Juillet

'Dorset Blue'

Feuillage: bleu-vert
△ 20 cm/ 8 po
Zone: 3
⊠ 30 cm/ 12 po

Le feuillage est bleu-vert argenté, bosselé et en forme de coupe. La feuille cordée mesure 7,5 x 6 cm et possède 9 nervures. La fleur est en forme de cloche. Remarques: Un très beau classique; résistant aux limaces.

Hampe florale: 30 cm/ 12 po
Couleur: Blanche
∅ 2,5 à 7,5 cm
Floraison: Juillet

elata

Feuillage: bleu-vert
△ 75 cm/ 30 po
Zone: 3
⊠ 75 cm/ 30 po

Le feuillage légèrement bosselé est bleu-vert, effilé et retombant. La feuille lancéolée-acuminée mesure 30 x 20 cm et possède 9 à 11 nervures très profondes. Remarques: Feuille à long pétiole; dessous pruineux.

Hampe florale: 100 cm/ 40 po
Couleur: Lilas
F
∅ 2,5 à 7,5 cm
Floraison: Juillet

'Elisabeth Campbell'

Feuillage: jaune/vert
△ 40 cm/ 16 po
Zone: 3
⊠ 45 cm/ 18 po

Le feuillage est jaune doré, marginé de vert au printemps puis entièrement vert. La feuille est cordée, lancéolée et ondulée. Remarques: Cultivar issu du H. fortunei 'Albopicta'.

Hampe florale: 45 cm/ 18 po
Couleur: Violet à pourpre
∅ 2,5 à 7,5 cm
Floraison: Juillet

'Elisabeth'

Feuillage: vert
△ 65 cm/ 26 po
Zone: 3
⊠ 95 cm/ 38 po

Le feuillage est vert et vagué-ondulé. La feuille cordée mesure 23 x13 cm et possède 9 nervures. La tige florale est oblique.

Hampe florale: 95 cm/ 38 po
Couleur: Lavande
F
∅ 2,5 à 7,5 cm
Floraison: Juillet

'Emerald Skies'

Feuillage: vert
△ 10 cm/ 4 po
Zone: 3
⊠ 25 cm/ 10 po

Le feuillage lisse est vert. La feuille ovée mesure 7,5 x 5 cm et possède 5 nervures. Remarques: Dérivé de H. 'Blue Skies'.

Hampe florale: 30 cm/ 12 po
Couleur: Lavande
∅ 2,5 à 7,5 cm
Floraison: Juillet

'Emerald Tiara'

Feuillage: vert
△ 35 cm/ 14 po
Zone: 3
⊠ 50 cm/ 20 po

Le feuillage lisse est vert. La feuille cordée mesure 10 x 7,5 cm et possède 6 nervures. La fleur est en forme de cloche. Remarques: Dérivé de H. 'Golden Tiara', parfois identifié comme son inverse. Croissance rapide.

Hampe florale: 70 cm/ 28 po
Couleur: Pourpre
∅ 2,5 à 7,5 cm
Floraison: Juillet

'Emily Dickinson'

Feuillage: vert/blanc | **Zone:** 3
50 cm/ 20 po | ⊠ 80 cm/ 32 po

Le feuillage lisse est vert marginé de blanc crème. La feuille cordée mesure 18 x 10 cm et possède 6 nervures. Tolère le soleil. Remarques: Croisement entre H. 'Neat Splash' hybride X H. plantaginea.

Hampe florale: 70 cm/ 28 po | ∅ 2,5 à 7,5 cm
Couleur: Lavande F | **Floraison:** Juillet

'Fair Maiden'

Feuillage: vert/jaune | **Zone:** 3
30 cm/ 12 po | ⊠ 60 cm/ 24 po

Le feuillage est vert panaché de jaune albescent (tournant au blanc plus tard en saison). Émergence hâtive. Remarques: Ressemble à H. 'Amber Maiden'.

Couleur: Lavande | **Floraison:** Août

'Fall Bouquet'

Feuillage: vert | **Zone:** 3
30 cm/ 12 po | ⊠ 45 cm/ 18 po

Le feuillage lisse et lustré est vert foncé. La feuille lancéolée mesure 20 x 7,5 cm; elle possède 6 nervures et un pétiole rouge. La tige florale est oblique; la fleur, stérile. Remarques: Croissance rapide; très florifère.

Hampe florale: 40 cm/ 16 po | ∅ 2,5 à 7,5 cm
Couleur: Lavande | **Floraison:** Septembre

'Feather Boa'

Feuillage: jaune | **Zone:** 3
15 cm/ 6 po | ⊠ 30 cm/ 12 po

Le feuillage est jaune légèrement viridescent et ondulé. La feuille lancéolée mesure 10 x 2 cm et possède 4 nervures. La fleur est en forme de cloche. Remarques: Dérivé de H. sieboldii; forme une touffe compacte.

Hampe florale: 35 cm/ 14 po | ∅ 2,5 à 7,5 cm
Couleur: Pourpre striée | **Floraison:** Juillet

***fluctuans* 'Variegated'**

Feuillage: vert/jaune | **Zone:** 3
50 cm/ 20 po | ⊠ 65 cm/ 26 po

Le port du plant est évasé. Le feuillage épais, légèrement ondulé, est vert grisâtre glacé, avec une marge large et irrégulière dorée. La feuille ovée-cordée mesure 22,5 x 20 cm et son dessous est poudreux. Remarques: Variété à long pétiole. Syn. H. fluctuan 'Sagae'.

Hampe florale: 50 cm/ 20 po | ∅ Plus de 7,5 cm
Couleur: Violet à pourpre | **Floraison:** Août

fortunei

Feuillage: vert | **Zone:** 3
40 cm/ 16 po | ⊠ 50 cm/ 20 po

Le feuillage est vert et bosselé avec une bordure ondulée. La feuille mesure 30 x 20 cm et possède 7 à 10 nervures. Remarques: Croissance rapide.

Hampe florale: 90 cm/ 36 po | ∅ 2,5 à 7,5 cm
Couleur: Blanche | **Floraison:** Juillet

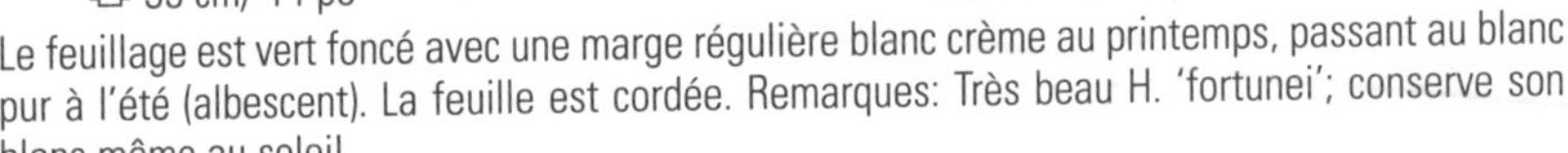

***fortunei* 'Albomarginata'**

Feuillage: vert/blanc
Zone: 3
35 cm/ 14 po
☒ 75 cm/ 30 po

Le feuillage est vert foncé avec une marge régulière blanc crème au printemps, passant au blanc pur à l'été (albescent). La feuille est cordée. Remarques: Très beau H. 'fortunei'; conserve son blanc même au soleil.

Hampe florale: 45 cm/ 18 po
∅ 2,5 à 7,5 cm
Couleur: Lavande
Floraison: Juillet

***fortunei* 'Albopicta'**

Feuillage: jaune/vert
Zone: 3
60 cm/ 24 po
☒ 30 cm/ 12 po

Le feuillage est jaune clair viridescent marginé de vert foncé. La feuille est large et ovée-cordée.

Hampe florale: 90 cm/ 36 po
∅ 2,5 à 7,5 cm
Couleur: Lavande
Floraison: Août

***fortunei* 'Aureomarginata'**

Feuillage: vert/jaune
Zone: 3
45 cm/ 18 po
☒ 60 cm/ 24 po

Le feuillage est vert olive ourlé de jaune vif. La feuille cordée possède des nervures très apparentes. Remarques: Identique à H. lancifolia aureimarginata.

Hampe florale: 50 cm/ 20 po
∅ 2,5 à 7,5 cm
Couleur: Lavande foncé
Floraison: Juillet

***fortunei* 'Hyacinthina'**

Feuillage: vert
Zone: 3
40 cm/ 16 po
☒ 75 cm/ 30 po

Le feuillage bosselé est vert grisâtre, légèrement bleuté. La feuille est ovée-cordée avec 8 à 10 nervures apparentes; elle est large et son dessous est argenté.

Hampe florale: 100 cm/ 40 po
∅ Moins de 2,5 cm
Couleur: Violet
Floraison: Août

***fortunei* 'Minuteman'**

Feuillage: vert/blanc
Zone: 3
60 cm/ 24 po
☒ 40 cm/ 16 po

Le feuillage est vert avec une marge blanche bien définie.

Hampe florale: 70 cm/ 28 po
∅ 2,5 à 7,5 cm
Couleur: Lavande
Floraison: Juin

***fortunei* 'Obscura'**

Feuillage: vert
Zone: 3
40 cm/ 16 po
☒ 60 cm/ 24 po

Le feuillage légèrement bosselé est vert foncé et mat; le dessous de la feuille est bleu-gris. La feuille est ovée-cordée avec des nervures apparentes. Remarques: Syn. bella.

Hampe florale: 90 cm/ 36 po
∅ Moins de 2,5 cm
Couleur: Lavande
Floraison: Juillet

fortunei 'Rugosa'

Feuillage: bleu
40 cm/ 16 po
Zone: 3

Le feuillage plissé est glauque, pruineux au printemps et légèrement lustré. La feuille est large et cordée, avec un effet rugueux entre les nervures prononcées. Remarques: Breveté; proche parent de H. 'Hyacinthina'.

Hampe florale: 80 cm/ 32 po
Couleur: Violet
∅ Moins de 2,5 cm
Floraison: Juillet

fortunei 'Striptease'

Feuillage: jaune/vert
50 cm/ 20 po
Zone: 3
⊠ 90 cm/ 36 po

Le feuillage est chartreux marginé de vert foncé, avec une démarcation blanche entre les deux couleurs qui retient l'attention.La feuille mesure 15 x 10 cm.Croissance plus vigoureuse à l'ombre. Remarques: Provient de H. 'Gold Standard'.

Hampe florale: 60 cm/ 24 po
Couleur: Violette

'Fragrant Blue'

Feuillage: bleu
20 cm/ 8 po
Zone: 3
⊠ 30 cm/ 12 po

Le feuillage lisse est bleu et épais; il devient bleu clair à l'été. La feuille cordée mesure 13 x 7,5 cm et possède 5 nervures. Remarques: Garde une bonne coloration car il produit de nouvelles feuilles toute la saison.

Hampe florale: 50 cm/ 20 po
Couleur: Blanche à Bleu
F
∅ 2,5 à 7,5 cm
Floraison: Juillet

'Fragrant Bouquet'

Feuillage: vert/jaune
45 cm/ 18 po
Zone: 3
⊠ 55 cm/ 22 po

Le feuillage vagué-ondulé est vert pomme avec une large marge irrégulière jaune et blanc. Les plants commercialisés sont plutôt marginés de blanc crème. La feuille cordée mesure 20 x 15 cm et possède 8 nervures. Variété remontante. Remarques: Croisement entre H. 'Fascination' X H. 'Summer Fragrance'; tolère le soleil.

Hampe florale: 90 cm/ 36 po
Couleur: Blanche
∅ Plus de 7,5 cm
Floraison: Juillet

'Francee'

Feuillage: vert/blanc
60 cm/ 24 po
Zone: 3
⊠ 90 cm/ 36 po

Le feuillage lisse est vert foncé marginé de blanc; la marge est mince et régulière. La feuille cordée mesure 18 x 13 cm et possède 8 nervures. La tige florale est oblique. Remarques: Croissance rapide; conserve bien sa couleur au soleil.

Hampe florale: 105 cm/ 42 po
Couleur: Lavande
F
∅ 2,5 à 7,5 cm
Floraison: Août

'Fringe Benefit'

Feuillage: vert/jaune — **Zone:** 3
60 cm/ 24 po — ☒ 90 cm/ 36 po

Le feuillage lisse est vert marginé de jaune; la marge irrégulière passe du jaune au blanc crème. La feuille cordée mesure 23 x 18 cm et possède 9 nervures apparentes. La tige florale est oblique. Remarques: Plant robuste, résistant aux limaces et aux maladies. Tolère le plein soleil. Croissance rapide.

Hampe florale: 105 cm/ 42 po — ∅ 2,5 à 7,5 cm
Couleur: Lavande — **F** — **Floraison:** Juillet

'Frosted Jade'

Feuillage: vert/blanc — **Zone:** 3
70 cm/ 28 po — ☒ 75 cm/ 30 po

Le port du plant est dressé. Le feuillage lisse est vert grisâtre marginé de blanc. La feuille cordée mesure 31 x 23 cm et possède 10 nervures. La tige florale est oblique. Remarques: Hybride de H. montana; il est magnifique et de grande dimension.

Hampe florale: 105 cm/ 42 po — ∅ 2,5 à 7,5 cm
Couleur: Blanche — **F** — **Floraison:** Juillet

'Fuji Sunrise'

Feuillage: jaune/vert — **Zone:** 4
12 cm/ 4 po

Le feuillage vagué-ondulé est doré marginé de vert. Remarques: Ressemble à H. 'Cheesecake', mais a un caractère plus stable.

Hampe florale: 30 cm/ 12 po

'Ginko Craig'

Feuillage: vert/blanc — **Zone:** 3
45 cm/ 18 po — ☒ 25 cm/ 10 po

Le port du plant est élancé. Le feuillage lisse est vert marginé de blanc bien découpé. La feuille lancéolée mesure 7,5 x 2,5 cm et possède 3 nervures. Remarques: Syn. de H. 'Bunchoko'. Croissance rapide.

Hampe florale: 60 cm/ 24 po — ∅ 2,5 à 7,5 cm
Couleur: Pourpre strié — **Floraison:** Août

'Gold Drop'

Feuillage: jaune — **Zone:** 2
15 cm/ 6 po — ☒ 25 cm/ 10 po

Le feuillage lisse et cireux est chartreux. La feuille cordée mesure 7,5 x 5 cm; elle possède 8 nervures et un long pétiole. La fleur, très belle, est en forme de cloche. Tolère le soleil. Remarques: Petit hosta provenant d'un semis de H. 'Venusta'; plus décoratif à la mi-ombre.

Hampe florale: 40 cm/ 16 po — ∅ 2,5 à 7,5 cm
Couleur: Mauve — **Floraison:** Juillet

'Gold Edger'

Feuillage: jaune — **Zone:** 3
45 cm/ 18 po — ☒ 90 cm/ 36 po

Le feuillage lisse et cireux est jaune viridescent. La feuille cordée mesure 10 x 7,5 cm et possède 8 nervures et un long pétiole. La fleur est en forme de cloche. Remarques: Croissance rapide; résistant aux limaces.

('Gold Edger')

Hampe florale: 55 cm/ 22 po
Couleur: Lavande
∅ 2,5 à 7,5 cm
Floraison: Août

'Gold Haze'

Feuillage: jaune
⌂ 35 cm/ 14 po
Zone: 3
⊠ 60 cm/ 24 po

Le feuillage est vert lime doré viridescent. La feuille est lancéolée. Possède un racème allongé. Remarques: Dérivé de H. 'Fortunei Aurea'.

Hampe florale: 40 cm/ 16 po
Couleur: Lavande
∅ 2,5 à 7,5 cm

'Gold Standard'

Feuillage: jaune/vert
⌂ 50 cm/ 20 po
Zone: 3
⊠ 90 cm/ 36 po

Le feuillage lisse est jaune lutescent marginé de vert. La feuille cordée mesure 18 x 13 cm et possède 8 nervures apparentes. En plein soleil, le centre de la feuille passe du jaune au presque crème. Remarques: Cultivar plusieurs fois primé; croissance rapide.

Hampe florale: 105 cm/ 42 po
Couleur: Lavande
∅ 2,5 à 7,5 cm
Floraison: Juillet

'Golden Bullion'

Feuillage: jaune
⌂ 35 cm/ 14 po
Zone: 3
⊠ 70 cm/ 28 po

Le feuillage est jaune lutescent, épais et bosselé. La feuille cordée mesure 15 x 10 cm et possède 12 nervures. La fleur est en forme de cloche. Remarques: Dérivé de H. tokudama 'Flavocircinalis'; résistant aux limaces.

Hampe florale: 50 cm/ 20 po
Couleur: Lavande
∅ 2,5 à 7,5 cm
Floraison: Juillet

'Golden Medallion'

Feuillage: jaune
⌂ 35 cm/ 14 po
Zone: 3
⊠ 60 cm/ 24 po

Le feuillage est jaune lutescent, épais, bosselé et en forme de coupe. La feuille ronde à cordée mesure 15 x 13 cm et possède 12 nervures. La fleur est en forme de cloche. Remarques: Ressemble à H. tokudama 'Aureonebulosa' au feuillage doré. Croissance lente.

Hampe florale: 45 cm/ 18 po
Couleur: Blanche
∅ 2,5 à 7,5 cm
Floraison: Juillet

'Golden Scepter'

Feuillage: jaune
⌂ 30 cm/ 12 po
Zone: 3
⊠ 45 cm/ 18 po

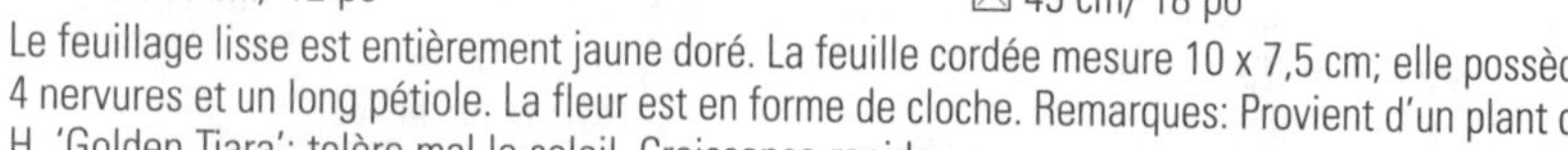
Le feuillage lisse est entièrement jaune doré. La feuille cordée mesure 10 x 7,5 cm; elle possède 4 nervures et un long pétiole. La fleur est en forme de cloche. Remarques: Provient d'un plant de H. 'Golden Tiara'; tolère mal le soleil. Croissance rapide.

Hampe florale: 60 cm/ 24 po
Couleur: Pourpre striée
∅ 2,5 à 7,5 cm
Floraison: Juillet

'Golden Sunburst'

Feuillage: jaune
Zone: 3
50 cm/ 20 po
☒ 110 cm/ 44 po

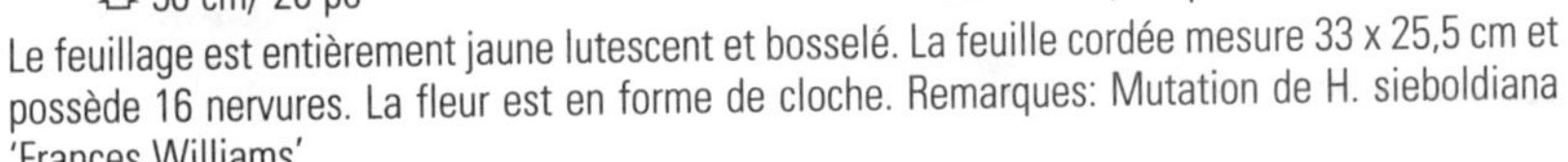

Le feuillage est entièrement jaune lutescent et bosselé. La feuille cordée mesure 33 x 25,5 cm et possède 16 nervures. La fleur est en forme de cloche. Remarques: Mutation de H. sieboldiana 'Frances Williams'.

Hampe florale: 60 cm/ 24 po
∅ 2,5 à 7,5 cm
Couleur: Blanche
Floraison: Juillet

'Golden Tiara'

Feuillage: vert/jaune
Zone: 3
35 cm/ 14 po
☒ 55 cm/ 22 po

Le feuillage lisse est vert bordé d'une fine marge jaune.La feuille cordée mesure 10 x 6 cm et possède 5 nervures. La fleur est en forme de cloche. Remarques: Cultivar de H. nakaiana, un petit hosta. Croissance rapide en touffes serrées.

Hampe florale: 80 cm/ 32 po
∅ 2,5 à 7,5 cm
Couleur: Pourpre striée
Floraison: Juillet

'Grand Master'

Feuillage: bleu-vert/blanc
Zone: 0
40 cm/ 16 po
☒ 50 cm/ 20 po

Le port du plant est érigé. Le feuillage bosselé est bleu-vert bordé d'une mince marge irrégulière blanche. La feuille cordée mesure 30 x 23 cm et possède 10 nervures. Très florifère et de croissance rapide. Remarques: Tolère le soleil et résiste aux maladies.

Hampe florale: 65 cm/ 26 po
∅ 2,5 à 7,5 cm
Couleur: Lavande
F
Floraison: Août

'Great Expectations'

Feuillage: jaune/bleu-vert
Zone: 3
55 cm/ 22 po
☒ 80 cm/ 32 po

Le feuillage bosselé est jaune albescent bordé d'une marge irrégulière vert bleuté. La feuille cordée mesure 15 x10 cm et possède 10 nervures. La fleur est en forme de cloche. Remarques: Mutation de H. sieboldiana; l'agencement des teintes est à l'inverse du H. 'Frances Williams'. Croissance lente.

Hampe florale: 80 cm/ 32 po
∅ 2,5 à 7,5 cm
Couleur: Blanche
Floraison: Juillet

'Green Fountain'

Feuillage: vert
Zone: 3
65 cm/ 26 po
☒ 90 cm/ 36 po

Le feuillage est vert lustré et vagué-ondulé. La feuille lancéolée mesure 25,5 x 7,5 cm et possède 7 nervures. Le port du plant rappelle la forme d'une fontaine. Remarques: Très tolérant au soleil et aux insectes. Croissance rapide.

Hampe florale: 95 cm/ 38 po
∅ 2,5 à 7,5 cm
Couleur: Lavande
F
Floraison: Juillet

'Ground Master'

Feuillage: vert/blanc
Zone: 3
30 cm/ 12 po
☒ 50 cm/ 20 po

Le feuillage lisse est vert marginé de blanc crème. La feuille ovée-lancéolée mesure 13 x 5 cm

('Ground Master')

et possède 5 nervures. Très belle inflorescence. Remarques: Tolère le soleil et résiste aux maladies. Croissance rapide.

Hampe florale: 50 cm/ 20 po — ∅ 2,5 à 7,5 cm
Couleur: Pourpre — **F** — **Floraison:** Juillet

'Hadspen Blue'

Feuillage: bleu — **Zone:** 2
20 cm/ 8 po — ☒ 35 cm/ 14 po

Le feuillage lisse est très bleu. La feuille ovée mesure 13 x 10 cm et possède 11 nervures. Possède un racème compact, près du feuillage. La fleur est en forme de cloche.

Hampe florale: 30 cm/ 12 po — ∅ 2,5 à 7,5 cm
Couleur: Lavande — **Floraison:** Août

'Halcyon'

Feuillage: bleu — **Zone:** 3
50 cm/ 20 po — ☒ 95 cm/ 38 po

Le feuillage lisse est bleu, teinte plus intense à l'ombre, et d'aspect cireux. La feuille lancéolée mesure 20 x 12 cm et possède 11 nervures. La fleur est en forme de cloche. Remarques: Croisement entre H. sieboldiana 'Elegans' X H. tardiflora. Résistant aux limaces. Bonne croissance.

Hampe florale: 65 cm/ 26 po — ∅ 2,5 à 7,5 cm
Couleur: Rose — **Floraison:** Juillet

'Helen Field Fisher'

Feuillage: bleu-vert — **Zone:** 3
25 cm/ 10 po — ☒ 45 cm/ 18 po

Le feuillage est bleu-vert et bosselé. La feuille cordée mesure 15 x 10 cm et possède 8 nervures. Remarques: Semblable à H. 'Fortunei Hyacinthina', mais en plus petit.

Hampe florale: 55 cm/ 22 po — ∅ 2,5 à 7,5 cm
Couleur: Lavande — **Floraison:** Juillet

'Herifu'

Feuillage: vert/blanc — **Zone:** 3
20 cm/ 8 po — ☒ 30 cm/ 12 po

Le feuillage est vert marginé de blanc. La feuille ovée mesure 13 x 7,5 cm et possède 4 nervures. Remarques: Cultivar issu de H. siebodii.

Hampe florale: 50 cm/ 20 po — ∅ 2,5 à 7,5 cm
Couleur: Pourpre striée — **Floraison:** Juillet

'Hi Ho Silver'

Feuillage: vert/blanc — **Zone:** 3
15 cm/ 6 po

Le feuillage est vert à large marge blanche. La feuille est lancéolée. Remarques: Dérivé de H. 'Ginko Graig'.

Hampe florale: 35 cm/ 14 po
Couleur: mauve foncé — **Floraison:** Août

'Honeybells'

Feuillage: vert — **Zone:** 3
90 cm/ 36 po — ☒ 115 cm/ 46 po

Le feuillage lisse est vert pomme. La feuille cordée mesure 28 x 20 cm et possède 8 nervures apparentes. La fleur est en forme de cloche. Remarques: Croisement entre H. plantaginea X H.

sieboldii. Tolère le soleil. Émergence tardive mais croissance rapide. Un plant des plus vigoureux; excellent choix peu coûteux pour débutant.

Hampe florale: 150 cm/ 60 po — ∅ 2,5 à 7,5 cm
Couleur: Lavande — **Floraison:** Août

'Hydon Sunset'

Feuillage: jaune — **Zone:** 3
10 cm/ 4 po — ⊠ 20 cm/ 8 po

Le feuillage chartreux est vagué-ondulé. La feuille cordée mesure 4 x 2,5 cm et possède 4 nervures. La fleur est en forme de cloche. Remarques: Cultivar dérivé du H. nakaiana. Les plants observés en Amérique conservent leur couleur chartreuse tandis qu'en Angleterre ils sont viridescents.

Hampe florale: 35 cm/ 14 po — ∅ 2,5 à 7,5 cm
Couleur: Pourpre — **Floraison:** Juillet

'Inniswood'

Feuillage: jaune/vert — **Zone:** 3
50 cm/ 20 po — ⊠ 100 cm/ 40 po

Le feuillage épais et bosselé est chartreux marginé de vert foncé; la marge est large et régulière. La feuille cordée mesure 23 x 15 cm et possède 13 nervures. Remarques: Mutation de H. 'Sun Glow'; résistant aux limaces.

Hampe florale: 75 cm/ 30 po — ∅ 2,5 à 7,5 cm
Couleur: Lavande — **Floraison:** Juillet

'Invincible'

Feuillage: vert — **Zone:** 3
40 cm/ 16 po — ⊠ 90 cm/ 36 po

Le feuillage est vert lustré, épais et vagué-ondulé. La feuille cordée mesure 13 x 7,5 cm et possède 6 nervures. Remarques: Résistant aux limaces. Préfère l'ombre mais tolère le soleil. Croissance très rapide.

Hampe florale: 60 cm/ 24 po — ∅ Grande
Moyenne
Couleur: Lavande — **F** — **Floraison:** Août

'Jade Cascade'

Feuillage: vert — **Zone:** 4
55 cm/ 22 po — ⊠ 22 cm/ 8 po

Le feuillage vert lustré à marge ondulée est semblable à H. montana. La feuille est immense. Inflorescence décorative. Il est très différent des autres hostas par son port. Remarques: Breveté; gagnant d'un prix de l'American Hosta Society.

Hampe florale: 85 cm/ 34 po

'Janet'

Feuillage: jaune/vert — **Zone:** 3
35 cm/ 14 po — ⊠ 60 cm/ 24 po

Le feuillage lisse est jaune albescent marginé de vert. La feuille cordée-lancéolée mesure 15 x 10 cm et possède 8 nervures. Remarques: Mutation du H. fortunei.

Hampe florale: 80 cm/ 32 po — ∅ 2,5 à 7,5 cm
Couleur: Lavande — **F** — **Floraison:** Juillet

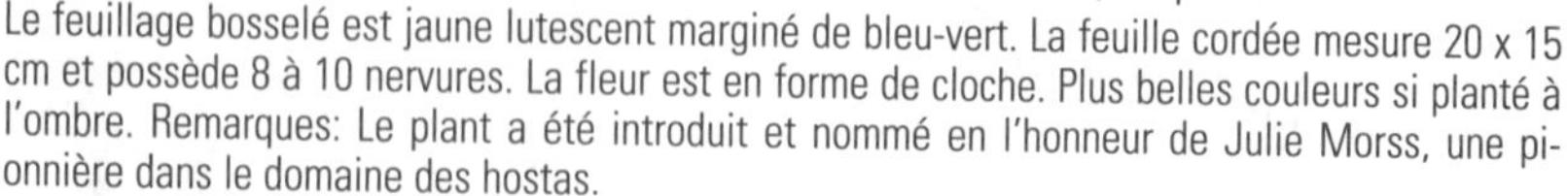

'Julie Morss' 

Feuillage: jaune/bleu-vert — **Zone:** 3

⌂ 30 cm/ 12 po — ⊠ 45 cm/ 18 po

Le feuillage bosselé est jaune lutescent marginé de bleu-vert. La feuille cordée mesure 20 x 15 cm et possède 8 à 10 nervures. La fleur est en forme de cloche. Plus belles couleurs si planté à l'ombre. Remarques: Le plant a été introduit et nommé en l'honneur de Julie Morss, une pionnière dans le domaine des hostas.

Hampe florale: 45 cm/ 18 po — ∅ 2,5 à 7,5 cm

Couleur: Lavande — **Floraison:** Juillet

'June' 

Feuillage: jaune/bleu-vert — **Zone:** 3

⌂ 30 cm/ 12 po — ⊠ 75 cm/ 30 po

Le feuillage épais est chartreux albescent marginé de bleu-vert. La feuille est lancéolée. A besoin de beaucoup de soleil et d'un sol humide. Remarques: Provient de H. 'Halcyon'.

Hampe florale: 45 cm/ 18 po — **Couleur:** Lavande

Floraison: Août

'Kathryn Lewis' 

Feuillage: jaune/vert — **Zone:** 4

⌂ 100 cm/ 40 po

Le feuillage est comme celui de H. 'June' (jaune marginé de vert), mais plus clair; aussi, il conserve mieux ses couleurs jusqu'en août. Besoin de soleil pour obtenir de belles fleurs. Remarques: Breveté

Hampe florale: 105 cm/ 42 po — ∅ 2,5 à 7,5 cm

Couleur: Lavande

'Krossa Cream Edge' 

Feuillage: vert/blanc — **Zone:** 3

⌂ 45 cm/ 18 po — ⊠ 60 cm/ 24 po

Le port du plant est érigé. Le feuillage lisse est vert marginé de blanc. La feuille lancéolée mesure 7,5 x 2 cm et possède 3 nervures.

Hampe florale: 60 cm/ 24 po — ∅ 2,5 à 7,5 cm

Couleur: Pourpre striée — **Floraison:** Août

'Krossa Regal' 

Feuillage: bleu — **Zone:** 3

⌂ 70 cm/ 28 po — ⊠ 90 cm/ 36 po

Le port du plant est dressé. Le feuillage épais et pointu est bleu-gris. La feuille lancéolée a une bordure ondulée et mesure 25 x 18 cm; elle possède 12 nervures et un long pétiole. Remarques: Résistant aux limaces; conserve bien sa couleur bleue.

Hampe florale: 140 cm/ 56 po — ∅ 2,5 à 7,5 cm

Couleur: Lavande — **Floraison:** Juillet

lancifolia

Feuillage: vert — **Zone:** 3

⌂ 30 cm/ 12 po — ⊠ 45 cm/ 18 po

Le feuillage est vert foncé et luisant; il pousse en touffes denses. La feuille lancéolée mesure 15 x 5 cm et possède 4 ou 5 nervures apparentes. Variété résistante et très populaire. Remarques: Un des premiers hostas décrits en Europe; cultivé depuis longtemps. Tolère le soleil.

Hampe florale: 45 cm/ 18 po — ∅ Moins de 2,5 cm

Couleur: Violet — **Floraison:** Juin

'Lemon Lime'

Feuillage: jaune — **Zone:** 3
45 cm/ 18 po — ⊠ 30 cm/ 12 po

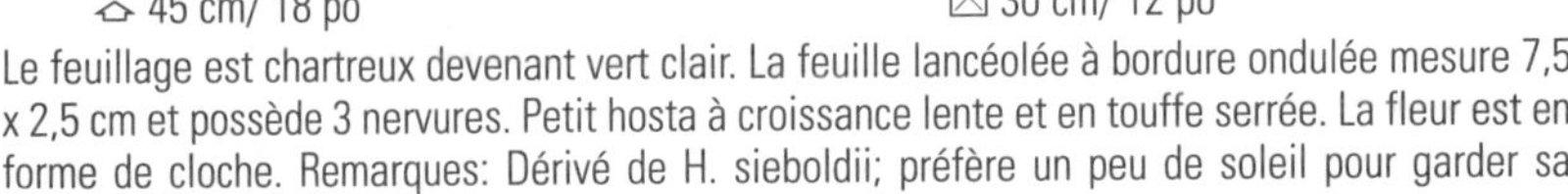

Le feuillage est chartreux devenant vert clair. La feuille lancéolée à bordure ondulée mesure 7,5 x 2,5 cm et possède 3 nervures. Petit hosta à croissance lente et en touffe serrée. La fleur est en forme de cloche. Remarques: Dérivé de H. sieboldii; préfère un peu de soleil pour garder sa couleur.

Hampe florale: 45 cm/ 18 po — ∅ 2,5 à 7,5 cm
Couleur: Pourpre striée — **Floraison:** Juillet

'Loyalist'

Feuillage: blanc/vert — **Zone:** 3
45 cm/ 18 po

Le feuillage est blanc marginé de vert foncé. La feuille est épaisse. La tige florale est blanc crème.

∅ 2,5 à 7,5 cm
Couleur: Lavande — **Floraison:** Juillet

'Lunar Eclipse'

Feuillage: jaune/blanc — **Zone:** 3
50 cm/ 20 po — ⊠ 90 cm/ 36 po

Le feuillage est jaune viridescent marginé de blanc, bosselé et en forme de coupe. La feuille cordée mesure 15 x 13 cm et possède 9 ou10 nervures. La fleur est en forme de cloche. Remarques: Mutation de H. 'August Moon'; le feuillage reste chartreux, spécialement dans un climat chaud et sec.

Hampe florale: 70 cm/ 28 po — ∅ 2,5 à 7,5 cm
Couleur: Blanche — **F** — **Floraison:** Juillet

'Marilyn'

Feuillage: jaune — **Zone:** 3
35 cm/ 14 po — ⊠ 50 cm/ 20 po

Le feuillage est jaune et ondulé. La feuille est ovée à ovée-lancéolée. Croissance rapide. Très joli et différent de H. 'August Moon'; bordure interressante. Remarques: Croisement entre H. 'Gold Drop' X H. 'Green Piecrust' .Bordure intéressante.

Hampe florale: 60 cm/ 24 po — ∅ 2,5 à 7,5 cm
Couleur: Lavande pâle — **Floraison:** Août

montana 'Aureomarginata'

Feuillage: vert/jaune — **Zone:** 3
50 cm/ 20 po — ⊠ 120 cm/ 48 po

Le feuillage est vert avec une large marge irrégulière jaune albescente; il est profondément nervuré et retombant. La feuille acuminée et pointue mesure 35 x 30; elle possède 13 à 17 nervures. Racème aux bractées prédominantes. Remarques: Plant spectaculaire à maturité, qui pointe tôt au printemps.

Hampe florale: 100 cm/ 40 po — ∅ 2,5 à 7,5 cm
Couleur: Blanche — **Floraison:** Août

montana 'Kinkaku'

Feuillage: jaune/vert — **Zone:** 3
60 cm/ 24 po — ⊠ 105 cm/ 42 po

(montana 'Kinkaku'*)*

Le grand feuillage est chartreux doré, strié et bordé de vert lime irrégulier. Sélection très rare. Possède des fleurs doubles. Remarques: Dérivé de H. longissima, originaire du Japon.

∅ 2,5 à 7,5 cm
Couleur: Lavande — **Floraison:** Août

***montana* 'Montreal'** ●☼

Feuillage: vert — **Zone:** 3
⌂ 30 cm/ 12 po — ☒ 30 cm/ 12 po

Le port du plant est érigé. Le feuillage lisse est vert. La feuille lancéolée mesure 20 x 5 cm et possède 5 nervures.

Hampe florale: 65 cm/ 26 po — ∅ 2,5 à 7,5 cm
Couleur: Pourpre striée — **Floraison:** Juillet

'Moonlight' ●☼

Feuillage: jaune/blanc — **Zone:** 3
⌂ 30 cm/ 12 po — ☒ 90 cm/ 36 po

Le feuillage lisse est jaune viridescent marginé de blanc. La feuille cordée mesure 18 x 13 cm et possède 10 nervures. Remarques: Mutation de H. 'Gold Standard'.

Hampe florale: 70 cm/ 28 po — ∅ 2,5 à 7,5 cm
Couleur: Lavande — **F** — **Floraison:** Juillet

'Mr. Big' ●☼

Feuillage: bleu — **Zone:** 4
⌂ 75 cm/ 30 po — ☒ 100 cm/ 40 po

Le feuillage est bleu à extrémités retombantes. Les feuilles sont géantes, voyantes et épaisses. Remarques: Provient de H. montana.

Hampe florale: 80 cm/ 32 po — ∅ Plus de 7,5 cm

---

nakaiana ●☼

Feuillage: vert — **Zone:** 3
⌂ 12 cm/ 4 po — ☒ 25 cm/ 10 po

Petit hosta au feuillage vert foncé et légèrement ondulé. La feuille ovée-cordée mesure 10 x 5 cm; elle possède 5 ou 6 nervures et un long pétiole. Floraison longue et abondante.

Hampe florale: 45 cm/ 18 po — ∅ 2,5 à 7,5 cm
Couleur: Pourpre — **Floraison:** Juillet

'Niagara Falls' ●☼

Feuillage: vert — **Zone:** 3
⌂ 75 cm/ 30 po

Le feuillage est vert très luisant avec une bordure ondulée. La feuille est cordée avec de larges nervures apparentes.

'Night Before Christmas' ♥ ●☼☼

Feuillage: blanc/vert — **Zone:** 3
⌂ 45 cm/ 18 po — ☒ 75 cm/ 30 po

Le feuillage est blanc au centre avec une large marge verte. La feuille pointue et cordée mesure 20 x 7,5cm; elle change de couleur au soleil. La croissance est vigoureuse. Remarques: Provient de H. 'White Christmas'.

Hampe florale: 75 cm/ 30 po — ∅ 2,5 à 7,5 cm
Couleur: Lavande — **Floraison:** Juin

'Northern Exposure'

Feuillage: bleu/blanc — **Zone:** 3

⌂ 75 cm/ 30 po

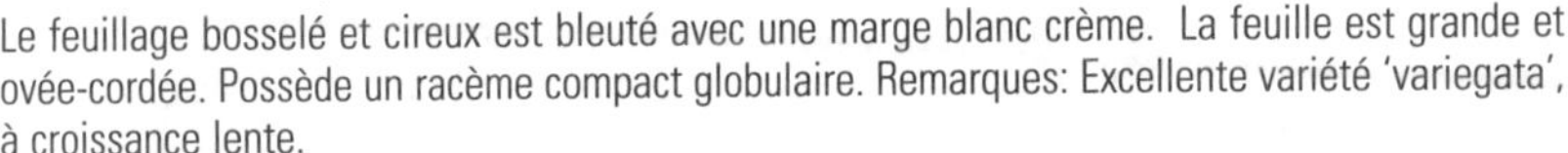

Le feuillage bosselé et cireux est bleuté avec une marge blanc crème. La feuille est grande et ovée-cordée. Possède un racème compact globulaire. Remarques: Excellente variété 'variegata', à croissance lente.

Hampe florale: 45 cm/ 18 po — ∅ 2,5 à 7,5 cm

Couleur: Blanche

'On Stage'

Feuillage: jaune/vert — **Zone:** 3

⌂ 35 cm/ 14 po — ⊠ 60 cm/ 24 po

Le feuillage bosselé est jaune albescent avec une marge irrégulière de deux tons de vert. La feuille cordée mesure 20 x 13 cm et possède 8 nervures. Les couleurs sont plus vives au soleil. Remarques: Forme inversée de H. montana 'Aureomarginata'.

Hampe florale: 60 cm/ 24 po — ∅ 2,5 à 7,5 cm

Couleur: Lavande — **Floraison:** Juillet

'Pacific Blue Edger'

Feuillage: bleu — **Zone:** 3

⌂ 45 cm/ 18 po — ⊠ 30 cm/ 12 po

Le feuillage est intensément bleu. Croissance compacte.

∅ 2,5 à 7,5 cm — **Couleur:** Lavande

'Patriot'

Feuillage: vert/blanc — **Zone:** 3

⌂ 45 cm/ 18 po — ⊠ 60 cm/ 24 po

Le feuillage est vert très foncé avec une large marge blanche bien définie. La feuille cordée mesure 12 x 18 cm. Remarques: Breveté; cultivar de H. 'Francee', mais sa marge est mieux définie.

Hampe florale: 60 cm/ 24 po — ∅ 2,5 à 7,5 cm

Couleur: Lavande — **Floraison:** Juillet

'Paul's Glory'

Feuillage: jaune/bleu-vert — **Zone:** 3

⌂ 45 cm/ 18 po — ⊠ 65 cm/ 26 po

Le feuillage bosselé est jaune albescent marginé de bleu-vert. La feuille cordée mesure 15 x 11,5 cm et possède 10 nervures. La fleur est en forme de cloche. Remarques: Mutation de H. 'Perrys True Blue'.

Hampe florale: 60 cm/ 24 po — ∅ 2,5 à 7,5 cm

Couleur: Blanchâtre/Lavande — **Floraison:** Juillet

'Pearl Lake'

Feuillage: bleu-vert — **Zone:** 3

⌂ 35 cm/ 14 po — ⊠ 75 cm/ 30 po

Le feuillage lisse est bleu-vert. La feuille cordée mesure 10 x 9 cm et possède 9 nervures. Croissance vigoureuse.

Hampe florale: 80 cm/ 32 po — ∅ 2,5 à 7,5 cm

Couleur: Lavande — **Floraison:** Juillet

'Piedmont Gold'

Feuillage: jaune | **Zone:** 3
50 cm/ 20 po | 100 cm/ 40 po

Le feuillage lisse est jaune lutescent, joliment ondulé et profondément veiné. La feuille pointue et cordée mesure 28 x 20 cm et possède 11 nervures. Remarques: Croissance rapide; plus performant à la mi-ombre.

Hampe florale: 75 cm/ 30 po | ∅ 2,5 à 7,5 cm
Couleur: Blanche | **Floraison:** Juillet

'Pizzazz'

Feuillage: bleu/blanc | **Zone:** 3
30 cm/ 12 po | 45 cm/ 18 po

Le feuillage bosselé est bleuté marginé de blanc crème. La feuille cordée mesure 18 x 13 cm et possède 13 nervures. La fleur est en forme de cloche.

Hampe florale: 45 cm/ 18 po | ∅ 2,5 à 7,5 cm
Couleur: Blanche **F** | **Floraison:** Juillet

plantaginea

Feuillage: vert | **Zone:** 3
60 cm/ 24 po | 90 cm/ 36 po

Le feuillage lisse est vert pâle luisant. La feuille ovée-cordée mesure 25 x 21 cm et possède 8 ou 9 nervures. Espèce très robuste qui tolère bien la chaleur. Les variétés plantaginea ne fleurissent que dans la zone 5.

Hampe florale: 75 cm/ 30 po | ∅ Plus de 7,5 cm
Couleur: Blanche | **Floraison:** Septembre

***plantaginea* 'Aphrodite'**

Feuillage: vert | **Zone:** 3
45 cm/ 18 po | 90 cm/ 36 po

Le feuillage est large, vert pâle et luisant. La feuille est simple, lancéolée. Possède un racème de fleur double. Remarques: Fleurit 2 semaines après le H. plantaginea.

Hampe florale: 50 cm/ 20 po | ∅ 2,5 à 7,5 cm
Couleur: Blanche | **Floraison:** Août

***plantaginea* 'August Moon'**

Feuillage: jaune | **Zone:** 3
50 cm/ 20 po | 100 cm/ 40 po

Le feuillage est jaune lutescent, bosselé et en forme de coupe. La feuille ovée-cordée mesure 15 x 13 cm et possède 9 nervures. La fleur est en forme de cloche. Remarques: Un classique à grand développement; supporte un bon ensoleillement.

Hampe florale: 70 cm/ 28 po | ∅ 2,5 à 7,5 cm
Couleur: Blanche | **Floraison:** Juillet

***plantaginea* 'Japonica'**

Feuillage: vert | **Zone:** 3
45 cm/ 18 po

Le feuillage est vert lime et luisant. La feuille est orbiculaire-cordée avec des nervures bien apparentes. Cultivé pour ses grandes fleurs blanches, tubulaires et étoilées s'ouvrant le soir. Remarques: Syn. 'Grandiflora'. En Chine, on mange les pétioles des feuilles comme légumes.

Émergence tardive du feuillage. Tolère le soleil et la chaleur plus que les autres hostas.

Hampe florale: 70 cm/ 28 po | ∅ Plus de 7,5 cm
Couleur: Blanche | **Floraison:** Septembre

'Platinum Tiara'

Feuillage: jaune/blanc | **Zone:** 3
30 cm/ 12 po | ☒ 35 cm/ 14 po

Le feuillage lisse est chartreux avec une étroite et variable marge blanche. La feuille cordée mesure 10 x 7,5 cm et possède 5 nervures. La fleur est en forme de cloche. Remarques: Mutation de H. 'Golden Tiara'.

Hampe florale: 65 cm/ 26 po | ∅ 2,5 à 7,5 cm
Couleur: Pourpre striée | **Floraison:** Juillet

'Queen Josephine'

Feuillage: vert/jaune | **Zone:** 3
50 cm/ 20 po | ☒ 45 cm/ 18 po

Le feuillage est vert foncé très lustré avec une large marge jaune albescente. La feuille ovée-cordée mesure 15 x 10 cm. Remarques: Ressemble au H. 'Joseph'.

Floraison: Juillet

'Radiant Edger'

Feuillage: vert/jaune | **Zone:** 3
30 cm/ 12 po | ☒ 75 cm/ 30 po

Le feuillage est vert foncé marginé de doré. La feuille cordée mesure 10 x 7,5 cm. Remarques: Mutation de H. 'Gold Edger'.

Hampe florale: 55 cm/ 22 po | ∅ 2,5 à 7,5 cm
Couleur: Lavande

***rectifolia* 'Chionea'**

Feuillage: vert/blanc | **Zone:** 3
30 cm/ 12 po | ☒ 25 cm/ 10 po

Le port du plant est dressé. Le feuillage est vert foncé marginé de blanc argenté. La feuille lancéolée mesure 12 x 5 cm et possède 5 nervures apparentes. Remarques: Peu fertile.

Hampe florale: 70 cm/ 28 po | ∅ 2,5 à 7,5 cm
Couleur: Violette | **Floraison:** Août

'Regal Splendor'

Feuillage: bleu/blanc | **Zone:** 3
90 cm/ 36 po | ☒ 85 cm/ 34 po

Le port du plant est dressé. Le feuillage vagué-ondulé est bleu argenté marginé de blanc crème. La feuille cordée mesure 31 x 18 cm et possède 9 nervures. La fleur est en forme de cloche. Remarques: Mutation d'un H. 'Krossa Regal', à forme panachée.

Hampe florale: 110 cm/ 44 po | ∅ 2,5 à 7,5 cm
Couleur: Lavande | **Floraison:** Juillet

'Reversed'

Feuillage: blanc/bleu-vert | **Zone:** 3
40 cm/ 16 po | ☒ 50 cm/ 20 po

Le feuillage bosselé est blanc albescent avec une large marge irrégulière bleu-vert. La feuille cordée mesure 17,5 x 15,5 cm et possède 9 nervures. Remarques: Cette variété exige des soins particuliers, mais elle est très attrayante.

('Reversed')

Hampe florale: 50 cm/ 20 po
Couleur: Lavande
F
∅ 2,5 à 7,5 cm
Floraison: Juillet

'Richland Gold'

Feuillage: jaune
Zone: 3
40 cm/ 16 po
☒ 75 cm/ 30 po

Le feuillage lisse est jaune albescent. La feuille cordée mesure 15 x 10 cm et possède 8 nervures. La tige florale est oblique. Remarques: Mutation de H. fortunei 'Gold Standard'.

Hampe florale: 45 cm/ 18 po
Couleur: Lavande
F
∅ 2,5 à 7,5 cm
Floraison: Juillet

'Robert Frost'

Feuillage: bleu-vert/jaune
Zone: 3
60 cm/ 24 po
☒ 105 cm/ 42 po

Le feuillage lisse est bleu-vert foncé marginé de jaune crème. La feuille cordée mesure 25,5 x 20 cm et possède 12 nervures. La fleur est en forme de cloche. Remarques: Croisement entre H. 'Banana Sundae' X H. sieboldiana 'Frances Williams'.

Hampe florale: 90 cm/ 36 po
Couleur: Blanche
∅ 2,5 à 7,5 cm
Floraison: Juillet

'Rohdeifolia'

Feuillage: vert/jaune
Zone: 3
40 cm/ 16 po
☒ 35 cm/ 14 po

Le port du plant est dressé. Le feuillage est vert marginé de blanc-jaune. La feuille lancéolée mesure 15 x 5 cm et possède 5 ou 6 nervures. Remarques: Ressemble à un jeune plant de H. 'Ginko Craig', mais est 2 fois plus haut.

Hampe florale: 90 cm/ 36 po
Couleur: Pourpre striée
∅ Plus de 7,5 cm
Floraison: Août

'Royal Standard'

Feuillage: vert
Zone: 3
60 cm/ 24 po
☒ 95 cm/ 38 po

Le feuillage bosselé est vert foncé lustré. La feuille cordée mesure 20 x 15 cm et possède 8 nervures apparentes. Émergence du feuillage tard au printemps; croissance rapide. Remarques: Breveté; croisement entre H. plantaginea X H. sieboldiana.

Hampe florale: 90 cm/ 36 po
Couleur: Blanche
F
∅ 2,5 à 7,5 cm
Floraison: Juillet

'Ryan's Big One'

Feuillage: bleu-vert
Zone: 3
75 cm/ 30 po
☒ 130 cm/ 52 po

Le feuillage est bleu-vert et bosselé. La feuille cordée mesure 33 x 28 cm et possède 15 nervures. Remarques: Provient d'un H. sieboldiana 'Hypophylla'. Variété résistante aux limaces.

Hampe florale: 125 cm/ 50 po
Couleur: Blanche
∅ 2,5 à 7,5 cm
Floraison: Juillet

'Saishu Jima'

Feuillage: vert
Zone: 3
20 cm/ 8 po
☒ 30 cm/ 12 po

Le feuillage lisse est vert foncé et lustré avec une marge ondulée. La feuille lancéolée, presque linéaire, mesure 10 x 2,5 cm et possède 3 nervures. La fleur est en forme de cloche. Remarques: Croissance rapide.

Hampe florale: 35 cm/ 14 po ∅ 2,5 à 7,5 cm
Couleur: Pourpre striée **Floraison:** Août

'Sea Dream'

Feuillage: jaune/blanc **Zone:** 3
35 cm/ 14 po ☒ 75 cm/ 30 po

Le feuillage lisse est jaune lutescent marginé de blanc. La feuille est cordée et possède 9 nervures. La fleur est en forme de cloche. Remarques: Hybride de H. 'Neat Splash'.

Hampe florale: 70 cm/ 28 po ∅ 2,5 à 7,5 cm
Couleur: Lavande **Floraison:** Août

'Sea Fire'

Feuillage: jaune **Zone:** 3
30 cm/ 12 po

Le feuillage est jaune doré viridescent. Le pétiole est rouge au printemps et devient vert à l'été. La tige florale est rougeâtre. Remarques: Émergence spectaculaire au printemps.

Couleur: Lavande **Floraison:** Juillet

'Sea Sapphire'

Feuillage: bleu-vert **Zone:** 3
45 cm/ 18 po

Le feuillage lisse est bleu-vert très foncé. Croissance lente. Remarques: Résistant aux limaces.

Couleur: Lavande **Floraison:** Juin

'September Sun'

Feuillage: jaune/vert **Zone:** 3
55 cm/ 22 po ☒ 85 cm/ 34 po

Le feuillage lisse est jaune lutescent marginé de vert foncé. La feuille cordée mesure 15 x 13 cm et possède 9 nervures La fleur est en forme de cloche. Remarques: Mutation de H. 'August Moon', très intéressante.

Hampe florale: 75 cm/ 30 po ∅ 2,5 à 7,5 cm
Couleur: Blanche **Floraison:** Juillet

'Shade Fanfare'

Feuillage: jaune/blanc **Zone:** 3
40 cm/ 16 po ☒ 60 cm/ 24 po

Le feuillage est vert pâle à jaune doré, largement marginé de blanc crème. La feuille cordée mesure 18 x 14 cm et possède 9 nervures. Apparaît tôt au printemps; croissance rapide. Variété très florifère possédant de nombreux racèmes. Remarques: Mutation de H. 'Flamboyant'; il préfère l'ombre et la mi-ombre.

Hampe florale: 55 cm/ 22 po ∅ 2,5 à 7,5 cm
Couleur: Lavande **F** **Floraison:** Juillet

'Sharmon'

Feuillage: vert/jaune **Zone:** 3
60 cm/ 24 po ☒ 90 cm/ 36 po

Le feuillage lisse est vert, strié de jaune. La feuille cordée mesure 18 x 13 cm et possède 9 nervures. La tige florale est oblique. Remarques: Provient de H. fortunei, variété instable, parfois il redevient vert. Offre un contraste de couleurs intéressant au printemps.

('Sharmon')

Hampe florale: 85 cm/ 34 po
Couleur: Lavande
F
∅ 2,5 à 7,5 cm
Floraison: Juillet

sieboldiana

Feuillage: bleu-vert
Zone: 3
⌂ 75 cm/ 30 po
⊠ 130 cm/ 52 po

Le feuillage bleu-vert est bosselé. La feuille ovée-cordée mesure 35 x 30 cm et possède 12 à 15 nervures apparentes. Un des premiers à pointer au printemps. Floraison dans le feuillage; la fleur a un aspect cireux. Remarques: Peut se propager par semis; beaucoup de variations d'un plant à l'autre. Résistant aux limaces.

Hampe florale: 80 cm/ 32 po
∅ 2,5 à 7,5 cm
Couleur: Blanche
Floraison: Juillet

***sieboldiana* 'Blue Lake'**

Feuillage: bleu
Zone: 3
⌂ 90 cm/ 36 po

Le feuillage est gris-bleu, bosselé et d'une texture cireuse. La feuille ovée-cordée est très grande.

Hampe florale: 55 cm/ 22 po
∅ 2,5 à 7,5 cm
Couleur: Blanc-mauve
Floraison: Août

***sieboldiana* 'Elegans'**

Feuillage: bleu
Zone: 3
⌂ 55 cm/ 22 po
⊠ 90 cm/ 36 po

Le feuillage est bleu-gris, luxuriant, bosselé et en forme de coupe. La feuille ovée-cordée mesure 30 x 35 cm. Les fleurs sont près du feuillage. Remarques: Introduit en 1905; résistant aux limaces. croissance lente.

Hampe florale: 65 cm/ 26 po
∅ 2,5 à 7,5 cm
Couleur: Blanche
Floraison: Juillet

***sieboldiana* 'Frances Williams'**

Feuillage: bleu-vert/jaune
Zone: 3
⌂ 80 cm/ 32 po
⊠ 100 cm/ 40 po

Le feuillage bosselé et cireux est bleu-vert avec une marge irrégulière jaunâtre. La feuille ovée-cordée mesure 36 x 20 cm. Grand hosta très populaire. Remarques: Sélection en 1936 d'un semis H. sieboldiana 'Elegans'.

Hampe florale: 60 cm/ 24 po
∅ 2,5 à 7,5 cm
Couleur: Lavande
Floraison: Juillet

***sieboldiana* 'Golden Prayers'**

Feuillage: jaune
Zone: 3
⌂ 30 cm/ 12 po
⊠ 50 cm/ 20 po

Le feuillage est jaune lutescent, bosselé et en forme de coupe. La feuille ronde à cordée mesure 10 x 7,5 cm et possède 10 nervures. La fleur est en forme de cloche. Remarques: Souvent étiqueté comme étant H. 'Little Aurora'. Croissance lente.

Hampe florale: 45 cm/ 18 po
∅ 2,5 à 7,5 cm
Couleur: Blanche
Floraison: Juillet

***sieboldiana* 'Northern Halo'**

Feuillage: bleu-vert/blanc
Zone: 3
⌂ 50 cm/ 20 po
⊠ 85 cm/ 34 po

Le feuillage est bleu-vert à marge irrégulière blanche, bosselé et en forme de coupe. La feuille cordée mesure 31 x 25,5 cm et possède 16 nervures. La fleur est en forme de coupe. Remarques: Mutation de H. sieboldiana 'Elegans'.

Hampe florale: 75 cm/ 30 po — ∅ 2,5 à 7,5 cm
Couleur: Blanche — **Floraison:** Juillet

---

sieboldiana 'Samuraï'

Feuillage: bleu/jaune — **Zone:** 3
40 cm/ 16 po — ☒ 80 cm/ 32 po

Le feuillage bosselé et légèrement ondulé est glauque marginé de jaune. La feuille cordée mesure 25 x 20 cm et possède 13 à 19 nervures. Remarques: Similaire au H. 'Aurora Borealis', mais plus résistant.

Hampe florale: 60 cm/ 24 po — ∅ Plus de 7,5 cm
Couleur: Blanche — **Floraison:** Juin

---

sieboldii

Feuillage: vert/blanc — **Zone:** 3
20 cm/ 8 po — ☒ 25 cm/ 10 po

Le port du plant est érigé. Le feuillage légèrement ondulé est vert foncé marginé de blanc viridescent. La feuille lancéolée mesure 13 x 5 cm et possède 3 ou 4 nervures. Remarques: Ressemble à H. lancifolia, mais possède des anthères jaunes.

Hampe florale: 50 cm/ 20 po — ∅ 2,5 à 7,5 cm
Couleur: Pourpre striée — **Floraison:** Juillet

---

sieboldii 'Bunchako'

Feuillage: vert/blanc — **Zone:** 3
20 cm/ 8 po — ☒ 25 cm/ 10 po

Le feuillage est vert à marge blanche. La feuille est lancéolée, ondulée et à pointe effilée. Remarques: Petit hosta, à essayer. Voir aussi Ginko Craig.

Hampe florale: 35 cm/ 14 po — ∅ 2,5 à 7,5 cm
Couleur: Blanche — **Floraison:** Août

---

sieboldii 'Kabitan'

Feuillage: jaune/vert — **Zone:** 3
20 cm/ 8 po — ☒ 25 cm/ 10 po

Le feuillage est jaune finement marginée vert, la couleur s'estompant à l'été. La feuille lancéolée à bordure ondulée mesure 13 x 3 cm. Petit hosta. Remarques: Forme des stolons; intéressant comme bordure ou couvre-sol à l'ombre.

Hampe florale: 65 cm/ 26 po — ∅ 2,5 à 7,5 cm
Couleur: Violette — **Floraison:** Août

---

sieboldii 'Louisa'

Feuillage: vert/blanc — **Zone:** 3
30 cm/ 12 po — ☒ 40 cm/ 16 po

Le port du plant est érigé. Le feuillage lisse est vert marginé de blanc. La feuille lancéolée mesure 10 x 4 cm et possède 3 nervures.

Hampe florale: 60 cm/ 24 po — ∅ 2,5 à 7,5 cm
Couleur: Blanche — **Floraison:** Août

---

sieboldii 'Snow Flakes'

Feuillage: vert — **Zone:** 3
20 cm/ 8 po — ☒ 30 cm/ 12 po

(sieboldii 'Snow Flakes'*)*

Le feuillage lisse est vert. La feuille lancéolée et étroite mesure 10 x 2,5 cm et possède 3 nervures. Forme un coussin tapissant. Longue période de floraison. Remarques: Croisement entre H. sieboldii 'Alba' X H. plantaginea; très florifère, racème étroit.

Hampe florale: 30 cm/ 12 po — ∅ 2,5 à 7,5 cm
Couleur: Blanche — **Floraison:** Août

---

sieboldii 'Snowstorm'

Feuillage: vert — **Zone:** 3
20 cm/ 8 po — ⊠ 30 cm/ 12 po

Le feuillage lisse est vert. La feuille lancéolée mesure 10 x 2,5 cm et possède 3 nervures. Remarques: Fleurs blanches à profusion; peut être utilisé comme couvre-sol.

Hampe florale: 35 cm/ 14 po — ∅ 2,5 à 7,5 cm
Couleur: Blanche — **Floraison:** Août

'Sitting Pretty'

Feuillage: jaune/vert — **Zone:** 4
10 cm/ 4 po — ⊠ 20 cm/ 8 po

Le feuillage lisse est jaune marginé de deux tons de vert. La feuille lancéolée mesure 18 x 4 cm et possède 3 nervures. Un beau petit hosta. Remarques: Croisement entre H. 'Reiko' X H. 'Amy Aden'.

Hampe florale: 30 cm/ 12 po — ∅ 2,5 à 7,5 cm
Couleur: Pourpre striée — **F** — **Floraison:** Septembre

'So Sweet'

Feuillage: vert/blanc — **Zone:** 3
45 cm/ 18 po — ⊠ 30 cm/ 12 po

Le feuillage est vert foncé, lustré et largement marginé de jaune. La feuille lancéolée mesure 18 x 11,5 cm et possède 6 nervures. Remarques: Obtenu par hybridation avec H. plantaginea. Croissance rapide.

Hampe florale: 55 cm/ 22 po — ∅ 2,5 à 7,5 cm
Couleur: Pourpre striée — **Floraison:** Août

'Spacious Skies'

Feuillage: bleu — **Zone:** 4
60 cm/ 24 po

Le feuillage est bleu éclatant et le dessous blanc. La feuille est grande et épaisse.

Hampe florale: 75 cm/ 30 po

'Stenantha Variegated'

Feuillage: vert/jaune — **Zone:** 3
45 cm/ 18 po — ⊠ 60 cm/ 24 po

Le feuillage est vert marginé de jaune viridescent. Nom de certains clones panachés de H. 'Fortunei Stenantha' dont plusieurs sont instables. Remarques: Mutation stable, H. Viettes Yellow Edge'.

Hampe florale: 55 cm/ 22 po — ∅ 2,5 à 7,5 cm
Couleur: Lavande — **Floraison:** Juillet

'Stiletto'

Feuillage: vert/blanc — **Zone:** 3
15 cm/ 6 po — ⊠ 20 cm/ 8 po

Le port du plant est dressé. Le feuillage ondulé est vert marginé de blanc crème. La feuille lancéolée, très étroite, mesure 18 x 2,5 cm et possède 3 nervures. Remarques: Croisement entre H. 'Amy Arden' X H. pulchella.

Hampe florale: 30 cm/ 12 po — ∅ 2,5 à 7,5 cm
Couleur: Pourpre striée — F — **Floraison:** Août

'Sugar Plum Fairy'

Feuillage: vert — **Zone:** 3
⌂ 10 cm/ 4 po — ⊠ 20 cm/ 8 po

Le feuillage lisse et légèrement ondulé est vert lustré. La feuille lancéolée mesure 5 x 1 cm et possède 3 nervures. Remarques: Croissance compacte.

Hampe florale: 25 cm/ 10 po — ∅ 2,5 à 7,5 cm
Couleur: Pourpre striée — F — **Floraison:** Août

'Sum and Substance'

Feuillage: jaune — **Zone:** 3
⌂ 75 cm/ 30 po — ⊠ 150 cm/ 60 po

Le feuillage épais est jaune vif (mi-ombre), vert lime(ombre), fortement nervuré, d'aspect tropical et énorme. La feuille cordée au dessous blanchâtre mesure 51 x 38 cm et possède 14 nervures. La tige florale est oblique; la fleur, en forme de cloche. Remarques: Hosta introduit en 1980; prometteur. Tolère le soleil, résistant aux limaces.

Hampe florale: 95 cm/ 38 po — ∅ 2,5 à 7,5 cm
Couleur: Blanche — **Floraison:** Juillet

'Summer Fragrance'

Feuillage: vert/blanc — **Zone:** 3
⌂ 60 cm/ 24 po — ⊠ 100 cm/ 40 po

Le feuillage lisse est vert avec des striures vert pâle et vert foncé; il est marginé de blanc. La feuille cordée mesure 20 x 10 cm et possède 8 nervures. Remarques: Très gros hosta.

Hampe florale: 150 cm/ 60 po — ∅ Plus de 7,5 cm
Couleur: Lavande-pourpre — F — **Floraison:** Août

'Summer Music'

Feuillage: autre — **Zone:** 3
⌂ 60 cm/ 24 po

Le feuillage est blanc marginé de chartreux et de vert, avec une démarcation jaune doré entre les deux couleurs. Nécessite un peu de soleil pour une belle coloration. La feuille est grande et cordée.

Hampe florale: 50 cm/ 20 po — **Couleur:** Lavande

'Sun Power'

Feuillage: jaune — **Zone:** 3
⌂ 60 cm/ 24 po — ⊠ 90 cm/ 36 po

Le port du plant est dressé. Le feuillage est jaune lutescent, profondément veiné et légèrement ondulé. La feuille ovée-cordée et acuminée mesure 25,5 x 19 cm; elle possède 12 nervures. La tige florale est oblique. Très florifère. Remarques: Croissance rapide; conserve sa couleur au soleil.

Hampe florale: 90 cm/ 36 po — ∅ 2,5 à 7,5 cm
Couleur: Lavande — F — **Floraison:** Juillet

'Sundance'

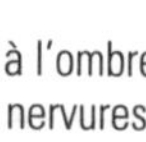

Feuillage: vert/blanc
Zone: 3
45 cm/ 18 po
60 cm/ 24 po

Le feuillage lisse est vert foncé marginé de jaune albescent. La bordure est jaune doré à l'ombre ou jaune crème au soleil. La feuille ovée-cordée mesure 18 x 9 cm et possède 7 à 9 nervures. Remarques: Mutation de H. fortunei 'Aoki'.

Hampe florale: 90 cm/ 36 po
∅ 2,5 à 7,5 cm
Couleur: Lavande
F
Floraison: Juillet

'Sunshine Glory'

Feuillage: vert/jaune
Zone: 3
60 cm/ 24 po
70 cm/ 28 po

Le port du plant est dressé. Le feuillage bosselé-ondulé est vert marginé de jaune irrégulier et strié sur certaines feuilles. La feuille ovée-cordée mesure 20 x 13 cm et possède 12 nervures. La tige florale est oblique; la fleur, en forme de cloche.

Hampe florale: 80 cm/ 32 po
∅ 2,5 à 7,5 cm
Couleur: Blanche
F
Floraison: Juillet

'Sweetie'

Feuillage: jaune/blanc
Zone: 4
50 cm/ 20 po
75 cm/ 30 po

Le feuillage vagué-ondulé est jaune viridescent marginé de blanc crème. La feuille cordée mesure 20 x 13 cm et possède 11 nervures. Remarques: Croisement entre H. 'Fragrant Bouquet' X H. 'Fragrant Candelabra'. Croissance rapide.

Hampe florale: 80 cm/ 32 po
∅ 2,5 à 7,5 cm
Couleur: Blanche/Bleu
F
Floraison: Juillet

'Tall Boy'

Feuillage: vert
Zone: 3
60 cm/ 24 po
75 cm/ 30 po

Le port du plant est dressé. Le feuillage lisse est vert. La feuille cordée mesure 23 x 15 cm et possède 10 nervures. Remarques: Hybride de H. rectifolia; très résistant.

Hampe florale: 130 cm/ 52 po
∅ 2,5 à 7,5 cm
Couleur: Lavande
F
Floraison: Juillet

'Tamborine'

Feuillage: vert/blanc
Zone: 4
35 cm/ 14 po
60 cm/ 24 po

Le port du plant est dressé. Le feuillage lisse est vert largement marginé de blanc. La feuille cordée mesure 15 x 13 cm; elle possède 7 nervures et un pétiole rouge. La fleur est en forme de cloche. Remarques: De dimension moyenne; tolère bien la mi-ombre.

Hampe florale: 50 cm/ 20 po
∅ 2,5 à 7,5 cm
Couleur: Lavande
F
Floraison: Juillet

'Thomas Hogg'

Feuillage: vert/blanc
Zone: 3
30 cm/ 12 po
45 cm/ 18 po

Le feuillage, légèrement ondulé, est vert foncé avec une marge régulière blanche. La feuille elliptique à pointe arrondie mesure 20 x 8 cm et possède 5 ou 6 nervures. Forme un coussin tapis

sant, par ses stolons. Remarques. Syn. de H. docorata et de H 'undulata Albomarginata'; facile à multiplier.

Hampe florale: 50 cm/ 20 po
Couleur: Pourpre **Floraison:** Juillet

---

tokudama

Feuillage: bleu **Zone:** 3
30 cm/ 12 po ⊠ 60 cm/ 24 po

Le port du plant est dressé. Le feuillage est bleuté, fortement bosselé et en forme de coupe. La feuille cordée mesure 22 x 20 cm et possède 11 à 13 nervures. Remarques: Similaire à un H. sieboldiana 'Elegans'. Croissance lente. Résistant aux limaces.

Hampe florale: 45 cm/ 18 po ∅ 2,5 à 7,5 cm
Couleur: Blanc/Lilas **Floraison:** Août

***tokudama* 'Aureonebulosa'**

Feuillage: jaune/bleu-vert **Zone:** 3
30 cm/ 12 po ⊠ 40 cm/ 16 po

Le feuillage cireux, fortement bosselé et en forme de coupe est jaune pâle à jaune verdâtre; il présente une large marge irrégulière bleu-vert. La feuille ronde mesure 10 x 10 cm. Remarques: Très belle plante à développement lent; résistante aux limaces.

Hampe florale: 40 cm/ 16 po ∅ 2,5 à 7,5 cm
Couleur: Blanche **Floraison:** Juillet

***tokudama* 'Flavocircinalis'**

Feuillage: bleu-vert/jaune **Zone:** 2
40 cm/ 16 po ⊠ 50 cm/ 20 po

Le feuillage fortement bosselé est bleu-vert avec une marge irrégulière dorée et crème. La feuille cordée et épaisse mesure 25 x 17,5 cm; elle possède 11 à 13 nervures. La fleur est juste au-dessus du feuillage. Remarques: Semblable à H. 'Frances Williams' en miniature; résistant aux limaces.

Hampe florale: 45 cm/ 18 po ∅ 2,5 à 7,5 cm
Couleur: Lavande **Floraison:** Juillet

***tokudama* 'Love Pat'**

Feuillage: bleu **Zone:** 3
50 cm/ 20 po ⊠ 100 cm/ 40 po

Le feuillage cireux est bleu, bosselé et en forme de coupe. La feuille ronde mesure 15 x 15 cm et possède 13 nervures. La fleur est en forme de cloche. Remarques: Ressemble à H. 'Tokudama'.

Hampe florale: 65 cm/ 26 po ∅ 2,5 à 7,5 cm
Couleur: Blanche/Lavande **Floraison:** Juillet

'True Blue'

Feuillage: bleu **Zone:** 3
60 cm/ 24 po ⊠ 95 cm/ 38 po

Le feuillage épais est bleu et bosselé. La feuille cordée mesure 31 x 25,5 cm et possède 16 nervures. La fleur est en forme de cloche. Remarques: Hybride de H. sieboldiana; très résistant.

Hampe florale: 75 cm/ 30 po ∅ 2,5 à 7,5 cm
Couleur: Blanche **Floraison:** Juillet

undulata

Feuillage: blanc/vert | **Zone:** 3

40 cm/ 16 po | ☒ 35 cm/ 14 po

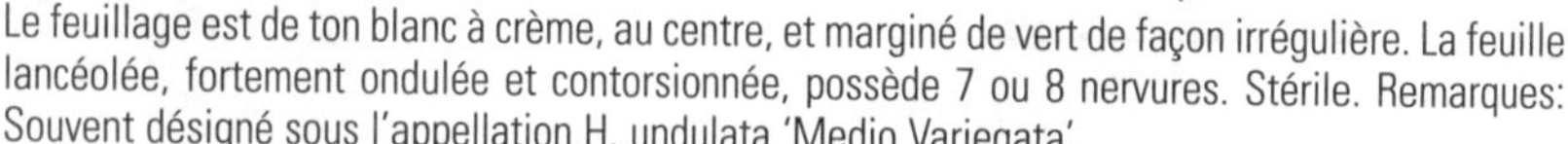

Le feuillage est de ton blanc à crème, au centre, et marginé de vert de façon irrégulière. La feuille lancéolée, fortement ondulée et contorsionnée, possède 7 ou 8 nervures. Stérile. Remarques: Souvent désigné sous l'appellation H. undulata 'Medio Variegata'.

Hampe florale: 75 cm/ 30 po | ∅ 2,5 à 7,5 cm

Couleur: Mauve | **Floraison:** Juin

undulata 'Albomarginata'

Feuillage: vert/blanc | **Zone:** 3

45 cm/ 18 po | ☒ 90 cm/ 36 po

Le feuillage est vert foncé marginé de blanc. La feuille lancéolée a une marge ondulée et mesure 20 x 7,5 cm; elle compte 8 à 10 nervures. Certaines feuilles tournent au vert. Remarques: Le hosta le plus populaire à feuilles allongées; croissance rapide.

Hampe florale: 140 cm/ 56 po | ∅ 2,5 à 7,5 cm

Couleur: Lavande | **Floraison:** Juillet

undulata 'Undulata Erromena'

Feuillage: vert | **Zone:** 3

50 cm/ 20 po | ☒ 65 cm/ 26 po

Le port du plant est dressé. Le feuillage lisse, légèrement ondulé, est vert éclatant et très lustré. La feuille ovée-cordée à ovée mesure 17 x 10 cm et possède 7 ou 8 nervures. Remarques: Vigoureux mais stérile.

Hampe florale: 80 cm/ 32 po | ∅ 2,5 à 7,5 cm

Couleur: violette **F**

'Valentine Lace'

Feuillage: bleu-vert | **Zone:** 3

55 cm/ 22 po | ☒ 25 cm/ 10 po

Le feuillage est bleu-vert et légèrement bosselé. La feuille cordée mesure 13 x 13 cm et possède 10 nervures. La fleur est en forme de cloche. Remarques: Hybride de H. capitata.

Hampe florale: 70 cm/ 28 po | ∅ 2,5 à 7,5 cm

Couleur: Pourpre | **Floraison:** Juillet

ventricosa

Feuillage: vert | **Zone:** 3

60 cm/ 24 po | ☒ 90 cm/ 36 po

Le feuillage est vert foncé, luisant, allongé, légèrement ondulé avec le bout effilé. La feuille lancéolée mesure 18 x 12 cm et possède 8 ou 9 nervures apparentes. Les fleurs, très belles, sont en groupes de 20 à 30. Remarques: La seule espèce de hosta qui se reproduit fidèlement par semis.

Hampe florale: 90 cm/ 36 po | ∅ 2,5 à 7,5 cm

Couleur: Violet | **Floraison:** Juillet

ventricosa **'Aureomaculata'**

Feuillage: jaune/vert — **Zone:** 3

45 cm/ 18 po — ☒ 70 cm/ 28 po

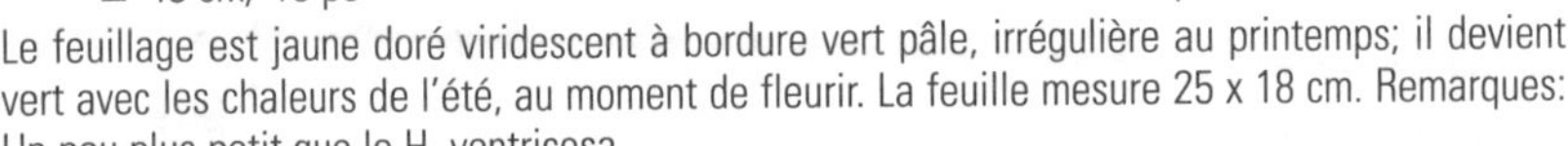

Le feuillage est jaune doré viridescent à bordure vert pâle, irrégulière au printemps; il devient vert avec les chaleurs de l'été, au moment de fleurir. La feuille mesure 25 x 18 cm. Remarques: Un peu plus petit que le H. ventricosa.

Hampe florale: 80 cm/ 32 po — ∅ 2,5 à 7,5 cm

Couleur: Violet — **Floraison:** Août

ventricosa **'Aureomarginata'**

Feuillage: vert/jaune — **Zone:** 3

45 cm/ 18 po — ☒ 70 cm/ 28 po

Le feuillage est vert (identique à H. ventricosa) à marge irrégulière jaune tournant au blanc. La feuille est ovée-lancéolée et mesure 18 x 23 cm.La fleur est en forme de cloche. Remarques: Introduit en 1 par Alan Bloom; très beau.

Hampe florale: 90 cm/ 36 po — ∅ 2,5 à 7,5 cm

Couleur: Mauve — **Floraison:** Août

'Vera Verde'

Feuillage: vert/blanc — **Zone:** 3

10 cm/ 4 po — ☒ 30 cm/ 12 po

Le port du plant est dressé. Le feuillage lisse est vert marginé de blanc crème. La feuille lancéolée, très étroite, mesure 9 x 2 cm et possède 3 nervures. Remarques: Ce plant est une forme plus stable de H. 'Cheesecake'.

Hampe florale: 60 cm/ 24 po — ∅ 2,5 à 7,5 cm

Couleur: Pourpre striée — **Floraison:** Août

'Veronica Lake'

Feuillage: bleu-vert/blanc — **Zone:** 4

35 cm/ 14 po — ☒ 30 cm/ 12 po

Le feuillage est bleu-vert marginé d'un ton crème à blanc. La feuille est cordée. Remarques: Provient de H. 'Pearl Lake'. Croissance rapide.

Hampe florale: 60 cm/ 24 po

Couleur: Lavande — **Floraison:** Juillet

'White Magic'

Feuillage: blanc/vert — **Zone:** 3

30 cm/ 12 po — ☒ 50 cm/ 20 po

Le feuillage lisse est blanc viridescent avec une marge irrégulière verte. La feuille cordée mesure 23 x 15 cm et possède 8 nervures. Croissance lente et capricieuse.

Hampe florale: 70 cm/ 28 po — ∅ 2,5 à 7,5 cm

Couleur: Lavande — **F** — **Floraison:** Août

'White On'

Feuillage: vert/blanc — **Zone:** 4

35 cm/ 14 po

Le feuillage est rayé vert marginé de blanc. Émergence tardive; même feuille que H. 'montana'. Remarques: Introduit par Terra Nova; provient de H. 'On stage'.

Hampe florale: 60 cm/ 24 po

'Wide Brim' ●☼

Feuillage: vert/jaune
Zone: 3
⌂ 55 cm/ 22 po
☒ 90 cm/ 36 po

Le feuillage légèrement bosselé est vert, avec une marge irrégulière blanc crème. La feuille cordée mesure 18 x 13 cm et possède 10 nervures. Remarques: Croisement entre H. 'Bold One' X H. 'Bold Ribbons'. Croissance rapide.

Hampe florale: 80 cm/ 32 po
∅ 2,5 à 7,5 cm
Couleur: Lilas
Floraison: Août

'Willy-Nilly' ●☼

Feuillage: bleu-vert
Zone: 4
⌂ 55 cm/ 22 po
☒ 100 cm/ 40 po

Le feuillage est bleu-vert et bosselé. La feuille cordée mesure 33 x 25,5 cm et possède 16 nervures. La tige florale est oblique. Remarques: Hybride de H. sieboldiana.

Hampe florale: 75 cm/ 30 po
∅ 2,5 à 7,5 cm
Couleur: Blanche **F**
Floraison: Juillet

'Yellow Splash' ●☼

Feuillage: vert/jaune
Zone: 3
⌂ 35 cm/ 14 po
☒ 50 cm/ 20 po

Le feuillage est vert marginé de jaune doré. La feuille ovée mesure 15 x 6,5 cm et possède nervures. Teinte unique en début de saison. Croissance rapide.

Hampe florale: 70 cm/ 28 po
∅ 2,5 à 7,5 cm
Couleur: Lavande
Floraison: Juillet

'Zounds' ♥ ●☼

Feuillage: jaune
Zone: 3
⌂ 40 cm/ 16 po
☒ 75 cm/ 30 po

Le feuillage épais est jaune lutescent et très bosselé-contorsionné. La feuille cordée mesure 28 x 21,5 cm et possède 12 nervures. La feuille semble briller au coucher du soleil. Remarques: Hybride de H. sieboldiana 'Elegans'; de culture assez difficile.

Hampe florale: 60 cm/ 24 po
∅ 2,5 à 7,5 cm
Couleur: Blanche **F**
Floraison: Juillet

PLANTES INDIGÈNES

PLANTES INDIGÈNES

LES PLANTES SAUVAGES EN AMÉNAGEMENT PAYSAGER

Marc Meloche

On observe depuis quelques années un intérêt marqué pour les plantes sauvages. On assiste même à l'émergence d'une nouvelle tendance en aménagement paysager. Ce retour aux sources, amorcé durant la dernière décennie, ne fera que s'amplifier à l'aube du prochain millénaire. L'aspect naturel au jardin devient de plus en plus un impératif tant au niveau des concepteurs professionnels que du grand public.

DÉFINITION:

Plante sauvage

Le terme sauvage se dit des espèces végétales (arbres, arbustes, plantes, graminées etc...) telles qu'elles se trouvent dans la nature et non modifié par la culture.

Plante indigène

On précise qu'elles sont indigènes d'un pays ou d'une région lorsqu'elles y croissent spontanément. La marguerite des champs (chrysanthemum leucanthemum) est un exemple de plante sauvage fort répandue au Québec mais non indigène puisqu'elle fut amenée d'Europe. Certaines espèces, jadis introduites, font maintenant tellement partie de notre flore qu'ont les déclare naturalisées (marguerite, bouton d'or, mauve musquée etc...).

Cultivar

Par opposition, le terme cultivar désigne des plantes dont les caractéristiques ont été modifiées par différentes techniques dont la greffe, l'hybridation et la sélection génétique. La lobélie cardinale " Queen Victoria " est un exemple de cultivar tiré d'une de nos belles indigènes (lobelia cardinalis).

Les avantages et les inconvénients

Les espèces sauvages se distinguent par leur croissance généralement vigoureuse, surtout lorsqu'elles sont implantées dans un environnement semblable à leur milieu naturel ou libérées de la compétition qu'elles subissent dans la nature. Elles peuvent même devenir envahissantes lorsque leur nouveau milieu d'adoption s'avère un peu trop douillet. Le jardinier amateur devra user de prudence lors du mariage de certaines espèces sauvages avec des variétés horticoles moins vigoureuses. Par contre, les grands espaces et les lieux plus difficiles de culture seront avantageusement mis en valeur par les espèces sauvages à croissance rapide.

La rusticité des plantes sauvages et spécialement des indigènes constitue un atout appréciable et enviable. Remarquablement bien adaptées aux rigueurs de notre climat, la plupart sont rustiques en zone 3 et souvent même en zones 2 et 1. Le jardinier réfractaire aux protections hivernales saura apprécier cet avantage. Les périodes de sécheresse estivales, pour leur part, affecteront moins les espèces sauvages que certaines variétés horticoles plus fragiles. Les insectes et les maladies, pour autant qu'elles soient du terroir, auront enfin moins d'effets dévastateurs chez les espèces sauvages. Celles-ci n'en sont toutefois ni exemptes ni immunisées. Simplement sont-elles plus habituées à les supporter; d'autant plus qu'elles attirent aussi des insectes et oiseaux prédateurs bénéfiques.

Leur utilisation

Le jardin sauvage donne l'impression que les végétaux qui le composent y sont apparus de façon naturelle et spontanée. Les défauts d'une pente, les sites montagneux ou tout autre accident de terrain, au lieu d'être banalement nivelés, sont au contraire mis en valeur en les habillant subtilement d'espèces sauvages. Plus encore, les coûteux travaux de drainage, pour assécher un fond de terrain mal égoutté, peuvent souvent être évités par l'utilisation judicieuse d'espèces de milieux humides ; créant ainsi in micro-paysage à la fois esthétique et écologique. Enfin, les jardins fortement ombragés par la présence des grands arbres bénéficient grandement de l'implantation d'espèces de sous-bois, en particulier les indigènes, tellement bien adaptées à ce genre d'environnement. Les massifs de fougères et les couvre-sols à croissance rapide auront tôt fait, bien mieux que la pelouse, d'étaler un tapis verdoyant sous les grands arbres. Plusieurs centres-jardin offrent maintenant un choix intéressant de plantes sauvages et indigènes produites en pépinière. Votre pépiniériste saura guider votre choix et n'hésitera pas à vous référer à un spécialiste en cas de besoin. Notre but respecter la nature en évitant d'épuiser les ressources naturelles.

Conclusion

Mentionnons finalement que certaines variétés horticoles s'éloignent maintenant tellement de l'espèce botanique originale que celle-ci, lorsqu'elle nous est à nouveau présentée, nous semble une nouveauté! Le côté spectaculaire des cultivars continuera toujours de séduire; les feuillages panachés, les floraisons prolongées et l'enrichissement du choix de couleurs ou de formes ne sont que quelques-unes des réussites de l'horticulture ornementale moderne. Mais il ne faudrait pas perdre de vue que l'aménagement paysager constitue en fin de compte la façon de rétablir le contact entre l'homme et la nature et que la beauté naturelle d'un paysage sera toujours grandiose!

LISTE DES PLANTES SUGGÉRÉES

IND = indigène **NA** = sauvage naturalisée **INT** = sauvage introduite récemment

PLANTES	IND	NA	INT
Achillea millefolium		•	
Aconitum bicolor		•	
Anaphalis magaritacea	•		
Anemone canadensis	•		
Anemone virginiana	•		
Aquilegia canadensis	•		
Aquilegia vulgaris		•	
Arctostaphylos Uva-ursi	•		
Asclepias incarnata	•		
Aster cordifolius	•		
Aster divaricatus			•
Aster junciformis	•		
Aster leavis			•
Aster macrophyllus	•		
Aster novae-angliae	•		
Aster novi-belgii	•		
Aster ptarmicoide	•		
Aster umbellatus	•		
Astragalus canadensis	•		
Caltha palustris (aquatique)	•		
Campanula glomerata	•		
Campanula rotundifolia	•		
Campanula trachelium		•	
Centaurea jacea		•	
Centaurea nigra		•	
Centranthus ruber			•
Coreopsis lanceolata		•	
Desmodium canadense	•		
Echinacea pallida			•
Echinacea purpurea			•
Epilobium angustifolium	•		
Eupatorium maculatum	•		
Filipendula rubra			•
Filipendula vulgaris		•	
Geum rivale	•		
Helenium autumnale	•		
Hemerocallis fulva		•	
Hesperis matronalis		•	
Hieracum aurantiacum		•	
Houstonia coerulea	•		
Iris pseudacorus		•	
Iris versicolor	•		
Lilium canadense	•		
Lilium tigrinum		•	
Linnea borealis	•		
Lobelia cardinalis	•		
Lobelia siphilitica	•		
Lupinus polyphyllus		•	
Lychnis flos-cuculi		•	
Lysimaque nummularia		•	
Malva althaea (alcea)		•	
Malva moschata		•	
Monarde didyma	•		
Oenothera perennis	•		
Physostegia virginiana	•		
Phytolacca americana	•		
Prunella vulgaris		•	
Rudbeckia hirta		•	
Rudbeckia laciniata	•		
Sanguisorba canadensis	•		
Sanguinaria canadensis	•		
Saponaria officinalis		•	
Sisyrinchium angustifolium	•		
Solidago canadensis	•		
Solidago graminifolia	•		
Solidago nemoralis	•		
Solidago squarrosa	•		
Symphytum officinale		•	
Tanacetum huronense	•		
Tanacetum vulgare	•		
Vaccinium Vitis-Idaea	•		
Valeriana officinalis (fin.herb.)		•	
Veronica longifolia		•	
Veronicastrum virginicum			•
PLANTES DE SOUS-BOIS			
Actaea rubra	•		
Actaea pachypoda	•		
Arisemea dracontium	•		
Arisaema triphyllum	•		
Aralia racemosa	•		
Asarum canadense	•		
Cornus canadensis	•		
Gaultheria procumbens	•		
Panax quinquefolius	•		
Smilacina racemosa	•		
Tiarella cordifolius	•		
Viola pubescens	•		
Viola septentrionalis	•		
PLANTES GRIMPANTES			
Apios americana	•		
Clematis virginiana	•		
Humulus lupulus		•	
PLANTES GRAMINÉES			
Andropogon gerardii	•		
Carex bebbii	•		
Carex grayii	•		
Carex plantaginea	•		
Carex vulpeinoides	•		
Elymus arenarius	•		
Elymus canadensis	•		
Panicum virgatum	•		
Phalaris arundinacea	•		

PLANTES

Anaphalis magaritacea

Anemone canadensis

Anemone virginiana

Aquilegia canadensis

Arctostaphylos Uva-ursi

Asclepias incarnata

Aster cordifolius

Aster junciformis

Aster macrophyllus

Aster novae-angliae

Aster novi-belgii

Aster umbellatus

Astragalus canadensis

Campanula rotundifolia

Centaurea jacea

Centaurea nigra

Centranthus ruber

Coreopsis lanceolata

Desmodium canadense

Eupatorium maculatum

Filipendula rubra

Helenium autumnale

Hesperis matronalis

Houstonia coerulea

Iris versicolor

Lilium canadense

Lilium tigrinum

Linnea borealis

Lupinus polyphyllus

Lychnis flos-cuculi

Lysimaque nummularia

Phytolacca americana

Prunella vulgaris

Rudbeckia hirta

Rudbeckia laciniata

Sanguisorba canadensis

Sanguinaria canadensis

Saponaria officinalis

Solidago canadensis

Solidago nemoralis

Solidago squarrosa

Symphytum officinale

PLANTES DE SOUS-BOIS

Arisemea dracontium

Arisaema triphyllum

Gaultheria procumbens

Panax quinquefolius

Smilacina racemosa

Tiarella cordifolius

Viola pubescens

Viola septentrionalis

PLANTES GRIMPANTES

Apios americana

Clematis virginiana

Humulus lupulus

PLANTES GRAMINÉES

Panicum virgatum

FINES HERBES

INTRODUCTION

À travers les âges, les fines herbes ont su conserver la cote, du jardin à la table. Le bonheur de les cultiver n'a d'égal que celui de découvrir leurs multiples arômes et saveurs. Leurs vertus et usages sont reconnus de tous, que ce soit en gastronomie, en médecine ou en parfumerie. Mais pour bien les apprécier, il faut apprendre à les connaître. Ainsi, elles sont souvent associées aux épices, bien qu'elles en soient différentes. Les épices sont la partie aromatique de plantes qui poussent dans les régions tropicales: bourgeons, fruits, baies, racines ou écorces se présentent généralement sous forme séchée. Les herbes sont les feuilles, fraîches ou séchées, de plantes de toute région poussant à l'extérieur mais pouvant aussi se développer dans une serre ou une pièce ensoleillée. Certaines plantes sont à la fois herbe et épice. C'est le cas de la coriandre, qui fournit ses feuilles et ses graines aromatiques, et du céleri, dont les branches et les graines sont parfumées. La combinaison feuilles-graines procure aux préparations culinaires un maximum de saveur en alliant, idéalement, le parfum et le goût.

UN UNIVERS DE SAVEURS

Que ce soit pour un repas élaboré ou une salade vite préparée, les herbes aromatiques ont un rôle essentiel dans la cuisine de tous les jours. Par ailleurs, elles poussent très facilement et ne réclament ni sol particulier ni entretien spécial. Chacun peut ainsi en avoir une petite quantité dans son jardin ou même sur son balcon (en pots, en paniers suspendus...). Sinon, il vaut mieux les acheter fraîches quoiqu'elles conservent bien leur arôme une fois séchées. Elles rehaussent de mille et une façons les plats tout en étant bonnes pour la santé.

FLEURS DÉLICIEUSES

Certaines fleurs comme la lavande, la rose et la capucine parfument délicatement les sorbets, les crèmes, les gelées, les liqueurs, le vin et le thé. D'autres, moins odorantes, telles que le géranium, le chrysanthème et le souci donnent aux aliments une touche de couleur qui stimule l'appétit. Certaines peuvent être frites tandis que d'autres sont séchées et incorporées aux épices.

Pour bien choisir les fleurs qui garniront un plat, vous devez respecter quelques règles élémentaires. Assurez-vous d'abord qu'elles sont comestibles. Cela est très important, même si vous ne les employez que pour décorer (et non pour consommer). Vérifiez ensuite qu'elles ont poussé sans pesticides ni autres produits chimiques. Si vous cueillez les fleurs dans un jardin, faites-le de bon matin et par temps sec. Rincez-les délicatement sous un filet d'eau fraîche. Ne les gardez pas plus de 24 heures, car elles se fanent rapidement. Quelle que soit la recette que vous réalisez, enlevez le pistil et les étamines. Retirez également toutes les parties blanches qui se trouvent parfois à la base des pétales et qui sont amères.

LES HUILES AROMATISÉES

Les huiles aromatisées avec des herbes et des épices rehaussent toutes les recettes. Il est très facile de les préparer soi-même. L'huile d'olive extra vierge en est la meilleure base. Les herbes aromatiques s'emploient séparément ou combinées avec d'autres; il faut cependant veiller à ce que leurs saveurs s'accordent. Les huiles aromatisées servent surtout d'assaisonnement, mais une huile au thym, au romarin ou au laurier conviendra parfaitement à une fondue bourguignonne.

L'été est la meilleure saison pour parfumer les huiles car les herbes aromatiques sont alors très abondantes sur le marché et peu chères. Vous n'aurez que l'embarras du choix entre le basilic, le laurier, le romarin, la menthe, la marjolaine, le cerfeuil, le persil et bien d'autres... N'utilisez qu'une espèce à la fois, que vous pourrez marier avec de l'ail ou un zeste de citron. Il n'en faut souvent qu'une petite quantité pour parfumer l'huile, excellent support des arômes.

Si vous utilisez des herbes fraîches, prenez le soin de les laver et de les sécher avant de les écraser légèrement pour libérer leur arôme. Ajoutez-les à l'huile dans un bocal ou une bouteille hermétique. Laissez reposer au moins deux semaines au frais ou à l'abri de la lumière. Goûtez l'huile pour vous assurer que le parfum est suffisamment prononcé, sinon rajoutez des herbes et laissez macérer une semaine de plus. Vous avez le choix de filtrer l'huile ou de la garder telle quelle; dans ce dernier cas, les herbes continueront de l'aromatiser.

Vous pouvez également relever les huiles avec des épices, entières ou en poudre. Les premières étant plus prononcées, évaluez-en la quantité selon vos goûts.

Une vinaigrette sera encore meilleure si l'huile d'olive employée pour la préparer est rehaussée d'une herbe ou d'une épice. Ainsi, la ciboulette, le persil et le cerfeuil sont délicieux avec des crudités. Les herbes qui ont un arôme prononcé comme le laurier, le romarin, le thym et la sauge donnent des huiles au goût plus élaboré. Utilisez-les pour mariner les brochettes et autres grillades.

LES VINAIGRES AROMATISÉS

Les vinaigres de vin se marient bien avec toutes sortes d'herbes, d'épices et d'aromates. Le vinaigre de vin blanc parfumé à l'estragon ou à l'échalote rehausse la douceur des salades vertes, notamment les romaines et les frisées. Les fleurs conviennent aussi au vinaigre de vin blanc, que ce soit la rose délicate ou la lavande, la capucine ou la violette (plus parfumées). Le vinaigre de xérès, plus goûteux, constitue un excellent assaisonnement de table pour une viande ou une volaille, surtout s'il est relevé avec du raifort, du romarin, de l'ail, des piments ou des clous de girofle.

La préparation

Pour libérer au mieux le parfum des aromates, faites d'abord chauffer le vinaigre doucement. Plongez-y ensuite un seul ingrédient ou un mélange d'aromates. Le citron et le thym, le romarin et le laurier, les clous de girofle et le miel sont souvent jumelés. Conservez votre vinaigre aromatisé dans un endroit sombre et frais (ex.: au sous-sol).

LES BEURRES AROMATISÉS

Le beurre est délicieux nature, mais en l'agrémentant d'herbes, d'épices ou d'aromates, vous pouvez à volonté en modifier le goût et la présentation (le beurre à l'ail est sans doute le meilleur exemple). Le raifort, l'estragon, la ciboulette et le basilic permettent aussi de préparer des beurres savoureux pour tartiner des canapés et des sandwichs ou rehausser le goût des viandes grillées et des poissons.

LES SAUCES AUX HERBES

Les sauces offrent une panoplie de saveurs complémentaires à de nombreux mets. Une préparation à la crème aromatisée au gingembre ou à la coriandre, par exemple, est tout désignée pour le poisson blanc poché. La sauce tomate, quant à elle, a bien meilleur goût avec une pincée de thym, de laurier ou d'origan. Et pour rehausser davantage le parfum et la présentation de vos sauces, ajoutez en fin de cuisson des herbes fraîchement hachées.

LES TISANES

Les tisanes d'herbes sont connues depuis l'Antiquité pour leurs propriétés médicinales. Elles sont produites par l'infusion de feuilles, de fleurs et de fruits de presque toutes les plantes comestibles. Elles sont stimulantes ou relaxantes, et les partisans de l'homéopathie les recommandent pour apaiser certains malaises. La préparation des tisanes ressemble beaucoup à celle du thé, mais les plantes sont généralement infusées en plus petite quantité: comptez 15 g d'herbes séchées ou 30 g d'herbes fraîches pour 2fi tasses (600 ml) d'eau chaude. Le jus de citron et le miel aromatisent de nombreuses tisanes chaudes; un brin d'herbe fraîche les décore joliment quand elles sont servies frappées.

Les herbes

La plupart des herbes utilisées en cuisine ont également des vertus médicinales. Les infusions de romarin, très parfumées, stimulent la circulation, apaisent les douleurs au foie et dissipent les migraines. La sauge est bonne pour l'estomac tandis que les infusions de thym, adoucies au miel, calment la toux. La menthe facilite la digestion et se marie bien aux autres herbes; elle est très rafraîchissante avec des fleurs de tilleul. Les infusions glacées de menthe poivrée et de menthe verte sont tonifiantes. D'autres herbes moins connues sont aussi délicieuses, comme la bourrache et la verveine odorante (recommandée pour le foie et les reins). La mélisse, également appelée citronnelle, donne une infusion très parfumée; elle calme et assure une bonne digestion.

Les fleurs

Les tisanes de fleurs de camomille ont un arôme légèrement âcre. Digestives et calmantes, elles favorisent le sommeil. Les infusions de lavande sont également apaisantes et relaxantes.

QUELQUES USAGES RAFFINÉS

Les pots-pourris

En plus de leur valeur culinaire, les herbes aromatiques sont appréciées pour embaumer la maison. Leurs feuilles séchées sont particulièrement utilisées dans la composition de pots-pourris et de sachets odorants.

Le géranium odorant

Conservées pour leur parfum, les feuilles du géranium odorant doivent être séchées à l'ombre. On les utilisera ensuite pour aromatiser les glaces, les biscuits, les gâteaux et les gelées (certaines personnes en incorporent même au beurre). Enfin, un sirop parfumé avec les feuilles de cette plante apportera une saveur encore plus estivale aux salades de fruits frais.

LES TRUCS

Quelques conseils pour profiter pleinement de vos fines herbes:

- Fabriquez un pinceau avec des tiges de thym, de romarin et de sauge pour badigeonner les grillades et les légumes cuits sur le barbecue.
- Cueillez vos fines herbes le matin, avant que leurs huiles essentielles ne se volatilisent sous l'effet du soleil.
- Écrasez une demi-tasse de feuilles fraîches de chacune des fines herbes suivantes: basilic, marjolaine, romarin, sarriette et thym dans trois tasses de vinaigre rouge ou blanc. Au bout de quatre semaines, passez le mélange plusieurs fois dans un filtre à café. Pendant les mois d'hiver, ce vinaigre fera renaître les doux parfums de l'été.
- Pour soulager vos problèmes de digestion, remplacez le poivre par le basilic, la sarriette, le thym ou la marjolaine.
- Le bouquet garni est essentiel en cuisine. Il est généralement composé de trois tiges de céleri, d'une branche de thym et d'une autre de laurier. Ficelez les éléments frais en paquet ou conservez-les dans un sachet lorsqu'ils sont séchés.

Anethum *graveolens* Fleur-fruit

Angélica *archangelica* Racine

Carum *carvi* Fruit

Chamaemaelum *nobile*

Coriandrum *sativum* Feuille et fleur

Cumin Fruit

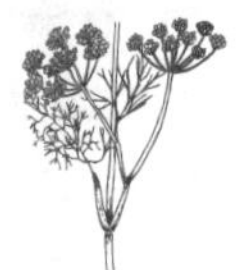

Foeniculum *vulgare* Fruit + fleur

Hyssopus *officinalis* Fleur

Melissa *officinalis* Fleur

Mentha *x piperita*

Ocimum *basilicum*

Origanum *marjorana* Fleur

Origanum *vulgare* (Fleur)

Ruta *graveolens*

Agastache foeniculum Agastache fenouil • Anise Hyssop 

Famille: Lamiacées - Vivace **Zone:** 4
Origine: Amérique du Nord **Jumelage:** Sauge, ananas et romarin.

Plante aromatique, mellifère et condimentaire à forte odeur d'anis (Licorice noir). Un bon substitut dans les pâtisseries.

Sol: Fertile, modérément humide, bien drainé et au pH neutre.
60 cm/ 24 po 60 cm/ 24 po Au début de l'été
Couleur: Bleu lavande et une variété à fleurs blanches.

Utilisations

Feuilles: comme assaisonnement pour le porc, poulet et riz. En infusion.
Fleurs: dans les salades, avec la rhubarbe et les framboises.

Conservation

Feuilles: réfrigérées quelques jours dans un sachet en plastique ou séchées.
Graines: dans un contenant hermétique, au frais et à l'abri de la lumière. Elles perdent malgré tout leur goût rapidement.

Allium schoenoprasum Ciboulette • Chives 

Famille: Liliacées - Vivace **Zone:** 2
Origine: Europe, Asie **Jumelage:** Persil, estragon et cerfeuil.

Plante condimentaire riche en vitamines A et C. Décorative, à tige creuse et ronde. Goût d'oignon. Planter près des pommiers afin d'éloigner les insectes. Variété 'Forescate' plus florifère.

Sol: Riche et bien drainé.
30-50 cm/ 12-20 po 25-30 cm/ 10-12 po Mai - juin
Couleur: Fleurs roses globulaires.

Utilisations

Feuilles: salades, sauces, œufs, trempettes, soupes, beurre et vinaigre.
Fleurs fraîches: décoration dans les salades et vinaigrettes. Ajouter la ciboulette seulement à la fin de la cuisson.

Conservation

Feuilles: réfrigérées dans un récipient hermétique ou finement tranchées puis congelées dans un bac à glaçons rempli d'eau. Séchage dans un filet.

☺ **Conseils santé:** Stimule l'appétit et facilite la digestion.

Allium tuberosum Ciboulette à l'ail • Garlic chives 

Famille: Liliacées - Vivace **Zone:** 4
Origine: Japon **Jumelage:** Persil, estragon et cerfeuil.

Plante condimentaire riche en vitamines A et C. Tige creuse et plate. Goût semblable à l'ail. Très belle inflorescence en ombelles blanches.

Sol: Riche, bien drainé et au pH acide.
30-50 cm/ 12-20 po 30-45 cm/ 12-18 po Mai - juin
Couleur: Blanc.

Utilisations

Feuilles: salades, sauces, œufs, tomates, riz, pâtes et trempettes.Les boutons de fleurs sont très recherchés en cuisine chinoise.

Conservation

Feuilles: réfrigérées dans un récipient hermétique ou finement tranchées puis congelées dans un bac à glaçons rempli d'eau. Séchage dans un filet.

☺ **Conseils santé:** Stimule l'appétit et facilite la digestion.

Aloysia triphylla Verveine citronnelle • Lemon verbena 

Famille: Verbénacées - Vivace non rustique **Origine:** Chili

Plante arbustive aromatique ou condimentaire à feuilles caduques. Non rustique. Odeur fortement citronnée (alors que la verveine officinale est inodore). Supprimer les fleurs dès leur apparition. Cultiver en pot à l'extérieur et rentrer à l'automne. Traiter contre la mouche blanche avec un savon biologique.

Sol: Riche, humide, bien drainé et au pH plutôt acide.

150 cm/ 60 po 60 cm/ 24 po ❀ Juillet - septembre

Couleur: Blanc ou mauve.

Utilisations

Feuilles: infusions, boissons, entremets, marinades, savons et parfums. Finement hachées, elles rehaussent le goût des salades, champignons frits, marinades, poissons, porc, riz et poulet.Peut remplacer le *Lemon grass* dans les recettes orientales. Éviter la macération prolongée des feuilles.

Conservation

Feuilles fraîches: au réfrigérateur, dans un sachet en plastique hermétique. Dans une huile ou un vinaigre.

Feuilles séchées: dans un récipient hermétique, au frais et à l'abri de la lumière.

☺ **Conseils santé:** Excellent tonique. Diminue la nervosité, la toux, l'insomnie et l'angoisse. Utilisée comme gargarisme pour les maux de gorge, en compresse pour les maux de tête ou en pansement pour les coupures et brûlures. **Infusion:** 10 à 15 pincées de fleurs et de feuilles par litre d'eau. En prendre maximum 2 tasses par jour.

Anethum graveolens Aneth • Dill 

Famille: Apiacées - Annuelle **Origine:** Asie

Les feuilles, ressemblant à celles de la carotte, servent d'assaisonnement. Les graines aromatisent les liqueurs, les confitures et les marmelades. Éviter de la cultiver près du fenouil, des carottes et des tomates.

Sol: Bien drainé, fertile et au pH acide.

50 cm/ 20 po 50-60 cm/ 20-24 po ❀ Juillet - août

Couleur: Fleurs jaunes, en ombelles.

Utilisations

Feuilles: potages, légumes (haricots verts), sauces, poissons, fruits de mer, omelettes, salades de pommes de terre, cornichons et veau. Utiliser à la fin de la cuisson pour conserver plus de saveur.

Tiges et graines: vinaigre et cornichons.

Graines: peuvent remplacer celles du carvi.

Conservation

Feuilles fraîches: réfrigérées dans un récipient hermétique ou finement tranchées puis congelées dans un bac à glaçons rempli d'eau.

Feuilles séchées et graines: dans un récipient hermétique, au frais et à l'abri de la lumière.Pour faire sécher l'aneth, le suspendre dans un endroit chaud, sec et bien aéré.

☺ **Conseils santé:** Augmente les sécrétions lactées des femmes qui allaitent. Stimule l'appétit. Les graines ont des propriétés calmantes et digestives.

Angélica archangelica Angélique • Angelica 

Famille: Apiacées - Annuelle ou bisannuelle **Origine:** Europe, Asie

L'angélique est une proche parente du persil. Toutes les parties de la plante sont comestibles. Cueillir les feuilles avant la floraison.

Sol: Profond, riche, humide, bien drainé et au pH acide.

130 cm 100 cm/ 40 po

Couleur: Fleurs verdâtres, en ombelles.

Utilisations

Feuilles et fleurs: potages et salades. En infusion, elles aromatisent les liqueurs. Hachées, les feuilles peuvent être mélangées à de la menthe pour assaisonner les mayonnaises. Tiges confites pour décorer les gâteaux. Pots-pourris.

Graines: pains et gâteaux.

Conservation:

Feuilles: fraîches, confites ou séchées.

Tiges confites: dans du papier d'aluminium, au frais et au sec. Éviter de les réfrigérer.

Graines: fraîches ou séchées.

☺ Conseils santé: L'infusion, qui a un goût semblable à celui du thé de Chine, facilite la digestion et calme. Ajoutée à l'eau du bain, elle soulage les rhumatismes. Stimule la circulation.

☹ Mise en garde: Peut causer des dépressions si prise en trop grandes quantités. Non recommandée aux personnes diabétiques.

Angelica gigas Angélique 

Origine: Bisannuelle de Corée **Zone:** 4

Plante ornementale brevetée. Se ressème à profusion.

150-200 cm/ 60-80 po **Couleur:** Rouge vin.

Anisum pimpinella Pimpinelle • Anise 

Annuelle

Récolter les graines au moment où le fruit prend une coloration gris-vert. Pour se faire, couper le plant au sol et le suspendre au-dessus d'un linge.

Sol: Pauvre, léger et bien drainé.

40-60 cm/ 16-24 po 40 cm/ 16 po **Couleur:** Blanc.

Utilisations

Fleurs: salade de fruits.

Graines: pains et gâteaux, confiserie, en mélange avec du fromage blanc et des cornichons.

Tiges et graines: aromatisent les soupes et ragoûts.

Anthriscus cerefolium Cerfeuil • Chervil 

Famille: Apiacées - Annuelle **Origine:** Russie méridionale

Jumelage: Thym, safran, estragon et persil.

Souvent confondu avec le persil. Les feuilles fraîches ont une saveur douce et un peu anisée. Supprimer les fleurs dès leur apparition.

Sol: Léger, modérément riche, humide et au pH acide.

30-60 cm/ 12-24 po 15-20 cm/ 6-8 po ❀ Mai - juin

Couleur: Blanc.

Utilisations

Feuilles: soupes à base de crème, sauces au beurre, salades, carottes, œufs, poissons fumés, poulet et vinaigres. Pots-pourris. Le cerfeuil supporte mal la cuisson prolongée ou les températures élevées. Éviter de le mélanger avec du citron pour ne pas créer un goût acide.

Conservation

Feuilles fraîches: au réfrigérateur, dans un sachet en plastique. Utiliser rapidement ou incorporer à du beurre et congeler.

Feuilles séchées: dans un contenant hermétique. Perdent leur goût. Pour faire sécher les feuilles, utiliser une grille à pâtisserie.

☺ **Conseils santé:** Riche en vitamine C, en carotène, en fer et en magnésium. Boire 2 à 3 tasses d'infusion par jour (une poignée de feuilles fraîches dans un litre d'eau) pour apaiser les douleurs au foie, stimuler la digestion et combattre le rhume. L'infusion peut aussi servir à nettoyer le visage et prévenir l'apparition des rides.

Armoracia rusticana Raifort • Horseradish 

Vivace **Zone:** 5

Récolter les racines en automne (la 2e année). Planter près des pommes de terre pour augmenter leur résistance aux maladies.

Sol: Humide, riche et lourd.

↑ 60-75 cm/ 24-30 po ↔ 45 cm/ 18 po **Couleur:** Blanche

Utilisations

Jeunes feuilles: salades.

Racines: en sauce pour accompagner les viandes froides et poissons fumés. Râpées, elles rehaussent le goût des mayonnaises et du fromage blanc.

Conservation

Racines: dans un vinaigre de vin blanc ou dans le sable.

Artemesia abrotanum Armoise citronnelle • Southernwood 

Famille: Astéracées - Vivace **Zone:** 3

Origine: Sud de l'Europe

Arbustive, feuillage très fin à odeur forte. Surtout utilisée dans la cuisine chinoise.

Sol: Pauvre et sec.

↑ 90 cm/ 36 po ↔ 50 cm/ 20 po ❀ Juin - juillet

Couleur: Jaune.

Utilisations

Feuilles: salades et vinaigres.

Conservation

Séchage à l'air libre.

☺ **Conseils santé:** Aide à la guérison des bronchites et des grippes. En compresse sur les plaies.

☹ **Mise en garde:** Ne peut être consommée durant la grossesse.

Artemisia absinthium Absinthe • Wormwood 

Famille: Astéracées - Vivace **Zone:** 2

Origine: Asie, Europe

Plante buissonnante à feuillage aromatique argenté. N.B. Drogue puissante. Propriété: insectifuge; mis en sachet, le feuillage éloigne les mites. Se ressème spontanément.

(Artemisia)

Sol: Sec et bien drainé.

⌂ 90 cm/ 36 po ◊ 40 cm/ 16 po ❀ Juillet - août

Couleur: Blanc.

Utilisations

Aromatise les liqueurs (liqueur d'absinthe).

☺ **Conseils santé:** Prendre à petites doses comme vermifuge. Excellent tonique. Aide à la digestion et stimule l'appétit.

☹ **Mise en garde:** Doit être prise sous surveillance médicale. **Effets secondaires:** convulsions, nausées et agitations. L'huile d'absinthe est toxique.

Artemisia camphorata Armoise camphrée

Famille: Astéracées - Vivace **Zone:** 3-4

Feuillage fin et aromatique, très découpé.

⌂ 40-50 cm/ 16-20 po ◊ 40 cm/ 16 po ❀ Juin - juillet

Couleur: Feuillage gris argenté.

Artemisia dracunculus Estragon français • French tarragon

Famille: Astéracées - Vivace **Zone:** 4

Origine: Sibérie

Jumelage: Persil, cerfeuil, thym, ciboulette, sauge et origan.

La feuille étroite a une saveur d'anis qui provient de petites poches d'huile situées au dos. L'estragon se propage par bouturage et division. Au Moyen Âge, on croyait qu'il avait la vertu de soigner les morsures d'animaux venimeux. Récolter les feuilles avant la floraison et les utiliser en petites quantités.

Sol: Sec, riche et au pH acide.

⌂ 50-60 cm/ 32-36 po ◊ 45-60 cm/ 18-24 po ❀ Juin - août

Couleur: Jaune.

Utilisations

Feuilles: vinaigres, sauces, omelettes, viandes marinées, poissons, pommes de terre, fruits de mer, soupes, tomates et beurre. Indispensables à la sauce béarnaise et au poulet sauté. Accompagnent bien les crudités. En glaçons pour aromatiser les boissons. Ajouter seulement à la fin de la cuisson. L'estragon neutralise l'acidité du vinaigre.

Conservation

Feuilles fraîches: réfrigérées dans un récipient hermétique ou finement tranchées puis congelées dans un bac à glaçons rempli d'eau. Dans un bocal hermétique contenant du vin blanc, de l'huile ou du vinaigre.

Feuilles séchées: perdent leur arôme et prennent un léger goût de foin.

Asperula odorata Asperule odorante • Sweet Woodruff

Famille: Rubiacées - Vivace **Zone:** 4

Origine: Europe **Syn.:** Galium odoratum

Plante prisée comme couvre-sol, fleurs odorantes. Feuillage verticillé et lustré.

Sol: Frais.

⌂ 20-30 cm/ 8-12 po ◊ 30 cm/ 12 po ❀ Mai - juin

Couleur: Blanc.

Utilisations

Fleurs: aromatisent le vin.

Feuilles et fleurs: tisanes et pots-pourris.

☺ **Conseils santé:** Propriétés antiseptique et diurétique. Sa fleur est utilisée pour aromatiser le vin qui, après macération, est appelé le " vin de mai ".

Borago officinalis Bourrache • Borage

Famille: Borraginacées - Annuelle **Origine:** Moyen-Orient

Les jeunes feuilles ont un goût de concombre. Le nectar donne une saveur sucrée aux fleurs, délicieuses et décoratives dans les desserts et les boissons. Feuillage rugueux. Se ressème facilement.

Sol: Léger, pauvre à modérément fertile,humide, bien drainé, pH acide.
30-60 cm/ 12-24 po 30 cm/ 12 po Juin - septembre
Couleur: Fleurs bleu foncé, étoilées.

Utilisations

Fleurs: salades, bonbons et infusions.

Feuilles: thé glacé, salades et potages; frites avec des œufs. Les Chinois les farcissent comme des feuilles de vignes.

Feuilles et tiges: utiliser en trempette dans le fromage à la crème, les mayonnaises et autres sauces servies en hors-d'œuvre.

Conservation

Feuilles fraîches: se fanent trop vite pour être conservées. Cuire comme des épinards.

Feuilles séchées: dans un contenant hermétique. On peut en parfumer le vinaigre.

☹ **Mise en garde:** L'utilisation régulière de la bourrache cause des problèmes de peau.

Cari helichryssum 'Italicum' (Syn. Angustifolium)

Vivace non rustique

Goût âcre et piquant semblable à celui de la poudre de cari.

Sol: Sec. 30 cm/ 12 po

Utilisations

Feuilles fraîches: salades, beurre, fromage à la crème et mayonnaises.

Carum carvi Carvi • Caraway

Famille: Apiacées - Bisannuelle **Zone:** 4
Origine: Sud de l'Europe

Les feuilles, semblables à celles des carottes, sont mangées en salade. Il est recommandé de ne pas fertiliser le carvi. Suite à la récolte, faire sécher jusqu'à ce que les graines s'en détachent. Lorsque croquées, les graines rafraîchissent l'haleine en masquant l'odeur d'ail.

Sol: Bien drainé, fertile et au pH acide.
90 cm/ 36 po 30 cm/ 12 po Juillet
Couleur: Blanche

Utilisations

Graines: crèmes, pains, gâteaux, fromages, liqueurs fortes, ragoûts, soupes, œufs, poissons, légumes et porc. Les racines se préparent comme les carottes et le navet.

Conservation

Graines: dans un contenant hermétique, à l'abri de la lumière.

Feuilles et racines: au réfrigérateur, quelques semaines dans un sachet en plastique.

☺ **Conseils santé:** Pour une infusion, employer 3 c. à thé de feuilles dans 1/2 tasse d'eau.

Chamaemaelum nobile Camomille • Roman chamomille 

Famille: Astéracées - Vivace **Zone:** 4

Plante à feuillage aromatique et officinal produisant des capitules de fleurs semblables à des marguerites. Cultivée comme une annuelle, la plante se ressème à profusion.

Sol: Tous, préférablement humides.

⌂ 20-30 cm/ 8-12 po ◊ 10-20 cm/ 4-8 po ❀ Juillet - août

Couleur: Blanc.

Utilisations

Fleurs: infusions, essences et savons. En bouquet séché, désodorisent les placards. Fraîches ou séchées, seules les fleurs sont utilisées.

☺ **Conseils santé:** Aide à guérir les ulcères de la bouche. Stimule l'appétit et soulage les migraines.

☹ **Mise en garde:** Peut provoquer des vomissements et des vertiges si prise en trop grande quantité.

Coriandrum sativum Coriandre • Coriander 

Famille: Apiacées - Annuelle

Origine: Europe méridionale et Moyen-Orient **Jumelage:** Menthe fraîche et cumin.

Plante utilisée dans les cuisines mexicaine, asiatique et latino-américaine. Le feuillage employé frais donne un goût particulier aux légumes (tomates). Les fruits (capsules) sont conservés dans un contenant hermétique et moulus au besoin car ils perdent leur saveur rapidement.

Sol: Fertile, bien drainé et léger.

⌂ 60-80 cm/ 24-32 po ◊ 20-25 cm/ 8-10 po ❀ Juin - août

Couleur: Rose pâle ou blanc.

Utilisations

Feuilles: soupes, ragoûts, légumes et marinades.

Graines: marinades, légumes et volaille. Toute la plante est utilisée. Les feuilles sont légèrement anisées, les graines ont un arôme d'écorce d'orange et les racines ont un goût plus intense. N.B. Il faut griller les graines avant de les moudre.

Conservation

Feuilles fraîches ou séchées: faire congeler dans un bac à glaçons rempli d'eau.

Graines: dans un vinaigre ou dans un récipient hermétique, à l'abri de la lumière.

☺ **Conseils santé:** Stimule l'appétit et la digestion. Réduit les flatulences et aide à prévenir la grippe.

Erica vesicaria Roquette 

Annuelle

Récolter les feuilles 6 à 8 semaines après les semis et avant la floraison.

Sol: Riche et humide.

⌂ 60 cm/ 24 po ◊ 30 cm/ 12 po

Utilisations

Feuilles: salades vertes et sauces. Cuire comme des légumes.

Fleurs fraîches: en garniture ou en salade. Goût variable selon l'époque de la récolte.

Foeniculum vulgare Fenouil • Fennel

Famille: Apiacées - Vivace non rustique **Origine:** Europe méridionale
Jumelage: Persil, origan, sauge et thym.

Plante à feuillage extrêmement fin, plumeux et sentant l'anis. Récolter les jeunes tiges et feuilles. Supprimer les fleurs dès leur apparition.

Sol: Profond, fertile et bien drainé.
80 cm/ 32 po 45 cm/ 18 po ❀ Juin - août
Couleur: Jaune.

Utilisations

Feuilles et tiges: salades, soupes, bouillabaisses, poissons, canard, lentilles, pommes de terre et riz.

Graines: pains, craquelins, desserts, farces, saucisses, poissons, sauces, vinaigrettes et choucroute. Faire griller les graines avant de les moudre.

Conservation

Feuilles fraîches: au réfrigérateur ou au congélateur, dans un sachet en plastique.
Feuilles séchées: au réfrigérateur, dans un contenant hermétique.
Moulu: dans contenant hermétique au frais.
Graines séchées: dans un contenant hermétique. Dans une huile ou un vinaigre.

☺ **Conseils santé:** En infusion, aide à la digestion et sert de laxatif.

☹ **Mise en garde:** Peut causer des convulsions si pris en trop grande quantité.

Foeniculum vulgare 'Aurea' Fenouil bronze

Famille: Apiacées - Annuelle

Plante identique à l'espèce mais à feuillage décoratif.

80 cm/ 32 po 25-30 cm/ 10-12 po ❀ Juillet - octobre

Foeniculum vulgare 'Variegata dulce' Fenouil • Sweet fennel

Utilisations

Racines: crues ou cuites en salade ou dans un sandwich.

Foeniculum vulgare 'Rubrum' Fenouil

Identique à l'espèce mais à fleurs jaune crème et à feuillage bronze.

Hyssopus officinalis Hysope • Hysop

Famille: Lamiacées - Vivace **Zone:** 4
Origine: Arabie

Petit arbuste à feuilles étroites vert foncé au goût léger de conifère et de menthe. Fleurs en épis très ornementales et comestibles.

Sol: Bien drainé et au pH alcalin.
40-50 cm/ 16-20 po 60 cm/ 24 po ❀ Juillet - août
Couleur: Bleu-mauve.

Utilisations

Feuilles fraîches ou séchées: salades, farces, soupes, ragoûts, agneau, sauces, fromages frais, pâtes froides ou chaudes et desserts.

Fleurs: salades vertes. Parfument les liqueurs (ex. la chartreuse).

(*Hyssopus*)

Conservation

Fleurs et feuilles fraîches: au réfrigérateur, dans un sachet hermétique.
Feuilles séchées: dans un contenant hermétique, à l'abri de la lumière.

☺ **Conseils santé:** Dégage les bronches et soulage les rhumatismes. En infusion, stimule la digestion.

☹ **Mise en garde:** Si prise en trop grande quantité, l'huile d'hysope peut provoquer des spasmes musculaires.

Laurus nobilis Laurier • Bay laurel 

Famille: Lauracées - Non rustique **Origine:** Asie Mineure

Plante décorative non rustique à feuillage persistant. La rentrer à l'automne. Dans l'Antiquité, les couronnes de laurier récompensaient les guerriers victorieux. Une seule feuille peut être aussi parfumée que toute une branche. Le laurier s'utilise aussi bien dans les mets salés que sucrés. Plein soleil, à l'abri du vent.

Sol: Riche, bien drainé et au pH acide.
100-300 cm/ 40-120 po ◊ 50 cm/ 20 po ❀ Mai - juin

Utilisations

Pâtes, potages, pommes de terre, viandes, saucisses, gibier, poissons, riz, marinades, choucroute, sauces et bouillons. Aussi en bouquet garni.

Conservation

Feuilles fraîches: au réfrigérateur, dans un sachet hermétique. Utiliser rapidement.
Feuilles séchées: dans un récipient hermétique, à l'abri de la lumière. Le laurier devient plus aromatique en séchant.

☺ **Conseils santé:** En infusion, aide à la digestion et stimule l'appétit.

Lavandula angustifolia Lavande • English Lavander 

Famille: Lamiacées - Vivace **Zone:** 5
Origine: Inde

Plante décorative à fleurs en épis pouvant être séchées facilement. Feuillage argenté, aromatique. Rabattre les hampes florales à l'automne.

Sol: Sec et calcaire.
50 cm/ 20 po ◊ 50-60 cm/ 20-24 po ❀ Juillet - août
Couleur: Mauve.

Utilisations

Parfums, savons et pots pourris.
Fleurs: vinaigres. En infusion, utiliser 2 pincées de lavande et 2 pincées de marjolaine dans 1 litre d'eau.

Conservation

Fleurs: pour les faire sécher, les cueillir avant l'ouverture complète des boutons floraux.

☺ **Conseils santé:** Soulage les inflammations et les rhumatismes. Aide à combattre l'insomnie, l'anxiété et les dépressions. En déposer en sachet sous l'oreiller.

Lavandula dentata Lavande espagnole • Spanish lavender 

Famille: Lamiacées - Non rustique **Origine:** Inde

Feuillage décoratif très denté et grisâtre. Éviter l'humidité.

Sol: Sec et calcaire.
90 cm/ 36 po ◊ 75 cm/ 30 po ❀ Juillet - août
Couleur: Bleu-mauve.

Utilisations

Fleurs: en gelée.
Feuilles: poulet et ragoûts.
Fleurs séchées: pots-pourris. Bon répulsif contre les maringouins.

Levisticum officinale Céleri, livèche ou Ache des montagnes

Famille: Apiacées - Vivace **Zone:** 3

Sa saveur s'apparente à celle du céleri. Les feuilles, les tiges, les racines et les graines sont utilisées fraîches ou cuites. A l'avantage de bien supporter la cuisson.

Sol: Frais, profond et riche.
⌂ 120-200 cm ◊ 80-100 cm ❀ Juillet - août
Couleur: Fleurs jaunes.

Utilisations

Feuilles: sauces, potages, farces, marinades, salades, soupes et viandes.
Graines: pâtisseries. Les tiges et les feuilles se cristallisent assez bien et, comme celles de l'angélique, elles peuvent servir pour la décoration des gâteaux.
Racines: les éplucher et les faire cuire comme n'importe quel légume.

Conservation

Feuilles fraîches: congelées, séchées ou en salaison.
Jeunes tiges: marinées.
Graines: fraîches ou séchées.
Racines: fraîches ou séchées. Récolter avant la floraison, la 2e ou 3e année de production.

☺ **Conseils santé:** Stimule la digestion et diminue les flatulences. En infusion, réduit la rétention d'eau.

☹ **Mise en garde:** La livèche est non recommandée aux femmes enceintes et aux personnes souffrant de maladies rénales.

Melissa officinalis Baume mélisse • Lemon balm

Famille: Lamiacées - Vivace **Zone:** 4
Origine: Moyen-Orient

Plante ornementale. Ses feuilles en forme de cœur au goût citronné et légèrement mentholé sont souvent confondues avec celles de la verveine citronnelle. Supprimer les fleurs dès leur apparition. Les feuilles rehaussent le goût des recettes comprenant du jus de citron.

Sol: Profond, humide, bien drainé et au pH acide.
⌂ 40-60 cm/ 16-24 po ◊ 45 cm/ 18 po ❀ Juillet - septembre
Couleur: Blanc.

Utilisations

Feuilles: poulet, poissons, soupes, œufs, liqueurs, infusions, thé, lait et boissons à base de vin blanc. Dans les glaces, mousses, punchs, salades de fruits et soupes. Entre dans la composition de l'eau de carmes, une boisson stimulante et relaxante.

Conservation

Feuilles fraîches: au réfrigérateur, dans un sachet en plastique; utiliser immédiatement. Dans un vinaigre ou une huile.
Feuilles séchées: dans un sachet hermétique, au frais et à l'abri de la lumière.

☺ **Conseils santé:** Soulage les maux de tête, aide à la mémorisation et régularise la tension. Stimule la digestion, diminue les flatulences et les coliques. L'huile est un bon remède contre le stress, les dépressions, l'insomnie et l'eczéma.

Mentha Menthe

Généralités: Plante envahissante dans un jardin, il est donc conseillé de la mettre en pot. Éloigne les pucerons et les fourmis. Les feuilles s'utilisent généralement fraîches. Se marie bien avec les pommes de terres nouvelles, les carottes et les petits pois. On peut s'en servir pour aromatiser les gelées, le concombre et le riz.

Variétés: poivrée, ananas, argentée, chocolat, douce, orange, panachée poivrée et pomme.

Mentha Menthe citron • Lemon mint

Famille: Lamiacées - Vivace **Zone:** 2
Origine: Europe

A une douce odeur de citron ou de lime. Développement rapide. Supprimer les fleurs dès leur apparition.

Sol: Riche et bien drainé.

⌂ 30-45 cm/ 12-18 po ◊ 30-35 cm/ 12-14 po ❀ Juin - août

Utilisations

Salades de fruits, boissons, infusions et fromage en crème.

Conservation

Feuilles fraîches: au réfrigérateur, env. une semaine dans un sachet en plastique. Au congélateur, dans un bac à glaçons rempli d'eau.

Feuilles séchées: dans un récipient hermétique, au frais et à l'abri de la lumière. Dans une huile ou un vinaigre.

☺ **Conseils santé:** Augmente la concentration et calme. Stimule l'appétit et diminue les flatulences. Utiliser pour les massages.

☹ **Mise en garde:** Attention aux allergies. Ne pas en donner aux bébés.

Mentha budleioides Menthe lilas

Famille: Lamiacées - Vivace **Origine:** Europe
Sol: Riche, humide, bien drainé et au pH acide.
⌂ 80 cm/ 32 po ❀ Juin - août
Couleur: Feuilles grisâtres.

***Mentha x piperita* 'Citrata'** Menthe à l'orange • Orange Mint

Famille: Lamiacées - Vivace **Zone:** 5
Origine: Europe

Odeur musquée, légèrement citronnée. Feuilles arrondies. Développement rapide. Supprimer les fleurs dès leur apparition.

⌂ 60 cm/ 24 po ◊ 60 cm/ 24 po ❀ Juin - août

Utilisations

Salades, boissons, plats de fruits et infusions. Son huile entre dans la fabrication de plusieurs parfums.

Mentha x gentilis Menthe gingembre • Ginger mint

Famille: Lamiacées - Vivace
45 cm/ 18 po 30-35 cm/ 12-14 po Juin - août
Couleur: Feuillage vert et jaune.

Utilisations

Dans les salades et avec les tomates.

Mentha longifolia Menthe argentée

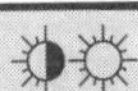

Famille: Lamiacées - Vivace **Zone:** 4
Feuillage vert argenté. Plante très envahissante et peu cultivée.
80 cm/ 32 po 60 cm **Couleur:** Mauve.

Mentha x piperita Menthe poivrée • Peppermint

Famille: Lamiacées - Vivace **Zone:** 3
Longues feuilles dentées au goût de menthe prononcé. Développement très rapide et vigoureux. Supprimer les fleurs dès leur apparition. Sert à la fabrication de boissons stimulantes.
60 cm/ 24 po 30-35 cm/ 12-14 po Juin - août

Utilisations

Liqueurs alcoolisées, desserts et infusions. En sirop, avec du chocolat. Rehausse le goût de l'agneau.

***Mentha x piperita* 'Variegata'**

Menthe poivrée panachée Variegated Peppermint
Famille: Lamiacées - Vivace **Zone:** 4
Feuilles vertes avec marges irrégulières blanc jaunâtre.
50 cm/ 20 po 60 cm/ 24 po

Utilisations

En infusion ou en sauce avec un rôti d'agneau.

Mentha pulegium Menthe Pouliot • Pennyroyal

Famille: Lamiacées - Vivace **Zone:** 5
Petites feuilles arrondies au goût amer. Excellente comme couvre-sol et dans les rocailles car peu envahissante. Reproduction par graines seulement.
20 cm/ 8 po 20 cm/ 8 po

Utilisations

Infusions, poudings et sauces. Efficace pour éloigner les insectes.

Mentha requienii Menthe corse • Corsican mint

Famille: Lamiacées - Vivace **Zone:** 5
Plus ou moins rustique. Feuillage à odeur de camphre. Bon couvre-sol. Se cultive facilement à l'intérieur. Croissance à l'ombre
Sol: Humide.
3-5 cm/ 1,5-2 po 15-20 cm/ 6-8 po Juin - août

Mentha x rotundifolia Baume sauvage 

Famille: Lamiacées - Vivace **Zone:** 4

Feuilles arrondies et pubescentes à odeur de pomme verte. Développement rapide.

30 cm/ 12 po 30 cm/ 12po ❀ Juillet - septembre

Utilisations

En infusion pour le thé.

***Mentha x rotundifolia* 'Variegata'** Menthe de pomme • Apple mint 

Famille: Lamiacées - Vivace **Zone:** 4

Arôme et goût de pomme très mûre et de menthe.

60 cm/ 24 po 60 cm/ 24 po ❀ Juin - août

Utilisations

Dans les desserts et salades de fruits, avec le fromage cottage et les fromages crémeux.

Mentha spicata Menthe verte • Spearmint 

Famille: Lamiacées - Vivace **Zone:** 3

La plus populaire et utilisée des menthes. Feuilles bosselées, développement et croissance vigoureux. Idéale pour la fabrication de la gelée. Supprimer les fleurs dès leur apparition.

Sol: Riche, humide et bien drainé.

60 cm/ 24 po 60 cm/ 24 po ❀ Juillet - août

Utilisations

Infusions, punchs, viandes, salades et desserts; avec les carottes, pois et patates. Feuilles cristallisées comme garniture sur les pâtisseries.

***Mentha suaveolens* 'Variegata'** Menthe ananas • Pineapple mint 

Famille: Lamiacées - Vivace **Zone:** 5

Bon goût de menthe fruitée, particulièrement les jeunes feuilles. Se cultive en pot.

Sol: Riche et humide.

30 cm/ 12 po 30 cm/ 12 po ❀ Juin - août

Couleur: Feuillage vert et blanc.

Utilisations

Décorative (jardinières, paniers suspendus…)

Micromeria viminea Menthe jamaïcaine 

Famille: Lamiacées - Vivace

Petites feuilles dorées et arrondies à fort arôme de menthe poivrée. Buissonnante, plus ou moins rustique.

30 cm/ 12 po 40 cm/ 16 po ❀ Juin - août

☺ **Conseils santé:** Soulage certaines indigestions.

Monarda citrodorus Monarde citron • Lemon Bergamot

Famille: Lamiacées - Vivace
Origine: Amérique du Nord
Zone: 4

Feuillage à fort arôme de citron.

Sol: Riche, léger et humide.
Couleur: Rouge.

60 cm/ 24 po 40 cm/ 16 po ❀ Juillet - août

Utilisations

Feuilles: salades, farces, volaille, porc, ragoûts, légumes, thé, boissons fraîches et infusions. Parfument les confitures.

Fleurs: décoratives.

Conservation

Fleurs et feuilles fraîches: au réfrigérateur, env. 2 semaines dans un sachet en plastique. En beurre, au congélateur.

Feuilles séchées: dans un récipient hermétique, à l'abri de la lumière.

Fleurs cristallisées: dans du papier d'aluminium, au frais.

Monarde didyma Bergamot

Vivace

Plante ornementale parfumée.

Utilisations

Fleurs: garnissent les plats.

Feuilles: en parfumerie.

Myrrhis odorata Cerfeuil musqué • Sweet cicely

Famille: Apiacées - Vivace
Origine: Savoie, France
Zone:s 3-4

Plante décorative. Feuilles composées semblables à celles des fougères. Dégagent une forte odeur d'anis. Pour les utiliser dans les salades de fruits, récolter les graines avant maturité.

Sol: Profond, frais et riche en humus.

40-80 cm/ 16 24 po 30-40 cm/ 12-16 po ❀ Juillet - août

Couleur: Fleurs blanches, en ombelles.

Utilisations

Salades, soupes, chou, navet, carottes, panais, sirops, flans, sauces, tartes aux pommes, pouding au riz et crème fouettée. Le myrrhis a l'avantage de remplacer le sucre dans la cuisson des fruits acides.

Conservation

Feuilles: fraîches, congelées ou séchées.

☺ **Conseils santé:** En infusion, les feuilles ont des vertus digestives.

☹ **Mise en garde:** D'autres plantes ressemblant au myrrhis sont vénéneuses.

Nasturtium officinale Cresson de fontaine • Water cress

Famille: Tropæloacées - Vivace
Origine: Amérique du Sud
Zone: 4

Feuilles arrondies au goût piquant se rapprochant de celui du raifort. Se consomment fraîches au printemps. Garder le sol humide en tout temps ou submerger les pots des plants dans l'eau (utiliser un bassin). Supprimer les fleurs dès leur apparition.

(*Nasturtium*)

Sol: Humide ou dans l'eau, au pH neutre.
⌂ 30-60 cm/ 12-24 po ◊ 60 cm/ 24 po ❀ Mai - août
Couleur: Blanc.

Utilisations

Salades, sandwichs, trempettes, soupes, viandes rôties et omelettes.

Conservation

Doit être consommé le jour même.

☺ **Conseils santé:** Les feuilles contiennent de la vitamine C et du fer.

☹ **Mise en garde:** Ne pas en consommer plus de 30 g par jour.

Nepeta cataria Cataire Herbe à chat • Catnip

Vivace **Zone:** 2-3

Récolter les jeunes feuilles et les fleurs. Attire les chats.

Sol: Bien drainé.
⌂ 50-90 cm/ 20-36 po ◊ 30-50 cm/ 12-20 po ❀ Juillet - septembre
Couleur: Bleu.

Utilisations

Feuilles: les frotter sur les viandes pour les aromatiser. En infusion.

Conservation

Séchage à l'air libre.

Ocimum Basilic

Généralités: Rehausse les soupes, les pâtes et les sauces accompagnant les poissons et la volaille. Il est le fidèle compagnon de la tomate et de l'oignon. Les feuilles séchées ont un goût de menthe. Les feuilles fraîches sont délicieuses dans les salades.

Variétés: Multiples, en différentes formes et couleurs de feuilles.

Ocimum basilicum Basilic à grande feuille (italienne)

Famille: Lamiacées - Annuelle **Origine:** Inde

Jumelage: Persil, romarin, origan, thym, sauge et safran.

Très populaire. Larges feuilles au goût d'anis et de clou de girofle. Assaisonne les salades et les sauces tomates. Base pour la fabrication du pistou. Au jardin, éloigne les pucerons. Supprimer les fleurs dès leur apparition.

Sol: Fertile, humide et au pH acide.
⌂ 60 cm/ 24 po ◊ 60 cm/ 24 po ❀ Juin - septembre
Couleur: Blanc.

Utilisations

Soupes, pesto, sauces, ragoûts, salades, riz, poulet, pâtes, poissons, œufs, tomates et infusions.

Conservation

Feuilles fraîches: dans un bocal hermétique contenant de l'huile d'olive ou un vinaigre. Au congélateur, en purée diluée dans un bac à glaçons; lorsque les cubes ont pris, les conserver dans un sachet en plastique.

Feuilles séchées: dans un récipient hermétique, à l'abri de la chaleur et de la lumière. Perdent progressivement leur goût pour prendre celui de la menthe.

☺ **Conseils santé:** En infusion, peut aider à la digestion. Laxatif. Son huile apaise la fatigue mentale.

***Ocinum basilicum* 'African Blue'**

Basilic African Blue — African Blue Basil

Comestible et très décorative par son feuillage. Les feuilles et les fleurs ont une odeur de camphre.

⌂ 60 cm/ 24 po

Utilisations

Riz et marinades.

***Ocimum basilicum* 'Cinnamon'** Basilic cannelle • Cinnamon basil

⌂ 60 cm/ 24 po — ◊ 45 cm/ 18 po

Couleur: Rose pâle.

Utilisations

Vinaigrettes. Intéressant mélange avec de la rhubarbe.

***Ocimum basilicum* 'Citriodorum'** Basilic citron • Lemon basil

⌂ 30 cm/ 12 po — ◊ 40 cm/ 14 po

Couleur: Blanchâtre.

Utilisations

En infusion. Employé dans les recettes thaïlandaises et vietnamiennes. Excellent pour aromatiser le poulet.

***Ocimum basilicum* 'Crispum'**

Basilic à feuille de laitue — Lettuce Leaf Basil

Plante compacte dont les nombreuses feuilles sont larges, bosselées et dentées. Base pour la fabrication du pesto. Supprimer les fleurs dès leur apparition.

⌂ 30-40 cm/ 12-16 po — ◊ 50 cm/ 20 po — ❀ Juin - septembre

Couleur: Blanc.

Utilisations

Soupes, sauces et salades. Ne pas cuire.

***Ocimum basilicum* 'Dark Opal'** Basilic 'Dark Opal'

(Syn. o. 'Purpurescens')

Très ornemental. Détérioration de la pureté de la lignée depuis quelques années. Arôme plus épicé de gingembre.

⌂ 30 cm/ 12 po — ◊ 30 cm/ 12 po — ❀ Juin - septembre

Couleur: Rose.

Utilisations

Ses feuilles fraîches colorent le vinaigre.

***Ocimum basilicum* 'Minimum'** Basilic à petite feuille

Supprimer les fleurs dès leur apparition. Le congeler avec de l'huile d'olive pour conserver toute sa saveur.

Sol: Riche, humide et bien drainé.

⌂ 20 cm/ 8 po — ◊ 30 cm/ 12 po — ❀ Juin - septembre

Utilisations

Soupes, sauces, omelettes et poissons.

Ocimum basilicum 'Purple Ruffles' Basilic pourpre 

Cette variété est une amélioration de la 'Dark Opal', mais est moins vigoureuse que les autres. Grandes feuilles dentées et bosselées très ornementales, au goût d'anis. Produisent un vinaigre rose et brillant. Supprimer les fleurs dès leur apparition.

30-40 cm/ 12-16 po · 30 cm/ 12 po · Juin - septembre

Utilisations

Soupes, sauces, omelettes et poissons.

Ocinum basilicum 'Siam Queen'

Plant fort. Procure une odeur d'anis dans les plats thaïlandais.

60 cm/ 24 po · **Couleur:** Rose

Ocinum basilicum 'Sweet Dani' Nouveauté

50 cm/ 20 po · 30 cm/ 12 po

Ocinum basilicum 'Thaïlandaise' Basilic Thaïlandais • Thai Basil

Utilisation

Ce basilic est excellent dans le pesto.

Origanum Origan

Généralités: L'origan a besoin d'espace. C'est une plante peu exigeante mais qui requiert une taille régulière. À l'automne, il faut la rabattre au ras du sol et la couvrir d'un paillis. Pour obtenir un maximum de saveur, cueillir les feuilles et les pousses au moment de la floraison et les suspendre pour les faire sécher.

Utilisations

Feuilles: aromatisent les pizzas, tomates, grillades, œufs et chapelure.

Origanum heracleoticum Oregano grec • Greek Oregano 

Vivace non rustique · **Zone:** 6

Plant très fort à feuillage vert foncé.

Sol: Alcalin.

25 cm/ 10 po · 35 cm/ 14 po

Origanum majorana Marjolaine • Sweet marjoram 

Famille: Lamiacées - Vivace non rustique · **Origine:** Régions méditerranéennes

Jumelage: Laurier, romarin et thym.

Arbuste à feuilles arrondies, au goût parfumé et sucré. Supprimer les fleurs dès leur apparition. Plus odorant en sol riche.

Sol: Léger, bien drainé et au pH alcalin.

20-50 cm/ 8-20 po · 20-40/ 8-16 po · Juillet - octobre

Couleur: Blanc.

Utilisations

Dans les sauces tomates, marinades, soupes, salades, farces, ragoûts, civets et pains de viande; avec les lentilles, pommes de terre au four, saucissons, volaille, navet et beurre. Aussi en infusion. Ajouter seulement à la fin de la cuisson.

Conservation

Voir description de l'origan doré.

☺ **Conseils santé:** En infusion, soulage les maux de tête et d'estomac.

Origanum vulgare Origan • Common Marjorane 

Zone: 5

Très populaire. Convient aux mets italiens, grecs et à tous ceux incluant des tomates. Supprimer les fleurs dès leur apparition.

30 cm/ 12 po — 20-40 cm/ 8-16 po — ❀ Juillet - septembre

Couleur: Rose.

Utilisations

Pizzas, sauces, viandes et tomates.

Origanum vulgare 'Album' Origan

30 cm/ 12 po — 40 cm/ 16 po — ❀ Juillet

Couleur: Blanc.

Origanum vulgare 'Aureum' Origan doré • Golden oregano 

Famille: Lamiacées - Vivace **Zone:** 4

Origine: Régions méditerranéennes

Plante décorative et aromatique. Supprimer les fleurs dès leur apparition. Saveur plus douce que les autres origans.

Sol: Léger, bien drainé et au pH alcalin.

20/ 8 po — 20-40 cm/ 8-16 po — ❀ Juillet - septembre

Couleur: Rose ou blanc.

Utilisations

Comme garniture ou décoration sur les sauces, soupes, vinaigrettes, pizzas, viandes, volaille, gibier et fruits de mer.

Conservation

Feuilles fraîches: au réfrigérateur, dans un sachet en plastique hermétique ou au congélateur, dans un bac à glaçons rempli d'eau; lorsque les cubes ont pris, les conserver dans un sachet en plastique.

Feuilles séchées: dans un contenant hermétique, au frais et à l'abri de la lumière. Dans une huile ou un vinaigre.

☺ **Conseils santé:** Aide à relaxer. Faire infuser et ajouter à l'eau du bain.

Origanum vulgare 'Heiderose' Origan

Feuillage arrondi vert sombre, compact et décoratif.

30-40 cm/ 12-16 po — 40 cm/ 16 po — ❀ Juillet

Couleur: Fleurs roses à bractées pourpres.

Origanum vulgare 'Variegata' 

Marjolaine panachée
Vivace

Marjoram Variegated
Zone: 5

Très décorative par son feuillage vert et blanc. Petites feuilles, arôme très doux.

Sol: Léger et modérément humide.

⌂ 30 cm/ 12 po ◊ 20-30 cm/ 8-12 po ❀ Juillet - octobre

Pelargonium

Récolter les feuilles avant la floraison.

Utilisations

Fleurs: salades.

Feuilles: en infusion ou finement hachées pour aromatiser les sauces, sorbets, confitures, sirops et vinaigres. Sous forme cristallisée pour décorer les desserts. Faire cuire avec des pommes au four.

Conservation

Feuilles: séchage à l'air libre.

Pelargonium capitatum Géranium lime • Lime geranium 

Famille: Géraniacées - Annuelle

Origine: Afrique du Sud

Récolter les feuilles avant la floraison.

Sol: Riche et bien drainé.

⌂ 60 cm/ 24 po ◊ 25-30 cm/ 10-12 po ❀ Juillet - août

Couleur: Mauve.

Utilisation

En parfumerie.

Pelargonium 'Royal Oak' Géranium poivre • Pepper geranium 

Famille: Géraniacées - Annuelle

⌂ 60 cm/ 24 po ◊ 25-30 cm/ 10-12 po ❀ Juillet - août

Couleur: Rose-mauve.

Utilisation

En parfumerie.

Pelargonium variegatum Géranium variegatum 

Famille: Géraniacées - Annuelle

⌂ 60 cm/ 24 po ◊ 60 cm/ 24 po ❀ Juillet - août

Couleur: Rose.

Utilisation

En parfumerie.

***Perilla frutescens* 'Purple'** Perilla pourpre • Akashisho 

Famille: Lamiacées - Annuelle

Récolter les feuilles en tout temps. Tailler afin de favoriser un port trapu. Feuillage pourpre, très décoratif, sensible au froid. Les feuilles dégagent une odeur de cannelle et de cari. Perilla frutescens est à feuilles vertes.

Sol: Sec, riche et bien drainé.

⌂ 50 cm/ 20 po ◊ 45 cm/ 18 po

Utilisations

Feuilles: ont une saveur épicée. Fraîches ou séchées dans les salades, le riz (devient rosé) et les salades de fruits.

Fleurs fraîches: poissons et soupes.

Graines et feuilles: en friture dans les mets japonais.

Petroselinum crispum Persil frisé • Curled parsley 

Famille: Apiacées - Bisannuelle **Origine:** Sud de l'Europe

Feuillage crispé, décoratif. Feuilles riches en vitamines et en sels minéraux. Supprimer les fleurs dès leur apparition. Une nouvelle variété appelée 'Darkii' est offerte sur le marché.

Sol: Modérément riche, bien drainé et au pH acide.

⌂ 20-30 cm/ 8-12 po ◊ 30 cm/ 12 po ❀ Juin - juillet

Couleur: Jaune.

Utilisations

Sauces, salades, potages et viandes.

Conservation

Feuilles fraîches: préférablement congelées, en salaison, séchées, dans l'huile ou le beurre.

Feuilles hachées: comme garniture pour les vinaigrettes, sauces, mayonnaises et grillades. S'utilisent bien avec l'ail.

Racines: fraîches, congelées ou séchées.

☺ **Conseils santé:** Soulage les infections urinaires, rafraîchit l'haleine et est excellent pour les femmes qui allaitent.

Petroselinum neapolitanum Persil italien • Italian parsley 

Famille: Apiacées - Bisannuelle **Jumelage:** Ail

Il est le préféré des chefs cuisiniers. Reconnu comme ayant un goût plus prononcé que le persil frisé. Riche en vitamines et en sels minéraux. Supprimer les fleurs dès leur apparition.

Sol: Modérément riche, bien drainé et au pH acide.

⌂ 60 cm/ 24 po ◊ 45 cm/ 18 po ❀ Juin - juillet

Utilisations

Sauces, salades, potages, soupes, pistou, omelettes, viandes, poissons et pommes de terre. Aussi en gelée. Ne pas cuire.

Plectranthus sp. Oregano cubain • Cuban Oregano

Vivace

Surtout aromatique. Feuilles succulentes, arrondies et légèrement dentées. Facile à cultiver à l'intérieur.

Polygonum odoratum

Famille: Liliacées - Vivace
⌂ 60 cm/ 24 po ◊ 30 cm/ 60 po
Couleur: Blanc.
☺ **Conseils santé:** Bénéfique pour la peau.

Pycnathenum pilosium Menthe de montagne • Mountain mint

Famille: Lamiacées - Vivace
Propagation lente.
⌂ 90 cm/ 36 po ◊ 60 cm/ 24 po
Couleur: Rose.

Rosmarinus officinalis Romarin • Rosemary 

Famille: Lamiacées - Vivace non rustique **Origine:** Régions méditerranéennes

Plante décorative non rustique, à rentrer à l'automne. Feuilles aiguillées, persistantes et très aromatiques. Éloigne les mites. Écraser les aiguilles pour libérer la senteur. Supprimer les fleurs dès leur apparition.

Sol: Léger, bien drainé, légèrement humide et au pH acide.
⌂ 50-100 cm/ 20-40 po ◊ 60-90 cm/ 24-36 po ❀ Mai - juillet
Couleur: Bleu pâle.

Utilisations

Fleur: comme garniture pour les pâtisseries et salades.

Feuilles: avec le veau, la volaille et l'agneau, surtout si mijotés dans une préparation de vin, d'huile d'olive et d'ail. Aussi pour les sauces, gibier, fromages, tomates, marinades, vinaigrettes et infusions.

Conservation

Feuilles: fraîches, congelées, en salaison ou séchées.

☺ **Conseils santé:** Bon gargarisme. Nettoie la peau. Diminue les flatulences et favorise la digestion.

☹ **Mise en garde:** À prendre le matin car c'est un tonique énergétique.

Rosmarinus officinalis 'Majorca' Romarin rampant

À les même propriété que R. officinales. Il est aussi décoratif.

Rumex acetosa Oseille verte • Garden Sorrel 

Famille: Polygonacées - Vivace **Zone:** 4
Origine: Amérique du Nord **Jumelage:** Livèche.

Feuilles riches en potassium et en vitamines A et C. Ont un goût suret. Empêcher la plante de fleurir pour favoriser la croissance des feuilles. Attention aux limaces. Division aux 3 ans.

Sol: Profond, riche en fer, humide et au pH acide.
⌂ 30-80 cm/ 12-32 po ◊ 45 cm/ 18 po ❀ Juin - juillet

Utilisations

Feuilles: fraîches en salade ou cuites avec les viandes et poissons; dans les sauces, omelettes, farces, soupes et potages. En infusion. Se préparent comme des épinards.

Précautions: cuire dans des plats émaillés ou en verre pour éviter la décoloration. Bien nettoyer l'argenterie.

Conservation

Feuilles: fraîches ou congelées.

☺ **Conseils santé:** Nettoie le sang. Diurétique et astringent (infusion en compresse).

☹ **Mise en garde:** Prendre en petites quantités.

Ruta graveolens Rue • Rue

Famille: Rutacées - Vivace **Zone:** 4

Origine: Sud de l'Europe

Feuilles glauques au goût amer. Fleurs peu intéressantes. Récolter les jeunes feuilles et les graines avant la floraison.

Sol: Bien drainé et alcalin.

60 cm/ 24 po 30 cm/ 12 po ❀ Mai - août

Couleur: Jaune.

Utilisations

Feuilles: en petite quantité pour donner de l'amertume au fromage blanc. Dans le thé.

Graines: avec du céleri vivace, de la menthe et en marinade pour le gibier.

Conservation

Feuilles et graines: séchées.

☺ **Conseils santé:** Soulage les maux de tête causés par la fatigue des yeux. Diminue les palpitations. Stimule la digestion.

☹ **Mise en garde:** Attention aux allergies.

Salvia Sauge

Généralités: Feuillage persistant très parfumé. Il est important de supprimer les petites fleurs qui s'ouvrent en juin-juillet. La sauge apprécie la sécheresse. Il faut, par contre, procéder au séchage des feuilles au début de l'été, soit avant la floraison. Stimule la digestion.

Variétés: ananas, fruitée, dorée, pourpre et tricolore.

Utilisations

Fleurs: salades et infusions.

Salvia elegans Sauge ananas • Pineapple sage

Famille: Lamiacées - Vivace non rustique

Odeur d'ananas. Ses fleurs attirent les colibris.

Sol: Léger, fertile, humide et au pH acide.

90 cm/ 36 po 75 cm/ 30 po ❀ Août - septembre

Couleur: Rouge.

Utilisations

Dans les farces, sauces, gelées, confitures et infusions; avec le porc, poulet, fromage et thé glacé.

Conservation

Feuilles fraîches ou séchées dans un endroit sec et bien aéré (processus lent).

☺ **Conseils santé:** En infusion avec du vinaigre de cidre, soulage les laryngites et la toux. Astringent.

☹ **Mise en garde:** Prendre en petites quantités.

Salvia fulgens Sauge cardinale • Cardinal Sage

Famille: Lamiacées - Annuelle

60-90 cm/ 24-36 po 40 cm/ 16 po Juin - septembre

Couleur:Écarlate.

Utilisation

En infusion pour soulager les coliques.

Salvia lorisiana Sauge fruitée • Fruit-Scented Sage 

Vivace non rustique

Récolter les feuilles et les fleurs à tout moment. Intéressante en pots-pourris.

90 cm/ 36 po 75 cm/ 30 po

Salvia officinalis Sauge officinale • Common sage 

Famille: Lamiacées - Vivace **Zone:** 4

Plante décorative à feuillage persistant et rugueux. A un usage très varié, crue ou cuite. Sert pour infusions digestives et apéritives. Goût citronné. Récolter les feuilles après la floraison. Dégage plus d'arôme la 2e année.

Sol: Léger, fertile, sec à modérément humide et au pH acide.

50-80 cm/ 20-32 po 25-35 cm/ 10-14 po Mai - juillet

Couleur: Bleu-mauve.

Utilisations

Avec les viandes, poissons, gibier, pâtes et fromages; dans les sauces, soupes, légumes et omelettes. Aussi en infusion. Aromatise le vinaigre, le fromage blanc et le beurre.

Feuilles: en mélange avec les oignons pour farcir la volaille.

Conservation

Feuilles: fraîches, congelées ou séchées.

Salvia officinalis 'Aurea' Sauge dorée • Golden Sage 

Famille: Lamiacées - Vivace **Zone:** 4

Semblable à l'espèce mais à feuilles panachées décoratives. Moins de goût que la sauge officinale. Demande une certaine protection.

Sol: Léger, fertile, sec et alcalin.

30-50 cm/ 12-20 po 30 cm/ 12 po

Salvia officinalis 'Purpurea' Sauge pourpre • Purpal sage 

Famille: Lamiacées - Vivace **Zone:** 4

Plante décorative semblable à l'espèce mais à feuillage pourpre.

Sol: Léger, fertile, sec à modérément humide.

30-50 cm/ 12-20 po 30 cm/ 12 po

Salvia officinalis 'Tricolor' Sauge tricolore • Tricolor Sage 

Famille: Lamiacées - Vivace **Zone:** 4

Plante décorative semblable à l'espèce mais à feuilles vertes panachées crème et pourpre.

30-50 cm/ 12-20 po 30 cm/ 12 po **Couleur:** Bleu

Sanguisorba minor Pimprenelle • Salad burnet 

Famille: Rosacées - Vivace **Zone:** 4
Origine: Europe, Asie
Jumelage: Aneth, ail, basilic, romarin, estragon, marjolaine, origan et thym.

Feuillage composé, glauque et dentelé. Inflorescence globulaire verte à stigmates rouges. Goût de concombre. Utiliser les jeunes feuilles et couper les fleurs.

Sol: Léger, moyennement humide et calcaire.
⌂ 40 cm/ 16 po ◊ 30 cm/ 12 po ❀ Juin - juillet

Utilisations

Dans les salades, mayonnaises, sauces et vinaigres; avec les œufs, tomates, fromages et thé glacé. Aussi en beurre d'herbes. Parfume le vin.

Conservation

Feuilles: fraîches ou séchées.
Racines: fraîches ou séchées.

☺ **Conseils santé:** Mâcher les feuilles pour favoriser la digestion. En infusion, soulage les hémorroïdes et réduit les diarrhées.

☹ **Mise en garde:** Prendre en petites quantités.

Satureja hortensis Sarriette d'été • Summer Savory 

Famille: Lamiacées - Annuelle **Origine:** Sud de l'Europe
Jumelage: Romarin, thym, sauge, fenouil et laurier.

Récolter les feuilles avant la floraison et les fleurs à la fin de l'été. Son goût, légèrement poivré, est moins prononcé que la sarriette d'hiver. Sa croissance est moins ligneuse.

Sol: Léger, bien drainé et au pH alcalin.
⌂ 30-45 cm/ 12-18 po ◊ 30 cm/ 12 po ❀ Juin - septembre
Couleur: Rose ou blanc.

Utilisations

Dans les soupes, sauces, tourtières, farces, omelettes, ragoûts, saucisses, huiles et légumes; avec les poissons, fromages, poulet et foies. Aussi en gelée.
Feuilles: dans la cuisson des légumes secs, des fèves blanches et du gibier.

Conservation

Feuilles et fleurs: fraîches, séchées, en salaison ou congelées. Dans un vinaigre ou une huile.

☺ **Conseils santé:** En infusion, stimule l'appétit, favorise la digestion et diminue les flatulences.

Satureja montana Sarriette d'hiver • Winter savory 

Famille: Lamiacées - Vivace **Zone:** 5
Origine: Sud de l'Europe
Jumelage: Romarin, thym, sauge, fenouil et laurier.

Plante décorative sous forme d'arbrisseau à arôme fort. Moins savoureuse que la sarriette d'été. Supprimer les fleurs dès leur apparition.

Sol: Léger, bien drainé et alcalin.
⌂ 20-40 cm/ 8-16 po ◊ 30 cm/ 12 po ❀ Juillet - septembre
Couleur: Rose ou blanc.

(Satureja)

Utilisations

Dans les soupes, sauces, tourtières, farces, omelettes, ragoûts, saucisses, huiles et légumes; avec les poissons, fromages, poulet et foies. Aussi en gelée.

Conservation

Feuilles et fleurs: fraîches, séchées, en salaison ou congelées. Dans un vinaigre ou une huile.

☺ **Conseils santé:** En infusion, stimule l'appétit, favorise la digestion et diminue les flatulences.

Stevia Stevia

Nouvellement introduit sur le marché, il a la propriété de remplacer le sucre sans en avoir les effets nocifs.

Thymus Thym

Généralités: Il est suggéré de conserver les feuilles entières et de ne les écraser qu'au moment de l'emploi. Comme le parfum du thym est doux et légèrement épicé, en glisser une branche dans l'eau de cuisson des légumes.

Variétés: Plusieurs, aussi décoratives qu'aromatiques.

Thymus vulgaris Thym anglais 

Tailler régulièrement.

Sol: Sec.

⌂ 20-30 cm/ 8-12 po ◊ 30-30 cm/ 8-12 po

Utilisations

Feuilles: dans les bouillons, marinades, farces, sauces et ragoûts; avec les poissons et viandes allant au four.

Conservation

Feuilles: séchées. Dans un vinaigre ou une huile.

Thymus x citriodorus Thym citron • Lemon thyme 

Famille: Lamiacées - Vivace **Zone:** 4

Jumelage: Romarin, sauge, fenouil et laurier.

Plante décorative à feuilles rondes dégageant une forte odeur citronnée lorsqu'on les frotte. Délicieux en infusion. Supprimer les fleurs dès leur apparition. Il existe une variété 'Aurea' (doré) et une 'Argentea'.

Sol: Léger, bien drainé et au pH acide.

⌂ 10-20 cm/ 4-8 po ◊ 25-30 cm/ 10-12 po ❀ Mai - juin

Couleur: Rose.

Utilisations

En bouquet garni avec les grillades, poissons et volaille; dans les sauces et ragoûts.

Conservation

Feuilles et fleurs: fraîches, séchées, en salaison ou congelées.

☺ **Conseils santé:** En infusion, stimule l'appétit et diminue les flatulences.

Verbena officinalis Verveine • Vervain

Vivace

Zone: 5

Récolter toute la plante à la floraison.

Sol: Fertile et bien drainé.

75 cm/ 30 po

40 cm/ 16 po

Utilisation

En infusion, modérément.

Conservation

Séchage à l'air libre.

☺ **Conseils santé:** Calme et aide à la digestion.

TABLEAU POUR L'UTILISATION DES PLANTES AROMATIQUES ET CONDIMENTAIRES

LÉGENDE

F = Feuilles / FL = Fleurs / G = Graines
T = Tiges / R = Racines / X = Général

NOM LATIN	NOM FRANÇAIS	Viande	Marinade	Potage	Sauce	Salade	Infusion	Médicinale	Décorative	Odorante	Pot
Agastache foeniculum	Agastache fenouil	F				FL	F			X	
Allium schoenoprasum	Ciboulette		F	F	F	FL-F		F	FL		X
Allium tuberosum	Ciboulette à l'ail		F	F	F	F-FL		F	FL		X
Aloysia triphylla	Verveine citronnelle	F	F		F	F	F	F-FL		F	X
Anethum graveolens	Aneth	F	F	F	F	F	G	G			
Angelica archangelica	Angélique			F-FL		F-FL	G	X	FL		
Angelica gigas	Angéllique								X		
Anisum pimpinella	Pimpinelle	T-R				F					
Anthriscus cerefolium	Cerfeuil			F	F	F	F	F	X		X
Armoracia rusticana	Raifort				R	F					
Artemesia abrotanum	Armoise citronnelle		F			F		F			
Artemisia absinthium	Absinthe							F		F	
Artemisia dracunculus	Estragon français	F	F	F	F	F					X
Asperula odorata	Asperule odorante						F-FL	X	X	FL	
Borago officinalis	Bourrache			F	F-T	FL-F	FL			FL	X
Cari helichryssum 'Italicum'					F	F					X
Carum carvi	Carvi	G		G		F	F-R	F-R			
Chamaemelum nobile	Camomille						FL	FL	FL	F	X
Coriandrum sativum	Coriandre	F-G	F-G	F				X			
Eruca vesicaria	Roquette				F	F-FL					
Foeniculum vul. 'var. dulce'	Fenouil					R					
Foeniculum vulgare	Fenouil	F-G		F-T	F-G	F-T		X		F	

LÉGENDE

F = Feuilles / FL = Fleurs / G = Graines
T = Tiges / R = Racines / X = Général

NOM LATIN	NOM FRANÇAIS	Viande	Marinade	Potage	Sauce	Salade	Infusion	Médicinale	Décorative	Odorante	Pot
***Foeniculum vulgare* 'Aurea'**	Fenouil bronze								F		
***Foeniculum vul.* 'Rubrum'**	Fenouil										
Hyssopus officinalis	Hysope	F		F	F	F-FL	X	X	FL		
Laurus nobilis	Laurier sauce	F	F	F			F	F	F	F	X
Lavandula angustifolia	Lavande						F	F	X	F	X
Lavandula dentata	Lavande espagnole	F							F		X
Levisticum officinale	Céleri ou Ache (Livèche) des montagnes	F	F	F	F	F		F	T-F		
Melissa officinalis	Baume mélisse	F		F			F	F	X		X
Mentha	Menthe citron					F	F	F		F	X
Mentha budleioides	Menthe lilas										
Mentha longifolia	Menthe argenté										
Mentha pulegium	Menthe Pouliot					F	F				X
Mentha requienii	Menthe corse									F	
Mentha spicata	Menthe verte	F				F	F				X
***Mentha suaveolens* 'variegata'**	Menthe ananas										X
***Mentha x gentilis* (Syn. *Gracilis*)**	Menthe gingembre					F					X
***Mentha x piperita* 'Citrata'**	Menthe à l'orange					F	F	F		F	X
Mentha x piperita	Menthe poivrée						F	F			X
***Mentha x piperita* 'Variegata'**	Menthe poivrée panachée				F		F				X
***Mentha x rotundifolia* 'Variegata'**	Menthe pomme									F	
Mentha x rotundifolia	Baume sauvage						F			F	X
Micromeria viminea	Menthe Jamaïcaine							X		F	
Monarda citrodorus	Monarde citron	F				F	F		FL	F	
Monarde didyma									FL	F	
Myrrhis odorata	Cerfeuil musqué			F	F	F-G	F	F	F	F	
Nasturtium officinale	Cresson de fontaine	F		F		F		F			X
Nepeta cataria	Cataire Herbe à chat	F					F			F	
***Ocimum basilicum* 'Cinnamon'**	Basilic cannelle					F					X
***Ocimum basilicum* 'Citriodorum'**	Basilic citron		F				F				X
***Ocimum basilicum* 'Crispum'**	Basilic à feuille de laitue			F	F	F					X

LÉGENDE

F = Feuilles / FL = Fleurs / G = Graines
T = Tiges / R = Racines / X = Général

NOM LATIN	NOM FRANÇAIS	Viande	Marinade	Potage	Sauce	Salade	Infusion	Médicinale	Décorative	Odorante	Pot
***Ocimum basilicum* 'Dark opal'**	Basilic Dark opal		F						F	F	X
***Ocimum basilicum* 'Minimum'**	Basilic à petite feuille			F	F						X
***Ocimum basilicum* 'Purple Ruffles'**	Basilic pourpre			F	F				F		X
Ocimum basilicum	Basilic à grande feuille	F		F	F	F	F	F			X
***Ocinum basilicum* 'African Blue'**	Basilic African Blue		X						F	F-FL	X
***Ocinum basilicum* 'Siam Queen'**										X	X
***Ocinum basilicum* 'Thaïlandaise'**	Basilic Thaïlandais										X
***Ocinum basilicum* 'Sweet Dani'**											X
Origanum heracleoticum	Oregano grec										X
Origanum majorana	Marjolaine	F	F	F	F	F	F	F		F	X
Origanum vulgare	Origan	F			F						X
***Origanum vulgare* 'Album'**	Origan										X
***Origanum vulgare* 'Aureum'**	Origan doré	F		F	F	F		F	F	F	X
***Origanum vulgare* 'Heiderose'**									F		X
***Origanum vulgare* 'Variegatunum'**	Marjolaine panachée								F	F	X
***Pelargonium* 'Variegatum'**	Géranium variegatum								X		X
***Pelargonium* 'Royal Oak'**	Géranium poivre								X		X
Pelargonium capitatum	Géranium lime								X		X
***Perilla frutescens* 'Purple'**	Perilla pourpre				F	F			F	F	
Petroselinum crispum	Persil frisé	F		F	F	F		F	F		X
Petroselinum neapolitanum	Persil italien	F		F	F	F					X
Plectranthus sp	Oregano cubain									F	X
Polygonum odoratum								R	X		
Pycnathenum pilosium	Menthe de montagne										
Rosmarinus officinalis	Romarin	F	F		F	F	F	F	X	F	X

LÉGENDE

F = Feuilles / FL = Fleurs / G = Graines
T = Tiges / R = Racines / X = Général

NOM LATIN	NOM FRANÇAIS	Viande	Marinade	Potage	Sauce	Salade	Infusion	Médicinale	Décorative	Odorante	Pot
Rosmarinus officinalis Marjorca	Romarin rampant										
Rumex acetosa	Oseille verte			F	F	F	F	F			
Ruta graveolens	Rue		G				F	F			
Salvia elegans	Sauge ananas				F		F	F		X	X
Salvia fulgens	Sauge cardinal						F	F			X
Salvia lorisiana	Sauge fruitée										X
Salvia off.'Tricolor'	Sauge tricolor								F		X
Salvia officinalis 'Aurea'	Sauge doré								F		X
Salvia officinalis 'Purpurea'	Sauge pourpre								X		X
Salvia officinalis	Sauge officinale	F		F	F		F	F	X		X
Sanguisorba minor	Pimprenelle				F	F	F	F			
Satureja hortensis	Sariette d'été	F		F	F		F	X			
Satureja montana Stevia	Sariette d'hiver	F		F	F		F	F	X	X	X
Thymus vulgaris	Thym anglais	F	F	F	F						
Thymus x citriodorus	Thym citron	F		F	F		F	F	X	F	X
Verbena officinalis	Verveine						X	X			

Bon nombre de fines herbes rehaussent aussi le goût des poissons. L'origan doré ('Aureum'), par exemple, se marie bien aux fruits de mer, tandis que les feuilles de fenouil sont tout désignées pour agrémenter un délicieux filet de sole. Consulter nos pages pour découvrir les multiples idées d'accompagnement.

DIVERS

LES ENDROITS À VISITER

LES JARDINS DU QUÉBEC

82, Grande Allée Ouest, Québec (Québec) G1R 2G6
Tél.: (418) 647-4347

Vous propose de découvrir dix-sept des plus beaux jardins de la Province.

1- Les Jardins de Métis

200, route 132, Grand métis (Québec) G0Z 7Z0
Tél.: (418) 775-2221

Visiter les jardins de Métis, c'est découvrir, à travers une harmonie de formes et de couleurs, l'œuvre horticole d'une femme exceptionnelle, Elsie Reford. Crées en 1926, les jardins couvrent aujourd'hui plus de 20 hectares où fleurissent plus de 1,000 espèces et variétés de plantes.

Dates d'ouverture: Début juin à la mi-octobre.

2- Centre de la Nature

901, av. du Parc, Laval (Québec) H7E 2T7
Tél.: (450) 662-4942

Reconnu comme un exemple exceptionnel de réhabilitation de carrières, le Centre de la Nature de Laval est devenu, au fil des aménagements, un jardin de verdure et de couleurs.

Heures d'ouverture: De 9h00 à 17h00, tous les jours.

3- Jardin Botanique de Montréal

4101, rue Sherbrooke Est, Montréal (Québec) H1X 2B2
Tél.: (514) 872-1400

Fondé en 1931, le jardin botanique de Montréal est considéré comme l'un des plus importants au monde. Parcourez ses dix serres d'exposition, sa trentaine de jardins incluant ceux de la Chine et du Japon, et visitez l'Insectarium.

Heures d'ouverture: De 9h00 à 18h00, tous les jours.

4- Parc Marie-Victorin

385, Marie-Victorin, Kingsey Falls (Québec) J0A 1B0
Tél.: (819) 363-2528

Aménagé en 1985, le Parc vous propose une éclatante expérience de couleurs et de parfums. Des visites dans le jardin1 des cascades, des oiseaux, des plantes utiles et les milieux humides. Il associe la nouveauté d'un jeune jardin au cadre naturel du milieu rural.

Dates d'ouverture: De mai à octobre. Visites guidées du mercredi au dimanche.

5- Les Jardins à Fleur d'Eau

140, route 202, Stambridge-East J0J 2H0
Tél.: (514)248-7008

Sur la route des vins, situés dans un boisé de 6 hectares, les jardins à fleur d'eau mettent en valeur une centaine de variétés de plantes aquatiques et des lieus humides. Un décor naturel, des sentiers aménagés et quatre lacs qui communiquent par des ruisseaux et des cascades. Des aires de pique-nique sont disponibles sur le site.

Dates d'ouverture: De juin à octobre, tous les jours.

6- Domaine Mackenzie-King

Parc de la Gatineau, Chelsea / Aylmer (Québec)
Tél.: (819) 827-2020

Les sentiers boisés, les jardins fleuris, les ruines pittoresques et les chalets restaurés couvrent 231 hectares.

Dates d'ouverture: De la mi-mai à la mi-juin, du mercredi au dimanche,
de la mi-juin à la mi-octobre, tous les jours.

7- Jardin Daniel A. Séguin

3215, rue Sicotte, St-Hyacinthe (Québec) J2S 7B3
Tél.: (514) 778-0372

De conception unique, pédagogique et touristique, s'illustre particulièrement par ses nombreux jardins thématiques ainsi que par l'identification de ses végétaux.

Dates d'ouverture: De juin à septembre. Fermé les lundis.

8- Jardins du Domaine Howard

1350, boul. de Portland, Sherbrooke (Québec) J1J 1S3
Tél.: (819) 821-5856

Entourant les résidences de feu du sénateur Howard, découvrez les serres municipales et un magnifique jardin, joyaux de l'horticulture sherbrookoise.

9- Domaine Joly De Lotbinière

Route de Pointe-Platon, Ste-Croix-de-Lotbinière (Québec) G0S 2H0
Tél.: (418) 926-2462

Aménagé à la fin du XIXe siècle. Vous y découvrirez un manoir seigneurial et ses dépendances, des arbres rares, une roseraie, un jardin français et son potager.

Dates d'ouverture: De la mi-mai à la mi-octobre.

10- Jardin Roger Van den Hende

Pavillon de l'Envirotron, 2480, boul. Hochelaga, Ste-Foy (Québec) G1K 7P4
Tél.: (418) 656-3410

Fondé en 1966. Il sert à des fins d'enseignement, de recherche, etc. Il présente plus de 2,000 espèces et cultivars, une collection unique de plantes indigènes du Québec, jardin d'eau, une roseraie, un ericacetum et un arboretum.

Heures d'ouverture: Du 1er mai au 30 septembre,
tous les jours de 9h00 à 20h00. Visites guidées.

11- Domaine Maizerets

2000, boul. Montmorency, Québec (Québec) G1J 5E7
Tél.: (418) 691-2385

Patrimonial et historique, imposé depuis 1705, composé d'un arboretum, boisés, marécages et jardins.

Dates d'ouverture: Tous les jours.

12- Parc des Champs de Bataille

390, rue de Bernières, Québec (Québec) G1R 2L7
Tél.: (418) 648-4071

Mieux connu sous le nom de "Plaines d'Abraham", contenant 107 hectares.

Dates d'ouverture: Tous les jours.

13- Maison Henry-Stuart

82, Grande Allée Ouest, Québec (Québec) G1R 2G6
Tél.: (418) 647-4347

Privé, aménagé en 1918 et 1987 autour d'un cottage, type colonial (1849), vous y verrez une roseraie, un jardin floral et un boisé urbain.

Heures d'ouverture: De 11h00 à 17h00, tous les jours.

14- Parc du Bois-de-Coulonge

1215, chemin St-Louis, Sillery (Québec)
Tél.: (418) 528-0773

Parc public, 24 hectares, recèle des espaces boisés et des aménagements horticoles.

Dates d'ouverture: Tous les jours.

15- Seigneurie des Aulnaies

525, de Seigneurie, St-Roch-des-Aulnaies (Québec) G0R 4S6
Tél.: (418) 354-2800

Des guides en costumes d'époque vous proposent de découvrir un jardin ornemental, potager, pinède, etc.

Dates d'ouverture: De la mi-juin à la mi-octobre, tous les jours.

16- Grands Jardins de Normandin

1515, av. du Rocher, C.P. 567, Normandin (Québec) G8M 4S6
Tél.: (418) 274-1993

Aménagés sur un site de 55 hectares, proposent: tapis d'Orient, jardin des herbes, paysage à l'anglaise, etc.

Dates d'ouverture: De la mi-juin à la fin septembre.

17- La Roseraie du Témiscouata

81, rue Caldwell, C.P. 464, Cabano (Québec) G0L 1E0
Tél.: (418) 854-2375

Vous propose d'admirer 1,200 rosiers, plus de 250 variétés.

Dates d'ouverture: De juin à la fin septembre, tous les jours.

AUTRES JARDINS À DÉCOUVRIR

Jardin Botanique du Nouveau-Brunswick

8 km de la frontière du Québec/Nouveau-Brunswick à St-Jacques, Nouveau-Brunswick E7B 1A3. Tél.: (506) 737-5383.

Venez découvrir une véritable ode à la vie florale et sylvestre. Les 30,000 fleurs annuelles et les 75,000 plantes réparties étalent leurs charmes floraux via les huit jardins thématiques. Deux jolis arboretas complètent ce magnifique tableau.

Pépinière Oka Fleurs

1945, chemin Oka, C.P. 524, Oka (Québec) J0N 1E0
Tél.: (450) 479-6963

Visitez notre jardin et laissez vous séduire par la grâce des graminées ornementales, par le charme et les couleurs des fleurs vivaces, indigènes et exotiques.

Dates d'ouverture: De mai à septembre, du lundi au vendredi de 8h00 à 16h00.

Marc Meloche Flore Sauvage

2567, rang St-Jacques, St-Jacques (Québec) J0K 2R0
Tél.: (450) 839-3527

Jardins de style naturel composés d'espèces sauvages indigènes et exotiques.

Dates d'ouverture: Du 15 juin au 1er octobre.

Les Jardins Moore

1455, chemin Pincourt, Mascouche (Québec) J7L 2Y3
Tél.: (450) 474-0588

Une oasis de beauté où la fleur est à l'honneur. Parc floral de 5 âcres. Variétés de plantes pour types de sol; argileux, sablonneux, zone de rusticité 3-4.

Heures d'ouverture: De 10h00 à 20h00.

Les Jardins de la Passion

2590, rang St-Jacques, St-Jacques de Montcalm (Québec)
Tél.: (450) 839-3872

Venez découvrir un jardin romantique avec ses plates bandes à l'anglaise et ses bassins. Des sentiers menant à des jardins charmants tels que "Mon jardin secret", "le sentier parfumé" et bien d'autres.

Les Jardins du Grand Portage

800, chemin du Portage, St-Didace (Québec) J0K 2G0
Tél.: (450) 835-5813

Jardins maraîchers, aromatiques, médicinaux, anglais, orientaux et aquatiques.

Heures d'ouverture: De la fête de la St-Jean Baptiste à la fête du travail de 10h00 à 17h00.

Jardin Scullion

1985, rang 7 ouest, L'Ascension (Québec) G0W 1Y0
Tél.: (418) 347-3377

Un organisme récréo-touristique. Jardin de deux hectares comprenant plus de 700 variétés de plantes ornementales.

Dates d'ouverture: De mai à octobre.

Jardin Michel Corbeil (La Maison des Fleurs Vivaces)

807, boul. Sauvé, St-Eustache (Québec) J7R 4K6
Tél.: (450) 472-8400

La Maison des Fleurs Vivaces vous propose des rencontres sur rendez-vous, idéal pour les groupes ou les organismes. Le plus grand choix de plantes vivaces au Québec.

Dates d'ouverture: De août à septembre.

ÉVÈNEMENTS HORTICOLES

Journées Horticoles Ornementales

Tél.: (418) 650-3830
Organisées par: La Fédération Interdisciplinaire de l'Horticole Ornementale

Dates d'ouverture: En novembre de chaque année, pour les professionnels.

Rendez-Vous Horticole

a lieu au Jardin Botanique de Montréal, la dernière fin de semaine du mois de mai,
4101, rue Sherbrooke Est, Montréal (Québec) H1X 2B2
Tél.: (514) 872-1400

C'est maintennat le rendez-vous horticole de l'année! Spécialistes du Jardin botanique et de l'industrie horticole se réunissent pour partager leurs connaissances sur le jardinage, le passe-temps préféré des Québécois! Au programme: ateliers, conférences, ventes de nouveautés horticoles et plus encore!
Organisé par: Le Jardin Botanique de Montréal

L'effleure-Printemps

Jardin de la nature, 9e édition du 13 au 16 avril 2000.
Laval, capitale du Québec, et son industrie spécialisée, assumant pleinement leur rôle de leader de ce domaine, vous invitent à participer à l'exposition horticole la plus attendue au Québec, en partenariat avec Laval Technopole, Hortiparc, Centre de formation Horticole de laval, Mapaq et Tourisme Québec.

Le Festival des Jardiniers de Kingsey Falls

3e édition a lieu les 22 et 23 mai
Parc Marie-Victorin, 385, Marie-Victorin, Kingsey Falls (Québec) J0A 1B0
Tél.: (819) 363-2528

Le festival vous propose des ateliers conseils, conférences sur le site et visites guidées de toute sorte, concours d'habileté ainsi que plusieurs nouveaux produits.

Fleurifête

Le Jardin Daniel A. Séguin de Saint-Hyacinthe, vous invite, au cours de la fin de semaine de la Fête du travail, les 4,5 et 6 septembre 1999, à la 3e édition de son festival horticole, **'La Fleurifête'**. Au programme, des conférences et des ateliers, des exposants du milieu horticole et de l'animation. Un décor enchanteur et une atmosphère de fête pour toute la famille.

Pour informations: (450) 778-6504 poste 215.

FÉDÉRATIONS ET ORGANISMES

Association Québécoise des Producteurs en Pépinière (A.Q.P.P.)

Envirotron Cité Universitaire, Ste-Foy (Québec) G1K 7P4
Tél.: (418) 659-3561, Nathalie Gaudet #227

Fédération Interdisciplinaire de L'horticulture Ornementale du Québec (F.I.O.H.Q.)

Envirotron Cité Universitaire, Ste-Foy (Québec) G1K 7P4
Tél.: (418) 659-3561

Créée en 1977, la Fédération a pour principal mandat de dynamiser et de promouvoir l'industrie horticole québécoise. Elle regroupe treize associations oeuvrant dans les secteurs de la production, de la commercialisation et des services.

Institut québécois du développement de l'horticulture ornementale (I.Q.D.H.O.)

3230, rue Sicotte, bur. B-219, Saint-Hyacinthe (Québec) J2S 2M2
Tél.: (450) 778-6514 / Fax: (450) 778-6537

Les interventions de l'IQDHO sont faites dans le but d'accroître le degré d'autonomie au quotidien des entreprises sur le plan technique. L'IQDHO contribue et promouvoit directement le développement du secteur de l'horticulture ornementale.

Le Conseil des productions Végétales du Québec Inc. (C.P.V.Q.)

Tél.: (418) 523-5411 ou 1-888-535-2537

Organisme à but non lucratif. Nos principales activités sont à la production de publications, la coordination de réseaux d'essais de cultivars, ainsi que l'organisation de colloques.

La Fédération des Sociétés d'Horticulture et d'Écologie du Québec (F.S.H.E.O.)

4545, av. Pierre-De Coubertin, C.P. 1000, Montréal (Québec) H1V 3R2
Tél.: (514) 252-3010

Association Novi Plants

C.P. 91, Succ. St-Martin, Laval (Québec) H7V 3P3
Tél.: (450) 663-5637

Buts: promouvoir la création, production, vulgarisation et l'utilisation de nouvelles espèces et variétés de plantes. Informer et établir des liens entre chercheurs, producteurs, hybrideurs, pépiniéristes, spécialiste en aménagement paysagé, détaillants, collectionneurs et membres. Promouvoir la protection.

Terre en Ville

1715, rue Fayolle, Verdun (Québec) H4H 2S7
Tél.: (514) 766-2064
Objectifs: promouvoir, sensibiliser, éduquer et responsabiliser les gens au jardinage et à l'aménagement écologiques urbains, protéger les espaces verts en milieu urbain. Entretient des échanges internationaux sur des sujets reliés au jardinage et à l'aménagement écologiques urbains.

PLANTES BREVETÉES vs PLANTES 'C.O.P.F.'

Jusqu'à, il y a quelques années, il n'y avait aucune loi au Canada permettant de protéger les droits des obtenteurs de nouvelles plantes par des brevets. C'est pourquoi une organisation à but non lucratif: la Fondation Canadienne des Plantes Ornementales (mieux connue sous son abréviation anglophone de 'C.O.P.F.') a été mise sur pied en 1964. Misant sur la bonne volonté et l'honnêteté des pépiniéristes, puisque ses membres agissent sur une base volontaire, elle permet depuis ses débuts aux horticulteurs d'enregistrer leurs nouveautés avec un minimum de formalités, et perçoit des redevances sur la multiplication et la vente de ces variétés par ses membres.

Les montants perçus sont redistribués aux horticulteurs concernés (sauf 10% que le 'C.O.P.F' utilise pour régler ses frais d'administration). La recherche et le développement de nouveaux cultivars s'en trouvent donc encouragés puisque l'argent est réinvesti directement à la source.

Le 'C.O.P.F.' compte des membres dans le monde entier et en théorie, seul ses membres ont accès aux nouveautés qui y sont enregistrées. La Maison des Fleurs Vivaces est fière d'être un membre en règle et de pouvoir ainsi vous offrir un plus large éventail de plantes.

Par ailleurs, depuis 1990, le Canada a adopté une loi officielle qui protège les droits obtenteurs de nouveautés végétales. Cette loi permet maintenant des recours légaux contre ceux qui multiplient des plantes brevetées selon cette loi sans payer les redevances qui s'y rattachent.

La liste des espèces pouvant être brevetée s'est allongée au cours des années et depuis le 23 décembre 1998, toutes les plantes sont admissibles, en autant qu'elles remplissent les conditions inhérentes à la loi.

L'accès aux nouveaux cultivars sera dorénavant de plus en plus limité pour les producteurs qui ne se conforment pas à ces nouvelles règles, les privant ainsi malheureusement d'une source essentielle à leur essor, la nouveauté!

LE DÉVELOPPEMENT DE NOUVELLES VARIÉTÉS CHEZ NORSECO

Encore aujourd'hui, Norseco poursuit des activités de développement de nouvelles variétés, mais s'applique avant tout à mettre en marché et à faire connaître le produit de toutes ces années de passion et de patience de la part de ses horticulteurs, dont monsieur Tony Hubert, monsieur Guy Viandier et madame Monique Dumas Quesnel.

REVUES ET LIVRES SUGGÉRÉS

Les Amis du Jardin botanique de Montréal c'est:

- La revue Quatre-Temps
- La gratuité d'accès au Jardin et à l'insectarium en tout temps
- Une foule d'activités
- Une carte privilège d'emprunt à la bibliothèque du Jardin

Tél.: (514) 872-1493

Revues Côté Jardin

3 parutions par année, printemps, été, automne ainsi qu'un guide annuel à l'hiver. Indispensable à toute bibliothèque.

Publicor
7,chemin Bates, Outremont (Québec) H2V 1A6
Tél.: (514) 333-9145

Fleurs Plantes et Jardins

La revue québécoise du jardinage. Huit numéros par an. Une revue fait pour notre climat, abondamment illustrée. Des conseils pratiques, des trucs inédits: un must pour tout jardinier amateur, qu'il soit débutant ou avancé.

Les Editions Versicolores Inc.
1320, boul. St-Joseph, Québec (Québec) G2K 1G2
Tél.: 1 (800) 667-4444

Livres

Guide des plantes vivaces
de J-P Cardier par Horticolor; 250 pages abondamment illustré.

Livre sur les plantes grimpantes par Horticolor.

Disponible à L'Enseigne du livre inc.
240, boul. Pierre Bertrand, Vanier (Québec) G1M 2C6
Tél.: (418) 688-9125 Fax: (418) 688-1394

La collection

Plantes vivaces pour le Québec, Éditions du Trécarré, auteur Daniel Fortin.

Les livres essentiels pour les amateurs et les professionnels. Le Tome I est consacré à la création de plates-bandes de vivaces, aux plantes vedettes et aux plantes d'entretien facile, le Tome II présente un grand nombre de plantes vivaces ainsi que les plantes bulbeuses rustiques, le Tome III aborde le sujet des pivoines, iris, lis, hémérocalles et graminées ornementales et enfin le Tome IV, les plantes d'ombre.

COMMERCIALISATION

La Maison des Fleurs Vivaces et Fleurs Rustiques inc. sont fières d'être membre de l'A.Q.P.P. qui vise à une mise en marché plus professionnelle et une standardisation des produits, répondant ainsi à des normes de qualités supérieures.

Le tout bien identifié par des étiquettes couleurs très détaillées ainsi que des pots de formats et de couleurs variés.

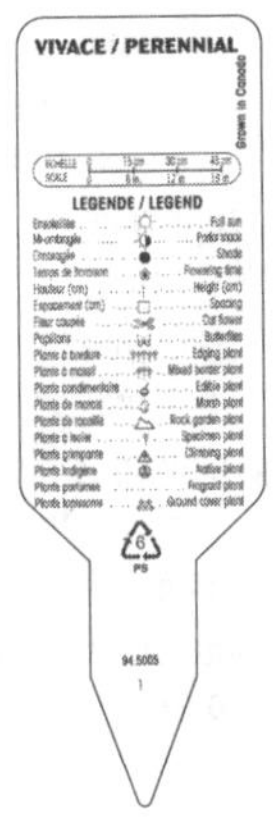

Vivaces populaire

Pot bleu
9cm, 11cm et 15 cm

Vivaces de sélection

Pot jaune
9cm, 11cm et 15 cm

Vivaces de collection

Pot bourgogne
9cm, 11cm et 15 cm

Fines herbes

Pot lilas
9cm et 15 cm

GLOSSAIRE

Acaule:	Sans tige, entre-nœuds très rapprochés créant souvent une rosette de feuilles.
Aciculaire:	Qui a la forme étroite et longue d'une aiguille.
Acuminé, ée:	Terminé en pointe allongée et effilée (acumen).
Adventif:	Se dit des bourgeons ou des racines naissant sur la plante, en des points anormaux.
Aisselle:	Angle formé par la feuille et le rameau qui la porte.
Alterne:	Se dit d'un mode de groupement des feuilles où celles-ci sont insérées une à une à des niveaux différents autour de la tige.
Anthère:	Partie terminale de l'étamine, plus ou moins renflée, contenant les grains de pollen.
Apétale:	Se dit d'une fleur dépourvue de pétales.
Aromatique:	Qui dégage une odeur agréable.
Asexué, ée:	Qui ne porte pas d'organes sexuels, c'est-à-dire d'organes mâles ou femelles. Ex.: la fronde d'une fougère.
Axillaire:	Placé à l'aisselle d'une feuille, d'un rameau.
Basal:	S'applique à des feuilles situées à la base d'une plante et formant souvent une rosette.
Bipenné, ée:	Deux fois penné.
Bisannuel, elle:	Se dit d'une plante qui accomplit son cycle vital complet en deux années. Un cycle = de la graine à la graine.
Bourgeon:	Méristème, au sommet des tiges et à l'aisselle des feuilles, où naissent nœuds et entre-nœuds sous les écailles de la pérule.
Bouture:	Partie détachée d'une plante et qui, dans des conditions convenables, peut prendre racine.
Bractée:	Petite feuille qui accompagne les fleurs et qui en diffère par sa forme et sa couleur.
Bulbe:	Tige souterraine, ou partiellement souterraine, portant des feuilles charnues à entre-nœuds très courts servant à emmagasiner des réserves nutritives.
Bulbille:	Petite bulbe apparaissant à l'aisselle d'une feuille ou dans une inflorescence.
Caduc:	S'applique à un organe qui tombe après avoir rempli sa fonction.
Calice:	Groupe de sépales généralement verts qui retiennent et protègent les pétales. L'enveloppe extérieure de la fleur libre ou soudée.
Campanulé:	Type de fleur en forme de cloche.
Capitule:	Type d'inflorescence portant des petites fleurs sessiles, tubulées ou ligulées, réunies sur un réceptacle aplati. Ex.: Marguerite.
Capsule:	Fruit sec contenant plusieurs graines s'ouvrant ou non par plusieurs valves à la maturité.
Charnu:	Feuille, tige ou fruit gonflé ou chargé de réserves nutritives. (Syn.: succulente).
Chaume:	Tige creuse des graminées munie de nœuds apparents d'où partent des feuilles linéaires et engainantes.
Cilié,ée:	Bordé de cils.

Clône: Groupe de plante développées par multiplication végétative à partir d'une plante à caractéristiques remarquables.

Collet: Limite entre la tige et les racines.

Composé: Feuille dont le limbe est découpé en plusieurs folioles jusqu'à la nervure médiane à un pétiole commun.

Cordé: En forme de cœur.

Corolle: Enveloppe intérieure de la fleur située entre les étamines et le calice et dont les divisions (pétales) peuvent être libres ou soudées.

Corymbe: Inflorescence dans laquelle les axes secondaires partent de points différents sur l'axe et arrivent à peu près à la même hauteur. Ex.: Achillea millefolium.

Crénelé, ée: Bordé de dents obtuses ou arrondies.

Cyme: Inflorescence ramifiée portant une fleur à l'extrémité de chaque axe.

Décidu, ue: Qui se détache et tombe de bonne heure; se dit des feuilles, des stipules, etc. Par extension, se dit aussi des arbres qui perdent leurs feuilles à l'automne et de la forêt composée de ces arbres.

Denticulé, ée: Bordé de dents fines (denticules).

Dioïque: Plante portant des fleurs unisexuées mâles ou femelles sur deux pieds différents.

Diploïde: Génétiquement la plante porte un nombre déterminé de chromosomes Ex.: Hemerocallis, 11 paires de chromosomes

Drageon: Jeune tige se développant à la base d'une plante ou à l'aisselle d'une feuille.

Embrassant: Se dit des feuilles, des stipules, etc. qui entourent plus ou moins la tige.

Engainant, ante: Formant une gaine, c'est-à-dire un étui autour d'un autre organe.

Ensiforme: En forme de lame d'épée. Ex.: les feuilles du Butomus umbellatus.

Entier, ère: Se dit d'un limbe foliaire nullement divisé (ni denté). Ex.: la feuille du Pontederia cordata.

Entre-nœud: Intervalle compris entre deux nœuds consécutifs sur une tige.

Épi: Inflorescence où les fleurs sont sessiles ou subsessiles sur un axe simple.

Éperon: Sorte d'appendice creux, en cornet, dont sont munis parfois les pétales, etc. Ex.: Violette et Ancolie.

Étamine: Partie mâle de la plante composée de l'anthère et du filet, de forme et de longueur différente selon l'espèce.

Famille: Regroupement de plantes ayant des caractères communs comme les fleurs et les fruits.

Fasciculé: Réuni en faisceau, ex: les fleurs du Solidago. Racines des graminées qui sont toutes de la même grosseur.

Fibreux: Composé de fibres ou ayant l'apparence de fibres. La souche de Trollius a des racines fibreuses.

Filiforme: Mince et allongé comme un fil.

Fleur: Ensemble des organes reproducteurs et des parties qui les protègent chez les plantes complètes.

Foliole: Division d'une feuille composée. Ex.: les trois folioles de la feuille composée du Trifolium.

Fronde: C'est le terme correct pour désigner la feuille d'une fougère. La fronde se distingue d'une feuille normale par le fait qu'elle porte les fructifications.

Gaine:	Base de la feuille quand elle se prolonge sur la tige et l'entoure plus ou moins complètement. Ex.: la feuille des graminées.
Genre:	Ensemble des espèces dont certains caractères sont communs. Le genre Centaurea comporte environ 500 espèces réparties en Europe, au Moyen-Orient et en Amérique. Seules quelques-unes sont cultivées dans nos-jardins.
Glabre:	Dépourvu de poils.
Glauque:	Recouvert de cutine (cire) blanchâtre ou bleutée à la surface des tiges ou des feuilles.
Gousse:	Fruit sec à une seule loge s'ouvrant en deux valves dont chacune porte une rangée de graines.
Grappe:	Inflorescence composée d'un axe, ramifié ou non, et de fleurs munies d'un pédicelle. (Syn. racème).
Hampe:	Pédoncule nu, partant de la base de la plante, et portant une ou plusieurs fleurs.
Herbacé, ée:	Vert et ayant la consistance molle de l'herbe.
Hermaphrodite:	Se dit des fleurs qui portent les deux sexes, c'est-à-dire desétamines et un pistil. Ex.: Lilium philadelphicum.
Hirsute:	Garni de poils droits et un peu raides. On dit aussi hérissé.
Hybride:	Plante provenant du croisement de deux races, espèces ou genres différents.
Indigène:	Se dit d'une plante qui croît spontanément dans un pays, c'est-à-dire sans culture et sans intervention de l'homme.
Inflorescence:	Mode de groupement des fleurs sur une même plante, ou ensemble des fleurs ainsi groupées.
Labelle:	Pétale généralement inférieur en forme de lèvre typique chez les lamnacées.
Lacinié, ée:	Découpé en lanières étroites et inégales.
Laineux:	Muni de poils rappelant une étoffe de laine.
Lancéolé, ée:	En forme de lance, atténué aux deux bouts.
Latex:	Suc laiteux blanc ou jaune renfermé dans les tissus de certaines plantes: Sanguinaria, Euphorbia, Asclepias, etc.
Ligneux:	Qui a la consistance du bois.
Ligule:	Languette blanche ou colorée dont sont munies les fleurs du pourtour d'un capitule. Lorsque le poète effeuille la marguerite, il ne fait rien d'autre que de lui arracher les ligules une à une, un peu, beaucoup, passionnément.
Limbe:	Partie principale, élargie et étalée d'une feuille, d'un sépale ou d'un pétale généralement coloré.
Linéaire:	Allongé et uniformément étroit sur toute sa longueur.
Lobe:	Chacune des divisions d'un organe. En parlant des feuilles: divisions larges, séparées par des échancrures et n'allant pas jusqu'à la nervure médiane. Ex.: la feuille de l'Humulus lupulus.
Monoïque:	Plante portant à la fois des fleurs uniquement mâles et d'autres fleurs uniquement femelles.
Nervure:	Veine longitudinale contenant les vaisseaux transportant la sève et donnant de larigidité (charpente) au limbe de la feuille.
Nœud:	Point d'insertion d'une feuille ou d'un bourgeon sur la tige.

Obové, ée: En forme d'ove, mais avec la partie élargie en haut.

Ombelle: Type d'inflorescence dont les rameaux partent du même point et s'élèvent à la même hauteur, en divergeant comme les rayons d'un sphère. Ex.: Heracleum.

Opposé, ée: Se dit d'un mode de groupement de feuilles où celles-ci sont disposées par paires et se font faces. Presque toujours les paires successives se croisent à angle droit.

Ové, ée: En forme d'oeuf, mais avec la partie élargie à la base. Se dit des organes foliacés dont l'épaisseur n'est pas appréciable.

Palmé, ée: Se dit d'une feuille à lobes divergents, rappelant une main ouverte.

Panaché: Feuille, tige ou fruit marqué de couleurs différentes (blanc, crème, pourpre, doré).

Panicule: Inflorescence complexe fortement ramifiée. Grappe composée dont les pédicelles inférieurs sont plus longs que les supérieurs et donnent à l'inflorescence une forme pyramidale.

Pédoncule: Portion de la tige portant une fleur ou un fruit solitaire.

Penné, ée: Se dit d'une feuille composée dont les folioles sont disposées de chaque côté du pétiole commun comme les barbes d'une plume. Ex.: la fronde du Dryoptéris.

Persistant: Se dit des organes dont la durée sur la plante se prolonge au-delà de l'époque ordinaire. Ex.: les feuilles des conifères.

Pétale: Chacun des éléments de la corolle. Les pétales peuvent être soudés en tube ou en cornet.

Pétiole: Support d'une feuille généralement mince et allongé qui la relie à la tige.

Pistil: Appareil femelle de la fleur comprenant un ou plusieurs carpelles libres ou soudés. Le pistil comprend l'ovaire, le style et le stigmate. Ex.: Butomus umbellatus.

Pivotant, ante: Se dit d'une racine principale bien plus développée que les radicelles et s'enfonçant verticalement dans le sol.

Pruine: Enduit blanchâtre ou bleuté que revêtent certains feuillages ou fruits.

Pubescent: Tige, feuille ou fleur garnie de poils fins, soyeux et courts.

Pulmarius: Découpé comme une broderie.

Racème: Synonyme: grappe.

Rachis: Nom de la nervure principale d'une fronde de fougère.

Ramifié, ée: Qui comporte plusieurs rameaux, divisions.

Réceptacle: Sommet élargi du pédoncule qui porte les parties d'une fleur ou toute une inflorescence.

Remontant: Qui produit une deuxième floraison.

Réniforme: En forme de rein ou d'haricot.

Rhizome: Tige ressemblant à une racine qui s'étend horizontalement à la surface du sol ou même en dessous. Ex.: Iris, Nymphea.

Rosette: Feuilles étalées en cercle autour de la tige ou des collets.

Sagitté, ée: En forme de fer de flèche. Ex.: la feuille du Sagittaria latifolia.

Sépale: Chacun des éléments formant le calice. Les sépales sont parfois colorés comme des pétales; on dit alors qu'ils sont pétaloïdes.

Sessile: Se dit d'une feuille sans pétiole, directement attachée sur la tige.

Simple: Pour les feuilles non composées, c'est-à-dire que les incisions, s'il y en a, n'atteignent pas la nervure médiane.

Solitaire: Isolé sur une hampe. Les fleurs sont groupées chez certaines plantes, solitaires chez d'autres.

Sore: Groupe de sporanges qui constituent la "fructification" des fougères. Ex.: le segment du Dryopteris marginalis porte neuf sores.

Spathe: Grande bractée membraneuse ou foliacée enveloppant certaines inflorescences (spadices, etc.). Ex.: Arisaema atrorubens.

Spatulé, ée: En forme de spatule.

Sporange: Petit sac renfermant des spores chez les fougères.

Ssp: Abréviation de sous-espèce; c'est un terme de botanique qui correspond à un rang précis.

Stérile: Se dit des parties purement végétatives (tiges, frondes, etc.) de certaines Ptéridophytes. Ex.: tige stérile de l'Equisetum arvense; fronde stérile de l'Onoclea sensibilis.

Stipule: Chacun des appendices géminés, foliacés, qui se trouvent à la base d'un grand nombre de feuilles.

Stolon: Organe mince muni à son extrémité d'une rosette de feuilles qui s'enracine sur le sol. Ex.: Ajuga.

Tétraploïde: Par hybridation, on obtient le double des chromosomes initiaux Ex.: Hemerocallis de 11 à 22 paires de chromosomes.

Tige: Partie du végétal qui porte les feuilles et les rameaux.

Tracant, ante: Longuement rampant. Se dit d'une racine ou d'un rhizome.

Trifolié: Feuille à trois folioles.

Trilobé: Divisé en trois lobes.

Unisexué, ée: Qui ne porte qu'un seul sexe.

Variété: Plante légèrement différente de l'espèce type par la grosseur, la coloration, etc. (Syn. cultivar).

Veines: Nom que l'on donne parfois aux nervures.

Verticillé: Disposition de feuilles ou de fleurs insérées en cercle au même niveau sur la tige.

RACINES LATINES DES ESPÈCES

Acaulis: acaule, sans tige.
Acris: âcre, acide, aigre , aigu, piquant.
Alb, Alba, Albus: blanc, pâle.
Alpinus: alpin ou de l'étage alpin des montagnes.
Amoenus: agréable, charmant.
Arenarius: des endroits sablonneux..
Aster, Astero, Asterus: étoile.
Barbatus: barbu.
Biennis: bisannuel.
Borealis: des régions boréales.
Canadensis: du Canada.
Coccineus: écarlate, rouge cochenille.
Dioicus: dioïque, à sexes séparés.
Divaricatus: dirigé vers divers cotés.
Dumosus: buissonnant.
Filiformis: mince comme un fil.
Flos-jovis: fleur de Jupiter.
Fragrans: à odeur suave, agréable.
Fulgens, Fulgidus: lumineux, étincelant, éclatant, brillant.
Graveolens: à odeur forte et désagréable.
Heli, Helo: soleil.
Humilis: humble, bas, peu élevé.
Lact, Lacti, Lactus: lait, laiteux.
Laevis: lisse.
Lanatus: cotonneux, lanugineux (couvert de laine).
Lanuginosus: laineux, duveteux.
Perennis: vivace.
Pinnatus: penné, comme une plume.
Plumarius: découpé comme une broderie.
Praecox: précoce.
Pratensis: des prés et prairies.
Purpureus: pourpre.
Spinosus: épineux.
Stachys: épi.
Umbellatus: en ombelle.
Vernalis: printanier.

REMERCIEMENTS

Réalisation & Conception

Michel Corbeil de La Maison des Fleurs Vivaces

Rédaction

Louisette Laramée

Correction

Catherine Dufour

Illustrations

Luc Fortin, page couverture et port des plantes.
Karine Connolly, tous les autres dessins de plantes.

Pour leur soutien et encouragement à la rédaction ou à la révision des différents dossiers, ainsi que pour le matériel et/ou les conseils fournis, nous tenons à remercier, de façon particulière, ces professionnels de l'horticulture. En ordre alphabétique.

Manon Beauregard et Bruno Cordeau, Printemps Vivaces
Claire Bélisle et Louise Lavallée
Marie-France Bernard, Coopérative forestière des Hautes-Laurentides
Réjean Biron
Lucie Blanchette, Fleurs Rustiques Inc.
Manon Blanchette et Sophie Blanchette
Pierrette Bouchard
Guy Boulet
Patrick Cordeau
France Crochetière, C.P.V.Q.
Jacques Doré
François Ducasse
Monique Beauregard Dumas-Quesnel
Institut de technologie agroalimentaire de St-Hyacinthe
Carole Lamothe
La revue Quatre-Temps
L'équipe de l' I.Q.D.H.O.
Les Amis du Jardin Botanique
Les Jardins à Fleur d'eau
Marc Meloche, Flore Sauvage
Mario Morin
Michel-André Otis
Pépinière Oka Fleurs
Sylvie Perron
Martine Tousignant
Stéphane Tremblay
Pépinière Villeneuve
notre personnel administratif

Merci aux maisons d'enseignements d'utiliser notre guide dans leur matériel pédagogique.

Remerciement spécial pour l'aide précieuse sur différents dossiers, de même que pour leur participation à la rédaction et à la révision: **Daniel Fortin, Luc Fortin**.

Et tout spécialement **Le Ministère de l'Agriculture du Québec** pour leur confiance en notre projet et le support apporté.

NOTES